9
Commerce mondial et choc des cultures
1500-1750
10
D'une révolution à l'autre
1750-1815
11
La puissance de l'Europe
1815-1870
12
L'Occident conquiert le monde
1870-1914
13
1914-1945
14
Trois mondes en guerre froide
1945-1965
15
Vers un avenir meilleur ?
1965-1985
16
Une planète bouleversée
1985-1993
D1370901

MEMOIRES DU MONDE

Volume 8
La nouvelle Europe
1500-1750

par Kurt Ågren

Sous la direction de
Knut Helle, Jarle Simensen,
Sven Tägil, Kåre Tønnesson

Traduction du suédois :
Marianne et Jean-François Battail

Rédaction :
Øivind Blom
Bjarte Kaldhold
Aud Røssum

Légendes :
Gil Dahlström

Conception graphique :
Finn Nyebølle
Kinta Nyebølle

Mémoires du Monde

Published in agreement with C.H. Aschehough & Co. (W. Nygaard), Oslo, Norway,
Bra Böcker, Höganäs, Sweden and Norden Publishing
House Ltd., St. Gallen, Switzerland.
Photocomposition : SCCM, France 1994
Impression et reliure : Brepols, Belgique 1994
ISBN 2-910648-00-1

Le professeur Emmanuel Leroy Ladurie, membre de l'Institut, professeur au Collège de France,
a accepté de présenter aux lecteurs de Point de Vue ce volume
qui est le premier à paraître de la collection « Mémoires du monde ».
Afin de ne pas couper dans son texte, nous avons reporté cette importante introduction
en postface de cet ouvrage page 265.

Introduction

Entre 1500 et 1750, le Monde subit une formidable mutation. L'auteur de ce beau livre nous conte avec minutie cette épopée. Comment, en effet, ne pas s'interroger sur ce continent encore en gestation convulsive, l'Europe, tandis que les autres parties du globe atteignent un apogée ? L'empire Ming domine l'Asie, les Aztèques et les Mayas étendent leur pouvoir aux Amériques et les Ottomans campent de Tanger à l'Indus. L'Islam triomphant est en 1500 la religion la plus puissante car elle réunit le plus grand nombre de fidèles de part et d'autre des mers.

Puis tout bascule à compter de 1500. Les grandes civilisations que nous venons de citer s'éteignent petit à petit. En plus de deux siècles et demi, l'Europe, non seulement forge son identité, mais va assumer la conduite et le gouvernement du Monde !

Le traité de Tordesillas, en 1494, sera le point de départ de cette renaissance : l'Espagne et le Portugal, avec la bénédiction du Saint-Siège, allaient-ils se partager l'univers connu ?... L'Angleterre, la France et la Hollande ne l'entendent pas ainsi. La Russie et les pays de la Baltique, obnubilés par leurs propres rivalités ont, pour le moment, d'autres sujets de préoccupations.

Ainsi débute une course poursuite entre les puissances maritimes du continent européen pour se tailler, respectivement, un empire colonial sur notre globe. Les grandes routes maritimes transocéaniques sont ouvertes et, en 1750, notre Terre sera découverte, « finie », mesurable et un nouvel équilibre établi.

Nous assistons aussi à la naissance de la bourgeoisie moderne, à son accession au pouvoir, ou, à tout le moins, aux marches du pouvoir. La mécanisation et la découverte de nouvelles plantes vivrières, pommes de terre et maïs... vont être à l'origine d'une véritable « révolution verte » et donner le jour aux grandes exploitations de cultures intensives. La mise au point de techniques novatrices permettra à l'industrie d'abandonner l'étape artisanale pour atteindre celle de la manufacture, ancêtre des futures concentrations industrielles. Le développement du commerce intercontinental, des moyens financiers et bancaires mis en œuvre, va bouleverser les hiérarchies sociales et susciter un nouvel ordre de valeurs.

Les esprits, confrontés à ces données inconnues jusque-là, ne sont pas en reste pour explorer, inventer. Copernic puis Galilée remettent en question l'ordre ancien, la Terre n'est plus le centre de l'univers, mais une planète tournant autour du soleil... L'Église de Rome tremble sur ses bases, d'autant que Luther puis Calvin s'y emploient, chacun de son côté.

La conception même du pouvoir se modifie, par effet de ricochet. Son essence sacrée tend à être gommée et son étendue est contestée. Deux grandes tendances apparaissent : le libre-échange anglais sera dominé par un pouvoir partagé entre Parlement et Royauté et le protectionnisme exercé par la France sera assorti de tendances interventionnistes au plan économique, et de centralisme en politique.

Par-delà les modifications de frontières, les découvertes, l'évolution des structures sociales ou politiques, il est à noter que les mentalités ont subi de leur côté une mutation radicale. Nous entrons dans le règne de l'anthropocentrisme et celui de la Raison. Le pouvoir et l'argent qui n'étaient, jusqu'en 1500, que des outils nécessaires à l'organisation de la société, deviennent le but essentiel de l'Homme. Celui-ci perd peu à peu de vue la réalité spirituelle de ses racines. Il se retrouve face à lui-même, véritable Prométhée.

Henri
Prince de France
Comte de Clermont

Table des matières

La Réforme et la Contre-Réforme

Savoir, c'est pouvoir

L'Etat et la société

L'Espagne — colosse aux pieds d'argile

L'âge d'or de la Hollande

L'Angleterre révolutionnaire

La France — l'Ancien Régime

La Pologne — « paradis de la noblesse »

La Prusse des Junkers

L'empire des Habsbourg

La sainte Russie

La nouvelle Europe

Aux yeux de nos contemporains, accoutumés à ce que les nouveautés se périment très vite, l'évolution qui caractérise la période 1500-1750 peut paraître trop lente pour justifier qu'on parle de « nouvelle Europe ».

Cependant, même si le rythme était tout autre que celui d'aujourd'hui, il se produisit une série de transformations si essentielles qu'elles méritent d'être qualifiées de révolutionnaires. Ceci vaut par exemple des découvertes scientifiques. Une nouvelle conception du monde apparut. La terre cessa d'être le centre du monde, et les mouvements des corps célestes s'expliquèrent non plus par une attirance vers Dieu mais par des lois mécaniques exprimables en langage mathématique.

La Réforme lança un défi à l'autorité que l'Eglise catholique avait possédée pendant des siècles. Certes, les doctrines protestantes se durcirent en un dogmatisme tout aussi autoritaire, mais l'unité catholique était rompue et son autorité contestée.

Dans le domaine politique en revanche, l'autorité se renforça. L'appareil d'Etat s'efforça de contrôler la société tout entière, mais son but principal était d'assurer le succès en cas de guerre. Il fallait pour cela beaucoup d'argent, et l'absolutisme, qui donnait formellement tout pouvoir au roi, fut adopté.

Au cours de cette période eurent également lieu deux révolutions réussies, l'une en Hollande, l'autre en Angleterre, toutes deux préfigurant les révolutions « bourgeoises » ultérieures. Il s'ensuivit que ces deux pays devinrent à tour de rôle les puissances économiques dominantes en Europe et dans le monde.

En 1750, l'Europe arrive au seuil de l'industrialisme et du capitalisme. De ce fait, le présent volume décrit une période de transition. Le style de vie opulent du seigneur qui vit au-dessus de ses moyens demeure plus attrayant que celui du simple commerçant hollandais, pieux et économe, qui réinvestit sagement ses profits. Mais ce sont les idéaux de ce dernier qui annoncent le « self-made-man » du capitalisme.

Et ce qui ouvre la voie au capitalisme au cours de notre période, ce sont avant tout les transformations de la vie économique qui impliquent une libération à l'égard des formes anciennes. Cette conjonction entre forces matérielles et idéologiques va constamment se retrouver dans les pages qui suivent.

SUÈDE
ÉCOSSE
DANEMARK-NORVÈGE
IRLANDE
ORDRE
TEUTONIQUE
ANGLETERRE
BRANDEBOURG
PAYS-BAS
SAXE
POLOGNE
BOHÊME
BAVIÈRE
AUTRICHE
FRANCE
SUISSE
HONGRIE
VENISE
ÉTATS PONTIFICAUX
PORTUGAL
ESPAGNE
NAPLES

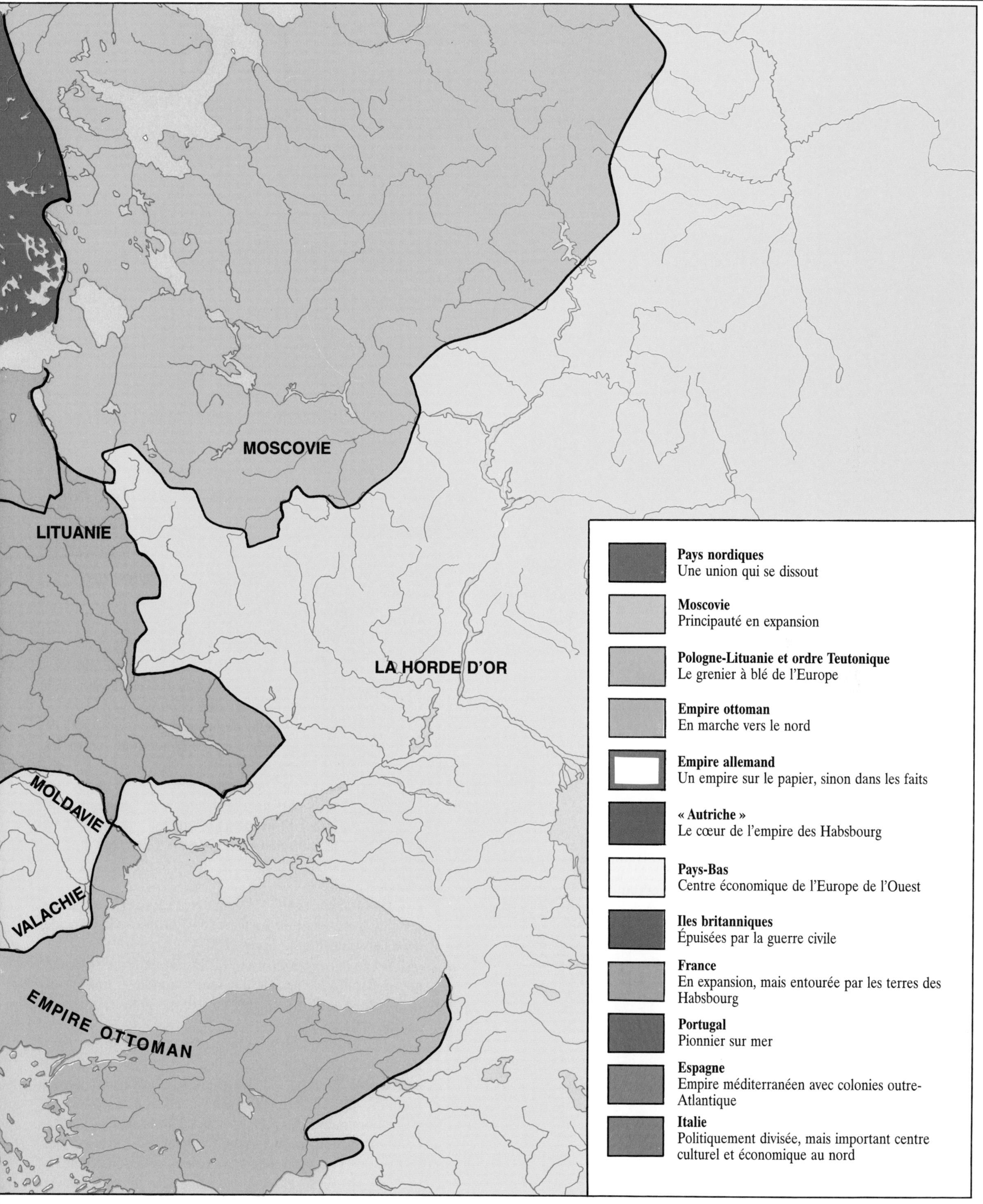
MOSCOVIE
LITUANIE
LA HORDE D'OR
MOLDAVIE
VALACHIE
EMPIRE OTTOMAN
Pays nordiques
Une union qui se dissout
Moscovie
Principauté en expansion
Pologne-Lituanie et ordre Teutonique
Le grenier à blé de l'Europe
Empire ottoman
En marche vers le nord
Empire allemand
Un empire sur le papier, sinon dans les faits
« Autriche »
Le cœur de l'empire des Habsbourg
Pays-Bas
Centre économique de l'Europe de l'Ouest
Iles britanniques
Épuisées par la guerre civile
France
En expansion, mais entourée par les terres des Habsbourg
Portugal
Pionnier sur mer
Espagne
Empire méditerranéen avec colonies outre-Atlantique
Italie
Politiquement divisée, mais important centre culturel et économique au nord

Guerres et rois

Les poètes ont volontiers déclaré que tout ce qui est instauré par la violence est fragile et éphémère. Pourtant, entre 1500 et 1750, la guerre telle qu'elle est conçue témoigne d'une autre réalité. De mieux en mieux organisée, elle est un moyen de dominer d'autres pays, et elle promet aux souverains une gloire durable, même quand leurs exploits guerriers demeurent modestes.

Les guerres pouvaient entraîner des bouleversements d'une telle ampleur, non seulement pour les royaumes mais aussi pour les individus et les groupes sociaux, qu'elles marquent souvent un tournant entre deux époques.

Pillage de Budapest en 1686. Les guerriers en tirèrent surtout de la gloire, mais les populations civiles le payèrent de leur vie et de leurs biens. Peinture de Charles Herbel.

Si l'on se base sur les guerres et les relations internationales, l'histoire européenne du début du XVIe siècle au milieu du XVIIIe peut être divisée en cinq époques.

La *première*, qui s'étend de la fin du XVe siècle à 1519, est marquée par le début de l'affrontement entre les Habsbourg et les rois de France.

Au cours de la *deuxième* période, 1519-56, les Habsbourg, en la personne de l'empereur Charles Quint, tentent de courber l'Europe sous leur loi.

Au cours de la *troisième* (1556-1660), l'Espagne domine sous le règne de Philippe II, mais le déclin s'amorce ensuite.

La *quatrième* (1661-1715) peut être caractérisée comme celle de la domination française en Europe ; elle coïncide avec l'absolutisme de Louis XIV.

Lors de la *cinquième* enfin (1715-63), la Grande-Bretagne apparaît comme une puissance mondiale, tandis que la Russie et la Prusse émergent comme grandes puissances européennes.

Loin d'être exhaustif, un tel schéma ne vise qu'à donner une première structure à cette longue période en mettant en exergue les règnes et les conflits. Une raison supplémentaire justifie cette perspective. La guerre était à ce point dominante dans les sociétés d'alors qu'elle constituait en un sens la plus grande industrie d'Europe. Cela justifie que l'on traite des mécanismes et des instruments de la guerre, ne serait-ce que comme introduction à la vie sociale au cours des premiers siècles de la « nouvelle Europe ».

Les lys de Toscane

A l'automne 1494, la Toscane fut envahie de soldats français brandissant le drapeau à fleur de lys. Le roi de France, Charles VIII, faisait valoir son droit héréditaire au trône de Naples et annonçait son intention d'entreprendre une croisade contre les Turcs avec l'Italie du Sud comme base. Mais l'Italie était elle-même une proie tentante. La région nord, économiquement une des plus développées d'Europe, offrait de nombreuses richesses.

Politiquement, l'Italie était morcelée en une pluralité de petits Etats urbains, liés entre eux par une trame raffinée mais fragile de traités et de relations diplomatiques. Le moindre accroc dans cette trame ouvrait des possibilités de conquêtes aux grandes puissances voisines. Ainsi, lorsqu'un conflit opposa Milan à Naples, l'armée française surgit aussitôt.

La fin heureuse de la guerre de Cent Ans et la dissolution du duché de Bourgogne en 1477 avaient levé deux obstacles à l'avènement de la France comme grande puissance européenne. Plutôt que contre l'Italie, elle aurait eu des raisons plus immédiates de se tourner contre l'Angleterre qui détenait toujours Calais, ou contre les Habsbourg, qui s'étaient attribués la meilleure part de l'héritage bourguignon aux dépens de la France.

La conjoncture politique qui vient d'être évoquée explique cependant cette orientation. Au cours de trois règnes successifs, ceux de Charles VIII, Louis XII et François Ier eurent lieu une série de campagnes d'Italie. Des villes furent conquises puis abandonnées, des alliances mouvantes furent conclues et dissoutes. Les Habsbourg, l'Espagne, la Suisse et même l'Angleterre furent attirés par cette proie opulente et passablement sans défense.

Un des résultats durables de ces luttes à l'aube du XVIe siècle fut que Naples devint espagnole en 1503, et un autre que les États pontificaux agrandirent leur territoire en Italie centrale sous le pontificat de Jules II, pape et chef de guerre — un des souverains pontifes les plus pittoresques à une époque où la concurrence étrait grande dans ce domaine.

La France dut renoncer à toute prétention militaire sur Naples. A la place, elle chercha à s'implanter solidement en Italie du nord. Cette mission semblait accomplie lorsque le jeune roi de France, François Ier, remporta la bataille de Marignan en 1515. Mais c'est un souverain encore plus jeune qui allait récolter les fruits de la victoire : Charles Ier d'Espagne, duc de Bourgogne, héritier des Habsbourg et plus tard, sous le nom de Charles Quint, empereur du Saint Empire romain germanique.

Mariages et décès

Trois mariages et quelques décès opportuns furent nécessaires pour créer l'empire puissant qu'allait incarner le jeune Charles. Le premier de ces mariages, conclu en 1469 entre les héritiers de l'Aragon et de la Castille, Ferdinand et Isabelle, allait conduire à terme à l'unification de l'Espagne. En 1477, Maximilien, le futur chef de file des Habsbourg, épousa Marie, fille du défunt duc de Bourgogne. De cette union naquit un fils qui épousa en 1496 la fille de Ferdinand et d'Isabelle. Ce couple mit au monde en 1500 un fils, Charles, sous l'autorité duquel provinces et territoires allaient être successivement rattachés. A la mort de son père en 1506, il devint duc de Bourgogne, une région qui comprenait en gros la Hollande et la Belgique d'aujourd'hui. Dix ans plus tard mourut son oncle Ferdi-

La cathédrale de Milan (commencée en 1386, achevée seulement en 1813). A la fin du XVe siècle, les rois de France dirigèrent leurs armées contre cette riche partie de l'Italie.

François Ier (1515-47), vainqueur à Marignan (1515), vaincu à Pavie (1525), fut le premier roi de France qu'on appela Majesté. Portrait de 1525.

nand, ce qui lui valut d'hériter de l'Espagne avec ses possessions en Méditérannée et outre-mer. Enfin, lors du décès de son grand-père en 1519, il se trouva à la tête des possessions héréditaires des Habsbourg dont l'Autriche actuelle constituait le cœur.

Source de puissance et de gloire, un tel empire était aussi générateur de problèmes liés à ses différentes composantes. Pour Charles et ses conseillers, la France apparaissait comme l'ennemi numéro un. Les luttes en Italie n'avaient pas encore trouvé leur conclusion, et nul ne tenait pour définitif le partage de l'héritage du duc de Bourgogne. Ce n'est cependant pas sur le champ de bataille qu'allait avoir lieu la première confrontation. Lorsque le moment fut venu d'élire un nouvel empereur d'Allemagne, François Ier et l'héritier des Habsbourg se dressèrent l'un contre l'autre.

Cette élection tourna à la compétition entre les deux candidats pour rassembler le plus efficacement possible les fonds nécessaires. Car la décision fut acquise à l'aide de pots-de-vin versés au collège des électeurs. A ce jeu, Charles, qui avait des relations directes avec les puissantes institutions de crédit d'Anvers et d'Allemagne du Sud, ne pouvait que l'emporter, et effectivement il fut élu.

Jeanne la Folle (1479-1555) et Philippe Ier le Beau (1478-1506) furent les parents de Charles Quint et les beaux-parents de Christian II, roi de l'Union scandinave.

A présent qu'une bonne partie du continent était soumise à un même pouvoir, il était tentant de faire resurgir l'idée d'une Europe unie, comme du temps de Charlemagne. Le principal obstacle à sa réalisation était bien sûr la France. Faisant route vers l'Espagne, Charles et sa suite visitèrent l'Angleterre et obtinrent l'alliance du roi Henri VIII. La guerre de Cent Ans n'avait pas mis fin aux prétentions anglaises sur la France.

A la tête du Saint Empire romain germanique, Charles Quint devait imposer l'autorité de l'empereur sur cette pluralité d'unités politiques autonomes constituant l'empire allemand. Au moment de l'élection, ce vieux dessein, jusqu'alors resté plus ou moins lettre morte, était en passe de recevoir une nouvelle coloration idéologique, liée au combat religieux. En 1517, Martin Luther avait publié ses 95 thèses à Wittenberg, et la rupture définitive avec l'Eglise catholique intervint en 1520 lorsque Luther reçut la bulle papale d'excommunication et la brûla.

A l'est, l'Empire ottoman, après une période de faiblesse, entrait à nouveau dans une phase d'expansion. Les Turcs constituaient une menace même en Méditerranée. Rhodes tomba en 1522, et, par l'intermédiaire de ses chefs pirates, le sultan étendit son influence le long des côtes d'Afrique du Nord jusqu'au Maroc.

Une Europe unie ?

La France de François Ier relanca les hostilités entre les deux principaux antagonistes en Europe. Ce furent cependant les troupes impériales qui eurent le plus souvent l'initiative, et lorsque l'armée française commandée par le roi semblait devoir renverser cette tendance en Italie du Nord, elle subit le désastre de Pavie en 1525, le jour de l'anniversaire de Charles Quint.

Fait prisonnier, François Ier fut conduit à Madrid où on l'obligea à accepter un traité de paix qui aurait été catastrophique pour la France si le roi avait eu l'intention de tenir ses promesses. Mais sitôt libéré, il conclut un traité contre l'Espagne avec entre autres Florence, Venise et le pape. Même comme allié, le roi de France n'était pas des plus fiables. Ce furent les autres qui, tout au moins au début, durent porter le fardeau de la guerre. La ville de Rome paya le tribut le plus lourd.

Une armée impériale, recrutée pour l'essentiel en Allemagne, marcha sur Rome, alléchée par un riche butin qui compenserait les soldes non payées. La ville, prise en mai 1527, fut soumise à un pillage implacable qui est passé à l'histoire sous le nom de « sac de Rome ». A vrai dire, de telles exactions étaient d'usage en pareil cas, mais le sac de Rome mit particulièrement en évidence la brutalité de la guerre du fait que la ville touchée était aussi bien le haut lieu de la chrétienté que la dépositrice de l'héritage culturel et politique de l'antiquité.

Ce n'est qu'après la prise de Rome que la France entra sérieusement en campagne. Cette fois, l'Angleterre était à ses côtés. On peut y voir l'amorce de la politique étrangère britannique qui allait viser à instaurer un équilibre sur le continent européen en soutenant le plus faible des belligérants.

Les campagnes françaises furent marquées par des succès rapides suivis de revers retentissants. Bientôt, l'armée fut boutée hors d'Italie. La paix, conclue en 1529 à Cambrai, fut principalement négociée par la mère de François Ier et la tante de Charles Quint, d'où le nom de « paix des femmes » qu'on lui attribue d'ordinaire. Mais au cours des années 1520, la puissance de l'empire des Habsbourg allait être mise à l'épreuve sur d'autres fronts, d'une part à l'est, de l'autre en Allemagne.

La doctrine de Luther constituait une menace contre l'unité de l'empire. Non seulement elle pouvait être interprétée comme un soutien à l'esprit de révolte dans le peuple, mais encore elle pouvait servir d'instrument aux princes allemands qui luttaient pour accroître leur autonomie au sein de l'empire.

Il était donc naturel que l'empereur défendît avec vigueur la cause du catholicisme lors des nombreuses réunions parlementaires où cette question fut à l'ordre du jour. En 1529, à Speyer, un décret impérial frappa d'illégalité les réformes religieuses. Six princes et quatorze villes d'Allemagne du Nord s'opposèrent à cette décision, semant ainsi le germe d'une Union protestante. En 1531 fut scellée dans la ville de Schmalkalden une alliance pour la défense de la foi réformée.

Un pôle opposé apparut quelques années plus tard lorsque des princes catholiques fondèrent l'alliance de Nuremberg. Cependant, celle-ci n'était nullement l'instrument docile de l'empereur, car les princes catholiques eux-mêmes voyaient en l'empire un danger pour leur autonomie. Mais cette polarisation, particulièrement aiguë dans les années 1530, poussa les deux camps à se doter d'une force militaire qui pourrait servir à des fins politico-religieuses. Toutefois, une dizaine d'années allaient encore s'écouler avant que les armes ne commencent à parler.

L'Empire ottoman faisait planer une menace plus directe. En 1526, les armées du sultan Soliman Ier pénétrèrent en Hongrie et remportèrent une victoire sans appel. Le roi de Hongrie, Louis II, périt, et de ce fait, la Bohême, la Moravie et la Silésie furent rattachées à la partie centrale de l'empire des Habsbourg que dirigeait depuis 1521 le frère de Charles Quint, Ferdinand. Celui-ci avait aussi des prétentions sur la Hongrie, mais il lui fallait d'abord repousser l'armée turque qui, en 1529, assiégea Vienne. Les quelque 2 000 chameaux qui faisaient partie de la troupe apportaient peut-être une note pittoresque, mais

L'Europe de Charles Quint. Grâce à la politique matrimoniale des Habsbourg, Charles Quint hérita d'un empire européen comportant des possessions outre-mer.

Une attaque improvisée à partir de positions protégées scella le destin de la cavalerie française à la bataille de Pavie (1525). L'infanterie espagnole l'emporta. Tapisserie flamande.

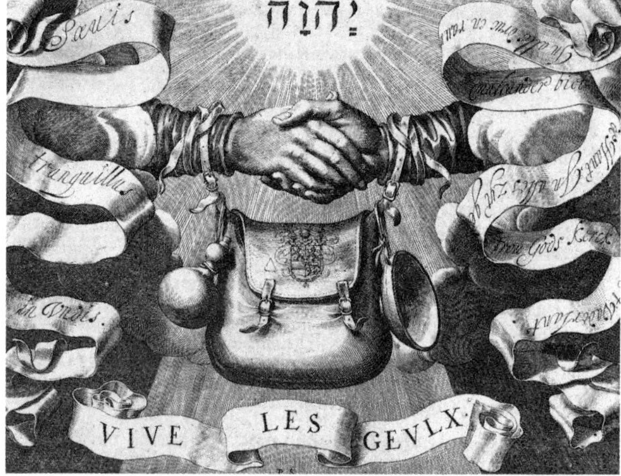

Emblème de l'union des rebelles néerlandais avec l'inscription « Vive les Gueux »

emprisonnée, mais elle ne demeurait pas moins politiquement utilisable. Une princesse catholique dans une geôle protestante, voilà un thème dont la propagande pouvait tirer le meilleur parti.

En France, la guerre des huguenots avec ses enjeux politiques et religieux fit rage pendant la deuxième moitié du XVIe siècle. En soutenant le camp catholique, les Espagnols voulaient s'assurer des gains politiques dans l'hypothèse où celui-ci l'emporterait.

Au demeurant, cette guerre civile empêchait la France d'avoir une politique étrangère vraiment active. La conjoncture n'était pas des meilleures pour les Pays-Bas.

Le temps du règlement de compte

Dans les années 1560, les résistances augmentèrent dans les Pays-Bas. Pour combattre le poids de la fiscalité et le centralisme politique, l'aristocratie néerlandaise forma l'alliance des Gueux. Les efforts espagnols de normalisation religieuse poussèrent la populace protestante à commettre des actes de vandalisme dans les églises catholiques. A quoi le pouvoir central répliqua en massant des troupes et en augmentant la répression.

D'abord élégant courtisan, Guillaume d'Orange (1533-84) devint un homme d'Etat patient et habile au cours de la guerre de libération. On lui doit l'inscription de la devise « Je maintiendrai » dans les armes de la Hollande. Peinture d'Adriaen Thomasz (environ 1544-89).

La révolte armée éclata en 1772 sous le direction de Guillaume d'Orange. Sur terre, les troupes espagnoles étaient jugées invincibles, mais sur mer, les Néerlandais avaient l'avantage. Assistés de corsaires anglais appâtés par le gain, les Gueux s'emparèrent de navires espagnols. Les routes maritimes finirent par devenir si peu sûres que les troupes et les provisions durent être acheminées par voie de terre via l'Italie et le long de la frontière française jusqu'au théâtre des hostilités.

En 1577, la presque totalité des Pays-Bas était aux mains des rebelles, mais, en accordant des concessions aux provinces du sud, catholiques, l'Espagne parvint à les regagner à sa cause (Union d'Arras, 1579). La même année, les provinces du nord répliquèrent en créant l'Union d'Utrecht, et elles se déclarèrent indépendantes en 1581. Après l'assassinat de Guillaume d'Orange en 1584, les Espagnols, à partir de leurs bases méridionales, commencèrent leur poussée vers le nord. Anvers tomba en 1585. Ainsi fut tracée une frontière qui allait être respectée quelque temps. Un armistice de douze ans fut conclu en 1609.

Après la chute d'Anvers, les Anglais avaient commencé à intervenir dans la guerre. Officieusement, ils y étaient déjà mêlés depuis longtemps avec l'activité intense de leurs corsaires en divers points de l'Atlantique. La reine d'Angleterre elle-même était de ceux qui misait sur ces coups de main lucratifs. Il devenait de plus en plus nécessaire pour l'Espagne de s'expliquer avec l'Angleterre. L'exécution de Marie Stuart en 1587 lui en fournit le prétexte.

Le 30 mai 1588, une flotte de 130 navires, l'Invincible Armada, quitta le port de Lisbonne à destination de la Manche. Il était prévu que les 20 000 soldats embarqués établiraient sur les côtes anglaises une tête de pont où des troupes cantonnées dans les Pays-Bas pourraient débarquer. Mais la défense maritime anglaise et la force des vents déjouèrent ces plans. L'Armada fut chassée dans la mer du Nord où les tempêtes la dispersèrent. D'autres tentatives d'invasion eurent lieu en 1595, 1597 et 1603, toutes infructueuses, après quoi une paix fut conclue en 1604.

A plus long terme, la politique espagnole vis-à-vis de la France s'avéra tout aussi stérile. L'alliance de 1584 avec le parti catholique n'entraîna pas la victoire de celui-ci, et même une guerre ouverte (1595-98) ne lui apporta pas les succès escomptés.

Autant de fiascos qui prennent tout leur relief par comparaison avec les succès militaires espagnols du temps de Philippe II. En 1571, les flottes alliées de Venise, du pape et de l'Espagne avaient infligé aux Turcs une défaite retentissante à Lepante, en Grèce, et en 1580, le Portugal et ses colonies avaient été incorporés à l'empire espagnol. Ces succès ne doivent cependant pas dissimuler que l'Espagne, à l'aube du XVIIe siècle, n'est plus qu'une puissance de deuxième rang, même si sa machine de guerre demeure redoutée.

En 1588, la tentative d'invasion de l'Angleterre par l'Invincible Armada tourna au fiasco. Cela fut dû à une mauvaise préparation et à des tempêtes, mais aussi à la résistance des rapides navires de guerre anglais équipés de canons à longue portée.

Le combat pour la Baltique

La grande puissance d'Europe orientale, la Russie, était encore peu développée au XVIe siècle. On tient généralement Ivan le Grand (1462-1505) pour le fondateur du royaume. Sous son règne, la vieille république marchande de Novgorod fut conquise, et l'on rompit les liens avec les anciens maîtres du pays, les Tatars.

Ces succès marquèrent le début d'une expansion en direction des plaines d'Europe orientale. Cela provoqua des conflits avec la grande puissance de la région, la Pologne, qui après une union avec la Lituanie s'étendait de la Baltique à la mer Noire.

La guerre à l'est prit une tournure plus occidentale lorsqu'elle commença à englober les territoires de l'ordre Teutonique, au sud du golfe de Finlande. Outre que cette région possédait beaucoup de terres que les vainqueurs pourraient se partager, elle offrait l'avantage d'occuper une position clé dans le commerce maritime entre l'est et l'ouest. Ainsi, Riga et Reval (Tallin), deux grands ports d'exportation, s'y trouvaient.

La Russie passa à l'attaque en 1557 et l'année suivante, Narva, dans le golfe de Finlande, tomba en son pouvoir. Les autres royaumes riverains de la Baltique prirent également part au dépeçage de l'ordre Teutonique. Le Danemark s'empara de l'île d'Ösel, la Suède de Reval et d'une bonne partie de l'Estonie, la Pologne de la Lituanie. La lutte pour la possession de ces territoires allait se poursuivre pendant un siècle et demi. Dans un premier temps, la Russie, la Suède, la Pologne et dans une certaine mesure le Danemark y furent impliqués. Cette période s'acheva vers 1630 avec la Suède comme vainqueur. Victoire qui

Après une période de règne presque entièrement remplie par des guerres, Gustave II Adolphe (1611-32) mourut à la bataille de Lützen dans un choc de cavalerie. Ses succès lors de sa brève participation à la guerre de Trente Ans lui ont valu le surnom de « Lion du Nord » Peinture d'un artiste inconnu.

La victoire de Rocroi remportée sur les Espagnols (1643) fit pencher la balance en faveur de la France.

cependant n'était pas complète. Certes, les Suédois étaient parvenus à fermer l'accès de la Baltique aux Russes, et ceci avait été sanctionné par le traité de Stolbova en 1617, mais ils n'avaient pu contrôler les routes commerciales russes passant par l'océan Glacial arctique.

Une tentative antérieure avait déjà échoué. A la paix de Knäred, conclue en 1611 avec le Danemark et la Norvège, la Suède avait dû renoncer à ses prétentions sur les rives de cet océan, ce qui rendait impossible de contrôler la route septentrionale reliant la Russie à l'Europe occidentale.

Après des dizaines d'années de guerre, la Suède et la Pologne conclurent en 1629 un armistice. La seconde cédait la Livonie à la première. Les succès suédois à l'est s'expliquent largement par le fait que la Russie n'était pas encore parvenue à organiser ses puissantes ressources. Au début du XVIIe siècle, elle fut même en proie à de tels désordres que des troupes suédoises puis polonaises purent à tour de rôle prendre Moscou.

Albrecht von Wallenstein (1583-1634) et Johann Tilly (1559-1632) furent les principaux généraux du camp catholique lors de la guerre de Trente Ans. Leur rivalité à la tête des forces armées ne cessa que lorsque Tilly mourut de ses blessures en 1632. Deux ans plus tard, Wallenstein fut assassiné.

La guerre de Trente Ans

En mai 1618, une foule en colère défenestra quelques conseillers impériaux au château de Prague. C'était là une bonne vieille habitude tchèque lorsque l'oppression devenait insupportable. Mais pour le coup, cet acte allait déclencher une guerre européenne de trente ans. La révolte tchèque culmina lorsque les états parlementaires refusèrent de reconnaître comme roi de Bohême Ferdinand II de Habsbourg, l'empereur nouvellement élu. Ils choisirent à la place l'électeur protestant Frédéric V de Palatinat. La solidité et la cohésion des deux grandes alliances d'Allemagne — l'Union protestante et la Ligue catholique — allaient être mises à l'épreuve. La première n'intervint qu'à contrecœur en faveur de la Bohême, tandis que la Ligue rassembla vigoureusement ses forces.

Les troupes de l'empereur, de l'Espagne et des princes catholiques firent alliance contre les rebelles. Ceux-ci subirent en 1619 une défaite décisive près de Prague, et la Bohême fut livrée à l'arbitraire des vainqueurs.

Après la guerre de Bohême (1619-20) vint celle du Palatinat (1621-23) au cours de laquelle Frédéric perdit ses terres et son électorat au profit du prince Maximilien de Bavière, chef de la Ligue. Ainsi, la guerre semblait achevée. Mais les Hollandais avaient de bonnes raisons d'essayer de maintenir dispersées les forces armées espagnoles, notamment après la rupture de l'armistice avec l'Espagne, et ils parvinrent à contracter une alliance avec le Danemark.

La phase danoise de la guerre (1626-29) confirma que le Danemark avait cessé d'être une nation dominante en Europe du Nord. Les troupes impériales et espagnoles, commandées par Wallenstein et Tilly, repoussèrent les Danois jusque dans le Jutland. Le royaume scandinave, qui échappa à toute concession territoriale, s'en tira à peu de frais, peut-être parce que les vainqueurs avaient des préoccupations plus urgentes. En effet, Wallenstein avait pour mission de créer une flotte dans la Baltique pour pouvoir contrecarrer le commerce hollandais dans cette région.

Une fois encore, le camp catholique avait vaincu. Mais la guerre entra dans une nouvelle phase, dominée par la Suède (1630-34). Des troupes suédoises, commandées par le roi Gustave II Adolphe, débarquèrent sur les côtes d'Allemagne du Nord. Avec l'aide de la France, elles s'étaient dégagées des champs de bataille polonais pour maintenant intervenir en Allemagne — avec des subsides français. Les premiers succès furent fracassants, et les princes allemands, de leur plein gré ou sous la contrainte, se rallièrent massivement aux vainqueurs. Après la mort de Gustave II Adolphe à Lutzen, l'armée suédoise allait toutefois essuyer une défaite sévère à Nördlingen (1634).

Cela obligea la France à intervenir ouvertement dans la guerre. Elle s'allia à la Hollande et déclara la guerre à l'Espagne. Ainsi s'amorça la dernière phase, dominée par la France (1634-48), au cours de laquelle les fronts ne cessèrent de se déplacer, et où, vers la fin, les belligérants cherchèrent avant tout à être en position de force dans les négociations de paix qui avaient commencé.

Blessé, le roi de Danemark et de Norvège Christian IV (1588-1648) apparaît comme le symbole du Danemark qui a perdu sa position de puissance militaire dans la Baltique. Peinture de Wilhelm Marstrand (1810-73).

Cujus regio, ejus religio

En 1648, la paix de Westphalie fut le résultat de la première grande conférence diplomatique européenne. Petits ou grands, proches ou éloignés, tous les royaumes envoyèrent des représentants dans les villes d'Osnabrück et de Münster où se déroulèrent les travaux. Il fallait se montrer attentif car c'est là que furent définis les principes qui allaient régir les relations politiques en Europe.

La carte fut modifiée, et l'on prit des dispositions relatives à la religion et aux affaires intérieures de l'empire allemand. En matière confessionnelle, il fut décidé que la religion du prince serait aussi celle du pays (« cujus regio, ejus religio »).

Le traité de Westphalie (1648)

La phase finale de la guerre impliqua pour l'Espagne la perte définitive de sa position de grande puissance. Le Portugal s'en libéra en 1640, et en 1643, les Français infligèrent à l'armée espagnole une défaite dont les effets furent aussi catastrophiques que la déconfiture de son armada l'avait été pour son potentiel naval.

A présent, la balance des forces en présence penchait nettement en faveur de la France. Mais comme on se savait jamais ce que réservait une grande puissance, la Hollande se hâta de signer une paix séparée avec l'Espagne en 1648. Son indépendance fut reconnue, et l'Espagne garda les Pays-Bas espagnols qui pouvaient servir de butoir entre la Hollande et la France.

Un peu plus tard en 1648 fut aussi conclu le traité de Westphalie qui mettait fin à la guerre de Trente Ans. Les grands vainqueurs en étaient : la Hollande, qui avait obtenu l'indépendance et avait acquis un empire colonial en Asie orientale aux dépens des Portugais ; la Suède, qui par ses acquisitions territoriales en Allemagne du Nord avait désormais accès aux affaires du royaume allemand, et qui, totalement ou partiellement, contrôlait l'em-

La paix de Westphalie en 1648. La Suède connut la plus grande extension territoriale. La Hollande et la Suisse acquirent le statut de pays indépendants, ce qui sanctionna formellement un état de fait.

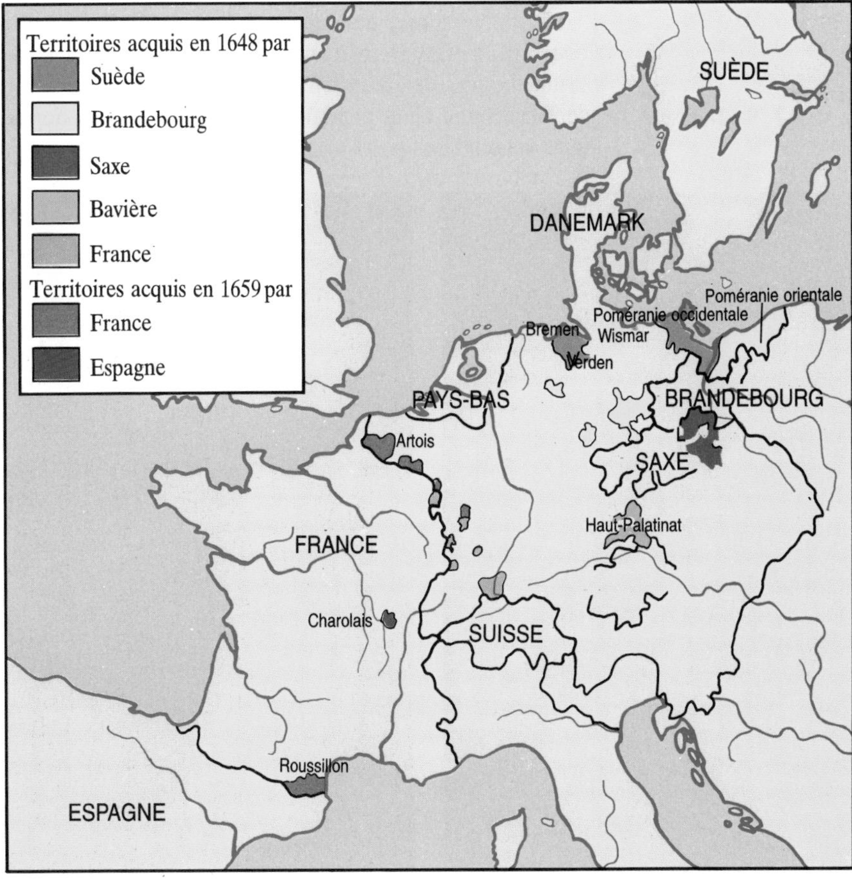

Lors de ce banquet où l'on fête la paix de Westphalie en 1648, le personnage dominant est le généralissime suédois, futur Charles X Gustave (1654-60). Peinture de Joachim von Sandrart (1606-88).

bouchure de l'Oder et de l'Elbe ; la France enfin, dont les acquisitions territoriales, si elles n'occupaient pas une grande place sur la carte, lui ouvraient les portes de l'Empire allemand.

Les perdants étaient l'Espagne ainsi que l'Empire allemand dont les tentatives d'expansion avaient une fois de plus été jugulées. Tous les princes allemands, catholiques comme protestants, étaient opposés à une extension du pouvoir impérial. Deux d'entre eux, ceux de Bavière et de Brandebourg, étendirent en outre leur territoire. Le traité de Westphalie allait pendant longtemps servir de norme dans les relations politiques et religieuses en Europe.

Deux des principaux protagonistes des guerres de la fin du XVIIe siècle : Louis XIV, monarque absolu à partir de 1661, d'après le célèbre tableau de Rigaud (1649-1743), et Guillaume III, stathouder hollandais (1672) et roi d'Angleterre (1688), peint par van Honthorst (1594-1666).

Les décennies qui suivirent furent marquées par les problèmes internationaux que ce traité n'avait pas résolus. La France poursuivit sa guerre contre l'Espagne jusqu'au traité des Pyrénées, conclu en 1659, et qui confirma avant tout le nouveau rapport de forces déjà sanctionné par la paix de 1648.

Au nord-est, les guerres entre la Pologne et la Suède reprirent de plus belle. La paix signée en 1660 confirma le statu quo, et la même année, les frontières entre la Suède et le double royaume de Danemark-Norvège furent fixées par le traité de Copenhague. En 1667, le traité de paix entre la Pologne et la Russie accorda à celle-ci Smolensk et l'Ukraine orientale. La Pologne allait bientôt cesser d'être une grande puissance en Europe de l'Est. Son déclin allait se poursuivre pendant un bon siècle avant qu'elle disparaisse de la carte.

L'Europe de Louis XIV

A l'issue de la guerre de Trente Ans, la France se dressait comme la plus grande puissance européenne. A présent, l'Espagne n'était plus qu'une nation de deuxième, voire de troisième rang. Ce renversement des forces n'entraîna pas de profondes modifications à la situation internationale. Avec son efficace machine de guerre, la France reprit le rôle jadis tenu par l'Espagne. Assurément, elle avait de tout autres bases que son ancienne rivale pour développer une politique commerciale et coloniale plus moderne, et elle s'y employa activement, mais son orientation traditionnelle vers le continent européen était beaucoup plus marquée qu'en Hollande et en Angleterre, pays pionniers en matière de négoce et de capitalisme naissant.

Sous la monarchie absolue de Louis XIV (1661-1715),

Les guerres de la France pendant cent ans

Années	Alliés	Adversaires principaux
1667-68		Espagne, Angleterre, Hollande, Suède
1672-78	Angleterre, Suède	Hollande, Espagne, Autriche
1688-97		Hollande, Angleterre, Autriche
1701-14	Espagne	Hollande, Angleterre, Autriche
1733-35	Espagne	Autriche, Russie
1740-48	Prusse	Autriche, Grande-Bretagne, Russie
1756-63	Autriche, Russie	Grande-Bretagne, Prusse

la France se livra à quatre guerres importantes. Trois des déclarations de guerre furent justifiées par les prétentions héréditaires du souverain sur des territoires étrangers. Cette politique internationale motivée par des raisons dynastiques était en harmonie avec le culte rendu sur la scène intérieure à la personne du roi. Il apparaissait comme l'axe autour duquel tout gravitait, comme le soleil dont les rayons éclairaient les autres corps célestes.

La paix de 1659 avec l'Espagne avait été scellée par un mariage entre Louis et une princesse espagnole. Dans les traités, il avait été stipulé que celle-ci devrait renoncer à toute prétention sur le territoire espagnol. A l'aide de divers arguments spécieux, les dirigeants français essayèrent de contourner cette clause. Grâce à la reine, l'Espagne pourrait tomber sous la coupe de la France, sinon tout de suite, du moins quand la lignée des héritiers masculins du trône serait éteinte.

Une première occasion de tester la valeur de ces arguments et la puissance militaire française fut donnée lorsque le roi d'Espagne mourut, laissant la couronne à son fils mineur. En s'appuyant sur des règles de droit privé en vigueur dans certains territoires des Pays-Bas espagnols, la France soutint que la reine disposait d'un droit héréditaire sur les territoires en question. En 1667, des troupes françaises envahirent la Flandre et la Franche-Comté. Ni l'Angleterre, ni la Hollande, alors en guerre l'une contre l'autre, ne souhaitaient une domination française en Europe. Elles firent la paix et formèrent avec la Suède la « Triple alliance » pour soutenir l'Espagne. Cela mit fin au conflit dès 1668, et la France dut se contenter de quelques territoires limités en Flandre.

Le fait que les Hollandais fussent prêts à rompre avec leur vieille alliée la France semble indiquer qu'ils soupçonnaient l'existence de plans qui ne se limitaient pas à de simples conquêtes dans la partie espagnole des Pays-Bas.

De tels soupçons allaient être confirmés après coup. En 1672, des troupes françaises pénétrèrent en Hollande. Après 1668, la diplomatie française s'était employée à obtenir l'appui de l'Angleterre et de la Suède. La Hollande était avant tout soutenue par les Habsbourg d'Espagne et d'Autriche. L'Angleterre se retira bientôt de la guerre, et le moins qu'on puisse dire est que la participation suédoise fut des plus limitées. Aussi la France se retrouva-t-elle seule, une fois encore, face à une alliance. Lorsque la paix fut signée en 1679, elle n'obtint que la Franche-Comté pour prix de ses efforts guerriers.

Au cours de la décennie suivante, la France s'employa à gagner des terres en Allemagne à l'aide de ce qu'on a appelé les *réunions*. Elles consistaient en ceci que des tribunaux français, en vertu de principes juridiques douteux, attribuaient des territoires allemands à la France. En vérité, il s'agissait de domination militaire camouflée sous des apparences de procédure légale.

L'Europe contre la France

Se sentant directement menacées par la France, les autres puissances se mirent à nouer des alliances de défense.

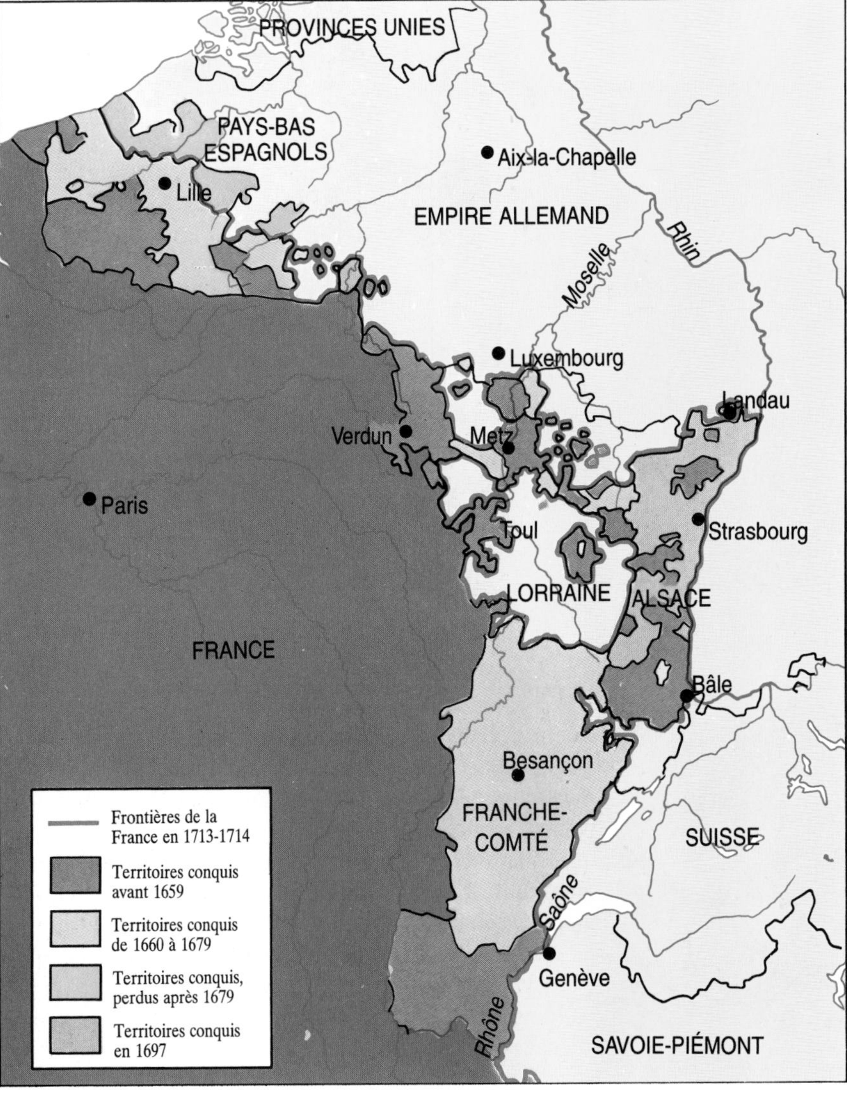

Les nombreuses guerres de la France au cours du XVIIe siècle ne lui valurent que des conquêtes territoriales modestes.

Quand la France reprit les armes, elles étaient prêtes. Le plus important fut l'union personnelle scellée entre l'Angleterre et la Hollande en 1689.

En 1688 commenca la guerre de succession palatine. La France faisait valoir des droits héréditaires sur une partie de l'électorat palatin pour le compte de la belle-sœur du roi, et elle se retrouva seule face à une alliance de puissances européennes. La guerre qui dura une décennie montra que les ambitions françaises dépassaient ses capacités militaires. Si la paix de 1697 ne tourna pas au désastre, le mérite en revint plus à l'habileté des diplomates qu'à la force des armes.

Le but politique essentiel de la France était de dominer l'Europe sans pour autant renoncer au reste du monde. Le rattachement de l'Espagne avec ses colonies lui aurait permis de réaliser cette double ambition. L'Europe n'attendait que la mort du dernier souverain Habsbourg pour voir la France avec sa reine espagnole revendiquer l'empire ibérique. Charles II d'Espagne mourut en 1700, et dans un testament dont le contenu était déjà connu, Philippe, le petit-fils de Louis XIV, était institué héritier de la couronne, avec cette précision toutefois que l'empire ne devrait ni être morcelé, ni rattaché à la France.

Malgré ces réserves, un tel testament faisait planer une menace sur l'équilibre des forces en Europe. Et lorsque les agissements du gouvernement français montrèrent qu'il faisait peu de cas de ces restrictions, les autres puissances réagirent. La guerre de succession d'Espagne éclata en 1701 et se poursuivit jusqu'en 1714. Elle se déroula en Europe mais aussi en Amérique du Nord entre Français et Britanniques. Face à la France, l'Espagne et quelques alliés allemands, se dressaient l'Autriche, la Hollande, l'Angleterre et la majeure partie du royaume allemand où une grande puissance formée du Brandebourg et de la Prusse était en train d'émerger.

La paix d'Utrecht (1713) se substitua au traité de Westphalie comme charte des relations internationales en Europe. Cause directe de la guerre, le testament relatif à la succession d'Espagne fut respecté dans la mesure où le petit-fils de Louis XIV demeura roi d'Espagne et où fut soulignée l'interdiction d'une union entre celle-ci et la France. En revanche, l'Espagne perdit ses possessions en Italie et dans les Pays-Bas. Ceux-ci furent partagées entre l'Autriche et le royaume italien de Savoie. L'Angleterre affirma ses prétentions commerciales en s'emparant de Gibraltar et de l'ile de Minorque. Par ailleurs, la France céda ses territoires d'Amérique du Nord à l'Angleterre.

De 1717 à 1720, l'Espagne allait essayer d'obtenir par les armes, mais sans succès, une révision du traité d'Utrecht.

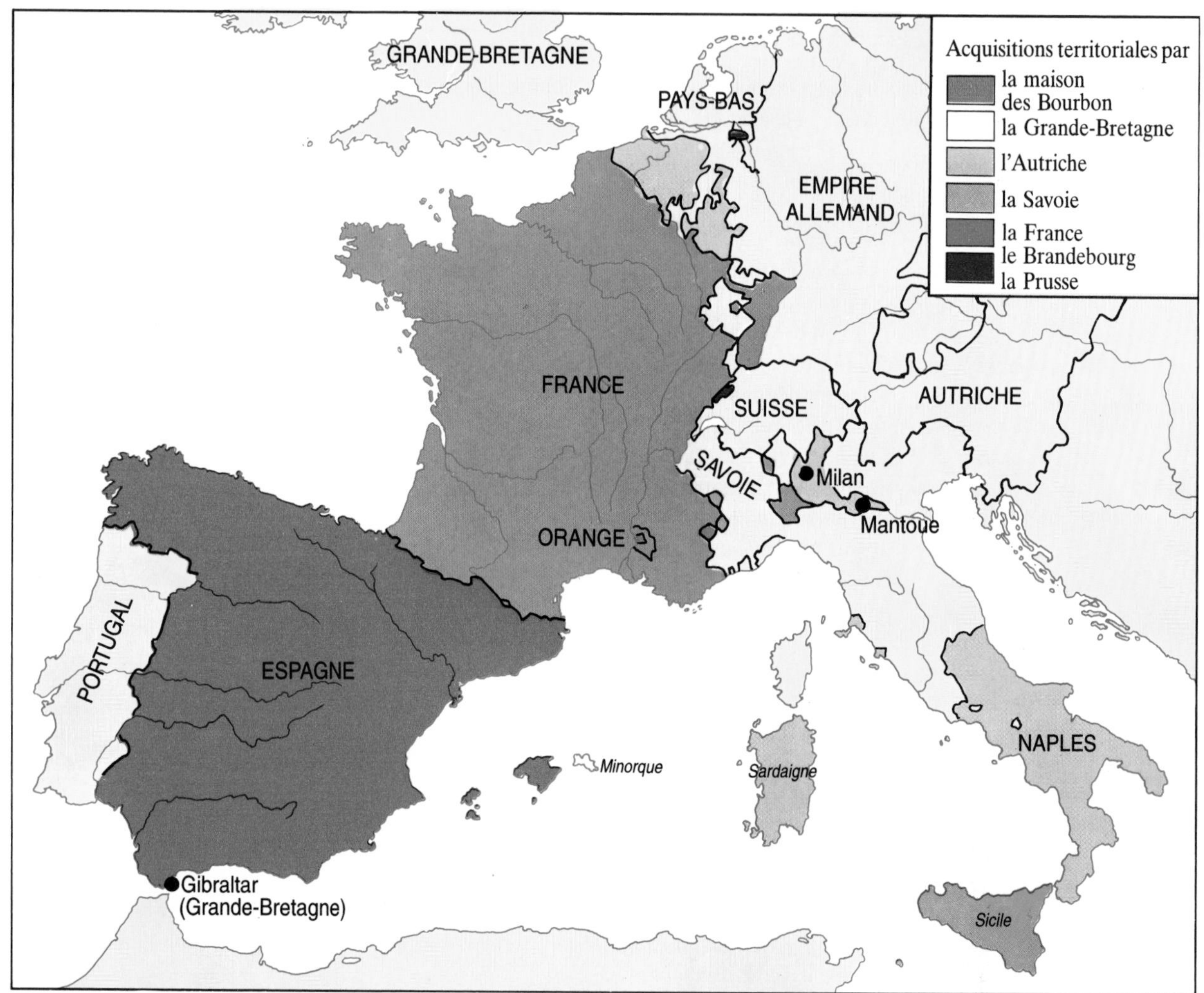

L'Europe après les traités de paix de 1713-14. La plus grande modification géographique qui résulta de la sanglante guerre de Succession d'Espagne fut la perte par celle-ci de ses possessions en Italie et aux Pays-Bas.

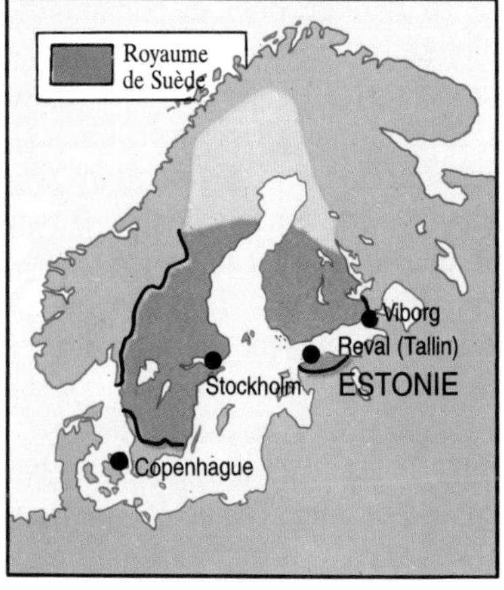

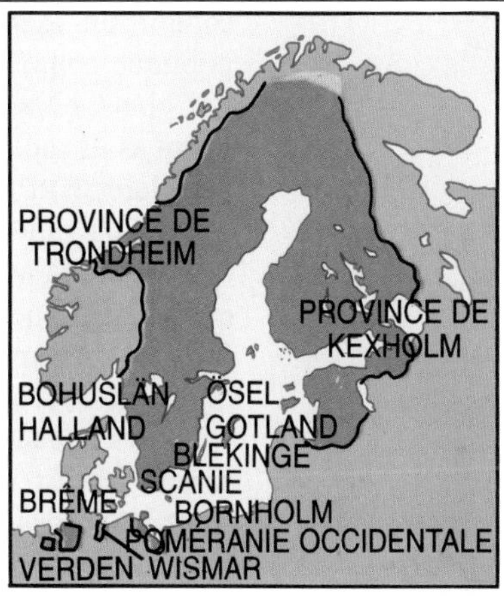

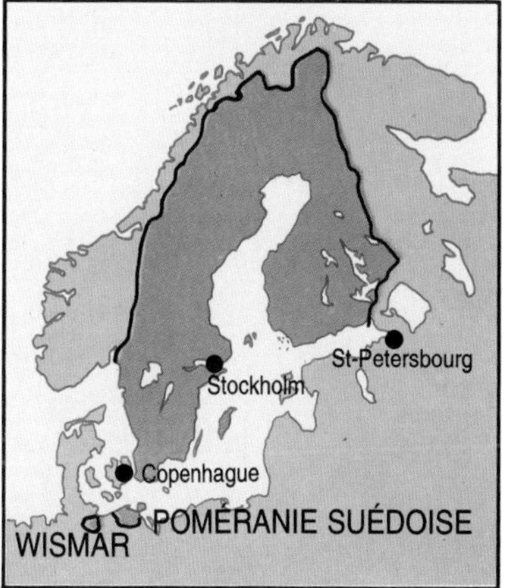

La Suède comme grande puissance. L'expansion, qui commença en 1561 avec la conquête de l'Estonie, connut son apogée en 1658. Mais en 1721, les possessions suédoises d'outre-Baltique se limitaient à deux petits territoires en Allemagne.

Guerres à l'ouest, au nord et à l'est

Outre les guerres provoquées par les tentatives françaises de dominer l'Europe, des épreuves de force mirent aux prises l'Angleterre et la Hollande à l'ouest, la Suède et la Russie au nord, l'Autriche et l'Empire ottoman à l'est.

Le règlement de comptes entre l'Angleterre et la Hollande avait moins pour enjeu la possession de territoires que la maîtrise du commerce et la puissance coloniale. Trois brèves guerres (1652-54, 1665-67, 1672-74) révélèrent la suprématie maritime anglaise, et la Hollande perdit ses colonies en Amérique du Nord.

Il apparaît clairement, du moins après coup, que la Suède n'avait pas les ressources nécessaires pour conserver sa position de grande puissance — et que le coup fatal lui serait porté par la Russie. La grande Guerre Nordique qui se déroula de 1700 à 1721 eut pour résultat que la Suède dut céder l'Estonie, la Livonie et l'Ingrie à sa rivale. La plupart de ses possessions allemandes tombèrent aux mains de la Prusse et de Hanovre. Dorénavant, la Russie était la grande puissance d'Europe du Nord.

Jusqu'au milieu du XVIIe siècle, l'Empire ottoman avait été occupé à guerroyer contre la Perse, après quoi il put à nouveau tourner son regard vers l'Europe. Son but principal était d'assurer ses positions dans la presqu'île des Balkans. Il s'ensuivit que la Pologne perdit en 1672 quelques-uns de ses territoires méridionaux. Cependant, l'ennemi principal des Turcs demeurait l'Autriche, et en 1683, des troupes ottomanes, encore une fois, assiégeaient Vienne. La déclaration de guerre turque avait un lien étroit avec les intérêts de la France : celle-ci voulait avoir les mains libres pour sa politique de réunion en Allemagne. On reconnaît là le type d'alliance que la diplomatie française avait instauré au XVIe siècle. Mais comme en 1529, le siège de Vienne fut levé, et les Turcs commencèrent à être refoulés des Balkans. Dans cette région, les frontières furent fixées à l'issue de trois guerres (1683-99, 1711-18 et 1736-39). Le changement majeur fut que la Hongrie échut à l'Autriche.

La pragmatique sanction

La politique étrangère expansive de la France avait été guidée par des considérations dynastiques liées à la personne du monarque. Louis XIV mourut en 1715. On ne peut cependant prétendre que cette disparition entraîna un changement notable des motifs invoqués pour faire la guerre. Ainsi, la pragmatique sanction joua un grand rôle dans le jeu diplomatique européen. C'était le nom donné à un document garantissant la succession féminine au trône des Habsbourg. Un des buts de la politique étrangère autrichienne fut d'obtenir la ratification internationale de cette sanction. La Bavière et la France se montrèrent peu enthousiastes.

En 1733, on allait procéder en Pologne à l'élection du roi après la mort d'Auguste II. Le candidat soutenu par la Russie, Auguste III, fils du précédent, reçut aussi l'appui de l'Autriche moyennant la promesse qu'il ratifierait la sanction. La France suscita la candidature d'un autre prétendant, ce qui provoqua la guerre de Succession de

A partir de la deuxième moitié du XVIIe siècle, les Turcs commencèrent à être refoulés de la presqu'île des Balkans.

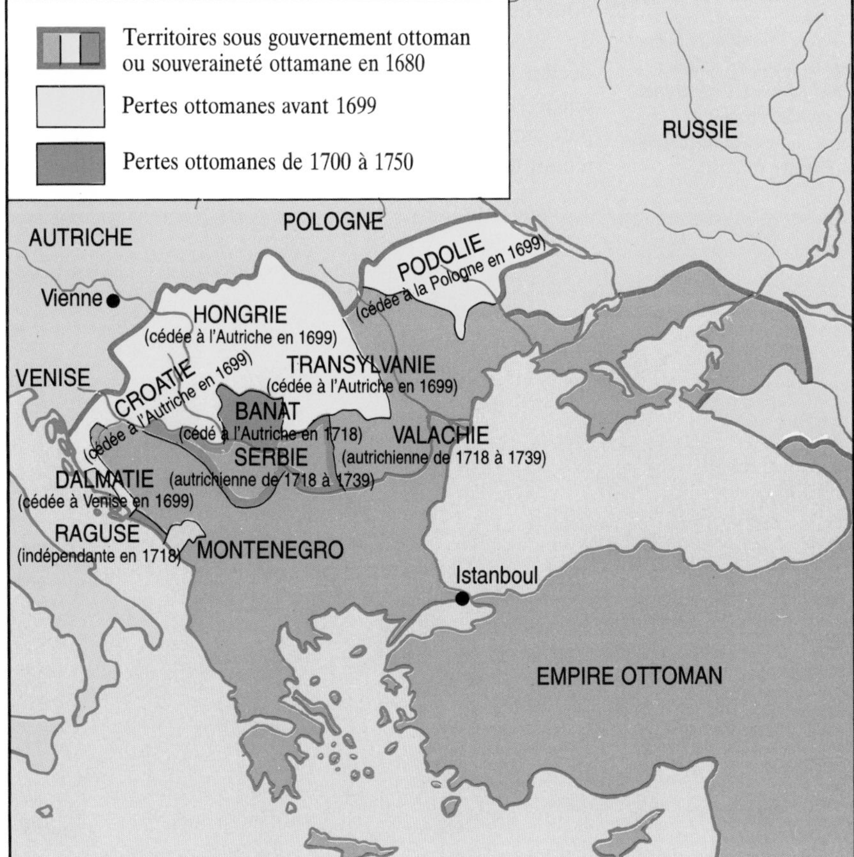

Marie-Thérèse d'Autriche (1740-80), mère aimante et tendre épouse, fut aussi une habile politicienne. Elle contribua à ce que l'Autriche maintienne ses positions malgré les pressions extérieures.

Pologne (1733-35). Le traité de paix attribua au candidat malheureux de la France le duché de Lorraine qui deviendrait français à sa mort. Par ailleurs, l'Autriche renonça à Naples et à la Sicile au profit d'un prince espagnol. En compensation, la France ratifia la pragmatique sanction.

Cinq ans seulement après ce traité de paix éclata un nouveau conflit en Europe, connu sous le nom de guerre de Succession d'Autriche (1740-48). Les hostilités se déclenchèrent l'année même où la pragmatique sanction entra en vigueur lorsque Marie-Thérèse succéda à son père sur le trône d'Autriche. Le problème de la succession n'était guère qu'un prétexte. Cette guerre apparaît plutôt comme un exemple de la manière dont la conjoncture politique peut être exploitée.

L'art ne saurait faire oublier que la guerre est affaire de vie et de mort. Cette scène de combat évoque l'expédition suédoise contre la Pologne en 1656.

Depuis 1739, l'Angleterre et la Hollande se combattaient assez mollement. En tant que puissances coloniales, l'Angleterre et la France entretenaient des relations tendues. A la suite d'un changement sur le trône, la Russie était devenue une alliée peu fiable pour l'Autriche. Lorsque Marie-Thérèse essaya de faire élire son époux François-Etienne empereur d'Allemagne, elle se heurta à la résistance d'autres candidats.

Dans cette situation instable, la Prusse à présent gouvernée par Frédéric II se lanca dans une guerre éclair contre l'Autriche avec pour but immédiat de conquérir la Silésie, économiquement avancée. La politique traditionnellement anti-Habsbourg de la France fit de celle-ci une alliée naturelle de la Prusse. Les Français visaient la conquête des anciens Pays-Bas espagnols, alors possessions autrichiennes.

La position française poussa l'Angleterre dans le camp de l'Autriche, mais le soutien de cette puissance navale était plus efficace sur mer que sur terre. L'Espagne, bien entendu, opta pour l'autre camp. La Bavière, dont l'électeur briguait le titre d'empereur d'Allemagne, se rallia également à la Prusse, de même que la Saxe. Cette guerre de près de dix ans s'acheva en 1748 par le traité d'Aix-la-Chapelle. La seule modification territoriale notable entraînée par ce conflit fut l'annexion de la Silésie par la Prusse. Pour le reste, le statu quo fut maintenu; cette décision s'appliqua aussi aux colonies, enjeux de lutte entre la France et l'Angleterre.

Le renversement des alliances

A partir du milieu du XVIIe siècle, des systèmes d'alliances s'étaient constitués, l'un dans la mouvance française, l'autre gravitant autour de l'Angleterre et de l'Autriche avec au début le ralliement des Hollandais. Le rapprochement anglais avec l'Autriche avait été guidé par le désir de faire contrepoids à l'influence de la France en Europe. Et l'inimitié entre celle-ci et l'Autriche était la conséquence d'une vieille rivalité entre deux nations prétendant à la domination du continent.

A l'issue de la grande Guerre Nordique (1700-1721), la Russie se dressait comme une puissance non négligeable en Europe de l'Est. Et la guerre de Succession d'Autriche avait révélé le potentiel de la Prusse, agressive et expansionniste. Avec ces deux éléments nouveaux, l'équation politique à résoudre se posait dans de tout autres termes. Pour l'Autriche, le danger majeur n'était plus la France mais la Prusse, et, pour combattre celle-ci, le meilleur allié était celui qui l'aiderait sur terre et non plus sur mer.

Depuis longtemps déjà, la Grande-Bretagne avait renoncé à des conquêtes territoriales en Europe continentale, préférant constituer à la place un empire colonial. Dans l'optique britannique, la Prusse était une aussi bonne alliée que l'Autriche pour maintenir l'équilibre en Europe et faire échec aux entreprises guerrières de la France. Après la paix de 1748, les politiciens français commencèrent à estimer que la Prusse constituait un plus grand danger en Europe que l'Autriche — jugement partagé par les Russes. Le jeu diplomatique après 1748 aboutit à ce qu'on a appelé le renversement des alliances. Cela impliqua que l'Autriche et la France, deux vieux antagonistes, formèrent avec la Russie une alliance contre la Grande-Bretagne et la Prusse lorsqu'éclata la guerre de Sept Ans (1756-63). Loin d'avoir été préparées de longue date, ces constellations résultaient de la manière dont les responsables politiques jugeaient ou préjugeaient de la situation. Seule chose certaine, la Grande-Bretagne et la France ne pouvaient que se retrouver dans des camps opposés.

La raison profonde de la guerre n'était autre en effet que la rivalité qui les opposait en Inde et en Amérique du Nord. Mais le déclenchement des hostilités eut pour cause directe que l'alliance Autriche-Russie-France menaçait l'existence de la Prusse. En 1756, celle-ci tenta de prendre les devants en attaquant la Saxe. Simultanément éclata la guerre coloniale entre la France et la Grande-Bretagne. Après des combats sanglants, la paix fut signée en 1763. Elle n'entraîna pas de modifications territoriales en Europe, mais la France dut céder le Canada à la Grande-Bretagne, tandis que les terres qu'elle possédait à l'est du Mississippi, Floride exceptée, passaient sous contrôle espagnol. Cette paix reflétait on ne peut plus clairement les intérêts anglais en matière de politique étrangère.

L'uniforme des fantassins autrichiens et la manière mécanique dont ils s'exercent témoignent de l'importance de la discipline dans les armées des Temps modernes. Extrait d'un manuel d'instructions de 1717.

Les instruments de la mort

« Messieurs les Français, tirez les premiers ». « Messieurs, nous ne tirons jamais les premiers. Tirez, je vous en prie ».

Le rocher de Gibraltar, à la pointe sud de l'Espagne, ne représentait pour les Britanniques qu'une conquête territoriale de peu d'étendue. Sorte de verrou en Méditerranée, Gibraltar revêtait néanmoins une grande importance militaire et commerciale.

Piquiers et tireurs en action au cours de la guerre de Trente Ans. Peinture de P. Snayers.

Cet échange de répliques aurait eu lieu entre un officier anglais et un officier français pendant la guerre de Succession d'Autriche. La salve anglaise qui suivit faucha quelque mille Français. L'histoire ne dit pas combien d'Anglais furent ensuite victimes du feu français.

Cet épisode peut être jugé de différentes manières. Le pacifiste y verra une raison supplémentaire de dénoncer la folie de la guerre. Le romantique songera à une survivance de l'idéal chevaleresque face à l'ennemi. Dans les écoles militaires, on montrera que la politesse dissimule ici une vieille règle tactique : laisser l'ennemi tirer la première salve puis se précipiter en avant et ouvrir le feu, celui-ci étant d'autant plus meurtrier que la distance est moins grande. Enfin, cet épisode peut illustrer l'incomparable efficacité des armes à feu dans l'art de tuer. Mille morts en une seule salve, alors qu'en 1190, à l'issue d'un combat entre deux armées féodales, on ne comptait que trois tués du côté des vaincus, et plus de 300 prisonniers !

Cet accroissement d'efficacité était dû à la poudre, inventée au Moyen Age. On a attribué à tort cette invention au moine Berthold Schwartz qui, au début du XIVe siècle, aurait été inspiré par le diable. Quoi qu'il en soit du rôle du démon, la date est erronée, car la poudre, une invention chinoise, fut connue en Europe dès le XIIIe siècle. On l'améliora par la suite, notamment en remplaçant la mouture fine par une autre plus grossière qui était aussi plus explosive. On parvint aussi à déterminer avec plus d'exactitude la bonne proportion entre les différents ingrédients qui entraient dans sa composition. Puis l'on commença à utiliser des cartouches, grâce auxquelles les combattants n'eurent plus besoin de mesurer eux-mêmes la quantité de poudre nécessaire.

Avec l'aide de Dieu

Cet extrait du règlement d'un régiment d'infanterie suédois aux alentours de 1700 témoigne d'une tactique militaire fondée sur l'obéissance aveugle et le mépris de la mort :

« ... Les premiers rangs ne tirent que lorsque l'ennemi est si près qu'il est à portée de baïonnette ; et quand ensuite chacun a tiré, grâce à l'aide de Dieu, il ne doit pas rester beaucoup d'ennemis en face. »

Non seulement la poudre mais aussi les armes à feu datent du Moyen Age. Les secondes n'étaient certes pas une conséquence inévitable de l'existence de la première, mais le climat belliqueux qui régnait en Europe explique qu'elles se soient développées presque simultanément. La première image d'arme à feu dont on connaisse la date remonte à 1326 et représente un canon.

Abrités par des gabions, les artilleurs bombardent une ville dont les fortifications, de type médiéval, ne semblent guère de taille à résister à un tel assaut. Extrait d'un manuel militaire de 1570.

« Mais les maisons furent endommagées »

Il faut distinguer l'artillerie de siège de l'artillerie de campagne. Du fait qu'au Moyen Age, les projectiles étaient des boulets de pierre au poids spécifique assez faible, il fallait de très gros canons pour pouvoir percer des murailles. Au début du XVe siècle, certains pesaient 14 tonnes et avaient un calibre de 65 centimètres. Un chroniqueur a narré ainsi une attaque d'artillerie — moins lourde toutefois : « Ni les hommes, ni les femmes, ni les enfants ne furent en péril, mais les maisons, elles, furent endommagées ». Ce qui est somme toute sympathique si l'on compare avec notre moderne bombe à neutrons.

L'efficacité de l'artillerie se trouva grandement augmentée lorsque les boulets de pierre furent remplacés par des boulets de fonte trois fois plus lourds. La puissance

Le déplacement des troupes et du matériel de guerre exigeait du temps et de l'organisation. Au premier plan, une seule pièce d'artillerie est tirée par 14 chevaux attelés par paire.

d'impact s'en trouva tellement augmentée que les fortifications médiévales cessèrent d'être une protection. Les hauts murs verticaux, conçus avant tout pour empêcher les assauts, étaient aisément percés à l'aide de ces lourds projectiles, et il ne restait plus qu'à s'engouffrer dans les brèches. Il fallut mettre au point une nouvelle technique de fortification, avec des murs bas plus difficiles à ajuster, et renforcés par des remparts ; les ouvrages fortifiés obéirent à une élégante géométrie conçue pour qu'on pût tirer de tous côtés sur les assaillants.

En ce qui concerne l'artillerie de campagne, la mobilité était un atout majeur. L'utilisation de boulets de fonte permit de réduire la dimension et le poids des canons, et les manœuvres furent facilitées par l'introduction d'affûts posés sur roues.

Un mortier du début du XVIIe siècle. Le mortier était une arme de siège.

Pour donner une idée de cette évolution, remontons à 1472 où, selon une description du temps, on peut évaluer à trente paires de bœufs l'attelage nécessaire pour mouvoir un seul canon. Au cours de la guerre de Trente Ans, l'armée suédoise utilisait un canon de campagne qu'un seul cheval, voire deux ou trois soldats, suffisait à manœuvrer. Au début du XVIIIe siècle, de nouvelles améliorations permirent à l'artilleur de bondir rapidement avec sa pièce pour faire feu sur les lignes ennemies à 15 mètres de distance, avec une rapidité de tir de six à huit fois supérieure à celle d'un fusil.

Jusqu'au XVe siècle, les batailles navales furent à l'image de celles qui se déroulaient sur terre. Les affrontements entre cavaliers lourdement équipés avaient pour équivalent sur mer les tentatives d'éperonnage des navires ennemis, et l'abordage était la variante maritime du corps à corps à l'arme blanche. L'instrument idéal pour ce type de combats était la galère, indépendante des vents puisqu'actionnée par des rames.

Au XIVe siècle, on commença à armer les navires de guerre de canons servant à éclaicir les rangs ennemis avant abordage. Peu à peu, cet armement devint plus lourd, et le tir fut destiné à démâter et à couler les navires ennemis. A partir du XVIIe siècle, cette tactique s'imposa massivement. Plus les navires étaient lourdement armés, plus l'équipage avait de mal à les manœuvrer. Les navires

Navire de guerre au cours d'un bombardement. Les projectiles attachés avec des chaînes étaient faits pour endommager le gréement et les voiles. Pourvus de torches, ils pouvaient aussi mettre le feu à bord.

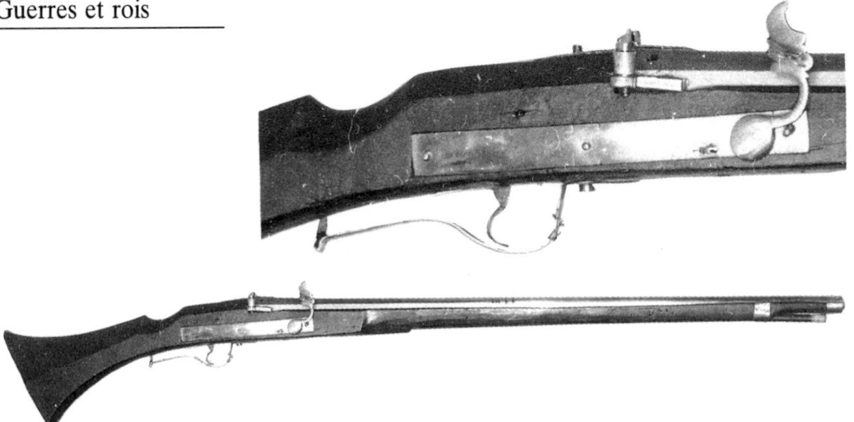

Fusil de 1626 équipé d'une platine à mèche. Le tireur plaçait dans le chien la mèche enflammée qui entrait en contact avec la poudre du bassinet quand il pressait la détente.

à voiles supplantèrent les galères, même si ces dernières ne furent pas abandonnées de sitôt.

Platine à rouet et baïonnette

Les premières armes à feu individuelles, comme les canons, apparurent au XIVe siècle. Une série d'améliorations leur furent apportées jusqu'à la fin du XVIIIe siècle, mais à bien des égards elles demeurèrent inchangées. Les fusils se chargeant par la bouche dominèrent. On enfonçait la poudre et la balle dans le canon avec la bourre, on plaçait dans la lumière située derrière le canon de la poudre supplémentaire qu'on allumait et qui servait de matière fulminante à la charge proprement dite. Point n'est besoin d'être expert pour comprendre qu'on ne chargeait pas une telle arme en un tournemain. Selon les livrets d'instructions du temps, 43 opérations étaient nécessaires avant le tir.

Des recherches ultérieures ont montré qu'il fallait probablement de 8 à 10 minutes pour recharger. Petit à petit, des améliorations techniques permirent d'abréger ce délai, mais les tireurs de cette époque restèrent bien en deçà de l'efficacité des archers du Moyen Age qui pouvaient décocher sept flèches à la minute.

On déploya beaucoup d'énergie pour améliorer le mécanisme de décharge. Au début, on mettait le feu à l'amorce à l'aide d'une mèche qu'on dirigeait à la main vers la lumière. Cela impliquait que le tireur devait concentrer son intérêt sur la mèche plus que sur la cible, ce qui nuisait à la précision du tir. En outre, la mèche enflammée représentait un danger lors de la procédure de chargement de la poudre.

Il peut sembler que les armes à feu étaient plus dangereuses pour le tireur et son entourage immédiat que pour l'ennemi. On obtint une plus grande sécurité lorsque les armes furent équipées d'un dispositif mécanique, la platine à mèche, qui reliait la mèche à la lumière. Cette invention encore passablement primitive servit jusqu'à la fin du XVIIe siècle, après quoi la platine à mèche fut supplantée par la platine à silex.

La platine à rouet, invention du XVIe siècle qui fonctionnait sur le même principe qu'un briquet moderne, ne pouvait supplanter la platine à mèche. Le risque de coups ratés était trop grand — en moyenne, un sur cinq. Mais la platine à rouet permettait de construire des armes à feu pouvant n'être manipulées que d'une main, ce qui les rendaient utilisables dans la cavalerie.

En matière d'armement de l'infanterie, une nouveauté décisive, qui n'avait rien à voir avec le tir, fut la baïonnette dont l'usage se généralisa aux environs de 1700. Ainsi, le soldat se trouvait équipé à la fois d'une arme à feu et d'une arme de choc.

Si l'on compare les armes à feu avec celles qu'elles remplaçaient, il faut constater qu'elles furent pendant longtemps inférieures à l'arc et à l'arbalète en matière de rapidité de tir, de précision et même de portée. C'est certainement la raison pour laquelle on tenait tant à différer le plus longtemps possible le moment de tirer. Mais dans ces conditions, on peut se demander pourquoi les

Chargement d'un mousquet pourvu d'une platine à mèche.
1. Remplir le bassinet de poudre puis le refermer...
2. Placer la bourre ...
3. Enfoncer la balle et la bourre...
4. Mettre en place la mèche, souffler dessus pour la rendre incandescente — et tirer.

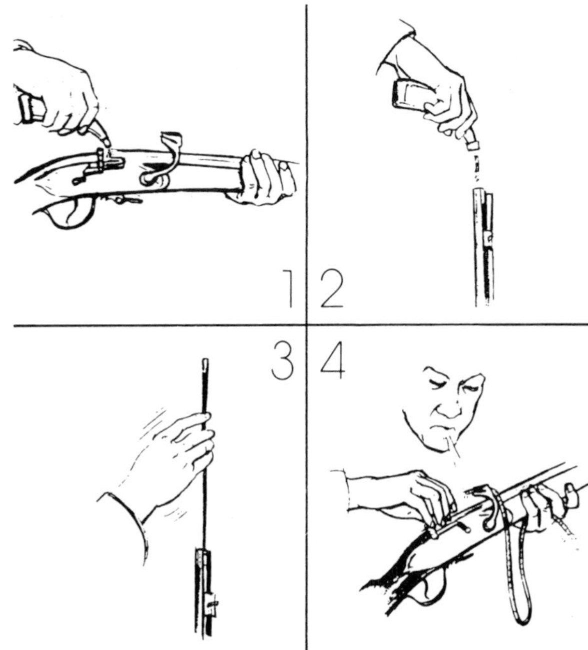

armes à feu supplantèrent ces autres types d'armes qui apparemment leur étaient supérieures. Pour répondre à cette question, il faut examiner l'évolution des techniques guerrières.

La renaissance de l'infanterie

Il faut savoir que ce n'étaient pas les armes à feu, mais la pique à long manche en usage dans l'infanterie suisse, qui, au propre comme au figuré, désarçonnait les cavaliers du Moyen Age. Du début du XIVe siècle jusqu'au XVIe, les fantassins suisses furent les maîtres incontestés des champs de bataille. Ce n'est qu'avec l'introduction de la baïonnette à la fin du XVIIe siècle que la pique fut reléguée au rang de pièce de musée.

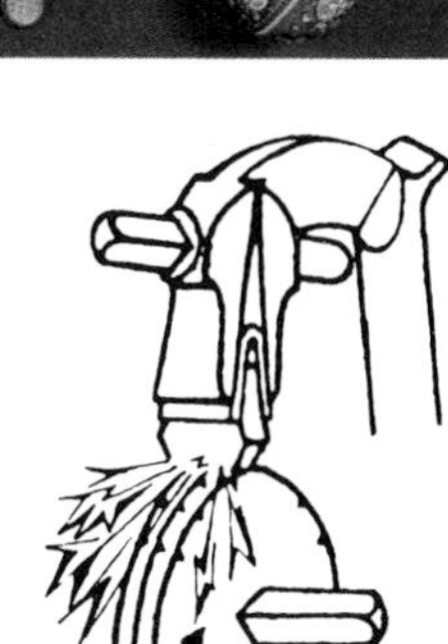

Pistolets équipés de platine à rouet. Un rouet d'acier rayé actionné par un ressort provoquait au contact avec de la pyrite sulfureuse des étincelles qui — avec un peu de chance — enflammaient l'amorce.

Un arquebusier (à gauche) et un lansquenet allemand. L'arquebuse était initialement une arme pour l'infanterie, mais elle fut introduite au milieu du XVIe siècle dans la cavalerie néerlandaise.

La lance paysanne à long manche n'était nullement une invention du Moyen Age tardif. Les succès des piquiers suisses ne tenaient pas à leur arme mais dépendaient d'une organisation et d'une discipline qui initialement s'étaient exercées à l'écart, et dans le but de défendre l'indépendance nationale. Avec le temps, cette armée révolutionnaire allait vendre ses services à des puissances étrangères en lutte contre des ennemis extérieurs ou des sujets en révolte.

A l'aube des temps modernes, les Suisses furent concurrencés par les lansquenets allemands et les mercenaires espagnols qui eux aussi étaient efficaces au combat grâce à l'effet de masse.

Ainsi, la fière cavalerie médiévale fut détrônée par l'infanterie, jadis utilisée pour inquiéter l'ennemi et dont on faisait si peu de cas qu'elle pouvait être piétinée par les siens si elle se trouvait sur le chemin des cavaliers qui en décousaient.

La pique — *une oraison funèbre*

Grimmelshausen qui participa lui-même à la guerre de Trente Ans a porté sur la pique un jugement fort injuste :

« Les piquiers sont si inefficaces et si inoffensifs que celui qui tue délibérément un piquier qu'il aurait pu épargner assassine un innocent. Car même si ces malheureux tâcherons ont été créés pour protéger leurs brigades contre les attaques de cavalerie en terrain découvert, ils ne peuvent blesser personne, et si d'aventure quelqu'un est touché malgré tout par une pique, il ne peut que s'en prendre à lui-même car pourquoi est-il allé se jeter contre ? Si je m'en réfère à mon expérience, et j'ai été témoin de beaucoup d'engagements sévères, je dois dire que j'ai très rarement vu un piquier abattre quelqu'un. »

Fantassins espagnols. Une telle forêt de piques était impressionnante — même lorsque ces armes n'étaient pas pointées pour l'assaut.

La cavalerie eut dorénavant le rôle moins prestigieux d'essayer d'irriter les ennemis qui attaquaient et de les poursuivre après que les piquiers les eurent dispersés. Ce n'est que lors de la guerre de Trente Ans qu'on fit appel aux cavaliers dans les phases décisives du combat. Dans l'armée suédoise, les tirs plutôt inoffensifs de la cavalerie étaient complétés par des chocs à l'arme blanche.

Mais les jours des piquiers étaient eux aussi comptés. On remplaça progressivement la force musculaire des soldats groupés en carrés compacts par des tireurs déployés en lignes plus étendues. On pouvait apprendre assez vite à se servir des armes à feu, alors qu'un archer devait s'exercer toute sa vie. Les qualités physiques exigées d'un tireur au mousquet n'avaient rien non plus d'exceptionnel. Tandis que les archers et les arbalétriers, tout comme les cavaliers lourdement cuirassés, formaient des unités d'élite, la généralisation des armes à feu ouvrait la voie aux armées de masse. Les artistes ou du moins artisans de la guerre allaient ainsi être remplacés par des tâcherons.

Les transformations de l'art militaire demeuraient plus quantitatives que qualitatives. Ce ne sont nullement les possibilités de recrutement qui déterminaient l'ampleur des effectifs. Pour un nombre croissant d'hommes au cours de cette période, le métier de soldat était un des rares moyens d'échapper à la famine, à la mendicité ou à la criminalité. Et beaucoup de nobles ne disposant pas d'un nom prestigieux ou de relations à la cour choisissaient la carrière d'officier. Non, l'ampleur des effectifs militaires dépendait de la capacité des gouvernements à mobiliser les ressources économiques nécessaires pour équiper les armées. Cependant, on s'accorde à estimer que les budgets de guerre dépassaient largement les ressources réelles dont les gouvernements disposaient.

Même si l'armée de François Ier à Marignan, qui comptait 30 000 hommes, apparaît impressionnante comparée avec celle de Guillaume le Conquérant en 1066 (4 000 à 7 000 hommes), que dire alors des forces en présence en 1709 à la bataille de Malplaquet. 120 000 alliés s'étaient alors dressés contre 90 000 Français, et les pertes totales avaient excédé le nombre des soldats de François Ier en

Armées européennes de 1475 à 1760

Année	Espagne	Hollande	France	Angleterre	Suède	Russie
1475	20 000	—	40 000	25 000	—	—
1555	150 000	—	50 000	20 000	—	—
1595	200 000	20 000	80 000	30 000	15 000	—
1635	300 000	50 000	150 000	—	45 000	35 000
1655	100 000	—	100 000	70 000	70 000	—
1675	70 000	110 000	120 000	15 000	63 000	130 000
1705	50 000	100 000	400 000	87 000	100 000	170 000
1760	98 000	36 000	247 000	199 000	85 000	146 000

(Source : W.N. Parker dans *The New Cambridge Modern History*, XIII.)

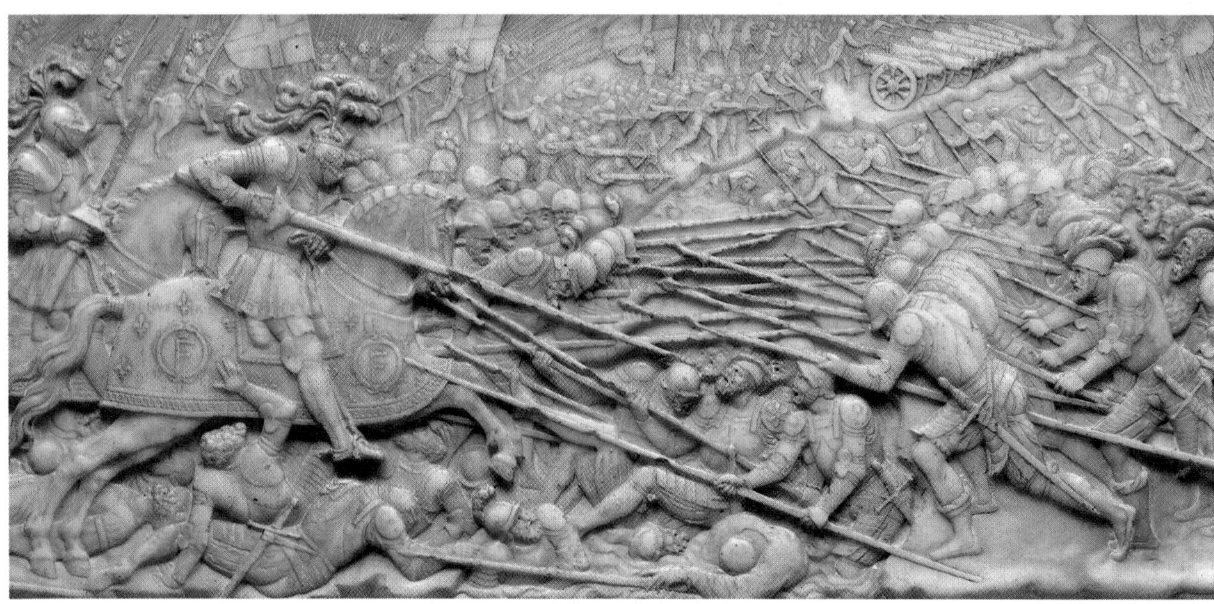

Ce bas-relief sur le momument funéraire de François Ier immortalise la victoire de Marignan en 1515. La cavalerie se bat dans le style chevaleresque avec des lances contre les piquiers — une technique de combat qui généralement n'était guère payante.

Plus qu'un grand chef de guerre

Albrecht von Wallenstein (1583-1634) parvint à devenir duc, mais il avait probablement des projets encore plus grandioses. Originaire de Bohême, issu d'une pauvre famille noble de religion protestante, il embrassa le catholicisme et entra au service de l'empereur. Au début de la guerre de Trente Ans, il fut récompensé de son action contre les rebelles de Bohême en se voyant offrir de racheter leurs domaines à bas prix. La fortune qu'il accumula ainsi lui permit de mettre sur pied des armées. Sa puissance militaire et ses ambitions personnelles finirent par être une menace pour son protecteur, et il fut assassiné en 1634.

On a dit de son armée qu'elle constitua avant le XXe siècle la plus grande entreprise d'Europe, et la mieux organisée.

Des tueurs à gage pénètrent dans la chambre de Wallenstein et le percent de coups.

1515. Il faudrait ensuite attendre l'instauration du service militaire obligatoire pour que les chiffres atteignent de nouveaux sommets.

Les entrepreneurs de la guerre

Les charges financières des Etats étaient encore alourdies par le fait qu'elles louaient des armées. On a soutenu qu'une des raisons majeures pour lesquelles les dirigeants faisaient plus volontiers appel à des mercenaires qu'à leurs propres sujets était de limiter les risques de révolte armée. Mais le système des armées de louage avait aussi l'avantage discutable que les gouvernements pouvaient faire la guerre à crédit.

En effet, le recrutement de ces troupes s'effectuait par l'intermédiaire de colonels et de capitaines qui, par contrat avec le prince, étaient mandatés pour former des régiments ou des compagnies. Ces officiers devaient souvent faire l'avance des coûts nécessaires au recrutement, moyennant bien sûr une garantie quelconque. Au cours de la guerre de Trente Ans, ce système devint une véritable industrie. Entrepreneurs à leur compte, les colonels investissaient dans des régiments dont les soldats constituaient la main-d'œuvre mal payée — quand elle était payée ! Outre la rétribution du prince, le négoce des fournitures de guerre et le butin étaient sources de profit.

Des sommes importantes furent ainsi en circulation. Bernard de Weimar, qui en 1634 passa du service de la Suède à celui de la France, brassa en trois ans et demi de contrat plus de 10 millions de livres. A vrai dire, il est impossible de dire à quoi correspondrait cette somme aujourd'hui. Mais pour donner une idée de son importance, on peut se baser sur la valeur de la livre en métal argent et sur le cours de celui-ci au début des années 1980 ; l'on arrive alors à plus de cent millions de francs. A sa mort, et c'est d'autant plus remarquable qu'il n'avait pas 40 ans, Bernard lui-même avait amassé une fortune d'un million de livres — une jolie somme pour ce onzième fils d'un duc désargenté, issu d'une insignifiante principauté allemande. Et il ne s'agit pas d'un cas unique, tant s'en faut.

Après la guerre de Trente Ans prit fin l'âge d'or de ces chefs militaires dont Bernard offre l'exemple type. Non que les campagnes fussent moins onéreuses ou que le recours à des troupes de mercenaires tombât en désuétude. Mais les Etats, de mieux en mieux organisés, avaient des possibilités accrues de contrôler ces entrepreneurs de guerre.

Les coûts de la guerre additionnés — entretien d'armées de plus en plus nombreuses, frais élevés de recrutement, gestion des toutes nouvelles fortifications conçues pour résister à l'artillerie de siège, équipement en armes lourdes des forces navales — témoignent de l'effort considérable demandé à la société pour créer des ressources susceptibles de couvrir de telles dépenses.

L'évolution de l'artillerie rendit nécessaire l'édification de nouvelles fortifications pour protéger les villes. Plan de Reval (Tallin) en Estonie.

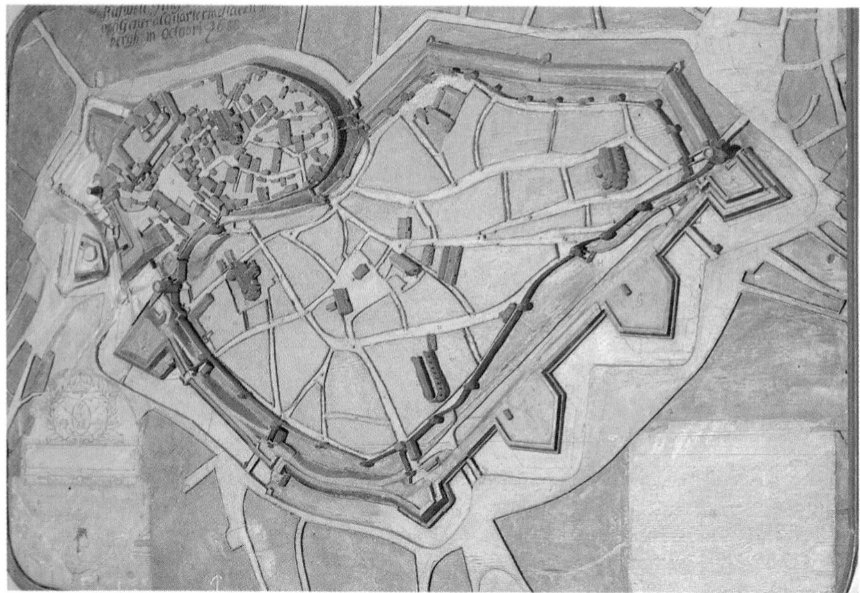

Au centre du village, le cimetière

« ... comme le cimetière était au centre du village, la mort était au centre de la vie. Sur 100 enfants qui naissaient, 25 mouraient avant l'âge de un an ; 25 autres n'atteignaient pas leur vingtième année ; 25 autres disparaissaient entre 20 et 45 ans. Une dizaine devenaient sexagénaires. L'octogénaire triomphant, auréolé d'une légende qui le transformait en centenaire, était entouré du respect superstitieux qui monte spontanément vers les champions ; depuis longtemps, il avait perdu tous ses enfants, tous ses neveux, ainsi qu'une bonne moitié de ses petits-enfants et petits-neveux. Ce sage était considéré par le village comme un oracle. La mort du héros était un événement cantonnal. »

Pierre Goubert, par cette évocation vivante de la France de Louis XIV, nous met mieux en contact avec la réalité que ne le feraient de longues colonnes de chiffres, d'autant plus que les données quantitatives relatives à cette époque sont des plus approximatives. Elles proviennent d'instances administratives qui ne s'intéressaient guère à la démographie. Leur tâche consistait à faire des listes pour l'établissement des impôts ou pour la levée de troupes. Les personnes qui pour une raison quelconque ne présentaient pas d'intérêt dans ce contexte n'étaient comptées que par raccroc, ou pas comptées du tout.

Deux chroniqueurs de l'époque ont résumé les résultats

Pendant le temps qui lui est accordé, l'être humain doit mener une vie droite et heureuse. La menace omniprésente de la mort augmentait le besoin d'agréables moments de détente, comme sur ce tableau de Jan Steen (1625-79).

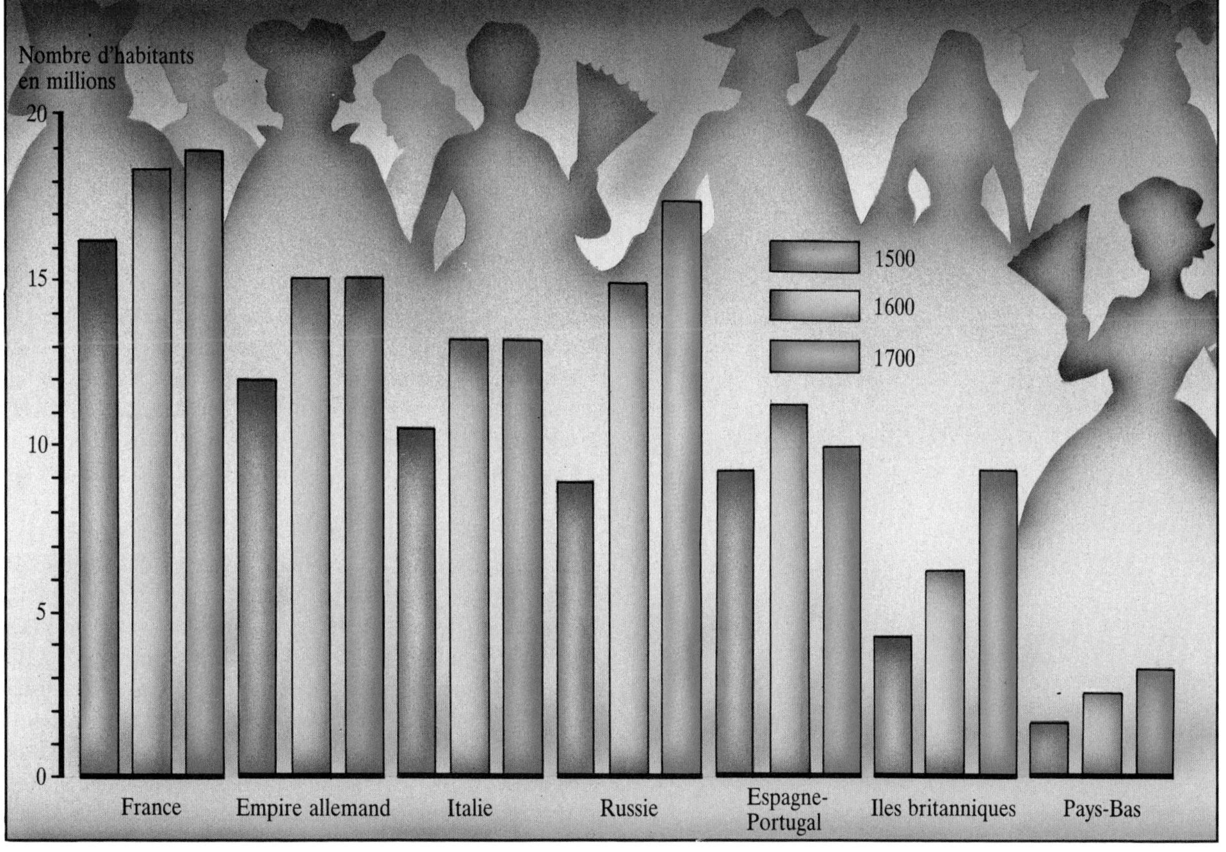

La population européenne de 1500 à 1700. Sans doute y a-t-il des exceptions, et les chiffres ne sont pas parfaitement fiables, mais ce diagramme donne une image assez adéquate de l'évolution : une croissance démographique rapide au début des Temps modernes suivie d'une stagnation, voire d'un recul, au XVII*e* *siècle. Source : P. Kriedte, « Spätfeudalismus und Handelskapital » (1980).*

d'un recensement de population à Venise en 1509. L'un fait état de 300 000 âmes, l'autre de 671 654. Ils ne s'accordent que sur le nombre des hommes en âge d'être appelés sous les drapeaux, ainsi que sur celui des prostituées — tous deux donnent le chiffre très précis de 11 654. Des études statistiques ultérieures ont établi que la population vénitienne à cette époque devait s'élever à environ 100 000 personnes.

Pour les chercheurs d'aujourd'hui, l'évaluation des populations à des époques reculées est une tâche très difficile. Ils doivent souvent se contenter de conjectures plus ou moins bien étayées par des faits. Plus on remonte dans le temps, plus la part d'incertitude augmente. A défaut d'être exacts, les résultats obtenus ont toutefois valeur d'indices. Ils suggèrent un ordre de grandeur, révèlent des tendances évolutives, et à ce titre, ils peuvent être utiles.

Jusqu'à un certain point, la croissance, la stagnation ou le déclin d'une population révèlent en effet dans quelle mesure les ressources naturelles et le labeur des hommes sont parvenus conjointement à assurer la subsistance des habitants d'un territoire donné.

La population de l'Europe

On peut supposer raisonnablement que l'Europe comptait un peu plus de 80 millions d'habitants au début du XVIe siècle. Evaluée en chiffres ronds, la population augmenta respectivement de 20, 10 et 75 millions par siècle entre 1500 et 1800. Ce fut donc pour l'Europe considérée globalement une période de croissance continue, mais ces chiffres révèlent aussi des variations de rythme. Le XVIIe

Les cheminées d'usine et les constructions urbaines n'avaient pas encore commencé à marquer le paysage européen. Peinture de Brueghel l'Ancien (1568-1625).

Au centre du village, le cimetière

siècle marqua un ralentissement, surtout dans la première moitié, tandis que le XVIIIe fut caractérisé par une véritable explosion démographique.

Ajoutons encore une estimation : la population aurait augmenté de plus de 50 % entre 1450 et 1500. Au prix d'une extrapolation audacieuse mais non téméraire, on peut admettre que l'Europe de 1750 comportait une population deux fois et demi plus importante que celle de 1450.

Ville importante, Moscou était caractérisée par des maisons en bois et un grand nombre d'églises aux coupoles dorées. A. Vasnestov, artiste du XXe siècle, donne ici sa version de la place Rouge à la fin du XVIIe siècle.

Derrière ces chiffres qui valent pour toute l'Europe se dissimulent bien évidemment de grandes disparités régionales. Dans certaines régions, la population doubla ou augmenta plus encore au cours de la période 1500-1700. Il s'agit avant tout de l'Europe du nord et du nord-ouest, pour laquelle les renseignements qu'on possède paraissent assez fiables, et de la Russie, au sujet de laquelle les données chiffrées sont plus sujettes à caution. Le pôle opposé est constitué par la péninsule Ibérique — et sans doute aussi celle des Balkans, mais nos connaissances sont incertaines, et de plus, elle n'appartenait pas à l'Europe politique en ce temps-là.

La stagnation générale qui s'observe au XVIIe siècle est plus marquée dans certaines régions. L'Espagne et le Portugal, où l'on observe même un recul, sont les plus durement touchés. Il faut placer dans le même groupe l'Italie, le royaume allemand et les Balkans, qui comptaient en 1700 le même nombre d'habitants qu'un siècle auparavant.

Ces données démographiques donnent à penser que l'Europe considérée globalement produisit des ressources susceptibles de nourrir une population en accroissement. On peut également tirer la conclusion que certaines régions s'acquittèrent moins bien que d'autres de cette tâche. En revanche, les chiffres ne disent pas si la subsistance d'une population en expansion eut pour corollaire un abaissement du niveau de vie. Ils ne révèlent rien non plus du détail de l'évolution, autrement dit de l'alternance éventuelle de reculs et de redressements au cours d'une période statistiquement déterminée.

La population des villes

La part relative de la population urbaine au sein de la

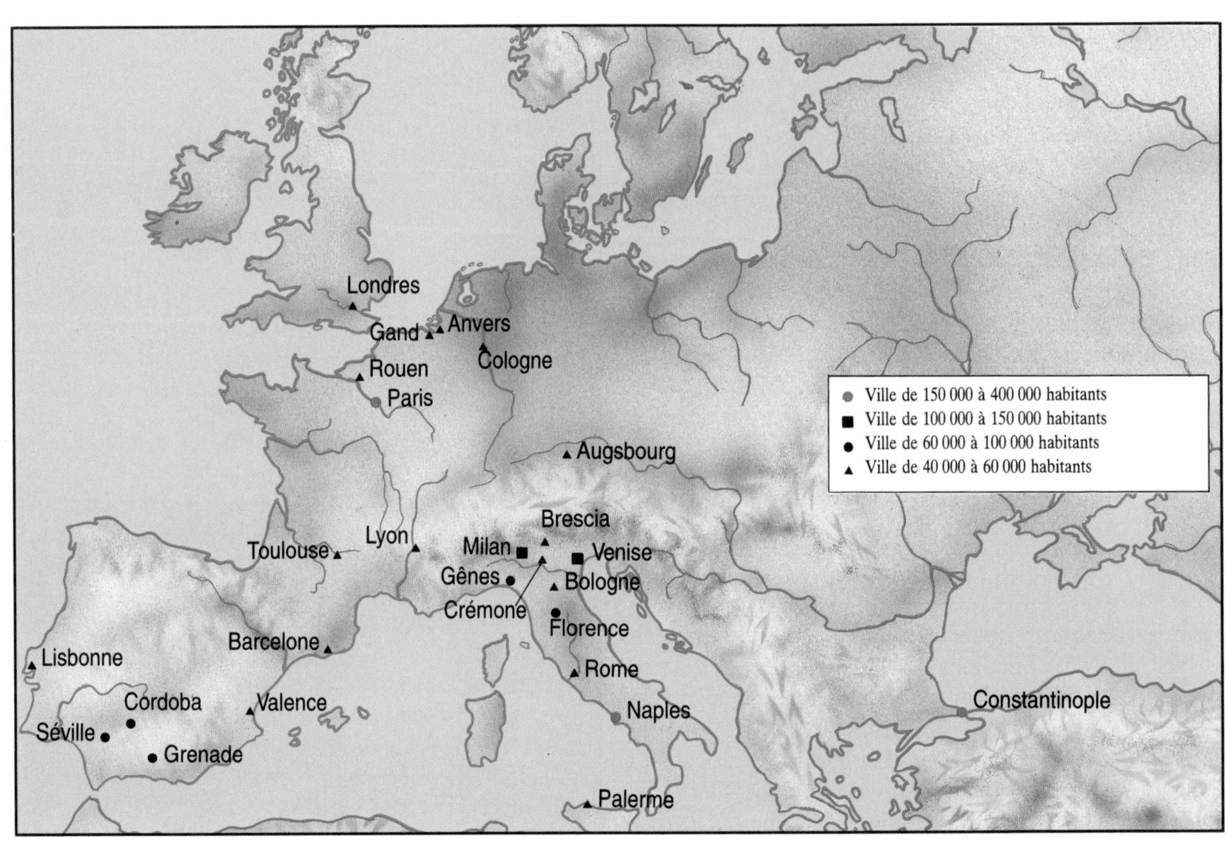

Les villes les plus importantes d'Europe vers 1500. Même en incluant celles de 40 000 habitants, elles demeurent peu nombreuses à l'aube des Temps modernes. Source : « The Fontana Economic History of Europa », vol. 2 (1974).

population globale est un indice de la capacité d'une société à entretenir un groupe qui consomme mais ne produit pas de vivres. Il est certes difficile de déterminer avec exactitude ce pourcentage, mais on peut admettre que 10 % au maximum est de règle, 25 % ou plus constituant l'exception.

On dispose de bases plus solides pour dénombrer les villes importantes. Au début du XVIe siècle, 25 cités, abstraction faite de Constantinople qui appartenait à peine à l'Europe, comptaient plus de 40 000 habitants. A l'aube du XVIIe siècle, ce nombre s'élevait à 41, et cent ans plus tard à 47. Cette croissance suit le même rythme que celle de la population en général.

En 1500, la majeure partie de ces villes se trouvait en Italie, qui à elle seule en comptait plus que la France et l'Espagne réunies, ses suivantes immédiates. Elle garda cette position dominante aux XVIIe et XVIIIe siècles, mais l'écart se combla. Avant tout la France, mais aussi les Pays-Bas et l'Empire allemand, se rapprochèrent. Le nombre de villes de plus de 40 000 habitants n'augmenta pas notablement en Espagne au cours de cette période. Il peut paraître étrange que l'Angleterre ne fût alors représentée que par Londres, mais la population de cette cité dépassait certainement en 1700 celle de toutes les villes d'Espagne ou d'Allemagne.

Si l'on adopte le critère des 100 000 habitants pour désigner les véritables métropoles, on constate, abstraction faite de Constantinople, qu'il y en avait quatre en 1500 : Paris, Naples, Venise et Milan. Un siècle plus tard, leur nombre s'élevait à dix. Les nouvelles venues étaient Londres, Rome, Séville, Amsterdam, Lisbonne et Palerme. En outre, Anvers avait atteint la barre des cent mille habitants dès 1560 mais avait ensuite été ravagée par la guerre.

En 1666, une grande partie de Londres fut la proie d'un incendie. Le feu était alors un fléau redoutable dans les villes où les maisons étaient proches les unes des autres et les moyens de combattre les incendies peu développés.

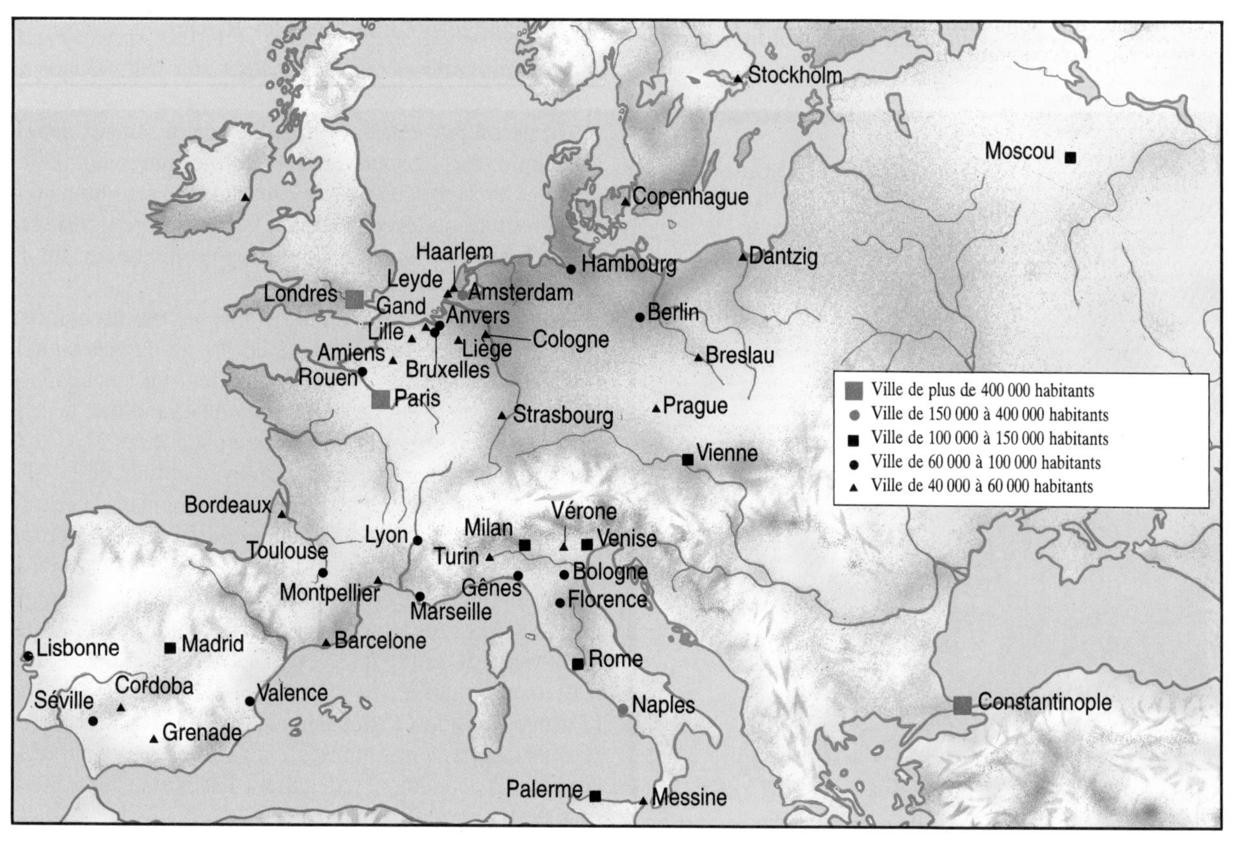

Les principales villes vers 1700. Le nombre des grandes villes a notablement augmenté en un siècle. Source : « The Fontana Economic History of Europa », vol. 2 (1974).

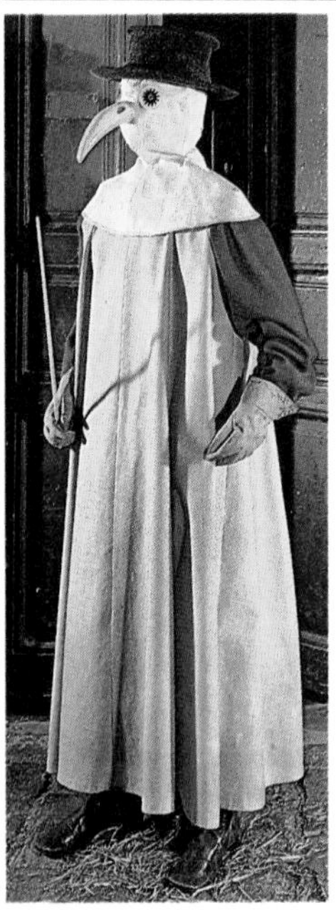

Un médecin visitant des pestiférés, protégé tant bien que mal contre la contagion. Reconstitution d'après un tableau du XVIIe siècle.

La peste à Christiania en 1654

L'on possède les registres de la paroisse *Notre Sauveur* à Christiania depuis 1648. De cette date jusqu'en 1654, la vie suivit son cours sans événements notables. On se mariait, on mettait au monde des enfants et on mourait à un rythme tranquille. Puis ce fut le choc à l'automne 1654. En trois mois, 1 500 personnes, presque la moitié des paroissiens, furent emportées par une maladie qui manifestement était la peste bubonique.

Cet automne-là, on enterra 500 morts par mois au lieu de 10 en temps normal. Les livres de comptes de la forteresse d'Akershus révèlent que la mortalité au sein de la garnison nécessita l'achat de six à huit cercueils par jour.

Le fléau des épidémies

Parmi les nombreuses maladies, la plus redoutée et la plus mortelle était la peste. En moyenne, celle-ci avait ravagé l'Europe environ deux fois par décennie avant de disparaître au XVIIIe siècle. Citons l'exemple de la Suède. A partir du milieu du XVIe siècle, les pires années de peste furent 1548-49, 1565-66, 1572, 1576, 1580, 1603, 1623, 1629-30, 1638, 1653, 1657 et 1710-11. Il ne s'agit nullement d'un cas particulier, et si l'on peut s'imaginer après coup que certaines régions furent plus épargnées, c'est sans doute essentiellement parce que les sources d'information font défaut.

Au XVIIe siècle, Londres connut trois grandes épidémies de peste au cours desquelles jusqu'à 75 % des décès furent causés par cette maladie. Lors de celle de 1603, la mortalité infantile parmi les enfants de moins de un an atteignit 68 % contre 15,7 % en temps normal.

Une transplantation au XVIe siècle : deux médecins remplacent la jambe gangrenée d'un blanc par celle d'un noir décédé. Si l'on songe au niveau de la médecine d'alors, il faut admettre que cette opération ne pouvait être effectuée que par des saints — ce que révèlent les auréoles. Ce tableau est probablement dû à Fernando del Rincàn.

En 1630-31, une épidémie de peste en Italie coûta la vie au tiers de la population de Venise, à la moitié de celle de Milan, aux trois cinquièmes de celle de Vérone.

Le sinistre enseignement qu'on peut tirer de ces exemples particuliers se trouve confirmé par des évaluations plus générales. On estime que les personnes contaminées mouraient dans une proportion allant du tiers à la moitié. S'agissait-il de la peste des poumons ou du sang, nul n'en réchappait, et la peste bubonique coûtait la vie à 70 % de ceux qui la contractaient. D'autres épidémies faisaient aussi des ravages, même si elles entraînaient un taux de mortalité moindre.

Le problème majeur résidait peut-être dans la méconnaissance des causes réelles de ces épidémies, ce qui rendait les hommes impuissants à les combattre. Il y avait bien sûr le fait que l'hygiène était déplorable. Mais les autorités pouvaient aussi décider la mise à mort de tous les chiens et les chats dont on supposait qu'ils propageaient la maladie, ce qui entraînait la prolifération des rats, c'est-à-dire des véritables porteurs de germes.

Même lorsque les responsables comprenaient la nécessité d'isoler les malades, ceux-ci se rebiffaient, y voyant atteinte à leur liberté. Du fond de leur détresse, ils recherchaient le contact, et le besoin de messes et de processions destinées à détourner ce châtiment divin qu'était la peste suscitait des rassemblements au moment où ils étaient le moins opportun.

La peste ne frappait pas tout à fait au hasard. La contagion se propageait plus vite dans les agglomérations que dans les campagnes peu peuplées. Et même si l'épidémie ne se souciait pas des hiérarchies sociales, il demeure que les riches avaient plus de possibilités d'y échapper que les pauvres. Leurs moyens leur permettaient de fuir vers des régions non contaminées.

L'épreuve de la famine

L'historien français Fernand Braudel a présenté une estimation du XVIIIe siècle concernant la fréquence des famines au cours des âges. Un pays prospère comme la France aurait connu quatre périodes de famine généralisée au cours du XIVe siècle, sept au XVe, treize au XVIe, onze au XVIIe et seize au XVIIIe.

Selon cette estimation, la période 1500-1800 aurait été plus éprouvée que les siècles précédents. En moyenne, il y aurait eu au moins une famine par décennie à l'échelon national. Comme Braudel le fait remarquer, il s'agit peut-être d'une évaluation exagérément optimiste, car elle ne tient pas compte des nombreuses famines limitées au plan régional.

Deux mauvaises récoltes de suite suffisaient à créer la pénurie. Des variations météorologiques locales pouvaient faire qu'une partie du pays était touchée, tandis qu'ailleurs les récoltes étaient abondantes. Les misérables communications, les douanes intérieures et les spéculations des négociants en grains faisaient efficacement obstacle à toute tentative de répartition entre zones prospères et régions en détresse.

La faim poussait les gens sur les routes, souvent vers la ville où l'on pouvait mendier son pain. Si la mort délivrait relativement vite le pestiféré de ses souffrances, il en allait autrement des victimes de la famine qui enduraient de longs tourments. Nombreux sont les récits qui dépeignent les affamés mangeant de l'herbe, de l'écorce, des charognes et pour finir le cadavre de leurs compagnons d'infortune. Les noms des victimes de la famine remplissaient de nombreuses pages des registres paroissiaux. Les faibles — vieillards, petits enfants, personnes souffrant déjà de malnutrition — étaient les premiers touchés.

A l'inverse de la peste, la famine exerçait plus de ravages à la campagne que dans les villes, plus riches et donc plus à même d'organiser des secours pour les nécessiteux. Seuls les pauvres mouraient de faim. On peut lire dans un rapport adressé de Rome en 1558 : « Ici, il ne se passe rien, sinon que le peuple meurt de faim. » Dans la même missive, on trouve un peu plus loin la description d'un grand banquet pontifical ; le clou en était des statues en sucre porteuses de flambeaux qui éclairaient la salle du festin.

Même si les pauvres ne goûtèrent pas aux statues de sucre, peut-être avaient-ils occasionnellement la possibilité de se rassasier, car la distribution de nourriture au petit peuple pouvait faire partie des fêtes des riches. Ce fut sûrement le cas à l'occasion d'un mariage noble célébré à Prague en 1587, une année de disette, à en juger par les quantités de vivres qui furent consommées : 36 chevreuils, 12 tonnes de viande de cerf, 36 sangliers, 1 290 lièvres, 272 faisans, 75 bœufs, 764 moutons, 221 agneaux, 32 porcs, 60 cochons de lait et bien d'autres mets. Il paraît peu vraisemblable que les convives de la noce aient pu engloutir toutes ces victuailles, ce qui laisse à penser qu'en ce jour de joie, les nobles qui vivaient dans l'opulence voulurent gratifier les pauvres d'une part du festin. De telles largesses ne constituaient cependant pas un remède durable en temps de crise, lorsque la famine succédait à la malnutrition habituelle.

La révolution des prix

Jadis, on parlait du « temps de la vie chère » pour désigner les années de disette, mais l'augmentation des prix des denrées alimentaires n'entraîne pas nécessairement un abaissement du niveau de vie. Si le prix de ce que le consommateur a lui-même à vendre, par exemple sa force de travail, augmente dans les mêmes proportions que celle de la nourriture, vie chère n'est nullement synonyme de détresse matérielle.

La révolution des prix est un phénomène qui a suscité un vif intérêt aussi bien lors de son apparition que longtemps après. Le prix des grains a servi d'unité de mesure. Sans nul doute, les céréales constituaient les ressources vivrières les plus importantes, elles étaient nécessaires au maintien de la vie. Les prix moyens du blé en Europe connurent une ascension spectaculaire au XVIe siècle et jusqu'au milieu du XVIIe — où un hectolitre coûtait en moyenne 170 grammes d'argent, contre environ 20 grammes avant la révolution des prix. Compté en métal argent, le prix du blé avait donc été multiplié par huit ou neuf en un peu plus de cent ans.

Cet envol des prix, qui suscita des débats parmi les savants du temps et des protestations dans de larges couches de la société, prend une dimension différente si l'on se penche sur l'augmentation moyenne annuelle. On constate en effet que celle-ci n'excède pas 2 %, ce qui

Distribution de vivres à des pauvres dans un couvent au début du XVIe siècle. L'aide aux indigents était affaire de charité, et dans les temps difficiles, ni les ressources ni l'organisation ne pouvaient répondre aux besoins. Bas-relief à Pistoia.

En cas de disette, marchands de grains, meuniers et boulangers étaient les premiers soupçonnés d'aggraver la misère par goût du lucre. Eau-forte de 1635 exécutée par Jan Joris van der Vliet (né vers 1610).

Les prix des céréales entre 1500 et 1800 convertis en métal argent. Malgré des variations individuelles, les courbes des prix des céréales dans ces trois pays révèlent des tendances générales : augmentation au début des Temps modernes, puis stagnation ou recul jusqu'au milieu du XVIIIe siècle. Source : P. Kriedte, « Spätfeudalismus und Handelskapital » (1980).

peut paraître passablement innocent de nos jours — nous avons vu pire en matière d'inflation.

Il demeure que cette inflation fut de longue durée, que les autorités furent impuissantes à la juguler et que les consommateurs constatèrent immanquablement que l'augmentation des prix consécutive à de mauvaises récoltes n'était pas compensée par une baisse équivalente lors des années fastes. N'oublions pas non plus que la longue durée et l'attention exclusive portée aux prix moyens risquent de dissimuler les variations brutales d'une année sur l'autre ainsi que les disparités régionales.

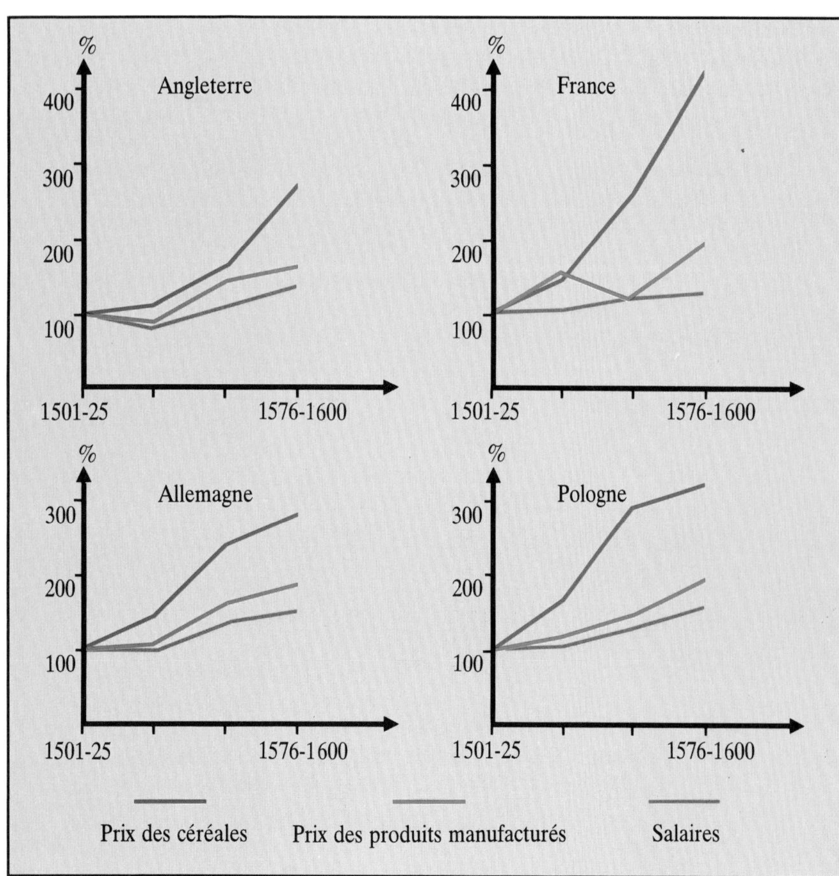

Les prix des céréales augmentèrent plus vite que ceux des produits manufacturés. Mais ce sont surtout les salaires qui stagnèrent. Une telle évolution entraîna d'importantes conséquences économiques et sociales. Source : H. Kamen, « The Iron Century. Social Change in Europe 1550-1660 » (1971).

De manière générale, on peut dire que les prix étaient élevés en Europe de l'Ouest, bas en Europe de l'Est. Il y avait là des possibilités de profits commerciaux, mais les différences s'atténuèrent avec le temps. En 1500, la différence du prix des céréales entre l'ouest et l'est de notre continent se situait dans un rapport de 6 à 1 ; cent ans plus tard, cette proportion n'était plus que de 4 à 1, et, à l'aube du XVIIIe siècle, de 2 à 1. En d'autres termes, la révolution des prix des céréales fut plus radicale à l'est qu'à l'ouest.

Les prix des produits de l'artisanat et des manufactures augmentèrent aussi, mais pas aussi rapidement que ceux des céréales. Au cours du XVIe siècle, le fossé se creusa. Dès le début du siècle, les cultures céréalières s'avéraient bien plus rentables que par exemple la production de tissus.

Mais ce furent surtout les salaires qui stagnèrent par rapport à l'évolution des prix. Pendant la majeure partie du XVe siècle, les ouvriers anglais du bâtiment avaient été rétribués de manière satisfaisante par rapport au coût de la vie. Dès le début du XVIe siècle, leur pouvoir d'achat commença à sérieusement diminuer. Sans doute recevaient-ils vers 1600 un salaire deux fois plus élevé que cent ans auparavant, mais les prix avaient quintuplé au cours de la même période. Une certaine réévaluation allait ensuite s'opérer, mais il faudrait attendre la fin du XIXe siècle pour que soit restauré le rapport entre rémunération du travail et coût de la vie qui existait à la fin du Moyen Age.

Il se pourrait que le fossé entre les salaires et le coût de la vie ait été quelque peu comblé par le paiement d'une partie de la rétribution en nature, auquel cas l'effet de l'augmentation des prix se trouvait atténué. Il se pourrait aussi que les périodes de chômage aient été plus courtes qu'au Moyen Age. Il n'empêche que la situation de ceux qui vivaient d'un salaire se dégrada de manière catastrophique au cours du XVIe siècle. Dans un hospice anglais pour indigents, la ration quotidienne comportait 250 grammes de viande en 1588, et cent ans plus tard, la moitié seulement.

Les catastrophes démographiques étaient-elles inévitables ?

Les guerres, les pestes et les famines apparaissaient comme des entraves directes et observables à l'accroissement des populations. Mais ce qui était perçu comme cause pouvait être en réalité la conséquence d'une force invisible ou d'une loi. Dans une perspective déterministe, le pasteur anglican Thomas Malthus écrivit en 1798 un essai célèbre sur les problèmes de population.

Il soutenait que la population augmentait toujours à un rythme plus rapide que celui de la production de ressources vivrières. Et si dans une première phase la nourriture se révélait suffisante, la pénurie, en vertu de cette loi, n'allait pas moins régner tôt ou tard. Pour la combattre, il n'y avait qu'un moyen : restreindre de manière draconienne le nombre des consommateurs. Après les catastrophes qui se présentaient sous forme de guerre, de peste ou de famine, il était possible de nourrir les survivants.

Les pauvres étaient donc nécessairement voués à subir ces catastrophes. Si on augmentait leur niveau de vie, on ne faisait que précipiter leur perte, car vivant mieux, ils se reproduisaient à un rythme plus rapide. Sous l'effet des critiques, Malthus modifia quelque peu sa doctrine. En rendant les mariages plus tardifs, on pouvait limiter les naissances et donc repousser à plus tard les catastrophes à défaut de les empêcher.

La première de ces pensées malthusiennes se retrouve sous une forme moderne dans l'hypothèse de l'existence en Europe d'un type tout à fait particulier de cellule familiale, apte à déjouer les pièges de la démographie. Les caractéristiques de cette famille sont qu'elle n'englobe que deux générations, les parents et les enfants, que les mariages sont tardifs et qu'en vertu d'une morale intransigeante, la procréation n'est autorisée que dans le mariage. Les premiers signes de l'existence d'un tel modèle s'observeraient au XVIIe siècle.

Même si l'on admet l'existence de ce lien, qui est loin d'être prouvé, entre mariages tardifs et limitation des naissances en Europe occidentale, il n'est pas certain pour autant qu'il y ait eu dans tous les groupes sociaux planification délibérée pour limiter le nombre des enfants.

Ce fut certainement le cas lorsque la bourgeoisie de Genève, au XVIIe siècle, décida de relever de cinq ans l'âge du mariage des filles. Les gens aisés, probablement peu touchés par la mortalité infantile, avaient certainement de bonnes raisons de limiter le nombre des héritiers.

Pour les gens du peuple, les conditions étaient différentes. La mortalité infantile était extrêmement élevée, les enfants formaient une main-d'œuvre bon marché et ils constituaient même la seule assurance, fragile au demeurant, contre la vieillesse. Aussi n'y avait-il guère de raison de limiter les naissances. Si l'on se mariait plus tard, ce n'était pas à cette époque par souci délibéré de planification des naissances, mais plutôt parce qu'il était de plus en plus difficile de se procurer des moyens de subsistance, autrement dit des terres.

La survie de l'être humain est le résultat conjoint de ses propres forces et des conditions imposées par l'environnement matériel. La nature fournit le cadre extérieur, mais ce cadre est large, et l'histoire montre que l'homme peut exploiter au mieux l'espace qui lui est imparti grâce à une connaissance accrue des mécanismes naturels lui permettant et de s'y adapter, et de le transformer. Un paysan du Moyen Age à qui il serait donné de revenir aujourd'hui sur terre estimerait sûrement que l'agriculture moderne a fait éclater les limites naturelles — et peut-être n'aurait-il pas tort.

La capacité de l'homme à se rendre de plus en plus maître de la nature n'entraîne pas automatiquement une amélioration généralisée des conditions de vie. La répartition des richesses produites est bien entendu la condition essentielle d'une augmentation générale du bien-être, et les luttes pour cette répartition constituent un des moteurs essentiels de l'évolution sociale.

Une politique de répartition qui par le biais des impôts et autres taxes privait le paysan d'une partie trop importante de sa récolte pouvait à long terme avoir des conséquences aussi funestes pour la population qu'une longue série de mauvaises récoltes.

Une famille bourgeoise aisée en visite de charité chez un paysan hollandais lui donne du sel et de l'argent. Dans le chaudron cuit un ragoût composé essentiellement de raves. Peinture de Brueghel l'Ancien (1568-1625).

La nourriture quotidienne

La vie quotidienne d'une famille paysanne ne s'est jamais réduite à la seule culture de la terre. Le cycle des saisons permettait aussi d'autres tâches. Beaucoup d'entre elles étaient liées à la gestion domestique : fabrication d'outils, tissage, entretien des bâtiments. D'autres activités — construction de chariots, sylviculture, artisanat — étaient destinées à assurer des revenus complémentaires. Mais depuis des temps immémoriaux, il s'agissait avant tout de produire ces céréales qui pouvaient assurer le pain quotidien. Investie de cette mission, l'agriculture, à la suite d'un processus douloureux de restructuration, allait contribuer à faire de l'Europe le centre du monde.

Il est difficile de nos jours de se représenter comment dans une société agraire était perçue la dépendance à l'égard d'une nature omniprésente. Cela se traduisait par des fêtes et des cérémonies qui pouvaient remonter à des temps immémoriaux. Miniature extraite des annales de Charles d'Angoulême.

La courbe de l'évolution des prix des céréales en Europe évoquée précédemment montre que le XVIe siècle fut un âge d'or pour les négociants en grains, à l'inverse du siècle suivant. Cependant, il est loin d'être sûr que la prospérité des négociants coïncida avec celle des paysans. Les marchands assuraient leurs gains en achetant là où il y avait excédent pour revendre dans les régions touchées par la pénurie.

Les agriculteurs du XVIe siècle était avant tout censés fournir des vivres à une population en expansion, mais ils devaient aussi livrer des matières premières aux artisans et aux manufactures, et payer leurs taxes aux propriétaires terriens et aux autorités. Au XVIIe siècle, la fonction nourricière perdit quelque peu de son importance ; en revanche, les taxes augmentèrent.

Même si les grandes fortunes s'édifiaient grâce au commerce des produits exotiques, même si les produits manufacturés européens commençaient à conquérir le monde, l'Europe demeurait pour l'essentiel une société agraire. Le moteur de l'économie, c'était la multitude des foyers paysans constitués des parents et des enfants, peut-être de quelques survivants de la vieille génération, et parfois d'employés.

Du fait que pour l'essentiel des tâches, la seule source d'énergie disponible était la force musculaire des hommes et des bêtes, la production se faisait à petite échelle et ne dégageait que peu d'excédents au-delà des propres besoins de la maisonnée et des graines de semence qu'il fallait mettre de côté. En termes généraux, on peut caractériser toute cette période par un processus continu de restructuration tendant à valoriser d'autres secteurs d'activité sociale que l'agriculture. Il reste à présenter concrètement cette évolution.

Pain et autres nourritures

L'Europe du Sud était celle du pain blanc ; au nord, on mangeait du pain de seigle. C'était une conséquence du climat, comme d'autres habitudes alimentaires (vin ou bière par exemple). Mais la nature du terrain et des sols jouait certes aussi son rôle dans l'orientation de la production agricole et dans son rendement. Que la Suisse exportât avant tout des mercenaires s'explique par les conditions naturelles défavorables. Marécages et moraines étaient aussi rebelles à la charrue que les sommets alpins.

Mais dans bien des cas, les obstacles dressés par la nature n'étaient pas à jamais insurmontables. Les zones marécageuses pouvaient être drainées, et la limite septentrionale de la culture du blé n'allait cesser de monter en latitude grâce à l'amélioration des plantes. Le fromage hollandais et le coucou suisse montrent que l'on peut s'adapter avec succès aux conditions naturelles. Il demeure qu'en 1750, celles-ci déterminaient au plus haut point la spécialisation agricole des différentes régions.

Les terres étaient certes plus ou moins fertiles, mais la prospérité des régions à même de produire des céréales, de la laine, de la viande, des légumes ou des plantes industrielles comme le lin étaient aussi fonction de la proximité des marchés et de l'efficacité des moyens de transport.

Mais la culture des céréales demeurait la plus indispensable de toutes, puisqu'elle donnait à manger au cultivateur lui-même et à son entourage immédiat. Une récolte de grains donne incomparablement plus de calories que le bétail qui paisserait sur la même surface, et même si le vin a une valeur nutritive, c'est d'ordinaire pour d'autres raisons qu'on le consomme.

Le maïs et le riz, importantes ressources vivrières dans d'autres parties du monde, existaient déjà ou furent mis en exploitation dans les pays méditerranéens dont le climat s'y prêtait. Malgré un rendement élevé, ils ne jouèrent qu'un rôle marginal dans la subsistance des populations européennes. La pomme de terre, qui allait prendre une telle place dans la nourriture des pauvres, existait bien en Espagne dès les années 1570, mais elle ne prit son importance en Europe que deux siècles plus tard.

A proximité des grandes villes, la production de produits laitiers (lait, fromage, beurre) ou de fruits et légumes devint courante. A la bourse d'Amsterdam, on pouvait même spéculer sur le cours des oignons de tulipes. Il s'agissait pour l'essentiel de produits ne supportant pas de longs transports.

Quand le prix des grains baissa, les exploitations viticoles commencèrent à s'étendre aux dépens des champs de céréales, et en Hollande, la production nationale de tabac tripla entre 1675 et 1715.

Production d'huile d'olive. L'huile d'olive jouait le même rôle en Europe du Sud que le beurre dans la partie nord du continent. Gravure.

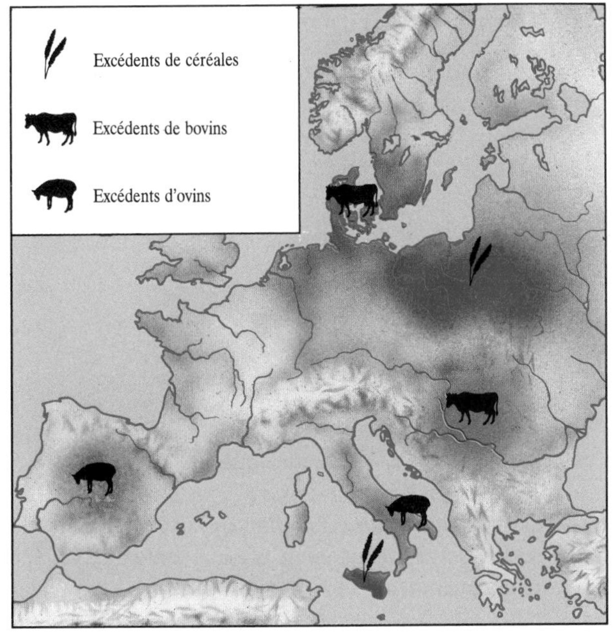

Des conditions géographiques et historiques particulières expliquent la production excédentaire dans certaines régions. Les exportations pouvaient être sources de revenus importants, mais elles étaient aussi très sensibles aux variations de la conjoncture.

Vendanges, miniature extraite d'un recueil tchèque de chansons. Les viticulteurs, qui devaient se procurer de la farine pour leur pain, étaient plus dépendants du marché et des variations des prix que les producteurs de céréales.

Un paysan ne pouvait se contenter de cultiver la terre. La faiblesse des rendements obligeait les familles paysannes à trouver d'autres sources de revenus, ce que le cycle des saisons rendait possible. Parmi ces activités annexes, la chasse et la pêche remontaient à la nuit des temps. Illustration tirée d'une édition de l'« Histoire naturelle » de Pline (1582).

Il était également rentable de produire des matières premières destinées à l'artisanat et aux manufactures — chanvre pour les corderies des chantiers navals, lin pour la fabrication de tissus.

Enfin, le cultivateur pouvait se spécialiser dans l'élevage qui lui permettait de vendre de la viande et de la laine. Il existait donc pour le paysan bien des possibilités de se procurer du pain sans en produire lui-même la farine. L'exploitation agricole la plus courante était toutefois celle qui produisait des vivres pour les besoins de la maisonnée et possédait en outre des animaux utiles comme bêtes de somme et pourvoyeurs de fumier.

Le rendement par grain de semence

Aux États-Unis, Jan de Vries fait partie de ces chercheurs qui ont tenté d'évaluer l'impact des variations des récoltes sur les conditions économiques des exploitants. Il estime qu'un foyer de cinq personnes cultivant normalement huit hectares ne pouvait subvenir à ses besoins les années où une graine de semence ne rendait que le triple. La famille n'avait alors d'autre choix que d'endurer la faim ou d'emprunter, car il n'était pas question de toucher aux grains de semence.

Si en revanche le rendement était dans la proportion de un à quatre, le foyer pouvait non seulement pourvoir à ses propres besoins, mais encore fournir du pain à une personne et demie supplémentaire. Cette répartition du surplus s'effectuait par le jeu des impôts, des taxes ou du commerce. Que le rendement atteignît la proportion de 1 à 8, et c'est dix personnes extérieures à la famille que celle-ci pouvait nourrir.

En matière d'approvisionnement, le rendement par grain était donc un facteur important, à défaut d'être le seul. Les renseignements en la matière constituent donc de précieux indicateurs sur l'état de l'agriculture. Malheureusement, bien des ouvrages traitant de la question laissent le lecteur plus confondu que véritablement éclairé. Les auteurs ne s'accordent guère entre eux, et les nombreuses données collectées — 15 500 dans un seul ouvrage — exigeraient un traitement critique plus poussé.

L'efficacité du travail agricole était des plus limitées avec des bœufs comme bêtes de somme et des outils en bois (dans le meilleur des cas, seules les parties les plus vulnérables étaient en fer). Miniature flamande du XVIe siècle.

1500/49
1550/99
1600/49
1650/99
1700/49
1750/99
10
9
8
7
6
5
4
3
2
1
Angleterre-Hollande
France-Espagne-Italie
Allemagne-Suisse-Scandinavie
Europe de l'Est

De 1500 à 1700, le rendement par grain fut constamment plus élevé en Angleterre et en Hollande que dans le reste de l'Europe, et après 1650, le fossé ne fit que se creuser. Source : P. Kriedte, H. Medick et J. Schlumbom dans « Industrialization Before Industrialization » (1982).

Il y a du moins accord sur le fait que le rendement était faible. Quatre grains moissonnés pour une graine de semence, telle était la moyenne normale dans une grande partie de l'Europe. De nos jours, cette proportion est aisément cinq fois plus grande, et, du fait que l'on ensemence le terrain avec plus de graines, la différence de rendement à l'hectare s'en trouve encore accrue.

On s'accorde aussi à penser qu'en règle générale le rendement aurait été plus faible à la fin de la période qu'au début. Selon beaucoup, l'Angleterre et la Hollande, dont l'essor agricole s'amorce dans la deuxième moitié du XVIIe siècle, seraient les exceptions qui confirment la règle. On relève du reste dans ces régions bien des indices de modernisation de l'agriculture.

On a voulu mettre cette baisse de rendement en relation avec une détérioration climatique qui se serait manifestée de 1550 à 1850. Cette « petite ère glaciaire » expliquerait aussi la stagnation démographique au XVIIe siècle et autres signes de crise. Rares sont ceux qui contestent cet abaissement de température, même s'ils se montrent sceptiques quant à la possibilité de le chiffrer avec exactitude. En revanche, on peut adresser des objections à ceux qui l'érigent en principe explicatif général.

Les précipitations, qui sont encore plus difficiles à mesurer après coup, ont certainement autant d'importance pour les récoltes que la température. D'autre part, la faiblesse du rendement, qui n'est mesurée que par les récoltes de céréales, pourrait dépendre du fait que les paysans, réorientant leur production, utilisèrent leurs meilleures terres à d'autres fins quand les prix du grain vinrent à baisser.

Et on ne saurait oublier que c'est pendant cette petite ère glaciaire que l'agriculture de l'Europe du Nord-Ouest amorça son grand bond en avant.

Conquête de nouvelles terres

Le défrichage de terres incultes était la méthode la plus ancienne et la plus simple pour augmenter la production agricole. Elle était aussi la plus adéquate pour répondre aux besoins d'une population croissante composée en majeure partie d'agriculteurs.

La peste avait laissé de vastes territoires déserts. Les terres ne manquaient donc pas au XVe siècle. Cela favorisa les mariages précoces. En outre, il y eut place pour des pâturages, ce qui permit une nourriture variée. Cet accès à la terre rendit possible le rapide accroissement de population qu'on observe après 1450.

Petit à petit, les terres qui avaient été perdues pour la culture furent reconquises. Le problème se posa de trouver de nouvelles aires cultivables, excepté au nord, où de vastes zones forestières pouvaient être déboisées, et à l'est, riche d'immenses plaines encore inexploitées.

Une technique de pointe pour gagner des terres cultivables consistait à drainer les zones morainiques ou marécageuses, ou encore à construire des digues dans les régions côtières. Cela coûtait plus cher que de défricher, et les bénéfices escomptés étaient en conséquence. Dans la région de Venise, on procéda à de grands travaux de drainage tant que les prix des céréales furent élevés, puis on les abandonna en 1600 quand la baisse se manifesta.

En Europe du Nord, ces efforts se poursuivirent encore pendant un demi-siècle. Depuis le Moyen Age, les Hollandais étaient experts en la matière. Ils disposaient aussi de capital et de connaissances techniques accrues, notamment en matière d'énergie éolienne : les moulins à vent remplaçaient à moindre frais la main-d'œuvre humaine. La Hollande exporta ce savoir-faire dans toute l'Europe.

Après 1650, il s'avéra moins rentable d'essayer de gagner de nouvelles terres que de travailler à améliorer le rendement de celles qui étaient déjà cultivées.

Jachère et fumier

Aussi tard qu'en 1750, la moitié des terres agricoles étaient mise en jachère chaque année dans la plupart des régions d'Europe continentale, tandis qu'en Angleterre, on était parvenu dès le XVIIe siècle à réduire la part des friches à un vingtième des terres cultivables. Telle était la

Ce diagramme vise à illustrer la différence entre l'assolement biennal et l'assolement triennal. Avec ce dernier, on tirait un meilleur parti des terres, ce qui permettait d'avoir plus de bêtes. Celles-ci produisaient plus de fumier et apportaient un enrichissement à la nourriture sous forme de matières grasses et de protéines. Source : C. T. Smith, « A Historical Geography of Western Europe before 1800 » (1967).

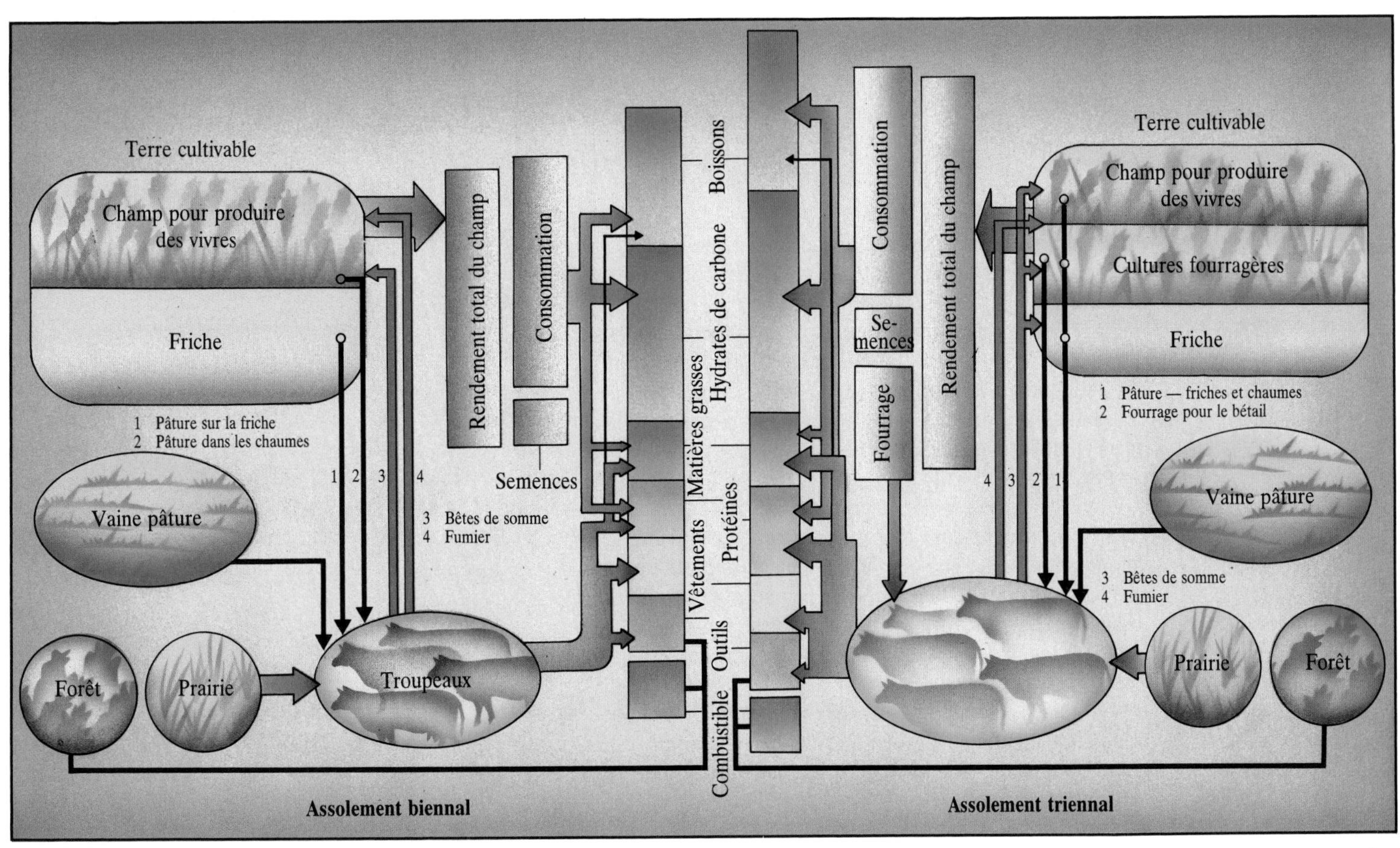

Plus ou moins réussies sur le plan artistique, les images qui ornaient traditionnellement les calendriers nous révèlent quelque chose des occupations des paysans. Ici, dans ce calendrier allemand du XVIIIe, nous voyons le barattage, la tonte d'un mouton et la fabrication du vin.

différence entre la technique avancée de l'assolement et celle plus primitive consistant à faire alterner deux sortes de culture.

Les éléments nourriciers que les plantes tirent des sols devaient être remplacés d'une manière ou d'une autre, par exemple en laissant reposer la terre labourable. On obtenait ainsi un rendement plus élevé, mais en revanche, on ne pouvait exploiter chaque année qu'une partie des champs.

Une solution consistait à apporter ces substances nutritives de l'extérieur, sous forme de fumier. Faute d'engrais chimiques, il fallait posséder des animaux domestiques en nombre suffisant, et donc disposer de pâturages qui à leur tour empiétaient sur les terres cultivables.

Quand on disposait de terres en abondance, on pouvait les exploiter au maximum pour ensuite les laisser reposer pendant une génération avant de les remettre en exploitation. C'est surtout en Europe de l'Est qu'on utilisait cette méthode. Un développement de ce système fut l'assolement biennal pratiqué en Europe septentrionale et dans les pays méditerranéens. En Angleterre et dans les plaines d'Europe du Nord, l'assolement triennal permettait de ne laisser qu'un tiers des terres en jachère. L'un des deux tiers restants pouvait être consacré aux céréales, l'autre aux légumineuses (pois ou haricots), aux plantes potagères (raves) ou aux plantes fourragères (trèfle). Ces ressources alimentaires offraient aux hommes une alimentation plus variée, elles permettaient aussi de nourrir un nombre croissant de bêtes qui à leur tour fournissaient du fumier en plus grande quantité.

Dans ces pays avancés qu'étaient la Hollande et l'Angleterre, le développement de la technique de l'assolement permit de réduire encore la part de la jachère. En procédant à des cultures différentes pendant des périodes pouvant atteindre onze ans, on évitait efficacement la dévitalisation des terres, du fait avant tout que certaines des plantes cultivées apportaient aux sols les substances nutritives que d'autres y puisaient. Et au cours de ce cycle, il était toujours possible de cultiver des plantes industrielles, particulièrement rentables.

D'autres nouveautés virent le jour dans ces pays. Les bêtes nourries avec du fourrage furent maintenues toute l'année à l'étable, ce qui permettait d'utiliser les terres de pacage à d'autres fins et rendait la collecte du fumier plus facile. On sema les grains par rangées au lieu de les disséminer, et on travailla la terre plus souvent et plus opiniâtrement à l'aide de charrues et de herses.

Ces nouvelles méthodes d'exploitation n'avaient rien de secret. Des voyageurs admiratifs en rendirent compte dans leur pays. Du reste, nombre de ces procédés étaient déjà décrits dans de vieux manuels. Ce n'était donc pas faute de connaissances que l'agriculture demeurait techniquement si peu avancée dans une grande partie de l'Europe.

Traditions paysannes et méthodes nouvelles

La lenteur avec laquelle se répandirent ces nouvelles méthodes montre qu'il existait des forces hostiles au changement. Il peut paraître surprenant que des paysans aient

« Tout progrès sent le fumier »

Probablement par souci d'expérimentation, Robert Lodder, au début du XVIIe siècle, épandit des quantités différentes de fumier sur deux terres à proximité d'Oxford. Le champ le plus fumé donna un rendement de 15,5 grain de blé par semence, le second la moitié seulement. A fumure égale, les resultats furent identiques pour les deux.

Cette expérience révèle l'importance du fumier. Celui-ci pouvait être source de profits commerciaux, mais aussi bien les gouvernements que les propriétaires essayaient d'empêcher ce commerce, avant tout à l'exportation.

Le paysan habitant à proximité d'une ville pouvait aller proposer le produit de ses lieux d'aisance qu'on appelait « fumier de nuit » par référence à la manière discrète dont il était livré.

voulu s'opposer à l'amélioration du rendement de leur exploitation. L'explication réside dans le fait qu'il ne s'agissait pas seulement d'une nouvelle technique, mais aussi d'un autre mode de vie.

Deux éléments peuvent être invoqués pour caractériser la vie rurale de jadis. D'une part, la tendance à vivre en autarcie, d'autre part l'organisation du travail en commun au sein de la ferme.

Le pain et le gruau constituant la nourriture de base, l'exploitation devait avant tout produire des céréales. D'autres cultures n'étaient envisageables que si l'on disposait de beaucoup de terres. Mais même si l'on fabriquait à la maison l'essentiel de ce dont on avait besoin, on ne pouvait pourvoir à tout. Ainsi, dans la plupart des cas, le seul moyen de se procurer un article de première nécessité comme le sel était de l'acheter — ou de l'échanger contre autre chose.

Il pouvait paraître tentant de pratiquer de nouvelles cultures à titre expérimental. En augmentant ses revenus, on pouvait ensuite acheter ce qu'on ne pouvait soi-même produire. Mais il fallait dans le même temps affecter des terres à autre chose qu'aux cultures céréalières, fondement même de l'existence de la maisonnée. Les conséquences pouvaient se révéler catastrophiques, surtout si l'expérience échouait.

De telles objections ne s'appliquent pas à la mise en œuvre de nouvelles méthodes pour augmenter le rendement des cultures céréalières. Confronté à cette tentation, le paysan devait toutefois se demander si le jeu en valait la chandelle, car cette augmention de rendement avait pour prix un surcroît de travail. Et beaucoup renâclaient, à l'instar de nos contemporains qui limitent leurs ambitions de carrière pour pouvoir mieux se consacrer à leur famille ou à leur vie privée.

Les exploitations paysannes constituaient des unités autonomes qui collaboraient pour certains travaux agricoles. Presque toute l'Europe connaissait cette forme d'association, la communauté des habitants. Du fait que les possessions des différentes fermes consistaient en lopins imbriqués les uns dans les autres et que ceux-ci étaient entourés d'un terrain communal à la disposition de tous les villageois, il fallait nécessairement collaborer. L'avantage de ce type de répartition était que chaque paysan avait sa part de bonne et mauvaise terre. Et même les plus petits cultivateurs avaient accès au terrain communal où leurs bêtes pouvaient paître.

Ce système présentait des inconvénients avant tout pour le paysan qui voulait renouveler ses méthodes. Compte tenu de la répartition des terres, la commune villageoise se devait de coordonner strictement toutes les phases du travail, et nul ne pouvait s'y soustraire, ce qui ne favorisait pas les initiatives. Ainsi, il était pratiquement impossible de semer autre chose que ce que l'assemblée des habitants avait prescrit. Un paysan décidé à extirper les mauvaises herbes pouvait voir ses efforts anéantis par un voisin ne manifestant pas le même zèle. Et le droit de vaine pâture pouvait avoir un effet inhibiteur sur ceux qui tentaient de se spécialiser dans l'élevage.

Pour ceux qui le pouvaient, la solution consistait à regrouper des parcelles en une seule terre pour pratiquer ensuite l'agriculture et l'élevage comme ils l'entendaient.

Portraits de paysans. A gauche, paysan français par Louis Le Nain (1593-1648) ; ci-dessous, paysan allemand par Lucas Cranach l'ancien (1472-1533) ; tout en bas, paysan hollandais par B. G. Cuyp (1612-52)

Mais une telle réforme aurait eu des effets négatifs pour les petits cultivateurs, autrement dit la majorité. Ils auraient perdu une bonne partie des pacages. La dispari-

Assemblée communale à Bygdeå

Dans ce village du nord de la Suède, le pouvoir local était détenu par l'assemblée communale composée des représentants des villages de la commune. C'est elle qui décidait de l'exemption d'impôts pour les gens jugés trop malades ou trop pauvres. Chaque année, elle réajustait les charges fiscales pour chaque ferme de manière à ce que la commune puisse payer le montant global exigé par la couronne. Elle répartissait les impôts supplémentaires et gérait les affaires locales. Le plus important, c'est qu'elle avait la charge de lever des soldats pour le compte de l'Etat. Dans la mesure du possible, elle essayait d'éviter que ne tombent au champ d'honneur les hommes de la commune en général et les gros paysans en particulier. C'est aussi parmi ces derniers que se recrutaient les membres de l'assemblée communale.

Les comptes de la ferme La Saussaye (années 1620)

Recettes	Livres tournois	Dépenses	Livres tournois
Blé	2508	Semences et entretien	1716
Avoine	1242	Redevances au propriétaire	1320
Cheptel	400	Redevances au seigneur	42
Total	4150	Dîme	270
		Impôts	415
		Total	3763
		Excédent	387
		Total général	4150

Source : Pierre Léon, *Histoire économique et sociale du monde*, Vol. II (1978).

La dîme faisait partie des nombreuses redevances que le paysan devait acquitter. Miniature de 1501.

tion de ce type de répartition, en affaiblissant la communauté, les auraient rendus encore plus désarmés devant les abus des gros paysans et les exigences fiscales des autorités. Et des réformes aventureuses dans un milieu où il fallait déjà lutter pour son pain quotidien n'auraient fait que renforcer leur sentiment d'insécurité.

La résistance aux changements était si forte et au fond si motivée que seules des contraintes extérieures allaient en venir à bout.

Taxes en tous genres

La Saussaye, située à Villejuif près de Paris, était une grosse ferme exploitée moyennant redevance au propriétaire. Jean Jacquart a calculé les dépenses de l'exploitation une année de bonnes récoltes (rendement de 6 pour 1) au cours de la décennie 1620-30. Environ la moitié des revenus bruts était affectée à diverses redevances. Les deux tiers de celles-ci allaient au propriétaire, deux dizièmes à l'Etat, un dizième à l'Eglise et une petite fraction à celui qui exerçait sa souveraineté sur ces terres.

On ne peut généraliser à partir de cet exemple, car le pourcentage relatif des différentes taxes variait d'une région à l'autre, a fortiori d'un pays à l'autre. En revanche, il apparaît clairement qu'un exploitant avait de nombreux maîtres à servir, et que la souveraineté exercée sur les terres était autre chose que la propriété. Cette distinction vaut qu'on s'y arrête.

La souveraineté sur les terres, legs du Moyen Age, donnait le droit de percevoir les taxes les plus diverses. Elles pouvaient être grandes ou petites, multiples ou peu nombreuses, selon l'usage local, mais tous les exploitants y étaient astreints, même ceux qui possédaient leur terre. Il en allait de même pour la dîme. Ces deux types de taxation avaient aussi en commun qu'on pouvait en acquérir les droits dans certains pays. Pour cette raison, le maître des terres n'était pas nécessairement un aristocrate ou une institution religieuse. Un bourgeois pouvait fort bien se procurer les privilèges lui accordant un droit de souveraineté sur des terres, ou encore celui de percevoir la dîme.

Les redevances dues au propriétaire des terres étaient fixées par accord verbal ou écrit. Là aussi, l'usage local était déterminant. Le terme de métayage, qu'on rencontre souvent, impliquait un type de relation plus égalitaire entre les contractants, et une conscience économique plus marquée que dans le monde rural du Moyen Age. Les accords auxquels on parvenait comportaient des dispositions sur la durée du bail pendant lequel l'exploitant avait le droit et le devoir de cultiver les terres. Ce droit d'exploitation pouvait être héréditaire ou limité dans le temps — d'un minimum d'un an à toute une vie. L'arrangement conclu ressemblait d'autant plus à un contrat de métayage que ce droit était plus court, puisque les conditions pouvaient en être révisées plus souvent en fonction de la conjoncture et notamment de la fluctuation des prix.

Comme si tout cela n'était pas suffisamment compliqué, il faut ajouter que la situation juridique de l'exploitant pouvait aller du servage à l'autonomie complète, que les

redevances pouvaient être payées en travail, en nature ou en argent et aussi, bien entendu, qu'il se produisit des changements au cours des 250 ans qui constituent notre période.

Ces composantes multiples expliquent les infinies variations régionales dont il serait vain d'essayer ici de rendre compte. Essayons plutôt de voir comment les exigences des propriétaires et seigneurs des terres allaient être les moteurs d'une transformation de l'agriculture imposée de force.

Les taxes au service de l'évolution

Donc, les prix des céréales — évalués en métal argent ou par comparaison avec d'autres produits — commencèrent à grimper dans la première partie du XVIe siècle. La demande de grains augmenta en relation avec l'offre. Puisque le rendement de grains de semence demeurait le même, l'augmentation des prix signifiait que le nombre des consommateurs augmentait plus vite que celui des producteurs de céréales.

Cette différence de rythme se reflète dans la croissance des villes. Or, le prix sans cesse plus élevé des grains aurait dû inciter les plus pauvres des citadins à retourner à la campagne pour y cultiver leurs propres céréales. Si ce ne fut pas le cas, la raison en est qu'il y avait pénurie de terres. Celles abandonnées à la fin du Moyen Age étaient à présent reprises en main.

Si l'hospice du Saint-Esprit à Bierbach en Allemagne parvint en 1600 à faire payer les droits d'exploitation d'une ferme onze fois plus cher qu'un siècle auparavant, c'était le résultat combiné de la flambée des prix agricoles et du manque de terres. Le pieux évêché de Bierbach ne représentait pas un cas extrême en Europe occidentale, il s'inscrivait plutôt dans la norme.

Quand la révolution des prix s'opéra, les seigneurs et propriétaires des terres qui percevaient leurs redevances en argent se retrouvèrent dans une situation difficile. La monnaie était un moyen commode de paiement quand on traitait avec les commerçants des villes. Mais en même temps que l'offre de marchandises de luxe se multipliait, l'argent se dépréciait.

Il fallut augmenter les redevances pour tenir son rang, ce qui fut facilité par la pénurie de terres. Les exploitants devaient être prêts à payer plus sous peine de se retrouver sans rien.

Pour les paysans, la solution pour faire face à l'augmentation des taxes ne pouvait être une réduction du niveau de vie, puisque beaucoup d'entre eux ne disposaient guère que du minimum vital. A la place, il leur fallut augmenter le rendement de leurs lopins, au prix de nouvelles méthodes qui impliquaient un surcroît de travail et une rupture avec un mode de vie bien établi.

Vers le milieu du XVIIe siècle au plus tard, aussi bien le nombre des habitants que les prix des céréales cessèrent de s'élever — il y avait là pour une part relation de cause à effet. Mais à défaut d'augmenter, la population ne diminuait pas, sauf exceptions régionales, et les terres disponibles demeurèrent donc rares. Ceux qui percevaient les taxes étaient toujours en position de force et n'avaient donc aucune raison de rabattre de leurs exigences. Ainsi, les agriculteurs se virent contraints de compenser la stagnation des prix des céréales par une exploitation encore plus intensive de la terre. Le paysan qui s'en tirait le mieux était celui qui pouvait adapter sa production aux besoins du monde environnant.

Les seigneurs et propriétaires de terres, qui en général n'étaient pas spécialement progressistes, en vinrent ainsi à collaborer avec les esprits éclairés qui voulaient rendre l'agriculture plus efficace en en renouvelant les méthodes. Ce furent même eux qui, en vertu des circonstances, imposèrent les contraintes nécessaires à l'accomplissement de cette transformation.

L'évolution qui vient d'être décrite vaut pour la partie occidentale de l'Europe. Certes, l'est du continent connut aussi la révolution des prix, mais dans un contexte différent. Du fait que les terres ne manquaient pas et que les redevances étaient acquittées sous forme de corvées, l'évolution prit une autre tournure. Nous y reviendrons à propos des conséquences sociales des transformations.

L'Etat, la bourgeoisie et les « coqs »

Il n'y eut pas que des personnes privées et des institutions pour réclamer leur dû auprès des paysans. Les gouvernements également se montrèrent de plus en plus gourmands. Les dépenses des Etats augmentèrent au cours de cette période. Outre les armées qui ne cessaient de croître, la bureaucratie, la diplomatie et la cour entraînaient une augmentation des dépenses, mais fournissaient aussi aux Etats les moyens d'écraser toute résistance à l'augmentation des impôts.

Au cours du XVIe siècle, une ferme norvégienne tout à fait ordinaire du Romerike vit son imposition presque multipliée par cinq ; au siècle suivant, les impôts augmentèrent à un rythme encore plus rapide. Des études ont montré qu'en Suède, dans le Värmland, les paysans, au cours de la période 1561-90, avaient été soumis à des impôts supplémentaires chaque année sauf deux. Au XVIIe siècle, bien des impôts suédois qui avaient eu jusqu'alors un caractère exceptionnel furent rendus permanents et payables annuellement. Après quoi il ne restait plus aux autorités qu'à trouver de nouveaux impôts exceptionnels.

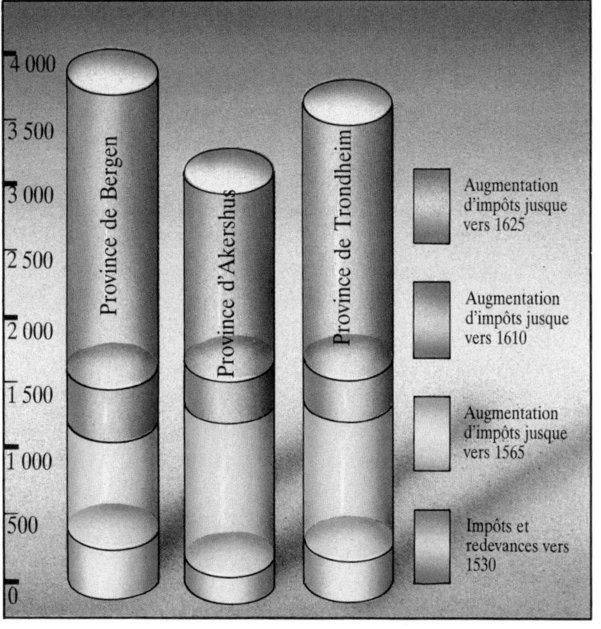

On voit ici comment, dans trois provinces norvégiennes, de nouveaux impôts ne cessèrent d'alourdir la pression fiscale. Source : R. Fladby, « Fra lensmannstjener til Kongelig Majesteds Foged » (1963).

Comme les autres redevances foncières, ces impôts variaient selon les pays et selon les provinces. Ce qu'on peut affirmer de manière générale, c'est que les exigences des Etats furent au nombre de ces contraintes qui provoquèrent un renouvellement forcé des techniques d'exploitation agricole.

Les bourgeois des villes qui acquéraient des droits à la terre et se substituaient aux anciens propriétaires se sentaient peut-être moins liés à des traditions ancestrales, et sans doute savaient-ils mieux déterminer le type de production qui serait le plus rentable en fonction de la conjoncture. D'où probablement leur intérêt à intervenir dans la vie agricole et à la diriger.

Mais il existait par ailleurs une tradition selon laquelle un propriétaire terrien ne devait pas se mêler d'affaires trop triviales. En tant que nouveau venu dans ce milieu,

Cette allégorie hollandaise du XVIIe siècle représente un pauvre paysan qui, ployant sous le fardeau de sa femme et de ses enfants, est en route vers un destin incertain. Peinture de Adriaen Pietersz van de Venne datant de 1650 environ.

le bourgeois pouvait ressentir le besoin de se montrer plus gentleman que les gentlemen eux-mêmes.

Mais assurément, la bourgeoisie des villes, en tant qu'utilisatrice de produits agricoles et pourvoyeuse de marchandises, contribua indirectement mais puissamment au changement. Tentés par les articles proposés en ville, les propriétaires terriens avaient tendance à augmenter les redevances pour accroître leurs revenus. Ils incitaient aussi les paysans à travailler plus pour dégager un excédent à vendre — après quoi ils pouvaient eux-mêmes acheter les produits plus ou moins exotiques disponibles en ville.

Ceux qui pouvaient le moins s'adapter à une telle économie de marché étaient bien sûr les cultivateurs ne disposant que de peu de terre. Dans les campagnes aussi, et sous toutes les latitudes, il y avait les gros et les petits.

En se référant à un exemple picard, Pierre Goubert a ainsi montré que les outils, les troupeaux et les emplois dont dépendait tout un village de cent familles étaient contrôlés par une douzaine de notables, voire parfois par un seul, le « coq » ou le « gros bonnet » du village.

Parmi les représentants du pouvoir central dans les campagnes, parmi les intendants ou régisseurs des domaines appartenant à l'aristocratie, à l'Eglise ou à la bourgeoisie, certains surent trouver des possibilités de s'enrichir, et il faut les compter eux aussi parmi les moteurs des transformations de l'agriculture.

Les perdants à l'ouest

« On ne peut faire d'omelette sans casser les œufs ». L'omelette était en l'occurrence la nouvelle agriculture. Et la roue du progrès avait impitoyablement cassé les œufs.

Certains exploitants agricoles disposaient de contrats de longue durée qui empêchaient les seigneurs des terres d'ajuster les redevances sur les hausses de prix et donc freinaient leur consommation de produits de luxe. Une manière de s'attaquer au problème était d'exiger des cultivateurs ayant un droit d'exploitation héréditaire ou à vie qu'ils en apportent la preuve écrite.

En Angleterre, on appelait *copyholders* ceux qui étaient en mesure de le faire. Eux seuls étaient à peu près sûrs de conserver leurs droits. La hausse des redevances eut comme conséquence indirecte que des paysans qui se croyaient à l'abri virent leurs droits limités.

Dans ce climat d'insécurité, les agriculteurs devaient être prêts à augmenter le rendement et à se détourner des cultures céréalières, qui avaient été le fondement même de l'entretien de la famille, pour s'adapter le plus souplement possible aux variations du marché. Un tel renouvellement exigeait des ressources dont ne disposaient pas les petits cultivateurs. Dans l'incapacité de s'adapter, ils accumulaient les dettes et n'acquittaient qu'irrégulièrement leurs redevances au maître des terres.

Les propriétaires terriens avaient donc tout lieu de faire chorus avec ceux qui voulaient restructurer l'agriculture en brisant le vieux modèle de répartition des terres et de gestion villageoise. Un regroupement des parcelles permettrait de créer des unités closes, exploitables selon les nouvelles méthodes.

Le château Burghley House à Stamford fut construit pour le premier duc de Burghley, Sir William Cecil (1520-98), le conseiller de la reine Elizabeth. Il était issu d'une famille galloise relativement modeste, mais il put s'établir comme châtelain grâce à son talent politique et à la conjoncture économique.

Dans ce domaine, l'Angleterre apparaît comme un pays d'avant-garde. Même si le remembrement (enclosure) avait été pratiqué avant, c'est au XVIIe qu'il prit de l'ampleur. Dans le comté de Leicestershire, 10 % des terres cultivables étaient closes en 1607 ; en 1729, ce pourcentage s'élevait à 62 %.

Les différents coûts — redevances, investissements, frais de clôture — s'ajoutaient les uns aux autres. Pour beaucoup de petits paysans, qui en même temps se voyaient privés de la sécurité qu'apportait la communauté villageoise, la pression fut trop forte. Ils s'endettèrent puis perdirent leur terre. De la sorte s'opéra un regroupement de petites parcelles en unités plus grandes, mieux adaptées aux exigences d'une agriculture rentable. Ce qui profita tant aux exploitants qu'aux propriétaires, mais fut fatal à ceux qui furent chassés de leur lopin.

Les maîtres des terres et les gros cultivateurs avaient donc été mûs par un intérêt commun. Parmi ces derniers, les plus dynamiques allaient gérer leur exploitation comme une entreprise. Eux-mêmes, loin de transpirer dans les champs, planifiaient et dirigeaient le travail dont le but était de dégager des profits et non fondamentalement de pourvoir les familles des cultivateurs en céréales.

Les exclus du progrès se retrouvèrent au plus bas de l'échelle sociale, et le fossé augmenta entre une classe de plus en plus prospère de gros paysans ou exploitants et un nombre croissant de familles n'ayant guère de terre, ou pas du tout. Ce fut l'effet conjoint de l'économie de marché et de l'accroissement de population qui entraîna cette prolétarisation d'une partie des ruraux.

Cependant, l'essor de l'économie de marché dans d'autres domaines eut aussi pour conséquence que des gens privés de terre purent trouver à s'employer. Nous reviendrons sur ce point.

Les succès de maître Guillaume

Dans son livre sur les paysans du Languedoc, E. Le Roy Ladurie retrace l'histoire de Guillaume Maseux en se basant sur le journal que celui-ci a tenu. Né en 1495, il put grâce à son mariage (1516) devenir fermier et régisseur. Les faibles redevances et la modicité des salaires d'une part, le cours élevé des céréales d'autre part, lui permirent de faire fortune. Fortune qu'il augmenta en prêtant à ses voisins des grains et de l'argent à des conditions usuraires — le taux d'intérêt pouvait dépasser 100 % par an —, les terres servant de garantie. Son voisin Ramon Fabre commença à lui emprunter de l'argent en 1531, et en 1546, toutes ses terres étaient aux mains de Guillaume. D'autres créanciers remboursèrent capital ou intérêts en travaillant comme ouvriers agricoles dans ses domaines. Cette chasse effrénée au profit lui fit commettre des erreurs de calcul dans ses comptes, toujours à son avantage. Parfait représentant d'une mentalité mercantile, Guillaume acheva pourtant sa carrière dans le meilleur esprit du Moyen Age puisqu'il légua par testament ses biens à un couvent.

Les perdants à l'est

La situation des paysans en Europe de l'Est se dégrada également, mais l'évolution prit une autre tournure. Tandis que beaucoup de petits exploitants durent renoncer à leur terre en Europe occidentale, leurs homologues à l'est furent contraints d'y rester à demeure comme serfs.

A l'aube des temps modernes, il y avait une différence essentielle entre ces deux parties du continent européen. A l'est, les paysans continuaient à acquitter leurs redevances en effectuant des corvées et en livrant des produits en nature, alors que ce système avait été remplacé à l'ouest par le paiement en argent. Et il y avait en Europe orientale phlétore de terres, ce qui posait un problème aux propriétaires terriens, car les paysans qui trouvaient leurs exigences trop élevées pouvaient trouver un refuge dans ces vastes étendues cultivables. Aussi fallait-il attacher de force les paysans à la glèbe.

Quand l'Europe de l'Est avec sa riche production agricole se trouva intégrée au système économique occidental, cette forme bon marché de travail qu'était la corvée revêtit une importance encore accrue. A la fin du XVe siècle, 94 % des revenus des propriétés polonaises provenaient des grandes fermes où les terres étaient travaillées par des journaliers soumis à corvée. Les redevances paysannes en argent et en nature ne représentaient que 6 %.

La baisse des prix des céréales fut durement ressentie par la noblesse exportatrice qui fit retomber le fardeau sur les paysans. Le personnel salarié fut congédié afin de réduire les frais d'exploitation, et les paysans durent faire tout le travail dans les grandes fermes. La corvée statutaire pesant sur les familles rurales passa de 2 à 5 jours par semaine. Et pourtant, à prendre les statuts au pied de la lettre, on risque de se faire une image embellie de la réalité. Il y eut des plaintes de paysans dont la famille se voyait imposer douze journées de corvée par semaine. Cela signifiait que le foyer devait entretenir au moins deux personnes exclusivement occupées à travailler pour le propriétaire terrien. La conséquence en était qu'on négligeait son propre lopin et qu'on s'appauvrissait. Sans un contrôle rigoureux, il eût été impossible d'empêcher l'exode de ces malheureux paysans.

Des paysans russes, la coiffure à la main, s'écartent dans les champs pour laisser passer les maîtres. Cette image date du XIXe siècle, mais l'asservissement des paysans remonte aux XVIe et XVIIe siècles.

La révolution des nouveaux tissus

Au cours des XVIe et XVIIe siècles furent jetées les bases de la domination de l'Europe du nord-ouest sur le monde. Parmi d'autres causes, cela fut dû à sa capacité de produire à grande échelle, du moins pour l'époque, et à bas prix, des marchandises diverses et notamment des tissus. A ce stade préindustriel, le temps des grandes usines et des cheminées fumantes n'était pas encore venu. La production était organisée pour l'essentiel en petites unités situées en milieu rural, la main-d'œuvre étant fournie par ceux qui avaient perdu leur terre. On voit apparaître un nouveau type d'homme, l'entrepreneur, qui apprécie la concurrence et le profit, et s'oppose aux formes sociales statiques.

L'artisanat domestique traditionnellement pratiqué dans les fermes se développa avant la percée industrielle. En gagnant des marchés plus larges, il se posa en concurrent de l'artisanat des villes contrôlé par les corporations. Gravure de 1791.

L'artisan, comme l'ouvrier d'usine, gagne sa vie en transformant des matières premières en produits destinés à la vente. Il s'insère donc dans le secteur de la fabrication. Dans les sociétés préindustrielles, les paysans confectionnaient de nombreux objets pour leurs propres besoins. Il est certes difficile de chiffrer cette production, mais elle dépassait sans aucun doute celle des artisans et des manufacturiers réunis.

A l'inverse du paysan cultivant ses céréales, l'artisan, ce premier représentant du secteur de la fabrication, était dans l'obligation absolue de trouver des acheteurs pour acheter à son tour la farine de son pain quotidien. L'existence de l'artisan était conditionnée par celle du paysan.

Pour que ce secteur artisanal pût se développer, il fallait aussi, bien entendu, que le nombre des acheteurs augmentât. Ce qui fut manifestement le cas au XVIe siècle. D'anciens marchés s'élargirent, et de nouveaux s'ouvrirent.

Anciens et nouveaux marchés

Même ceux des paysans qui ne disposaient que d'un léger excédent de production purent acheter davantage de produits artisanaux quand la hausse des prix agricoles améliora leurs revenus. L'augmentation des redevances eut toutefois un effet inverse sur le pouvoir d'achat.

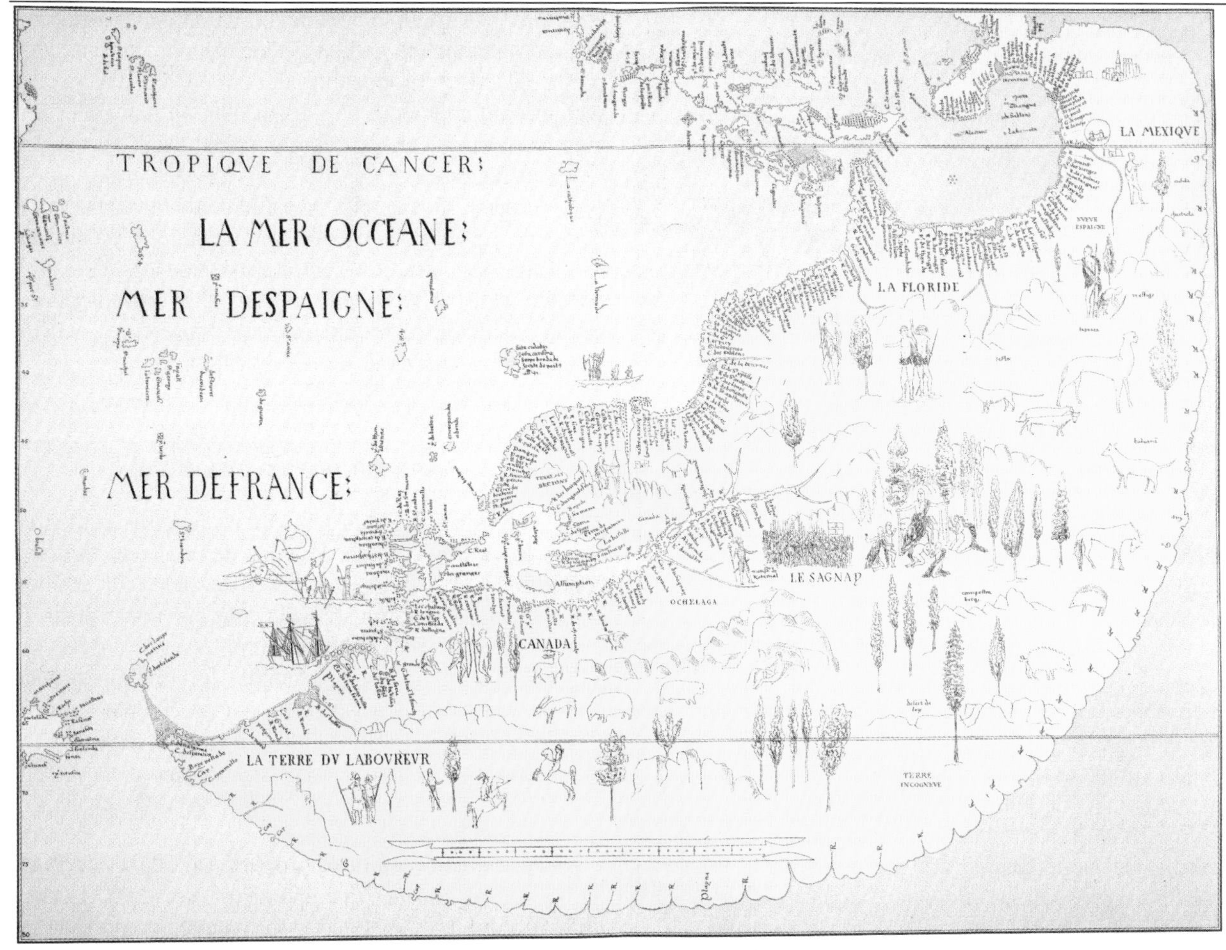

L'intérêt pour les nouveaux marchés qui s'ouvraient stimula l'activité des cartographes. Ici, une carte du Canada dressée pour le compte du roi de France Henri II (1547-59).

D'autres acheteurs apparurent à mesure que les villes se développaient. La plupart des immigrants de l'intérieur ne possédaient ni les matières premières ni les outils nécessaires à la fabrication d'objets de première nécessité. Certains ne pouvaient même pas cuire leur propre pain et devaient donc se fournir chez un boulanger de métier.

Quand les routes maritimes s'ouvrirent vers l'Amérique, de tout nouveaux marchés s'ouvrirent, y compris pour les artisans. Car si les conquérants se livrèrent d'abord au pillage et à la piraterie, ils eurent bientôt besoin de produits qu'on ne pouvait fabriquer dans les colonies. Cette demande ne cessa de s'accroître, en particulier lorsque des colons anglais, français et hollandais se furent établis dans le Nouveau Monde.

Dans un premier temps, l'extrême-Orient, où l'on n'acceptait que les métaux précieux comme monnaie d'échange, n'offrit pas les mêmes débouchés aux produits européens. Certes, l'exploitation des mines d'argent en Europe s'en trouva stimulée, mais celles-ci furent vite concurrencées par l'énorme afflux de métal précieux en provenance d'Amérique.

Grâce au commerce maritime, l'artisanat échappa à la stagnation qui aurait dû être la conséquence du tassement démographique et de l'appauvrissement de beaucoup. Au demeurant, l'indigence qui frappait de larges couches n'affectait que partiellement ceux qui vendaient des produits artisanaux, car elle résultait d'une nouvelle répartition des biens qui donnait un pouvoir d'achat accru non seulement aux hautes classes mais aussi à une catégorie intermédiaire plus large composée de gros fermiers, de négociants, d'officiers et de fonctionnaires.

Il faut aussi noter ce fait important que les gouvernements achetèrent de plus en plus de fournitures pour l'armée et la marine, tandis que les cours faisaient grande consommation de produits de luxe.

Expansion et dépression dans l'économie européenne de 1500 à 1700. Source : C. M. Cipolla, « Before the Industrial Revolution » (1975).

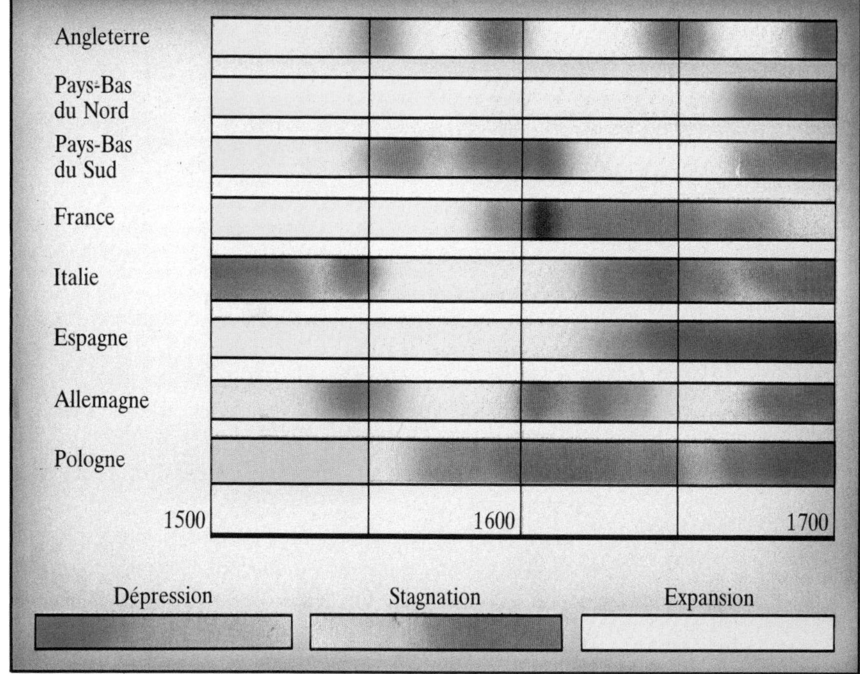

Au début des Temps modernes, l'extraction minière était souvent un complément aux activités agricoles et elle s'effectuait avec des instruments primitifs. Illustration tirée d'un livre de 1508.

Expansions et crises

On n'échappe pas aux généralisations si l'on veut dégager schématiquement les grandes lignes de l'évolution historique. Ainsi lorsqu'on présente le XVIe siècle comme une période d'expansion et le XVIIe comme un siècle de dépression. Le schéma élaboré par l'historien italien Carlo Cipolla (voir p. 55) illustre éloquemment la difficulté d'assigner à l'Europe tout entière des périodes d'expansion bien délimités. Même si ce schéma est simplifié, ce que souligne son auteur lui-même, il peut servir de point de départ pour examiner l'alternance d'expansion et de dépression en Europe.

Il permet de constater qu'après 1650 les pays les plus touchés par la dépression furent la Pologne, l'Espagne et l'Italie. Dans le cas de la Pologne, l'explication réside dans le déclin du commerce des céréales — aggravé par les ravages des troupes russes et suédoises. On constate aussi que les phases de dépression en Espagne et en Italie corrspondent souvent à des périodes d'expansion en Angleterre et en Hollande. Au total, il ne paraît guère évident que l'Europe ait connu une dépression généralisée au XVIIe siècle.

La soie était une marchandise si onéreuse qu'on essaya d'élever des vers à soie partout où cela était possible. Une condition nécessaire était de disposer de feuilles de mûrier. Image extraite de « The Universal Magazine », Londres (1753).

L'historien danois Niels Steensgaard a consacré à la crise du XVIIe siècle une étude de synthèse fort éclairante. Si l'on a cru déceler un déclin de la production à cette époque, c'est sur la base de statistiques peu fiables, et en faisant abstraction de secteurs manifestant une tendance contraire, par exemple l'extraction minière en Angleterre et la production de fer en Suède. On ne saurait donc parler de crise européenne généralisée. Le déclin d'un secteur était compensé par l'essor d'un autre, et s'il y eut bien une série de crises, celles-ci furent avant tout sectorielles et régionales.

La branche sur laquelle on est le meux renseigné, celle du textile, revêt une importance particulière. C'est elle qui détermine les variations entre expansion et dépression puisque, tant par le nombre de ceux qui y travaillent que par la valeur de sa production, elle représente l'activité majeure dans le secteur de la fabrication.

Les tissus en provenance d'Italie

Le centre principal de la fabrication de tissus était situé depuis le Moyen Age dans les villes de l'Italie du Nord, en concurrence avec la Flandre. Elles devaient leur position prééminente à la fabrication du drap, un lourd tissu de laine réputé partout pour sa qualité.

Prenons Florence pour exemple. En 1500, cette ville produisait 25 000 pièces d'étoffe par an. Trente ans plus tard, la production avait chuté à quelques centaines, ce qui montre à quel point les guerres des premières décennies du XVIe siècle eurent un effet dévastateur sur le secteur de l'habillement.

Le déclin marquant de la production de tissus en Italie du Nord coïncida avec une époque d'essor dans l'Europe du Nord-Ouest. L'Angleterre, sur laquelle on possède les meilleures données statistiques, doubla son exportation de drap dans la première moitié du XVIe siècle. Puis elle enregistra un recul suivi d'une stabilisation à un niveau plus bas dans le dernier quart du siècle.

Comme de juste, la production des villes italiennes augmenta quand celle de l'Angleterre déclina. Après avoir touché le fond en 1530, Florence produisait dix ans plus tard presque 15 000 pièces pour ensuite dépasser les 30 000 dans les années 1550-80, ce qui constituait un nouveau record.

C'était toutefois le chant du cygne. Les chiffres de production baissèrent rapidement. Florence produisit en 1600 quelque 13 000 pièces, un peu plus de 6 000 seulement en 1659. Les autres villes italiennes connurent le même déclin. Vers 1600, Venise et Milan produisaient respectivement 29 000 et 15 000 pièces de drap. Un siècle plus tard, ces chiffres étaient tombés à 2 000 et 100. La fabrication de tissus de laine ne fut pas la seule touchée. Sur les 10 000 métiers à tisser la soie que comptait Gênes en 1565, seuls 2 500 demeuraient en usage en 1675.

Cette fois, ce déclin, qui en fait signifiait la mort des vieux centres textiles de l'Italie, ne pouvait être mis sur le compte des guerres. Il était dû à la concurrence meurtrière de régions plus dynamiques. Les tissus anglais et hollandais allaient conquérir non seulement les marchés internationaux, mais aussi le marché intérieur italien.

Ce changement, qui s'inscrivait dans un important processus de déplacement, du sud vers le nord, du centre de gravité économique de l'Europe, avait pour cause immé-

Autrefois, les enfants portaient les mêmes vêtements que les adultes dans les circonstances officielles. Ce tableau de Hogarth (1742) représentant les enfants de la famille Graham révèle que même la plus jeune des filles n'échappe pas au corset et à la jupe à paniers. Vêtues à la dernière mode, les deux fillettes plus âgées portent des tabliers ornés de dentelle et des coiffes à décoration florale. Le décolleté et les manches demi-longues sont également ornées de dentelle. Le garçon n'est pas moins à la mode avec son pourpoint bien ajusté, son gilet descendant sur la culotte s'arrêtant aux genoux et ses bas de soie mettant en valeur le mollet. Une atmosphère heureuse se dégage de cette image, à l'inverse de celle, grave et compassée, qui caractérise le portrait de Lord Cobham et de sa famille (1567). L'influence espagnole sur le vêtement anglais apparaît dans les jupes bouffantes, les ornements en arêtes de poisson et les collerettes, tandis que les coiffes ont une allure française.

diate le lancement des « nouveaux tissus » qui supplantaient l'excellent drap, lourd et cher, qui avait été la denrée commerciale vedette du Moyen Age.

Les nouveaux tissus

Les « nouveaux tissus » avaient assurément une longue histoire derrière eux, puisque la technique utilisée pour les fabriquer était inspirée de vieux procédés utilisés par les paysans. Il s'agissait d'étoffes plus légères, plus colorées, meilleur marché et plus fragiles que le drap. Ces tissus étaient plus accessibles aux petites gens, et, dans les hautes classes, bien adaptés aux besoins changeants de la mode.

Au Moyen Age, on avait commencé à produire ce type de tissu en Flandre pour amorcer une concurrence timide avec le drap d'Italie du Nord, alors intouchable. Il fallut attendre la première moitié du XVIe siècle pour que cette production prenne véritablement son essor, la Flandre demeurant à l'avant-garde. Il est tentant d'y voir l'effet d'une concurrence accrue avec l'Italie du Nord. Mais les nouvelles habitudes des consommateurs contribuèrent sans doute aussi à augmenter la demande.

Lorsqu'à la fin du XVIe siècle la guerre contre les Espagnols ravagea la Flandre, les fabricants de textile se déplacèrent vers le nord, vers la Hollande ou l'Angleterre où ils s'établirent avec leur savoir-faire. A partir de ces contrées, les nouveaux tissus furent exportés à destination des pays méditerranéens par des négociants italiens, qui, de la sorte, contribuèrent à ruiner la production textile dans leur propre pays.

Dès le début du XVIIe siècle, les nouveaux tissus représentaient en valeur le quart des exportations textiles de l'Angleterre. Vers 1650, on en était presque à la moitié. La force concurrentielle anglaise ne s'exerça pas qu'aux

dépens de l'Italie du Nord. A Leyde, métropole hollandaise du textile, la part des tissus bon marché dans la valeur de la production globale s'élevait en 1630 à 95 %. Mais face à la concurrence anglaise, les fabricants n'eurent d'autre issue que de revenir à des textiles plus chers, et, en 1701, les 95 % étaient tombés à 10 % à peine.

Mais comment expliquer cette compétitivité de l'Europe du Nord-Ouest en général et de l'Angleterre en particulier ?

En pareil cas, on songe généralement à une augmentation de la productivité, elle-même due à d'importants progrès techniques. En fait, c'est plutôt à l'époque industrielle qu'apparaîtront ces nouveautés bouleversantes. Les techniques alors employées demeuraient pour l'essentiel médiévales, encore qu'on les ait améliorées sur certains points et qu'on en ait étendu l'application. En matière de sources d'énergie, et c'est là l'important, aucun nouveau pas n'avait été franchi. On ne disposait encore que de la force musculaire des gens et des bêtes, que du vent, de l'eau et du bois — généralement transformé en charbon de bois pour les besoins industriels. Certes, l'usage de la houille commençait à se répandre en Angleterre, mais plus pour le chauffage que pour les manufactures.

Dans celles-ci et dans l'artisanat, tout comme dans l'agriculture, l'importance de la production était directement fonction du nombre de gens qui y travaillaient.

Bref, les différences régionales en matière de production textile ne sauraient s'expliquer par la technique. Seule l'organisation du travail peut rendre compte de ces disparités.

Habit masculin d'environ 1670, de type anglo-hollandais avec certains traits français. Cet homme porte un rhingrave, large haut-de-chausses de type français qui devint à la mode au milieu du XVIIe siècle, et un court gilet qui laisse bouffer la chemise. Le col, souple, est orné de dentelle coûteuse, de même que les manchettes de la chemise. Une courte cape, des souliers à bout carré et un chapeau très moderne complètent cette tenue élégante.

Foyers vivant en autarcie

L'atelier de l'artisan évoque l'image des temps anciens. Le maître y travaillait avec quelques compagnons et apprentis. Dans le logement attenant, la famille de l'artisan et ses employés formaient un foyer. On fabriquait les objets sur commande ou on les vendait dans un local rattaché à l'atelier.

A la lumière de l'âtre, tandis que les cochons se repaissent, cette jeune épouse file en même temps qu'elle berce son enfant. L'homme apparemment a l'air moins occupé.

Contrairement à bien d'autres représentations du passé, cette image est proche de la réalité, du moins en partie. Mais l'atelier de l'artisan n'était pas l'unique lieu de fabrication. Une partie de celle-ci s'effectuait à bien plus grande échelle. Et une fraction de la production n'était pas destinée à la vente.

Comme lieu de fabrication, le foyer paysan représentait une forme plus primitive. La confection de vêtements et d'outils, par exemple, était conditionnée par le cycle des saisons, avec alternance de périodes de travail intensif dans les champs et d'autres où on laissait la terre se reposer. Dans ces moments de répit, la famille paysanne pouvait et le plus souvent devait se livrer au filage, au tissage, à la fabrication de toutes sortes d'objets nécessaires au foyer.

A l'origine, l'artisanat des villes apparut comme un prolongement du travail à la ferme. Les paysans ne disposant que d'un petit lopin se spécialisèrent dans la fabrication d'objets qui leur assurèrent de bons revenus. Moins ils avaient de terre, plus cette activité artisane était vitale. Au début, la clientèle des artisans des villes fut sûrement très locale, mais, comme nous allons le voir, elle allait pouvoir s'agrandir notablement.

Vivant plus ou moins en autarcie, une grande partie de la population pouvait se passer des produits de l'artisan. Mais la croissance des villes et l'augmentation du niveau de vie consécutive à la hausse des prix des céréales entraînèrent une demande accrue, d'autant que les objets proposés étaient de meilleure qualité que ceux qu'on pouvait fabriquer soi-même.

Toute évaluation quantitative de la part prise par les foyers paysans dans la fabrication d'objets se révèle impossible. Aussi est-il difficile de se faire une idée de la production totale dans les secteurs où ces activités domestiques jouaient un rôle important pour l'entretien des familles.

Forger des outils assez simples et effectuer des réparations ressortissaient à l'artisanat domestique et à celui des villes. Eau-forte de Jan Joris van der Vliet datant du milieu du XVIIe siècle.

Exploitation minière et chantiers navals

Même dans la vieille société, il y avait des entreprises qui rassemblaient un grand nombre de travailleurs sur un périmètre limité. Plus tard, lors de la révolution industrielle, de telles concentrations allaient essentiellement s'opérer pour augmenter la productivité des ouvriers, mais auparavant, d'autres facteurs plus décisifs furent à l'origine de ce phénomène.

Ainsi, l'exploitation des mines exigeait que l'on rassemblât la main-d'œuvre sur le lieu où se trouvaient les ressources naturelles. Certes, ceux qui possédaient des parts de mines pouvaient eux-mêmes, aidés de quelques hommes, extraire le minerai nécessaire aux besoins locaux. Mais lorsque la demande augmentait, l'extraction devait se faire à plus grande échelle.

Une telle demande apparut dans la deuxième moitié du XVe siècle, où l'expansion économique entraîna un besoin accru de métal pous frapper les monnaies. En Europe, l'extraction d'argent quintupla du milieu du XVe siècle aux premières décennies du XVIe — époque à laquelle la concurrence de l'argent américain devint trop forte.

La Suède du XVIIe siècle offre un bon exemple de l'expansion que connut l'extraction du fer — expansion largement explicable par le besoin de canons. Ses exportations de fer passèrent de 6 600 tonnes en 1620 à 33 000 tonnes en 1690.

L'extraction de la houille en Angleterre offre égale-

Pour fabriquer de la fonte, il fallait des équipements relativement importants comme la roue à eau qui actionnait le soufflet de la forge, et le soufflet lui-même qui permettait d'obtenir la température requise. Détail d'une peinture de « Herri med de Bles » (« celui à la mèche blanche »), probablement Henri Patenir (né en 1510).

L'industrie minière exigea des équipements de plus en plus compliqués et coûteux. L'homme dans la petite guérite règle le débit des eaux qui actionnent la roue commandant le monte-charge par lequel le minerai est hissé à la surface. Extrait du « De re metallica » d'Agricola (1556).

ment un exemple de croissance très rapide : 3 000 000 tonnes en 1690 contre 200 000 en 1550.

Ce dynamisme des activités minières entraîna des besoins accrus en matière d'équipement. Les puits étaient de plus en plus profonds. Il fallait des appareils élévateurs pour remonter le minerai à la surface et des pompes pour refouler les eaux qui s'infiltraient dans la mine. Tout cela exigeait du capital — d'autant plus que les princes prenaient leur part de bénéfice en taxant le droit d'exploitation minière. L'accroissement des coûts dépassait les moyens des petits entrepreneurs. Les financiers prirent le relai. La célèbre maison de commerce Fugger, à Augbourg, posséda à une même époque 96 mines de cuivre en Europe centrale, et en 1545, les objets en cuivre constituaient les quatre cinquièmes de ses importants stocks de marchandises.

L'irruption de capitaux commerciaux dans l'extraction minière, conséquence de l'exploitation à grande échelle, limitait bien sûr la part d'autonomie des petits entrepreneurs. Ils risquaient de perdre leur position et de devenir simples mineurs, ce qui les eût dépossédés du contrôle des différentes phases du travail. La mise en place dès le début du XVIe siècle d'un système de trois équipes se relayant dans les mines allemandes constitue un indice de cette évolution.

Dans les chantiers navals, la concentration de main-d'œuvre était tout aussi nécessaire. La construction de navires n'était pas une mince affaire, et elle exigeait les efforts conjoints de nombreux hommes. Il était naturel qu'elle connût son âge d'or à cette époque marquée par les grandes découvertes, l'essor des transports maritimes et l'accroissement des forces navales.

Les fabriques

La concentration d'ouvriers en un même lieu pouvait répondre au besoin de contrôler leur travail — quand la précision était indispensable, quand on voulait introduire une nouvelle technique ou encore quand il importait de garder secrets les procédés de fabrication. Les arsenaux de Venise et les fabriques des Gobelins contrôlées par l'Etat français en offrent des exemples. Des sources anciennes révèlent qu'au début du XVIe siècle, la fabrique de textile de John Winchcombe à Newbury, en Angleterre, employait 1 140 travailleurs dont 200 femmes et 550 enfants.

Une telle concentration de la production pouvait aussi se produire là où il y avait abondance de main-d'œuvre bon marché, presque gratuite. Les orphelinats, les asiles de pauvres et les maisons de correction y pourvoyaient. Ce qui nous paraît le plus révoltant dans ce système est assurément l'exploitation des enfants en bas âge.

Dans les fabriques qui viennent d'être évoqués, l'ampleur des effectifs et la division du travail qui s'amorce préfigurent ce qu'allaient être les usines à l'âge industriel, mais elles demeurent trop peu nombreuses pour marquer de leur empreinte les méthodes de production de l'époque.

Une industrie précocement moderne

Vers 1440, le joaillier Johann Gutenberg élabora un moule pour fondre des caractères mobiles destinés à imprimer des livres. Au labeur patient du copiste médiéval succéda une mécanisation qui donna naissance à une industrie présentant des traits modernes, l'imprimerie.

Dès 1450, un ouvrier pouvait réaliser grâce à cette technique 300 pages imprimées par jour. En 1500, on en était à 1 000, et en 1750, deux ou trois ouvriers étaient à même de produire 250 pages à l'heure. Ce nouvel art se répandit à une vitesse vertigineuse dans toute l'Europe. En 1480, plus de cent villes possédaient leur propre imprimerie, et en 1500, ce nombre était passé à 236.

Jusqu'à l'aube du XVIe siècle, on avait réalisé 35 000 éditions représentant un total de 15 à 20 millions de livres (incunables). Au tournant du siècle suivant, les éditions s'élevaient à des centaines de milliers et le nombre des exemplaires à quelque 200 millions. Le livre était devenu un objet de consommation.

L'arsenal de Venise aurait employé jusqu'à 16 000 ouvriers.

Ceci vaut également du secteur de l'imprimerie, le plus progressiste de tous, et qui connut alors une expansion remarquable. Les imprimeurs visèrent délibérément à augmenter la productivité en investissant dans les nouvelles techniques et en prospectant la clientèle potentielle.

Mais tout ceci n'explique toujours pas les différences régionales en matière de production textile. Il reste donc à examiner les changements qui ont pu intervenir dans la fabrication à petite échelle, bref, dans les méthodes de l'artisanat classique.

Les corporations d'artisans

C'est l'habileté manuelle qui détermine la valeur du produit artisanal. Donc, rien de plus normal que le travail soit effectué à petite échelle et dans un cadre familial. Sous cet angle, les conditions de l'artisanat rappellent celles de l'agriculture à la même époque. Mais pour le paysan, la production et la consommation s'équilibraient, alors que l'artisan, ne pourvoyant pas à sa propre alimentation, devait trouver des acheteurs à ses produits pour pouvoir se procurer des vivres. Ce qui n'est pas la même chose que produire en vue de gagner de l'argent.

Si les revenus étaient suffisants pour payer la nourriture, acheter les matières premières nécessaires et renouveler les outils en temps venu, une famille d'artisans pouvait subsister d'année en année, de génération en génération. Il n'était même pas nécessaire de faire rentrer de l'argent dans la mesure où les produits qu'on fabriquait pouvaient s'échanger contre ce dont on avait besoin. De tels échanges en nature appartenaient certainement au quotidien. Dans les villes où l'économie de marché était plus développée, il était naturel que l'artisan recherchât le profit pour développer ses activités et partant rehausser son statut économique, social et politique. Un tel individualisme était cependant contrecarré par la vieille organisation médiévale des artisans en corporations. A l'instar des contraintes collectives de la communauté villageoise, le carcan corporatiste fut une entrave à la modernisation. Chaque corporation protégeait ses membres contre la concurrence extérieure et intérieure par un contrôle des prix et de la qualité, et par une limitation du nombre des personnes admises en son sein.

Bien entendu, une telle surveillance pouvait conduire à des abus de pouvoir. La défense de toute la corporation tourna à celle de ses seuls dirigeants. Ainsi, les conditions exigées pour devenir maître pouvaient être rendues si difficiles que seuls les fils de maître avaient les moyens de

L'artisanat rural

Dans certaines régions d'Europe, l'agriculture se montrait moins apte que dans d'autres à assurer à elle seule la subsistance des paysans, auquel cas l'artisanat n'en avait que plus de valeur comme activité secondaire. Des régions entières pouvaient se spécialiser dans un certain type d'artisanat en fonction des traditions locales, des techniques et des matières premières disponibles. On peut citer comme exemple les horloges suisses, les tissus de laine écossais, la toile de lin fabriquée dans certaines provinces allemandes.

Il y avait bien des ressemblances entre l'artisanat des campagnes et celui des villes : petites unités de production, caractère local du marché, stratégie visant plus à assurer sa subsistance qu'à réaliser des profits.

Mais il y avait aussi deux différences importantes, lourdes de conséquences pour l'avenir. D'abord, il n'existait pas de corporations à la campagne, et en second lieu, la plupart des artisans ruraux disposaient d'un lopin de terre, ce qui rendait leur existence moins directement dépendente de la vente des objets fabriqués.

L'évolution de l'agriculture au cours de cette période fit qu'un nombre croissant de paysans ne disposa plus d'assez de terre pour se nourrir. Ainsi augmenta la cohorte de ceux pour qui il fut nécessaire de trouver des activités annexes.

Soutenir que le désir de profit appartient à la nature humaine et qu'il constitue le moteur de toute activité productive, ce serait ériger la mentalité actuelle à la dignité de norme universelle. En fait, il s'en faut que l'appât du gain ait toujours été bien vu. Ainsi, les autorités religieuses, aussi bien catholiques que protestantes, s'opposaient — avec plus ou moins de conviction — au droit de réclamer des intérêts pour de l'argent prêté. Autre indice, on attachait grande importance au « juste prix » : celui-ci ne

Toute la famille est employée dans l'atelier urbain du maître tailleur. Cette situation rappelle les conditions de l'artisanat rural. Q. van Brekelenkam (environ 1620-68).

faire face aux dépenses nécessaires. Malgré de tels abus, l'institution corporatiste constituait une protection efficace pour ses affiliés. En outre, elle était bien adaptée aux besoins des marchés régionaux, et cette caractéristique allait faire long feu.

Dans le tissage à domicile, le métier à tisser occupait beaucoup d'espace. Dans bien des régions rurales, cette activité en vint à refouler d'autres activités économiques. Peinture d'Adrian van Ostade (1610-85).

La maison d'un marchand de laine à Suffolk en Angleterre révèle la prospérité des intermédiaires qui tirèrent profit du système de commandite.

devait pas excéder les coûts additionnés des matières premières, de l'usure des outils et du travail de l'artisan.

Industrialisme avant l'industrialisation

Au cours de notre période, les conditions de l'artisanat, notamment rural, changèrent à tel point que certains historiens ont parlé d'industrialisme avant l'industrialisation. Cela se produisit dans un milieu si hostile à l'idée de profit que ceux qui essayaient de la faire admettre étaient soupçonnés d'être des révolutionnaires. L'artisanat n'avait nullement besoin de s'engager dans cette voie pour assurer son existence, mais cette évolution se fit sous la pression de circonstances extérieures.

Quand de nouveaux marchés s'ouvrirent et que les anciens s'élargirent, les comptoirs des artisans et les marchés villageois se révélèrent insuffisants. Même si chaque artisan pris individuellement ne produisait que des marchandises en petite quantité, il lui fallut les regrouper avec celles des autres pour qu'elles puissent être transportées vers des marchés plus ou moins éloignés.

Le contact direct entre producteur et consommateur se trouva rompu, et l'organisation des nouveaux circuits exigea des intermédiaires. Ceux-ci intervinrent à différents niveaux, en fonction des quantités qu'ils traitaient et de l'éloignement des marchés. Ils pouvaient se recruter parmi les usuriers de village, parmi les artisans les plus dynamiques, qui avaient alors l'avantage d'être experts dans quelque procédé de fabrication, et parmi les commerçants des villes. Ce rôle pouvait même être tenu par une grande maison de commerce, comme par exemple lorsque 4 000 maîtres de la fabrique de lin de Nuremberg s'associèrent au début du XVIIe siècle dans le but de conquérir des marchés éloignés.

A ce stade de l'évolution, artisans et commerçants coopéraient, mais leurs secteurs d'activité demeuraient distincts. Peu à peu, les divers intermédiaires allaient dominer les artisans et imposer leur loi, même en matière de production. Telle est l'origine de ce qu'on nomme le capitalisme commercial.

La commandite

Les intermédiaires permettaient aux producteurs un meilleur écoulement de leurs marchandises. Mais l'élargissement des marchés créait aussi des problèmes pour les artisans.

D'abord, la distance accrue entre producteur et consommateur entraînait des délais de paiement plus longs. Ensuite, l'augmentation de production pouvait provoquer une raréfaction des matières premières qui devenaient donc plus chères. Dans les deux cas, cela causait au petit producteur des difficultés économiques. Les intermédiaires, qui disposaient de plus de capital, intervenaient alors en avançant l'argent et en procurant les matières premières à crédit. C'est ce qu'on appelle le système de la commandite.

A terme, ce système rendait les producteurs dépendants

des intermédiaires. Cela se produisait lorsque l'artisan, à la suite de crises économiques passagères ou durables, devait s'endetter auprès du commanditaire en donnant pour garantie ses outils ou son lopin de terre.

Même dans les cas où l'artisan n'était pas obligé de renoncer à ses biens, l'endettement lui-même limitait ses possibilités d'imposer sa volonté au commanditaire. Et s'il se montrait réalcitrant, il risquait de se voir privé de matières premières.

Grâce à sa puissance économique, le commanditaire était à même de diriger le travail. Il pouvait obliger les différents artisans à se spécialiser chacun dans une phase de la production, une telle spécialisation augmentant la productivité. Il pouvait encore contraindre l'artisan à utiliser une nouvelle technique. Et il avait les moyens de peser sur les prix pour payer le moins cher possible les produits fabriqués.

Les intermédiaires se transformèrent de plus en plus en entrepreneurs, autrement dit en chefs d'entreprise organisant et dirigeant la production. La séparation entre le secteur de la fabrication et celui du commerce en vint à s'effacer à mesure que le second étendit sa domination sur le premier.

Dans cette collaboration entre artisans et entrepreneurs, ces derniers ne prenaient pas de gros risques. Les investissements coûteux étaient rares. Plutôt que de s'établir à demeure dans un secteur, les commanditaires préféraient rester flexibles, de sorte que si une branche était affectée par la crise, ils pouvaient aisément se reconvertir dans une autre moins touchée.

Les corporations et la concurrence

Les corporations constituaient l'obstacle majeur à une évolution vers une philosophie du profit et de la concurrence. Elles avaient pour mission de contrôler les prix et la qualité des produits dans l'intérêt de leurs membres. Si les exigences de qualité diminuaient, c'était l'habileté professionnelle des artisans qui se trouvait dépréciée, et des travailleurs non qualifiés pouvaient se dresser en concurrents. Les mêmes conséquences pouvaient découler de nouvelles techniques faisant moins appel au savoir-faire. Les intérêts matériels n'étaient pas seuls en jeu, les corporations défendaient aussi l'honneur du métier et un mode de vie traditionnel.

Ceux qui voulaient rompre avec l'ancien devaient affronter ou du moins contourner les corporations. Dans cette lutte, les entrepreneurs pouvaient chercher l'appui du gouvernement. Il leur était également possible d'organiser la production dans les campagnes où aucune organisation corporatiste n'était là pour les freiner. Le succès de ces différentes stratégies dépendait notamment de la puissance des corporations et des appuis dont elles pouvaient disposer dans des groupes sociaux influents. Et le transfert des activités à la campagne exigeait qu'il y eût une population rurale en quête d'emploi.

En Italie, le système corporatiste, ancien et puissant, était en mesure de verrouiller l'évolution. La Hollande ne possédait guère de prolétariat rural utilisable, car la spécialisation de l'agriculture et la commercialisation des produits avaient dans une large mesure été opérées par les petits paysans propriétaires eux-mêmes. En France, où les corporations étaient placées sous la surveillance de l'Etat, des activités de commandite se développèrent pour la fabrication de tissu de lin qui devint un important article d'exportation à destination des colonies. Mais c'est l'Angleterre qui offrait les meilleures conditions aux entrepreneurs. Les obstacles précédemment évoqués n'y existaient pas, et les centres de production furent établis à un stade précoce en milieu rural — ce qui allait devenir la tendance européenne générale.

Le secret de la réussite n'était autre que l'implantation des centres de fabrication à la campagne. Du fait que l'artisan rural disposait souvent d'un lopin de terre, il pouvait se satisfaire d'un salaire qui aurait été bien inférieur au minimum vital pour un confrère n'ayant que le fruit de son artisanat pour vivre. Cette main-d'œuvre moins cher constituait en fait une menace pour l'existence des artisans des villes.

Tord le maître maçon. Miniature de 1487 extraite de la charte de la corporation des maçons (Suède).

Les pauvres et leur importance économique

La crise sociale que connut l'agriculture, plus ou moins accentuée selon les pays, fournit une main-d'œuvre bon marché aux entrepreneurs tandis que ceux-ci offraient aux plus mal lotis des ruraux une possibilité de survivre. La situation de ceux qui avaient perdu leur terre était loin d'être enviable dans ce nouveau système, mais du moins échappaient-ils à un sort encore plus cruel. Pour les plus misérables d'entre eux, le système de la commandite avait au moins cet avantage qu'il garantissait une certaine constance de l'emploi, à l'exception des mauvaises années.

La concurrence de la campagne entraîna pour les arti-

L'obélisque du Colisée est déplacé pour permettre la construction de nouveaux bâtiments à Rome. Ces grands projets donnèrent du travail à beaucoup. Gravure sur cuivre de Bonifacio di Sebinicco.

sans des villes baisse des revenus et pertes d'emploi, sauf peut-être dans les secteurs spécialisés qui exigeaient une habileté professionnelle toute particulière.

Cette paupérisation croissante des villes, déjà attestée par les témoins de l'époque, est confirmée par les historiens d'aujourd'hui. Mais la concurrence de l'artisanat rural n'en était cependant pas la seule cause. Les villes, où l'on pouvait plus facilement se prostituer, mendier et voler, drainaient les catégories les plus misérables.

Il y avait aussi dans les cités une concentration de richesses qui offrait aux plus pauvres deux manières au moins de gagner honnêtement leur vie.

L'une consistait à s'engager comme serviteur dans une famille riche ou aisée. Les besoins des classes supérieures étaient tels que 10 % de la population urbaine pouvait se composer de domestiques.

L'autre secteur qui offrait du travail en abondance était celui du bâtiment. Les progrès de l'artillerie avaient rendu les vieilles fortifications inefficaces, et la construction de nouvelles exigeait une main-d'œuvre abondante. Les travaux d'agrandissement et d'embellissement entrepris par les municipalités ou par des particuliers étaient également générateurs d'emploi.

Le déplacement des centres de fabrication des villes vers les campagnes, l'assujettissement de l'artisanat au commerce et, plus encore peut-être, le changement de mentalité en matière de concurrence et de profit, mirent l'Europe de l'Ouest sur la voie qui conduisait au capitalisme et à l'industrialisme.

Il fallait pour cela qu'il y eut dans les campagnes une population juridiquement libre mais ne disposant que de peu de terre. Ce n'était pas le cas en Europe de l'Est, où les conditions nécessaires à une révolution industrielle n'allaient apparaître que tardivement.

Rome
métamorphose de la Ville éternelle

« Entre 1500 et 1600, c'est proprement une ville nouvelle qui s'est élevée sur le sol de Rome : 54 églises, dont Saint-Pierre ; une soixantaine de palais, dont le Vatican ; 20 villas aristocratiques ; des logements pour 50 000 nouveaux habitants ; 2 quartiers nouveaux ; plus de 30 rues neuves ; 3 aqueducs (entre 1565 et 1612) ; au moins 35 fontaines (entre 1572 et 1699). Quelle autre ville, au XVI*e siècle, aurait-pu se vanter d'un semblable bilan ? »*

Source : Jean Delumeau, *Rome au* XVI*e siècle.*

L'essor du commerce international

Les expéditions commerciales s'intensifièrent sur les océans du monde. Ces voyages au long cours pouvaient être aventureux, mais ils étaient aussi générateurs de profits importants. C'est grâce au commerce d'outre-mer que s'édifièrent les grosses fortunes. Les vieilles techniques médiévales pour se procurer des crédits et financer les investissements évoluèrent, jusqu'à devenir elles-mêmes un moyen de faire fortune. Au cours de cette période s'opéra un transfert des centres commerciaux et des richesses depuis l'Europe du Sud vers la partie nord-ouest de notre vieux continent.

De tels bateaux étaient conçus pour la navigation côtière. Ils furent utilisés par les Espagnols et les Portugais pour leurs premières expéditions audacieuses, mais furent ensuite remplacés par des navires mieux adaptés à la navigation au long cours.

Les richesses amassées au cours des XVIe et XVIIe siècles grâce au commerce jouèrent un rôle déterminant dans l'évolution de l'Europe de l'Ouest vers le capitalisme et l'industrialisme. De grandes fortunes furent édifiées par ceux qui se livraient au commerce international ou aux activités bancaires. Ce négoce florissant n'entraîna pas pour autant de modifications notables des conditions de vie du peuple. Lorsqu'on parle d'exportation en masse de tissus anglais, c'est à l'échelle du temps, et il faut prendre comme terme de comparaison le volume du commerce textile de l'Italie du Nord, par exemple, et non la production pléthorique qui allait apparaître après la révolution industrielle.

Le commerce et la subsistance des populations

Dans les campagnes, 90 % des marchandises proposées sur les places de marché avaient été produites à deux ou trois kilomètres de là. 9 % supplémentaires provenaient d'un rayon de 10 kilomètres. 1 % seulement était donc d'origine plus lointaine. Une bonne partie du commerce local s'effectuait sous forme d'échange de marchandises et donc ne pouvait avoir d'effet notable sur l'évolution économique.

Un des obstacles qui empêchaient le commerce à distance de l'emporter sur les marchés locaux provenait des coûts et des délais de transport, notamment par voie de terre. On rapporte que dans la France du XVIIe siècle, il en coûtait de 200 à 300 francs pour acheminer du sud du pays jusqu'à Paris un tonneau de vin dont le contenu ne valait pas plus de 40 francs.

Les transports par mer étaient bien meilleur marché. Une illustration frappante nous en est fournie par cette information de 1546 provenant des Antilles : les frais d'acheminement de la cargaison jusqu'au port d'embarquement, sur quelques kilomètres de route, auraient excédé ceux du long transport par mer entre les « Indes occidentales » et l'Europe.

Toutefois, les déplacements maritimes n'étaient pas spécialement rapides. Les premiers tours du monde exigèrent trois ans, et un voyage normal entre l'Espagne et l'Amérique prenait 75 jours. Les marchandises périssables étaient donc exclues du commerce d'outre-mer, et les frais de transport qui grevaient les prix des produits lointains rendaient ceux-ci peu concurrentiels sur les marchés locaux.

Mais l'obstacle majeur qui s'opposait à un large développement du commerce international résidait dans le fait qu'un grand nombre de familles européennes vivaient toujours en autarcie. Elles se procuraient elles-mêmes les produits de première nécessité et n'avaient pas les moyens d'en acheter d'autres. Les céréales des régions de la Baltique redistribuées par les négociants hollandais auraient pu nourrir les populations européennes pendant tout au plus une semaine si elles avaient été réparties également parmi tous les habitants du continent.

Si l'on se réfère aux besoins de la population globale, le commerce international ne fournissait donc que des quantités modestes de marchandises. Néanmoins, pour ceux qui avaient les moyens de se les procurer, ces denrées pouvaient être d'une importance capitale — ainsi, les céréales dans les régions touchées par la famine. Et si le volume de ce commerce demeurait limité, ceux qui s'en partageaient les bénéfices étaient également peu nombreux. Ce qui explique que des fortunes considérables aient tiré leur origine de ce négoce international.

A mesure que la navigation faisait reculer les limites du monde connu, il s'avérait indispensable de dresser des cartes aussi détaillées que possible.

La mauvaise qualité des routes et des moyens de communication rendait les déplacements par voie de terre lents et coûteux. C'est le cavalier qui était le plus rapide, mais il ne pouvait acheminer des marchandises qu'en quantité limitée. Peinture de Hendrik van Avercamp (1585-environ 1660).

Le marché au poisson. Le poisson, comme la viande, était considéré comme un mets de riche, sauf le hareng hollandais qui servait de nourriture à tout le monde. En terre catholique, les jours de jeûne entraînaient une demande accrue de poisson. Décoration d'un éventail.

De telles fortunes, qui allaient jouer un rôle si essentiel dans l'évolution économique, ne pouvaient se constituer que si les marchandises continuaient à s'échanger en un flux constant ou mieux encore croissant.

Crise du commerce ?

Une fois encore, la crise du XVIIe siècle est sur la sellette. Niels Steensgaard a montré comment la stagnation ou la crise d'un secteur étaient compensées par l'expansion d'un autre. Quand le tonnage des exportations espagnoles à destination de l'Amérique diminue de moitié après 1620, l'Angleterre et la Hollande augmentent leurs activités commerciales dans cette partie du monde. Quand la navigation dans le détroit du Sund donne des signes de crise après 1650, le commerce avec l'Asie connaît une période florissante. Alors que le milieu du XVIIe siècle est une période de crise pour les économies espagnole, alle-

Représentation allégorique d'une maison de commerce en 1585. Parmi les nombreux personnages, on reconnaît le maître lui-même au centre, sous le grand livre qui demeure secret pour tous sauf pour lui. En bas au milieu se tient la déesse de la fortune qui décide des destinées de la firme. Les inscriptions donnent de bons conseils ou décrivent les attributions des différents employés.

mande, française et anglaise, il marque l'âge d'or de la Hollande.

Et lorsqu'un peu plus tard l'économie hollandaise donne des signes de faiblesse, le commerce de l'Angleterre et celui de la France sont en pleine expansion. Les exportations anglaises augmentent de 50 % au cours des quatre dernières décennies du siècle.

Il faut ajouter que certains signes ont été interprétés un peu vite comme indices de crise. Ainsi, on peut s'interroger sur la fiabilité des informations douanières qui ont servi à évaluer l'ampleur des mouvements de bateaux dans le Sund.

De même, l'historien français Michel Morineau a soumis à un examen critique les sources ayant amené à la conclusion que les échanges commerciaux entre l'Espagne et l'Amérique avaient décliné au XVIIe siècle. La diminution du tonnage est incontestable, mais la quantité ne peut à elle seule servir à mesurer la valeur des échanges commerciaux . Ou alors, il faudrait admettre que les mêmes marchandises aient été transportées dans les mêmes proportions au cours de toute la période considérée.

Michel Morineau donne un exemple saisissant du contraire. En 1597, l'Espagne expédia 16 000 tonnes de marchandises en Amérique. En 1729, la moitié seulement. Dans la cargaison de 1597 figuraient 12 000 tonnes de vin, un produit bon marché. En 1729, le vin ne représentait plus que 3 000 tonnes, mais il y avait à bord une tonne de dentelles de Lyon dont la valeur dépassait celle de 1 000 tonnes de vin. Il faut donc être prudent lorsqu'on se livre à des comparaisons.

Le même historien français a également montré combien la recherche antérieure avait sous-estimé la quantité de métal argent américain introduit en Europe dans la deuxième moitié du XVIIe siècle.

Alors, crise du commerce ? Un tel diagnostic appelle bien des réserves.

Le poivre

Même si le commerce demeurait de peu d'ampleur par comparaison avec ce que nous connaissons aujourd'hui, il ne se développait pas moins, et des relations commerciales se nouaient entre un nombre croissant de régions. Les plus gros profits venaient surtout de la vente des produits exotiques — profits qu'on pouvait encore accroître par des activités bancaires. Certaines marchandises étaient parées d'un lustre d'aventure, et elles permettaient de faire des bénéfices fabuleux.

Comme denrée commerciale, le poivre possédait beaucoup d'excellentes qualités. Il était facile à transporter et se vendait cher par rapport à son poids. Aussi pouvait-on le proposer un peu partout en petites portions, et pas uniquement aux plus riches. A une époque où on mangeait du beurre rance, du poisson à moitié pourri et de la viande avariée, les épices comme le poivre étaient des denrées recherchées. La rareté du poivre n'était nullement un inconvénient aux yeux du commerçant européen.

Depuis le Moyen Age, les villes italiennes, avant tout Venise et Gênes, avaient le monopole du commerce européen de cette épice. Elles disposaient du poivre que des caravanes acheminaient depuis l'Inde jusqu'aux côtes orientales de la Méditerranée.

Dès le milieu du XVe siècle, les Portugais se posèrent en concurrents, quoique de manière encore bien modeste. Alors qu'il recherchaient des métaux précieux, voire des esclaves, le long des côtes occidentales de l'Afrique, ils découvrirent des épices qui pouvaient servir de succédané au poivre asiatique. Au milieu du XVIe siècle, quelque 130 tonnes d'épices africaines arrivaient chaque année à Lisbonne, d'où une bonne partie était réexportée vers les Pays-Bas.

Vasco de Gama (environ 1460-1524) ouvrit à l'Europe occidentale la voie maritime des « îles des épices » et termina sa carrière comme vice-roi en Inde.

Ces liens avec les Pays-Bas se maintinrent après que les Portugais eurent doublé le cap Horn, ce qui leur ouvrait la route maritime des épices. En 1501, des navires portugais mouillèrent dans le port d'Anvers avec leurs premières cargaisons de poivre.

Les nouvelles routes commerciales transatlantiques n'entraînèrent pas tout de suite la disparition des navires dans le port de Venise et autres villes italiennes. A terme, ces vieux centres commerciaux periclitèrent toutefois.

Ce commerce prit rapidement de l'ampleur. En 1503, Vasco de Gama rapportait presque 2 000 tonnes de poivre, et la cargaison valait 60 fois ce que l'expédition avait coûté. Pourtant, le produit vendu par les Portugais n'arrivait pas à supplanter celui acheminé par voie de terre. On croyait en effet que le transport maritime nuisait à la qualité du produit. Après les guerres d'Italie, Venise et Gênes redevinrent importatrices. A la fin du XVIe siècle, la part acheminée par caravane représentait encore les trois quarts de la valeur totale du poivre importé.

A partir du début du XVIIe siècle, la concurrence anglaise et hollandaise s'avéra meurtrière pour le commerce italien et portugais du poivre. On put bientôt cons-

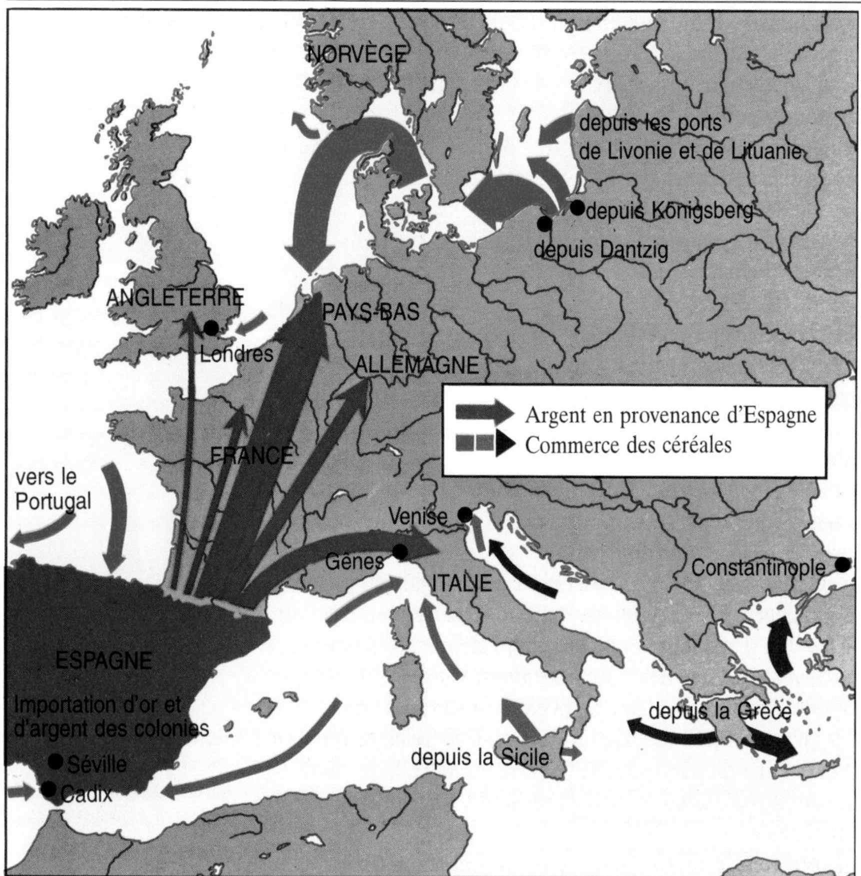

Les céréales en provenance des régions de la Baltique qui transitaient en grande quantité par le Sund constituèrent le fondement de l'empire commercial hollandais — où affluait également l'argent espagnol.

tater qu'Anglais et Hollandais, tant en matière de quantité que de prix, avaient totalement transformé ce marché.

Au cours du XVIIe siècle, la part relative du poivre dans les marchandises en provenance d'Asie diminua pourtant. En 1609, cette épice représentait 56 % des importations de la compagnie hollandaise des Indes orientales ; cent ans plus tard, ce pourcentage était tombé à 11 %. Les chiffres de la compagnie anglaise témoignent de la même évolution. De 1650 à 1750, la part du poivre passa de 20 % à 5 %. Pourtant, les importations ne cessaient de croître, mais d'autres marchandises se taillèrent une place dominante : les tissus indiens au XVIIe siècle, le thé à partir de 1700.

Mais avant de rentrer dans le rang, le poivre avait puissammment contribué à l'édification de grosses fortunes.

Le métal argent et l'inflation

Au XVe siècle s'amorca une chasse systématique aux métaux précieux. Il s'ensuivit que de nouveaux gisements furent découverts et que des mines désaffectées furent rouvertes, avant tout en Europe centrale où la production annuelle d'argent atteignit 65 tonnes au milieu du XVIe siècle. A une échelle plus modeste, les Portugais contribuèrent à augmenter la quantité des métaux précieux en cherchant d'où venait l'or que des caravanes acheminaient vers l'Afrique du Nord à travers le Sahara.

Tout cela paraît bien pâle en comparaison avec l'afflux de métaux précieux en provenance de l'Amérique espagnole. Selon des sources officielles, le transfert d'or et d'argent au cours du XVIe siècle correspondit à une valeur de 180 tonnes d'argent par an. Les chiffres sont encore plus impressionnants si on se limite à la fin du siècle, où l'importation annuelle atteint en moyenne 291 tonnes. Dans la première moitié du XVIIe siècle, le volume des importations régressa à 200 tonnes par an. L'opinion généralement admise était que ce recul caractérisait tout le siècle, mais Michel Morineau a montré qu'une forte reprise s'était opérée après 1660. L'afflux d'argent à la fin du XVIIe siècle fut largement supérieur à celui du XVIe siècle, et les chiffres s'élevèrent encore après 1700. Mais à cette époque, l'argent américain ne transitait plus en totalité par l'Espagne.

Il n'est guère douteux qu'il existe un lien entre l'afflux d'argent américain d'une part, et d'autre part l'inflation et l'expansion économique de l'Europe du XVIe siècle. Il reste cependant à savoir si l'argent fut générateur d'inflation et d'expansion, ou si ce fut l'expansion qui accrut la demande de moyens de paiement, autrement dit de métaux précieux.

Si l'on fait de l'argent le premier moteur de l'évolution, on peut expliquer par l'avidité à s'en procurer l'intensification de la production d'objets échangeables contre du métal précieux. On peut aussi estimer que l'afflux d'argent, générateur d'inflation, incitait à emprunter pour investir ; comme on le sait, l'inflation rend l'argent emprunté bon marché.

Mais la recherche systématique de métal précieux qui s'opère au début de notre période, y compris dans des régions aussi périphériques que la Suède et la Norvège où l'on extrait de l'argent au début du XVIe siècle, s'explique vraisemblablement par un besoin accru de moyens de paiement entraîné par l'expansion économique. La thèse selon laquelle le métal précieux aurait suscité l'expansion apparaît moins crédible.

En matière d'inflation, on a voulu voir une corrélation étroite entre les variations des prix et l'importation de métal précieux, ce qui reste à prouver.

La recherche a montré que cette importation fut plus massive que jamais après 1660, ce qui dément l'idée que la baisse des prix au XVIIe siècle aurait été causée par un tarissement de l'afflux d'argent. En outre, on a pu noter qu'au XVIe siècle, les prix augmentèrent en Angleterre et en Suède avant que l'argent américain n'ait pénétré dans ces régions. En revanche, Florence connut tardivement une telle hausse des prix — alors que ses relations étroites avec l'Espagne auraient dû la mettre précocement en

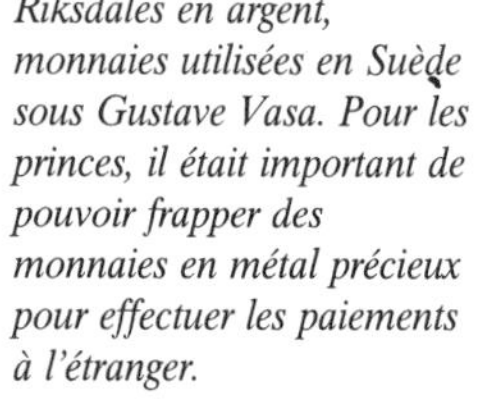

Riksdales en argent, monnaies utilisées en Suède sous Gustave Vasa. Pour les princes, il était important de pouvoir frapper des monnaies en métal précieux pour effectuer les paiements à l'étranger.

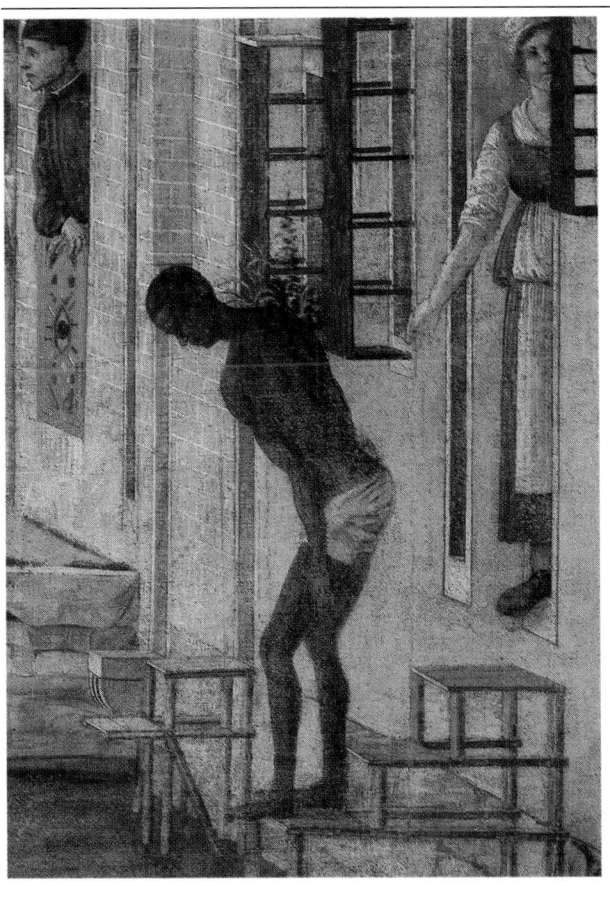

contact avec le métal précieux en provenance d'outre-mer.

Enfin, il faut souligner que les prix agricoles augmentèrent plus vite que les autres. Tel n'aurait pas été le cas s'il s'était agi d'une inflation générale due à la profusion des moyens de paiement.

En conclusion, il serait exagéré de voir dans l'argent américain la cause fondamentale de l'expansion économique et de l'inflation, mais il demeure que le métal précieux contribua grandement à cette évolution en fournissant les moyens de paiement indispensables.

Les esclaves — une marchandise commerciale

Le commerce des esclaves, principalement aux XVIIe et XVIIIe siècles, constitua une source notable de profit en Europe, bien qu'il s'effectuât pour l'essentiel entre l'Afrique et l'Amérique. Les données varient quant à son ampleur, mais on peut s'en faire une idée assez précise même en l'absence de chiffres exacts.

De 1450 à 1600, les Européens auraient exporté plus de 250 000 esclaves africains. La plupart d'entre eux échouaient dans les plantations sucrières de Madère et des Canaries, ou encore à Lisbonne où les familles riches recouraient volontiers à ces esclaves domestiques qui apportaient une touche exotique à leur maison. Les autres acheteurs au cours de cette période étaient le Brésil et l'Amérique espagnole.

Au XVIIe siècle s'y ajoutèrent les colonies anglaise, française et hollandaise des Antilles avec leurs plantations de canne à sucre. Au cours de ce siècle, le nombre des esclaves exportés atteignit presque 1 500 000 ; il s'éleva au XVIIIe à quelque 6 500 000.

Les Portugais furent les premiers sur la brêche, d'abord à échelle réduite, avec en 1444 la vente à Lisbonne de 263 esclaves, puis sur un plus grand pied. A terme, les besoins du Brésil, colonie portugaise, et de l'Amérique espagnole allaient se montrer importants. Quand les royaumes du nord-ouest de l'Europe fondèrent leurs colonies, ils se procurent également des bases en Afrique pour assurer l'approvisionnement en esclaves. Des compagnies spécialisées dans la traite des Noirs se formèrent au Portugal, en Hollande, en France et en Angleterre.

Les colonies espagnoles absorbaient plus du cinquième des esclaves et pourtant l'Espagne ne possédait pas de compagnie de ce type. Par choix ou par nécessité, les autorités préféraient louer leurs droits à des étrangers qui, moyennant redevance, se voyaient confier cette tâche. Les Portugais furent les premiers bénéficiaires de ces contrats et ils maintinrent leur avance même lorsque les Hollandais leur firent concurrence. En 1701, alors qu'elle était au sommet de sa puissance et qu'un prince français était appelé au trône espagnol, la France obtint le monopole de ces contrats — monopole qui, lors de la paix d'Utrecht (1713), passa à l'Angleterre.

Ce négoce était incontestablement lucratif. Les informations selon lesquelles les esclaves auraient été revendus trente fois le prix d'achat demeurent sujettes à caution,

Cette image de la Venise du XVe siècle, due à Gentile Bellini (1429-1507), montre qu'il y avait des esclaves noirs en Europe avant le XVIe siècle.

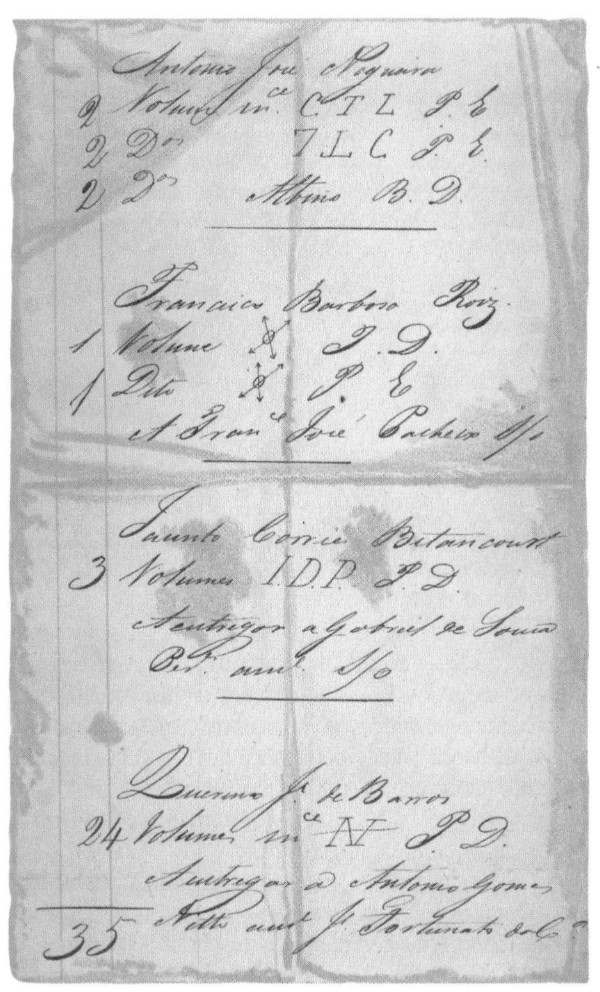

Antonio José Nogueira
2 Volumes m.ce C T L P.E
2 D.os T L C P.E
2 D.os Albino B.D.

Francisco Barboza Roiz
1 Volume X J.D.
1 Dito X P.E
a Fran.co José Pacheco S/

Sancto Correia Bitancourt
3 Volumes I.D.P. P.D.
Entregar a Gabriel de Souza
Per. ann.e S/o

Querino J. de Barros
24 Volumes m.ce N P.D.
Entregar a Antonio Gomes
Ditto ann.e J. Fortunato
35

Bulletin d'acheminement d'esclaves en provenance du Cameroun.

Le drapeau danois flotte sur la forteresse Christiansborg située en Côte de l'Or (Ghana), une base danoise en Afrique occidentale pour le commerce des esclaves. Gravure en couleur du XVIIIe siècle.

mais des sources plus fiables de la fin du XVIIIe siècle font apparaître que le bénéfice moyen escompté était de 30 % — les 100 % pouvant être atteints lors de certains voyages.

Bref, les esclaves constituaient une marchandise qui permettait d'accumuler de grosses fortunes. De plus, la traite des Noirs, plus directement que l'importation d'argent ou de poivre, contribuait à l'expansion du secteur de la fabrication.

Du sucre contre des esclaves

Les esclaves étaient pour une bonne part achetés en échange de sucre brut. Cette denrée représentait pour la Royal African Company, une société anglaise, les deux tiers de la valeur de ses importations en provenance des Indes occidentales. Et à la différence du poivre et de l'argent, le sucre brut devait être transformé avant d'être vendu. Cette activité allait se développer puissamment, comme le montrent les chiffres suivants : il y avait 19 raffineries à Anvers en 1566, 60 à Amsterdam en 1661 et, en 1753, plus de cent en Angleterre.

Les cannes à sucre sont brisées en morceaux puis traitées pour donner du sucre de canne, prêt pour le raffinage, que l'on retire de moules en argile. Gravure sur cuivre d'après J. Stradanus (1523-1605).

Outre les esclaves, diverses marchandises pouvaient être échangées contre du sucre brut et autres matières premières d'origine coloniale. Tissus et outils fabriqués en Europe jouèrent un rôle croissant dans ces échanges. On reconnaît là le schéma centre-périphérie auquel les débats sur le tiers-monde nous ont accoutumé — centre qui échange avec profit des produits industriels contre les matières premières de la périphérie.

Sous cet angle, le cas de l'Angleterre, de la France et de la Hollande diffère de celui de l'Espagne et du Portugal, qui ne purent fournir que peu de produits manufacturés à leurs colonies. A la fin du XVIIe siècle, les flottes qui partaient de Cadix étaient pour l'essentiel chargées de marchandises en provenance d'autres pays, avant tout de France, les produits ibériques ne représentant guère plus de 5 % de la valeur du total. Les Espagnols tiraient leurs plus gros bénéfices du transport, des douanes et des droits acquittés par les étrangers. Dans le port de Lisbonne, les Anglais jouaient un rôle analogue à celui des Français dans celui de Cadix.

De la sorte, les revenus des colonies et des factories fondées par l'Espagne et le Portugal vinrent régulièrement enrichir la France, la Hollande et l'Angleterre.

Les céréales

Le commerce international des céréales était considéré comme le fondement même de l'économie hollandaise. La cause en est sans doute que les terres des Pays-Bas se prêtaient mal à ce type de culture. En 1491, la cherté des grains à Amsterdam incita les marchands hollandais à tirer parti des riches ressources des pays riverains de la Baltique, notamment la Pologne. Ainsi fut créée la route commerciale Dantzig-Amsterdam.

Depuis des temps immémoriaux, la principale denrée pour les échanges avec l'Est était le sel, mais à partir du XVIe siècle, les tissus et les produits métallurgiques gagnèrent en importance. A la fin du XVIe siècle, les textiles constituaient presque la moitié des importations maritimes de la Pologne. Cet échange de produits fabriqués contre des matières premières illustre à nouveau le rapport centre-périphérie évoqué plus haut.

Amsterdam et la Hollande dominèrent le commerce des céréales depuis l'Est où ils s'approvisionnaient jusqu'à l'Ouest où ils vendaient leurs stocks. Cette hégémonie est avant tout due au génie commercial des Hollandais.

Du fait que la Hollande effectuait des achats en grande quantité et disposait de la marine marchande la plus développée et de la plus efficace qui fût, elle était en position forte pour négocier avec la Pologne. Une politique protectionniste qui obligeait tous les navires céréaliers hollandais à relâcher dans le port d'Amsterdam fit de cette cité bien équipée en vastes magasins une ville-entrepôt pour les grains. A ce titre, elle pouvait importer ses céréales partout où on les produisait en abondance. De la sorte, les négociants d'Amsterdam purent en régler le flux vers les régions frappées de pénurie — et faire monter les prix.

Du fait des différences de prix entre l'Est et l'Ouest et des fluctuations importantes d'une année sur l'autre, on pouvait réaliser de gros bénéfices en spéculant sur les grains. La longue pénurie qui affecta les régions méditerranéennes aux alentours de 1600 consolida la position voulu s'opposer à l'amélioration du rendement de leur exploitation. L'explication réside dans le fait qu'il ne s'agissait pas seulement d'une nouvelle technique, mais aussi d'un autre mode de vie.

Deux éléments peuvent être invoqués pour caractériser la vie rurale de jadis. D'une part, la tendance à vivre en autarcie, d'autre part l'organisation du travail en commun au sein de la ferme.

Le pain et le gruau constituant la nourriture de base, l'exploitation devait avant tout produire des céréales. D'autres cultures n'étaient envisageables que si l'on disposait de beaucoup de terres. Mais même si l'on fabriquait à la maison l'essentiel de ce dont on avait besoin, on ne pouvait pourvoir à tout. Ainsi, dans la plupart des cas, le seul moyen de se procurer un article de première nécessité comme le sel était de l'acheter — ou de l'échanger contre autre chose.

Il pouvait paraître tentant de pratiquer de nouvelles cultures à titre expérimental. En augmentant ses revenus, on pouvait ensuite acheter ce qu'on ne pouvait soi-même produire. Mais il fallait dans le même temps affecter des terres à autre chose qu'aux cultures céréalières, fondement même de l'existence de la maisonnée. Les conséquences pouvaient se révéler catastrophiques, surtout si l'expérience échouait.

De telles objections ne s'appliquent pas à la mise en œuvre de nouvelles méthodes pour augmenter le rendement des cultures céréalières. Confronté à cette tentation, le paysan devait toutefois se demander si le jeu en valait la chandelle, car cette augmention de rendement avait pour prix un surcroît de travail. Et beaucoup renâclaient, à l'instar de nos contemporains qui limitent leurs ambitions de carrière pour pouvoir mieux se consacrer à leur famille ou à leur vie privée.

Les exploitations paysannes constituaient des unités autonomes qui collaboraient pour certains travaux agricoles. Presque toute l'Europe connaissait cette forme d'association, la communauté des habitants. Du fait que les possessions des différentes fermes consistaient en lopins imbriqués les uns dans les autres et que ceux-ci étaient entourés d'un terrain communal à la disposition de tous les villageois, il fallait nécessairement collaborer. L'avantage de ce type de répartition était que chaque paysan avait sa part de bonne et mauvaise terre. Et même les plus petits cultivateurs avaient accès au terrain communal où leurs bêtes pouvaient paître.

Ce système présentait des inconvénients avant tout pour le paysan qui voulait renouveler ses méthodes. Compte tenu de la répartition des terres, la commune villageoise se devait de coordonner strictement toutes les phases du travail, et nul ne pouvait s'y soustraire, ce qui ne favorisait pas les initiatives. Ainsi, il était pratiquement impossible de semer autre chose que ce que l'assemblée des habitants avait prescrit. Un paysan décidé à extirper les mauvaises herbes pouvait voir ses efforts anéantis par un voisin ne manifestant pas le même zèle. Et le droit de vaine pâture pouvait avoir un effet inhibiteur sur ceux qui tentaient de se spécialiser dans l'élevage.

Pour ceux qui le pouvaient, la solution consistait à regrouper des parcelles en une seule terre pour pratiquer ensuite l'agriculture et l'élevage comme ils l'entendaient.

Portraits de paysans. A gauche, paysan français par Louis Le Nain (1593-1648) ; ci-dessous, paysan allemand par Lucas Cranach l'ancien (1472-1533) ; tout en bas, paysan hollandais par B. G. Cuyp (1612-52)

Mais une telle réforme aurait eu des effets négatifs pour les petits cultivateurs, autrement dit la majorité. Ils auraient perdu une bonne partie des pacages. La dispari-

Assemblée communale à Bygdeå

Dans ce village du nord de la Suède, le pouvoir local était détenu par l'assemblée communale composée des représentants des villages de la commune. C'est elle qui décidait de l'exemption d'impôts pour les gens jugés trop malades ou trop pauvres. Chaque année, elle réajustait les charges fiscales pour chaque ferme de manière à ce que la commune puisse payer le montant global exigé par la couronne. Elle répartissait les impôts supplémentaires et gérait les affaires locales. Le plus important, c'est qu'elle avait la charge de lever des soldats pour le compte de l'Etat. Dans la mesure du possible, elle essayait d'éviter que ne tombent au champ d'honneur les hommes de la commune en général et les gros paysans en particulier. C'est aussi parmi ces derniers que se recrutaient les membres de l'assemblée communale.

Les comptes de la ferme La Saussaye (années 1620)

Recettes	Livres tournois	Dépenses	Livres tournois
Blé	2508	Semences et entretien	1716
Avoine	1242	Redevances au propriétaire	1320
Cheptel	400	Redevances au seigneur	42
Total	4150	Dîme	270
		Impôts	415
		Total	3763
		Excédent	387
		Total général	4150

Source : Pierre Léon, *Histoire économique et sociale du monde*, Vol. II (1978).

tion de ce type de répartition, en affaiblissant la communauté, les auraient rendus encore plus désarmés devant les abus des gros paysans et les exigences fiscales des autorités. Et des réformes aventureuses dans un milieu où il fallait déjà lutter pour son pain quotidien n'auraient fait que renforcer leur sentiment d'insécurité.

La résistance aux changements était si forte et au fond si motivée que seules des contraintes extérieures allaient en venir à bout.

Taxes en tous genres

La Saussaye, située à Villejuif près de Paris, était une grosse ferme exploitée moyennant redevance au propriétaire. Jean Jacquart a calculé les dépenses de l'exploitation une année de bonnes récoltes (rendement de 6 pour 1) au cours de la décennie 1620-30. Environ la moitié des revenus bruts était affectée à diverses redevances. Les deux tiers de celles-ci allaient au propriétaire, deux dizièmes à l'Etat, un dizième à l'Eglise et une petite fraction à celui qui exerçait sa souveraineté sur ces terres.

On ne peut généraliser à partir de cet exemple, car le pourcentage relatif des différentes taxes variait d'une région à l'autre, a fortiori d'un pays à l'autre. En revanche, il apparaît clairement qu'un exploitant avait de nombreux maîtres à servir, et que la souveraineté exercée sur les terres était autre chose que la propriété. Cette distinction vaut qu'on s'y arrête.

La souveraineté sur les terres, legs du Moyen Age, donnait le droit de percevoir les taxes les plus diverses. Elles pouvaient être grandes ou petites, multiples ou peu nombreuses, selon l'usage local, mais tous les exploitants y étaient astreints, même ceux qui possédaient leur terre. Il en allait de même pour la dîme. Ces deux types de taxation avaient aussi en commun qu'on pouvait en acquérir les droits dans certains pays. Pour cette raison, le maître des terres n'était pas nécessairement un aristocrate ou une institution religieuse. Un bourgeois pouvait fort bien se procurer les privilèges lui accordant un droit de souveraineté sur des terres, ou encore celui de percevoir la dîme.

Les redevances dues au propriétaire des terres étaient fixées par accord verbal ou écrit. Là aussi, l'usage local était déterminant. Le terme de métayage, qu'on rencontre souvent, impliquait un type de relation plus égalitaire entre les contractants, et une conscience économique plus marquée que dans le monde rural du Moyen Age. Les accords auxquels on parvenait comportaient des dispositions sur la durée du bail pendant lequel l'exploitant avait le droit et le devoir de cultiver les terres. Ce droit d'exploitation pouvait être héréditaire ou limité dans le temps — d'un minimum d'un an à toute une vie. L'arrangement conclu ressemblait d'autant plus à un contrat de métayage que ce droit était plus court, puisque les conditions pouvaient en être révisées plus souvent en fonction de la conjoncture et notamment de la fluctuation des prix.

Comme si tout cela n'était pas suffisamment compliqué, il faut ajouter que la situation juridique de l'exploitant pouvait aller du servage à l'autonomie complète, que les redevances pouvaient être payées en travail, en nature ou en argent et aussi, bien entendu, qu'il se produisit des changements au cours des 250 ans qui constituent notre période.

La dîme faisait partie des nombreuses redevances que le paysan devait acquitter. Miniature de 1501.

Ces composantes multiples expliquent les infinies variations régionales dont il serait vain d'essayer ici de rendre compte. Essayons plutôt de voir comment les exigences des propriétaires et seigneurs des terres allaient être les moteurs d'une transformation de l'agriculture imposée de force.

Les taxes au service de l'évolution

Donc, les prix des céréales — évalués en métal argent ou par comparaison avec d'autres produits — commencèrent à grimper dans la première partie du XVIe siècle. La demande de grains augmenta en relation avec l'offre. Puisque le rendement de grains de semence demeurait le même, l'augmentation des prix signifiait que le nombre des consommateurs augmentait plus vite que celui des producteurs de céréales.

Cette différence de rythme se reflète dans la croissance des villes. Or, le prix sans cesse plus élevé des grains aurait dû inciter les plus pauvres des citadins à retourner à la campagne pour y cultiver leurs propres céréales. Si ce ne fut pas le cas, la raison en est qu'il y avait pénurie de terres. Celles abandonnées à la fin du Moyen Age étaient à présent reprises en main.

Si l'hospice du Saint-Esprit à Bierbach en Allemagne parvint en 1600 à faire payer les droits d'exploitation d'une ferme onze fois plus cher qu'un siècle auparavant, c'était le résultat combiné de la flambée des prix agricoles et du manque de terres. Le pieux évêché de Bierbach ne représentait pas un cas extrême en Europe occidentale, il s'inscrivait plutôt dans la norme.

Quand la révolution des prix s'opéra, les seigneurs et propriétaires des terres qui percevaient leurs redevances en argent se retrouvèrent dans une situation difficile. La monnaie était un moyen commode de paiement quand on traitait avec les commerçants des villes. Mais en même temps que l'offre de marchandises de luxe se multipliait, l'argent se dépréciait.

Il fallut augmenter les redevances pour tenir son rang, ce qui fut facilité par la pénurie de terres. Les exploitants devaient être prêts à payer plus sous peine de se retrouver sans rien.

Pour les paysans, la solution pour faire face à l'augmentation des taxes ne pouvait être une réduction du niveau de vie, puisque beaucoup d'entre eux ne disposaient guère que du minimum vital. A la place, il leur fallut augmenter le rendement de leurs lopins, au prix de nouvelles méthodes qui impliquaient un surcroît de travail et une rupture avec un mode de vie bien établi.

Vers le milieu du XVIIe siècle au plus tard, aussi bien le nombre des habitants que les prix des céréales cessèrent de s'élever — il y avait là pour une part relation de cause à effet. Mais à défaut d'augmenter, la population ne diminuait pas, sauf exceptions régionales, et les terres disponibles demeurèrent donc rares. Ceux qui percevaient les taxes étaient toujours en position de force et n'avaient donc aucune raison de rabattre de leurs exigences. Ainsi, les agriculteurs se virent contraints de compenser la stagnation des prix des céréales par une exploitation encore plus intensive de la terre. Le paysan qui s'en tirait le mieux était celui qui pouvait adapter sa production aux besoins du monde environnant.

Les seigneurs et propriétaires de terres, qui en général n'étaient pas spécialement progressistes, en vinrent ainsi à collaborer avec les esprits éclairés qui voulaient rendre l'agriculture plus efficace en en renouvelant les méthodes. Ce furent même eux qui, en vertu des circonstances, imposèrent les contraintes nécessaires à l'accomplissement de cette transformation.

L'évolution qui vient d'être décrite vaut pour la partie occidentale de l'Europe. Certes, l'est du continent connut aussi la révolution des prix, mais dans un contexte différent. Du fait que les terres ne manquaient pas et que les redevances étaient acquittées sous forme de corvées, l'évolution prit une autre tournure. Nous y reviendrons à propos des conséquences sociales des transformations.

L'Etat, la bourgeoisie et les « coqs »

Il n'y eut pas que des personnes privées et des institutions pour réclamer leur dû auprès des paysans. Les gouvernements également se montrèrent de plus en plus gourmands. Les dépenses des Etats augmentèrent au cours de cette période. Outre les armées qui ne cessaient de croître, la bureaucratie, la diplomatie et la cour entraînaient une augmentation des dépenses, mais fournissaient aussi aux Etats les moyens d'écraser toute résistance à l'augmentation des impôts.

Au cours du XVIe siècle, une ferme norvégienne tout à fait ordinaire du Romerike vit son imposition presque multipliée par cinq ; au siècle suivant, les impôts augmentèrent à un rythme encore plus rapide. Des études ont montré qu'en Suède, dans le Värmland, les paysans, au cours de la période 1561-90, avaient été soumis à des impôts supplémentaires chaque année sauf deux. Au XVIIe siècle, bien des impôts suédois qui avaient eu jusqu'alors un caractère exceptionnel furent rendus permanents et payables annuellement. Après quoi il ne restait plus aux

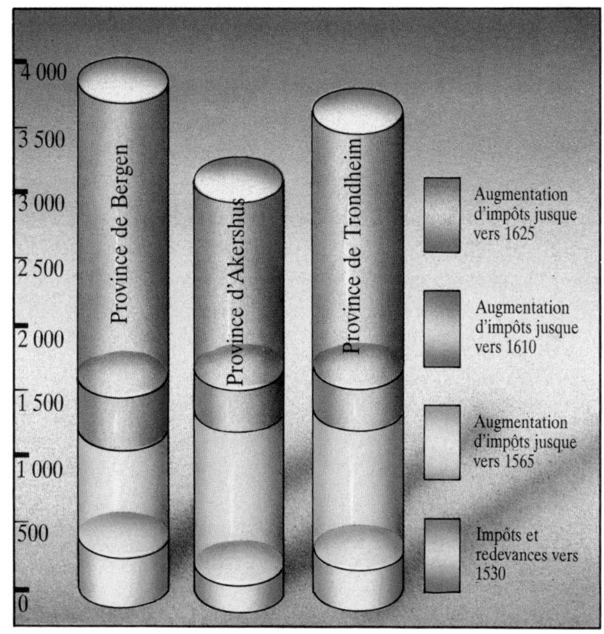

On voit ici comment, dans trois provinces norvégiennes, de nouveaux impôts ne cessèrent d'alourdir la pression fiscale. Source : R. Fladby, « Fra lensmannstjener til Kongelig Majesteds Foged » (1963).

autorités qu'à trouver de nouveaux impôts exceptionnels.

Comme les autres redevances foncières, ces impôts variaient selon les pays et selon les provinces. Ce qu'on peut affirmer de manière générale, c'est que les exigences des Etats furent au nombre de ces contraintes qui provoquèrent un renouvellement forcé des techniques d'exploitation agricole.

Les bourgeois des villes qui acquéraient des droits à la terre et se substituaient aux anciens propriétaires se sentaient peut-être moins liés à des traditions ancestrales, et sans doute savaient-ils mieux déterminer le type de production qui serait le plus rentable en fonction de la conjoncture. D'où probablement leur intérêt à intervenir dans la vie agricole et à la diriger.

Mais il existait par ailleurs une tradition selon laquelle un propriétaire terrien ne devait pas se mêler d'affaires trop triviales. En tant que nouveau venu dans ce milieu,

Cette allégorie hollandaise du XVIIe siècle représente un pauvre paysan qui, ployant sous le fardeau de sa femme et de ses enfants, est en route vers un destin incertain. Peinture de Adriaen Pietersz van de Venne datant de 1650 environ.

le bourgeois pouvait ressentir le besoin de se montrer plus gentleman que les gentlemen eux-mêmes.

Mais assurément, la bourgeoisie des villes, en tant qu'utilisatrice de produits agricoles et pourvoyeuse de marchandises, contribua indirectement mais puissamment au changement. Tentés par les articles proposés en ville, les propriétaires terriens avaient tendance à augmenter les redevances pour accroître leurs revenus. Ils incitaient aussi les paysans à travailler plus pour dégager un excédent à vendre — après quoi ils pouvaient eux-mêmes acheter les produits plus ou moins exotiques disponibles en ville.

Ceux qui pouvaient le moins s'adapter à une telle économie de marché étaient bien sûr les cultivateurs ne disposant que de peu de terre. Dans les campagnes aussi, et sous toutes les latitudes, il y avait les gros et les petits.

En se référant à un exemple picard, Pierre Goubert a ainsi montré que les outils, les troupeaux et les emplois dont dépendait tout un village de cent familles étaient contrôlés par une douzaine de notables, voire parfois par un seul, le « coq » ou le « gros bonnet » du village.

Parmi les représentants du pouvoir central dans les campagnes, parmi les intendants ou régisseurs des domaines appartenant à l'aristocratie, à l'Eglise ou à la bourgeoisie, certains surent trouver des possibilités de s'enrichir, et il faut les compter eux aussi parmi les moteurs des transformations de l'agriculture.

Les perdants à l'ouest

« On ne peut faire d'omelette sans casser les œufs ». L'omelette était en l'occurrence la nouvelle agriculture. Et la roue du progrès avait impitoyablement cassé les œufs.

Certains exploitants agricoles disposaient de contrats de longue durée qui empêchaient les seigneurs des terres d'ajuster les redevances sur les hausses de prix et donc freinaient leur consommation de produits de luxe. Une manière de s'attaquer au problème était d'exiger des cultivateurs ayant un droit d'exploitation héréditaire ou à vie qu'ils en apportent la preuve écrite.

En Angleterre, on appelait *copyholders* ceux qui étaient en mesure de le faire. Eux seuls étaient à peu près sûrs de conserver leurs droits. La hausse des redevances eut comme conséquence indirecte que des paysans qui se croyaient à l'abri virent leurs droits limités.

Dans ce climat d'insécurité, les agriculteurs devaient être prêts à augmenter le rendement et à se détourner des cultures céréalières, qui avaient été le fondement même de l'entretien de la famille, pour s'adapter le plus souplement possible aux variations du marché. Un tel renouvellement exigeait des ressources dont ne disposaient pas les petits cultivateurs. Dans l'incapacité de s'adapter, ils accumulaient les dettes et n'acquittaient qu'irrégulièrement leurs redevances au maître des terres.

Les propriétaires terriens avaient donc tout lieu de faire chorus avec ceux qui voulaient restructurer l'agriculture en brisant le vieux modèle de répartition des terres et de

Le château Burghley House à Stamford fut construit pour le premier duc de Burghley, Sir William Cecil (1520-98), le conseiller de la reine Elizabeth. Il était issu d'une famille galloise relativement modeste, mais il put s'établir comme châtelain grâce à son talent politique et à la conjoncture économique.

gestion villageoise. Un regroupement des parcelles permettrait de créer des unités closes, exploitables selon les nouvelles méthodes.

Dans ce domaine, l'Angleterre apparaît comme un pays d'avant-garde. Même si le remembrement (enclosure) avait été pratiqué avant, c'est au XVIIe qu'il prit de l'ampleur. Dans le comté de Leicestershire, 10 % des terres cultivables étaient closes en 1607 ; en 1729, ce pourcentage s'élevait à 62 %.

Les différents coûts — redevances, investissements, frais de clôture — s'ajoutaient les uns aux autres. Pour beaucoup de petits paysans, qui en même temps se voyaient privés de la sécurité qu'apportait la communauté villageoise, la pression fut trop forte. Ils s'endettèrent puis perdirent leur terre. De la sorte s'opéra un regroupement de petites parcelles en unités plus grandes, mieux adaptées aux exigences d'une agriculture rentable. Ce qui profita tant aux exploitants qu'aux propriétaires, mais fut fatal à ceux qui furent chassés de leur lopin.

Les maîtres des terres et les gros cultivateurs avaient donc été mûs par un intérêt commun. Parmi ces derniers, les plus dynamiques allaient gérer leur exploitation comme une entreprise. Eux-mêmes, loin de transpirer dans les champs, planifiaient et dirigeaient le travail dont le but était de dégager des profits et non fondamentalement de pourvoir les familles des cultivateurs en céréales.

Les exclus du progrès se retrouvèrent au plus bas de l'échelle sociale, et le fossé augmenta entre une classe de plus en plus prospère de gros paysans ou exploitants et un nombre croissant de familles n'ayant guère de terre, ou pas du tout. Ce fut l'effet conjoint de l'économie de marché et de l'accroissement de population qui entraîna cette prolétarisation d'une partie des ruraux.

Cependant, l'essor de l'économie de marché dans d'autres domaines eut aussi pour conséquence que des gens privés de terre purent trouver à s'employer. Nous reviendrons sur ce point.

Les succès de maître Guillaume

Dans son livre sur les paysans du Languedoc, E. Le Roy Ladurie retrace l'histoire de Guillaume Maseux en se basant sur le journal que celui-ci a tenu. Né en 1495, il put grâce à son mariage (1516) devenir fermier et régisseur. Les faibles redevances et la modicité des salaires d'une part, le cours élevé des céréales d'autre part, lui permirent de faire fortune. Fortune qu'il augmenta en prêtant à ses voisins des grains et de l'argent à des conditions usuraires — le taux d'intérêt pouvait dépasser 100 % par an —, les terres servant de garantie. Son voisin Ramon Fabre commença à lui emprunter de l'argent en 1531, et en 1546, toutes ses terres étaient aux mains de Guillaume. D'autres créanciers remboursèrent capital ou intérêts en travaillant comme ouvriers agricoles dans ses domaines. Cette chasse effrénée au profit lui fit commettre des erreurs de calcul dans ses comptes, toujours à son avantage. Parfait représentant d'une mentalité mercantile, Guillaume acheva pourtant sa carrière dans le meilleur esprit du Moyen Age puisqu'il légua par testament ses biens à un couvent.

Les perdants à l'est

La situation des paysans en Europe de l'Est se dégrada également, mais l'évolution prit une autre tournure. Tandis que beaucoup de petits exploitants durent renoncer à leur terre en Europe occidentale, leurs homologues à l'est furent contraints d'y rester à demeure comme serfs.

A l'aube des temps modernes, il y avait une différence essentielle entre ces deux parties du continent européen. A l'est, les paysans continuaient à acquitter leurs redevances en effectuant des corvées et en livrant des produits en nature, alors que ce système avait été remplacé à l'ouest par le paiement en argent. Et il y avait en Europe orientale phlétore de terres, ce qui posait un problème aux propriétaires terriens, car les paysans qui trouvaient leurs exigences trop élevées pouvaient trouver un refuge dans ces vastes étendues cultivables. Aussi fallait-il attacher de force les paysans à la glèbe.

Quand l'Europe de l'Est avec sa riche production agricole se trouva intégrée au système économique occidental, cette forme bon marché de travail qu'était la corvée revêtit une importance encore accrue. A la fin du XVe siècle, 94 % des revenus des propriétés polonaises provenaient des grandes fermes où les terres étaient travaillées par des journaliers soumis à corvée. Les redevances paysannes en argent et en nature ne représentaient que 6 %.

La baisse des prix des céréales fut durement ressentie par la noblesse exportatrice qui fit retomber le fardeau sur les paysans. Le personnel salarié fut congédié afin de réduire les frais d'exploitation, et les paysans durent faire tout le travail dans les grandes fermes. La corvée statutaire pesant sur les familles rurales passa de 2 à 5 jours par semaine. Et pourtant, à prendre les statuts au pied de la lettre, on risque de se faire une image embellie de la réalité. Il y eut des plaintes de paysans dont la famille se voyait imposer douze journées de corvée par semaine. Cela signifiait que le foyer devait entretenir au moins deux personnes exclusivement occupées à travailler pour le propriétaire terrien. La conséquence en était qu'on négligeait son propre lopin et qu'on s'appauvrissait. Sans un contrôle rigoureux, il eût été impossible d'empêcher l'exode de ces malheureux paysans.

Des paysans russes, la coiffure à la main, s'écartent dans les champs pour laisser passer les maîtres. Cette image date du XIXe siècle, mais l'asservissement des paysans remonte aux XVIe et XVIIe siècles.

La révolution des nouveaux tissus

Au cours des XVIe et XVIIe siècles furent jetées les bases de la domination de l'Europe du nord-ouest sur le monde. Parmi d'autres causes, cela fut dû à sa capacité de produire à grande échelle, du moins pour l'époque, et à bas prix, des marchandises diverses et notamment des tissus. A ce stade préindustriel, le temps des grandes usines et des cheminées fumantes n'était pas encore venu. La production était organisée pour l'essentiel en petites unités situées en milieu rural, la main-d'œuvre étant fournie par ceux qui avaient perdu leur terre. On voit apparaître un nouveau type d'homme, l'entrepreneur, qui apprécie la concurrence et le profit, et s'oppose aux formes sociales statiques.

L'artisanat domestique traditionnellement pratiqué dans les fermes se développa avant la percée industrielle. En gagnant des marchés plus larges, il se posa en concurrent de l'artisanat des villes contrôlé par les corporations. Gravure de 1791.

L'artisan, comme l'ouvrier d'usine, gagne sa vie en transformant des matières premières en produits destinés à la vente. Il s'insère donc dans le secteur de la fabrication. Dans les sociétés préindustrielles, les paysans confectionnaient de nombreux objets pour leurs propres besoins. Il est certes difficile de chiffrer cette production, mais elle dépassait sans aucun doute celle des artisans et des manufacturiers réunis.

A l'inverse du paysan cultivant ses céréales, l'artisan, ce premier représentant du secteur de la fabrication, était dans l'obligation absolue de trouver des acheteurs pour acheter à son tour la farine de son pain quotidien. L'existence de l'artisan était conditionnée par celle du paysan.

Pour que ce secteur artisanal pût se développer, il fallait aussi, bien entendu, que le nombre des acheteurs augmentât. Ce qui fut manifestement le cas au XVIe siècle. D'anciens marchés s'élargirent, et de nouveaux s'ouvrirent.

Anciens et nouveaux marchés

Même ceux des paysans qui ne disposaient que d'un léger excédent de production purent acheter davantage de produits artisanaux quand la hausse des prix agricoles améliora leurs revenus. L'augmentation des redevances eut toutefois un effet inverse sur le pouvoir d'achat.

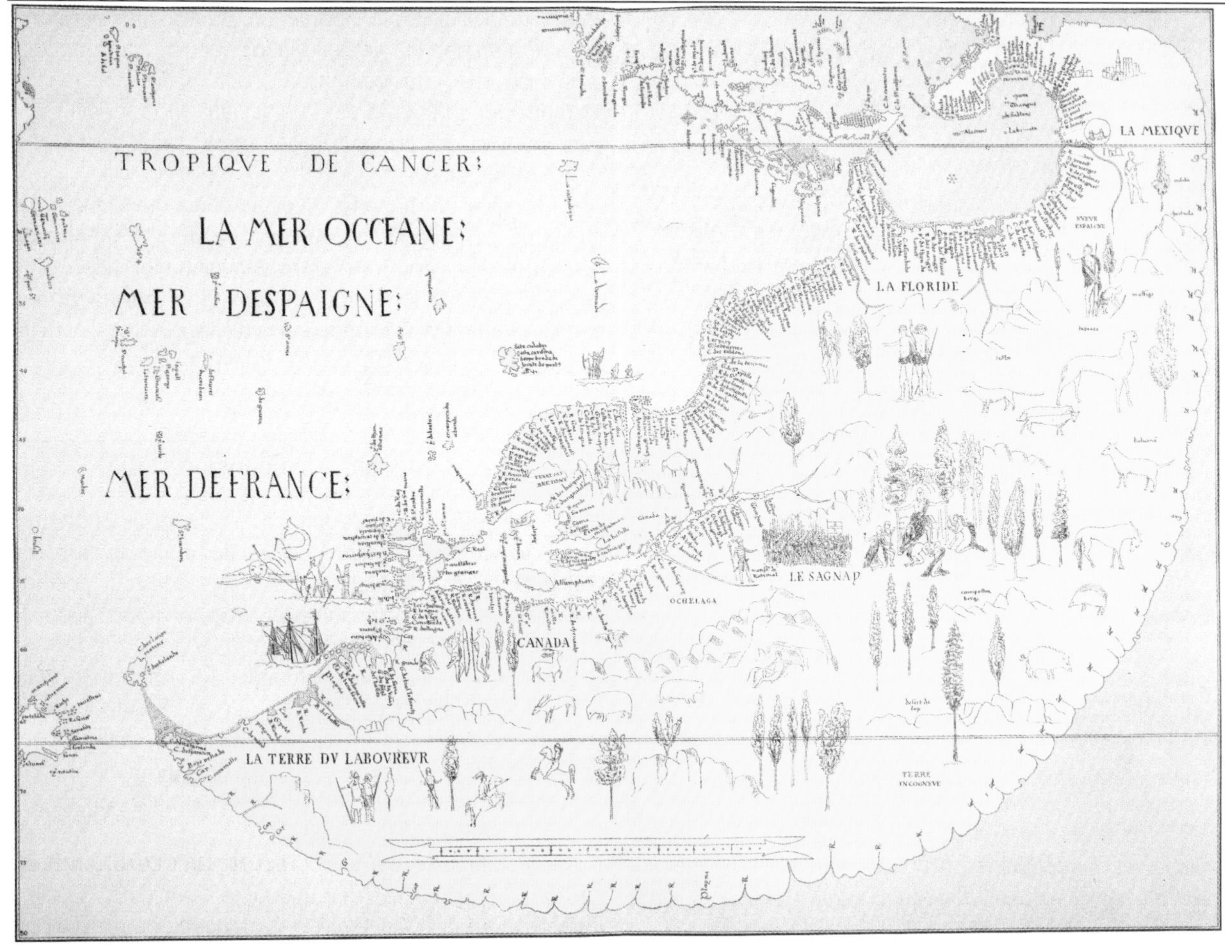

L'intérêt pour les nouveaux marchés qui s'ouvraient stimula l'activité des cartographes. Ici, une carte du Canada dressée pour le compte du roi de France Henri II (1547-59).

D'autres acheteurs apparurent à mesure que les villes se développaient. La plupart des immigrants de l'intérieur ne possédaient ni les matières premières ni les outils nécessaires à la fabrication d'objets de première nécessité. Certains ne pouvaient même pas cuire leur propre pain et devaient donc se fournir chez un boulanger de métier.

Quand les routes maritimes s'ouvrirent vers l'Amérique, de tout nouveaux marchés s'ouvrirent, y compris pour les artisans. Car si les conquérants se livrèrent d'abord au pillage et à la piraterie, ils eurent bientôt besoin de produits qu'on ne pouvait fabriquer dans les colonies. Cette demande ne cessa de s'accroître, en particulier lorsque des colons anglais, français et hollandais se furent établis dans le Nouveau Monde.

Dans un premier temps, l'extrême-Orient, où l'on n'acceptait que les métaux précieux comme monnaie d'échange, n'offrit pas les mêmes débouchés aux produits européens. Certes, l'exploitation des mines d'argent en Europe s'en trouva stimulée, mais celles-ci furent vite concurrencées par l'énorme afflux de métal précieux en provenance d'Amérique.

Grâce au commerce maritime, l'artisanat échappa à la stagnation qui aurait dû être la conséquence du tassement démographique et de l'appauvrissement de beaucoup. Au demeurant, l'indigence qui frappait de larges couches n'affectait que partiellement ceux qui vendaient des produits artisanaux, car elle résultait d'une nouvelle répartition des biens qui donnait un pouvoir d'achat accru non seulement aux hautes classes mais aussi à une catégorie intermédiaire plus large composée de gros fermiers, de négociants, d'officiers et de fonctionnaires.

Il faut aussi noter ce fait important que les gouvernements achetèrent de plus en plus de fournitures pour l'armée et la marine, tandis que les cours faisaient grande consommation de produits de luxe.

Expansion et dépression dans l'économie européenne de 1500 à 1700. Source : C. M. Cipolla, « Before the Industrial Revolution » (1975).

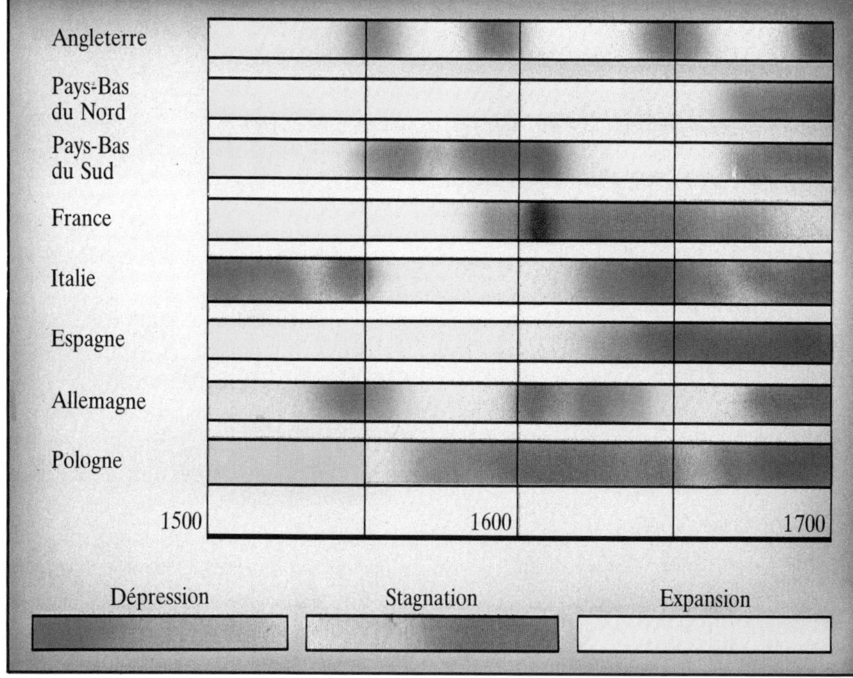

Au début des Temps modernes, l'extraction minière était souvent un complément aux activités agricoles et elle s'effectuait avec des instruments primitifs. Illustration tirée d'un livre de 1508.

Expansions et crises

On n'échappe pas aux généralisations si l'on veut dégager schématiquement les grandes lignes de l'évolution historique. Ainsi lorsqu'on présente le XVIe siècle comme une période d'expansion et le XVIIe comme un siècle de dépression. Le schéma élaboré par l'historien italien Carlo Cipolla (voir p. 55) illustre éloquemment la difficulté d'assigner à l'Europe tout entière des périodes d'expansion bien délimités. Même si ce schéma est simplifié, ce que souligne son auteur lui-même, il peut servir de point de départ pour examiner l'alternance d'expansion et de dépression en Europe.

Il permet de constater qu'après 1650 les pays les plus touchés par la dépression furent la Pologne, l'Espagne et l'Italie. Dans le cas de la Pologne, l'explication réside dans le déclin du commerce des céréales — aggravé par les ravages des troupes russes et suédoises. On constate aussi que les phases de dépression en Espagne et en Italie corrspondent souvent à des périodes d'expansion en Angleterre et en Hollande. Au total, il ne paraît guère évident que l'Europe ait connu une dépression généralisée au XVIIe siècle.

La soie était une marchandise si onéreuse qu'on essaya d'élever des vers à soie partout où cela était possible. Une condition nécessaire était de disposer de feuilles de mûrier. Image extraite de « The Universal Magazine », Londres (1753).

L'historien danois Niels Steensgaard a consacré à la crise du XVIIe siècle une étude de synthèse fort éclairante. Si l'on a cru déceler un déclin de la production à cette époque, c'est sur la base de statistiques peu fiables, et en faisant abstraction de secteurs manifestant une tendance contraire, par exemple l'extraction minière en Angleterre et la production de fer en Suède. On ne saurait donc parler de crise européenne généralisée. Le déclin d'un secteur était compensé par l'essor d'un autre, et s'il y eut bien une série de crises, celles-ci furent avant tout sectorielles et régionales.

La branche sur laquelle on est le meux renseigné, celle du textile, revêt une importance particulière. C'est elle qui détermine les variations entre expansion et dépression puisque, tant par le nombre de ceux qui y travaillent que par la valeur de sa production, elle représente l'activité majeure dans le secteur de la fabrication.

Les tissus en provenance d'Italie

Le centre principal de la fabrication de tissus était situé depuis le Moyen Age dans les villes de l'Italie du Nord, en concurrence avec la Flandre. Elles devaient leur position prééminente à la fabrication du drap, un lourd tissu de laine réputé partout pour sa qualité.

Prenons Florence pour exemple. En 1500, cette ville produisait 25 000 pièces d'étoffe par an. Trente ans plus tard, la production avait chuté à quelques centaines, ce qui montre à quel point les guerres des premières décennies du XVIe siècle eurent un effet dévastateur sur le secteur de l'habillement.

Le déclin marquant de la production de tissus en Italie du Nord coïncida avec une époque d'essor dans l'Europe du Nord-Ouest. L'Angleterre, sur laquelle on possède les meilleures données statistiques, doubla son exportation de drap dans la première moitié du XVIe siècle. Puis elle enregistra un recul suivi d'une stabilisation à un niveau plus bas dans le dernier quart du siècle.

Comme de juste, la production des villes italiennes augmenta quand celle de l'Angleterre déclina. Après avoir touché le fond en 1530, Florence produisait dix ans plus tard presque 15 000 pièces pour ensuite dépasser les 30 000 dans les années 1550-80, ce qui constituait un nouveau record.

C'était toutefois le chant du cygne. Les chiffres de production baissèrent rapidement. Florence produisit en 1600 quelque 13 000 pièces, un peu plus de 6 000 seulement en 1659. Les autres villes italiennes connurent le même déclin. Vers 1600, Venise et Milan produisaient respectivement 29 000 et 15 000 pièces de drap. Un siècle plus tard, ces chiffres étaient tombés à 2 000 et 100. La fabrication de tissus de laine ne fut pas la seule touchée. Sur les 10 000 métiers à tisser la soie que comptait Gênes en 1565, seuls 2 500 demeuraient en usage en 1675.

Cette fois, ce déclin, qui en fait signifiait la mort des vieux centres textiles de l'Italie, ne pouvait être mis sur le compte des guerres. Il était dû à la concurrence meurtrière de régions plus dynamiques. Les tissus anglais et hollandais allaient conquérir non seulement les marchés internationaux, mais aussi le marché intérieur italien.

Ce changement, qui s'inscrivait dans un important processus de déplacement, du sud vers le nord, du centre de gravité économique de l'Europe, avait pour cause immé-

Autrefois, les enfants portaient les mêmes vêtements que les adultes dans les circonstances officielles. Ce tableau de Hogarth (1742) représentant les enfants de la famille Graham révèle que même la plus jeune des filles n'échappe pas au corset et à la jupe à paniers. Vêtues à la dernière mode, les deux fillettes plus âgées portent des tabliers ornés de dentelle et des coiffes à décoration florale. Le décolleté et les manches demi-longues sont également ornées de dentelle. Le garçon n'est pas moins à la mode avec son pourpoint bien ajusté, son gilet descendant sur la culotte s'arrêtant aux genoux et ses bas de soie mettant en valeur le mollet. Une atmosphère heureuse se dégage de cette image, à l'inverse de celle, grave et compassée, qui caractérise le portrait de Lord Cobham et de sa famille (1567). L'influence espagnole sur le vêtement anglais apparaît dans les jupes bouffantes, les ornements en arêtes de poisson et les collerettes, tandis que les coiffes ont une allure française.

diate le lancement des « nouveaux tissus » qui supplantaient l'excellent drap, lourd et cher, qui avait été la denrée commerciale vedette du Moyen Age.

Les nouveaux tissus

Les « nouveaux tissus » avaient assurément une longue histoire derrière eux, puisque la technique utilisée pour les fabriquer était inspirée de vieux procédés utilisés par les paysans. Il s'agissait d'étoffes plus légères, plus colorées, meilleur marché et plus fragiles que le drap. Ces tissus étaient plus accessibles aux petites gens, et, dans les hautes classes, bien adaptés aux besoins changeants de la mode.

Au Moyen Age, on avait commencé à produire ce type de tissu en Flandre pour amorcer une concurrence timide avec le drap d'Italie du Nord, alors intouchable. Il fallut attendre la première moitié du XVIe siècle pour que cette production prenne véritablement son essor, la Flandre demeurant à l'avant-garde. Il est tentant d'y voir l'effet d'une concurrence accrue avec l'Italie du Nord. Mais les nouvelles habitudes des consommateurs contribuèrent sans doute aussi à augmenter la demande.

Lorsqu'à la fin du XVIe siècle la guerre contre les Espagnols ravagea la Flandre, les fabricants de textile se déplacèrent vers le nord, vers la Hollande ou l'Angleterre où ils s'établirent avec leur savoir-faire. A partir de ces contrées, les nouveaux tissus furent exportés à destination des pays méditerranéens par des négociants italiens, qui, de la sorte, contribuèrent à ruiner la production textile dans leur propre pays.

Dès le début du XVIIe siècle, les nouveaux tissus représentaient en valeur le quart des exportations textiles de l'Angleterre. Vers 1650, on en était presque à la moitié. La force concurrentielle anglaise ne s'exerça pas qu'aux

dépens de l'Italie du Nord. A Leyde, métropole hollandaise du textile, la part des tissus bon marché dans la valeur de la production globale s'élevait en 1630 à 95 %. Mais face à la concurrence anglaise, les fabricants n'eurent d'autre issue que de revenir à des textiles plus chers, et, en 1701, les 95 % étaient tombés à 10 % à peine.

Mais comment expliquer cette compétitivité de l'Europe du Nord-Ouest en général et de l'Angleterre en particulier ?

En pareil cas, on songe généralement à une augmentation de la productivité, elle-même due à d'importants progrès techniques. En fait, c'est plutôt à l'époque industrielle qu'apparaîtront ces nouveautés bouleversantes. Les techniques alors employées demeuraient pour l'essentiel médiévales, encore qu'on les ait améliorées sur certains points et qu'on en ait étendu l'application. En matière de sources d'énergie, et c'est là l'important, aucun nouveau pas n'avait été franchi. On ne disposait encore que de la force musculaire des gens et des bêtes, que du vent, de l'eau et du bois — généralement transformé en charbon de bois pour les besoins industriels. Certes, l'usage de la houille commençait à se répandre en Angleterre, mais plus pour le chauffage que pour les manufactures.

Dans celles-ci et dans l'artisanat, tout comme dans l'agriculture, l'importance de la production était directement fonction du nombre de gens qui y travaillaient.

Bref, les différences régionales en matière de production textile ne sauraient s'expliquer par la technique. Seule l'organisation du travail peut rendre compte de ces disparités.

Habit masculin d'environ 1670, de type anglo-hollandais avec certains traits français. Cet homme porte un rhingrave, large haut-de-chausses de type français qui devint à la mode au milieu du XVIIe siècle, et un court gilet qui laisse bouffer la chemise. Le col, souple, est orné de dentelle coûteuse, de même que les manchettes de la chemise. Une courte cape, des souliers à bout carré et un chapeau très moderne complètent cette tenue élégante.

Foyers vivant en autarcie

L'atelier de l'artisan évoque l'image des temps anciens. Le maître y travaillait avec quelques compagnons et apprentis. Dans le logement attenant, la famille de l'artisan et ses employés formaient un foyer. On fabriquait les objets sur commande ou on les vendait dans un local rattaché à l'atelier.

A la lumière de l'âtre, tandis que les cochons se repaissent, cette jeune épouse file en même temps qu'elle berce son enfant. L'homme apparemment a l'air moins occupé.

Contrairement à bien d'autres représentations du passé, cette image est proche de la réalité, du moins en partie. Mais l'atelier de l'artisan n'était pas l'unique lieu de fabrication. Une partie de celle-ci s'effectuait à bien plus grande échelle. Et une fraction de la production n'était pas destinée à la vente.

Comme lieu de fabrication, le foyer paysan représentait une forme plus primitive. La confection de vêtements et d'outils, par exemple, était conditionnée par le cycle des saisons, avec alternance de périodes de travail intensif dans les champs et d'autres où on laissait la terre se reposer. Dans ces moments de répit, la famille paysanne pouvait et le plus souvent devait se livrer au filage, au tissage, à la fabrication de toutes sortes d'objets nécessaires au foyer.

A l'origine, l'artisanat des villes apparut comme un prolongement du travail à la ferme. Les paysans ne disposant que d'un petit lopin se spécialisèrent dans la fabrication d'objets qui leur assurèrent de bons revenus. Moins ils avaient de terre, plus cette activité artisane était vitale. Au début, la clientèle des artisans des villes fut sûrement très locale, mais, comme nous allons le voir, elle allait pouvoir s'agrandir notablement.

Vivant plus ou moins en autarcie, une grande partie de la population pouvait se passer des produits de l'artisan. Mais la croissance des villes et l'augmentation du niveau de vie consécutive à la hausse des prix des céréales entraînèrent une demande accrue, d'autant que les objets proposés étaient de meilleure qualité que ceux qu'on pouvait fabriquer soi-même.

Toute évaluation quantitative de la part prise par les foyers paysans dans la fabrication d'objets se révèle impossible. Aussi est-il difficile de se faire une idée de la production totale dans les secteurs où ces activités domestiques jouaient un rôle important pour l'entretien des familles.

Exploitation minière et chantiers navals

Même dans la vieille société, il y avait des entreprises qui rassemblaient un grand nombre de travailleurs sur un périmètre limité. Plus tard, lors de la révolution industrielle, de telles concentrations allaient essentiellement s'opérer pour augmenter la productivité des ouvriers, mais auparavant, d'autres facteurs plus décisifs furent à l'origine de ce phénomène.

Ainsi, l'exploitation des mines exigeait que l'on rassemblât la main-d'œuvre sur le lieu où se trouvaient les ressources naturelles. Certes, ceux qui possédaient des parts de mines pouvaient eux-mêmes, aidés de quelques hommes, extraire le minerai nécessaire aux besoins locaux. Mais lorsque la demande augmentait, l'extraction devait se faire à plus grande échelle.

Une telle demande apparut dans la deuxième moitié du XVe siècle, où l'expansion économique entraîna un besoin accru de métal pous frapper les monnaies. En Europe, l'extraction d'argent quintupla du milieu du XVe siècle aux premières décennies du XVIe — époque à laquelle la concurrence de l'argent américain devint trop forte.

Forger des outils assez simples et effectuer des réparations ressortissaient à l'artisanat domestique et à celui des villes. Eau-forte de Jan Joris van der Vliet datant du milieu du XVIIe siècle.

La Suède du XVIIe siècle offre un bon exemple de l'expansion que connut l'extraction du fer — expansion largement explicable par le besoin de canons. Ses exportations de fer passèrent de 6 600 tonnes en 1620 à 33 000 tonnes en 1690.

L'extraction de la houille en Angleterre offre égale-

Pour fabriquer de la fonte, il fallait des équipements relativement importants comme la roue à eau qui actionnait le soufflet de la forge, et le soufflet lui-même qui permettait d'obtenir la température requise. Détail d'une peinture de « Herri med de Bles » (« celui à la mèche blanche »), probablement Henri Patenir (né en 1510).

des intermédiaires. Cela se produisait lorsque l'artisan, à la suite de crises économiques passagères ou durables, devait s'endetter auprès du commanditaire en donnant pour garantie ses outils ou son lopin de terre.

Même dans les cas où l'artisan n'était pas obligé de renoncer à ses biens, l'endettement lui-même limitait ses possibilités d'imposer sa volonté au commanditaire. Et s'il se montrait réalcitrant, il risquait de se voir privé de matières premières.

Grâce à sa puissance économique, le commanditaire était à même de diriger le travail. Il pouvait obliger les différents artisans à se spécialiser chacun dans une phase de la production, une telle spécialisation augmentant la productivité. Il pouvait encore contraindre l'artisan à utiliser une nouvelle technique. Et il avait les moyens de peser sur les prix pour payer le moins cher possible les produits fabriqués.

Les intermédiaires se transformèrent de plus en plus en entrepreneurs, autrement dit en chefs d'entreprise organisant et dirigeant la production. La séparation entre le secteur de la fabrication et celui du commerce en vint à s'effacer à mesure que le second étendit sa domination sur le premier.

Dans cette collaboration entre artisans et entrepreneurs, ces derniers ne prenaient pas de gros risques. Les investissements coûteux étaient rares. Plutôt que de s'établir à demeure dans un secteur, les commanditaires préféraient rester flexibles, de sorte que si une branche était affectée par la crise, ils pouvaient aisément se reconvertir dans une autre moins touchée.

Les corporations et la concurrence

Les corporations constituaient l'obstacle majeur à une évolution vers une philosophie du profit et de la concurrence. Elles avaient pour mission de contrôler les prix et la qualité des produits dans l'intérêt de leurs membres. Si les exigences de qualité diminuaient, c'était l'habileté professionnelle des artisans qui se trouvait dépréciée, et des travailleurs non qualifiés pouvaient se dresser en concurrents. Les mêmes conséquences pouvaient découler de nouvelles techniques faisant moins appel au savoir-faire. Les intérêts matériels n'étaient pas seuls en jeu, les corporations défendaient aussi l'honneur du métier et un mode de vie traditionnel.

Tord le maître maçon. Miniature de 1487 extraite de la charte de la corporation des maçons (Suède).

Ceux qui voulaient rompre avec l'ancien devaient affronter ou du moins contourner les corporations. Dans cette lutte, les entrepreneurs pouvaient chercher l'appui du gouvernement. Il leur était également possible d'organiser la production dans les campagnes où aucune organisation corporatiste n'était là pour les freiner. Le succès de ces différentes stratégies dépendait notamment de la puissance des corporations et des appuis dont elles pouvaient disposer dans des groupes sociaux influents. Et le transfert des activités à la campagne exigeait qu'il y eût une population rurale en quête d'emploi.

En Italie, le système corporatiste, ancien et puissant, était en mesure de verrouiller l'évolution. La Hollande ne possédait guère de prolétariat rural utilisable, car la spécialisation de l'agriculture et la commercialisation des produits avaient dans une large mesure été opérées par les petits paysans propriétaires eux-mêmes. En France, où les corporations étaient placées sous la surveillance de l'Etat, des activités de commandite se développèrent pour la fabrication de tissu de lin qui devint un important article d'exportation à destination des colonies. Mais c'est l'Angleterre qui offrait les meilleures conditions aux entrepreneurs. Les obstacles précédemment évoqués n'y existaient pas, et les centres de production furent établis à un stade précoce en milieu rural — ce qui allait devenir la tendance européenne générale.

Le secret de la réussite n'était autre que l'implantation des centres de fabrication à la campagne. Du fait que l'artisan rural disposait souvent d'un lopin de terre, il pouvait se satisfaire d'un salaire qui aurait été bien inférieur au minimum vital pour un confrère n'ayant que le fruit de son artisanat pour vivre. Cette main-d'œuvre moins cher constituait en fait une menace pour l'existence des artisans des villes.

Les pauvres et leur importance économique

La crise sociale que connut l'agriculture, plus ou moins accentuée selon les pays, fournit une main-d'œuvre bon marché aux entrepreneurs tandis que ceux-ci offraient aux plus mal lotis des ruraux une possibilité de survivre. La situation de ceux qui avaient perdu leur terre était loin d'être enviable dans ce nouveau système, mais du moins échappaient-ils à un sort encore plus cruel. Pour les plus misérables d'entre eux, le système de la commandite avait au moins cet avantage qu'il garantissait une certaine constance de l'emploi, à l'exception des mauvaises années.

La concurrence de la campagne entraîna pour les arti-

L'obélisque du Colisée est déplacé pour permettre la construction de nouveaux bâtiments à Rome. Ces grands projets donnèrent du travail à beaucoup. Gravure sur cuivre de Bonifacio di Sebinicco.

sans des villes baisse des revenus et pertes d'emploi, sauf peut-être dans les secteurs spécialisés qui exigeaient une habileté professionnelle toute particulière.

Cette paupérisation croissante des villes, déjà attestée par les témoins de l'époque, est confirmée par les historiens d'aujourd'hui. Mais la concurrence de l'artisanat rural n'en était cependant pas la seule cause. Les villes, où l'on pouvait plus facilement se prostituer, mendier et voler, drainaient les catégories les plus misérables.

Il y avait aussi dans les cités une concentration de richesses qui offrait aux plus pauvres deux manières au moins de gagner honnêtement leur vie.

L'une consistait à s'engager comme serviteur dans une famille riche ou aisée. Les besoins des classes supérieures étaient tels que 10 % de la population urbaine pouvait se composer de domestiques.

L'autre secteur qui offrait du travail en abondance était celui du bâtiment. Les progrès de l'artillerie avaient rendu les vieilles fortifications inefficaces, et la construction de nouvelles exigeait une main-d'œuvre abondante. Les travaux d'agrandissement et d'embellissement entrepris par les municipalités ou par des particuliers étaient également générateurs d'emploi.

Le déplacement des centres de fabrication des villes vers les campagnes, l'assujettissement de l'artisanat au commerce et, plus encore peut-être, le changement de mentalité en matière de concurrence et de profit, mirent l'Europe de l'Ouest sur la voie qui conduisait au capitalisme et à l'industrialisme.

Il fallait pour cela qu'il y eut dans les campagnes une population juridiquement libre mais ne disposant que de peu de terre. Ce n'était pas le cas en Europe de l'Est, où les conditions nécessaires à une révolution industrielle n'allaient apparaître que tardivement.

Rome métamorphose de la Ville éternelle

« Entre 1500 et 1600, c'est proprement une ville nouvelle qui s'est élevée sur le sol de Rome : 54 églises, dont Saint-Pierre ; une soixantaine de palais, dont le Vatican ; 20 villas aristocratiques ; des logements pour 50 000 nouveaux habitants ; 2 quartiers nouveaux ; plus de 30 rues neuves ; 3 aqueducs (entre 1565 et 1612) ; au moins 35 fontaines (entre 1572 et 1699). Quelle autre ville, au XVIe siècle, aurait-pu se vanter d'un semblable bilan ? »

Source : Jean Delumeau, *Rome au XVIe siècle.*

Le marché au poisson. Le poisson, comme la viande, était considéré comme un mets de riche, sauf le hareng hollandais qui servait de nourriture à tout le monde. En terre catholique, les jours de jeûne entraînaient une demande accrue de poisson. Décoration d'un éventail.

De telles fortunes, qui allaient jouer un rôle si essentiel dans l'évolution économique, ne pouvaient se constituer que si les marchandises continuaient à s'échanger en un flux constant ou mieux encore croissant.

Crise du commerce ?

Une fois encore, la crise du XVIIe siècle est sur la sellette. Niels Steensgaard a montré comment la stagnation ou la crise d'un secteur étaient compensées par l'expansion d'un autre. Quand le tonnage des exportations espagnoles à destination de l'Amérique diminue de moitié après 1620, l'Angleterre et la Hollande augmentent leurs activités commerciales dans cette partie du monde. Quand la navigation dans le détroit du Sund donne des signes de crise après 1650, le commerce avec l'Asie connaît une période florissante. Alors que le milieu du XVIIe siècle est une période de crise pour les économies espagnole, alle-

Représentation allégorique d'une maison de commerce en 1585. Parmi les nombreux personnages, on reconnaît le maître lui-même au centre, sous le grand livre qui demeure secret pour tous sauf pour lui. En bas au milieu se tient la déesse de la fortune qui décide des destinées de la firme. Les inscriptions donnent de bons conseils ou décrivent les attributions des différents employés.

mande, française et anglaise, il marque l'âge d'or de la Hollande.

Et lorsqu'un peu plus tard l'économie hollandaise donne des signes de faiblesse, le commerce de l'Angleterre et celui de la France sont en pleine expansion. Les exportations anglaises augmentent de 50 % au cours des quatre dernières décennies du siècle.

Il faut ajouter que certains signes ont été interprétés un peu vite comme indices de crise. Ainsi, on peut s'interroger sur la fiabilité des informations douanières qui ont servi à évaluer l'ampleur des mouvements de bateaux dans le Sund.

De même, l'historien français Michel Morineau a soumis à un examen critique les sources ayant amené à la conclusion que les échanges commerciaux entre l'Espagne et l'Amérique avaient décliné au XVIIe siècle. La diminution du tonnage est incontestable, mais la quantité ne peut à elle seule servir à mesurer la valeur des échanges commerciaux . Ou alors, il faudrait admettre que les mêmes marchandises aient été transportées dans les mêmes proportions au cours de toute la période considérée.

Michel Morineau donne un exemple saisissant du contraire. En 1597, l'Espagne expédia 16 000 tonnes de marchandises en Amérique. En 1729, la moitié seulement. Dans la cargaison de 1597 figuraient 12 000 tonnes de vin, un produit bon marché. En 1729, le vin ne représentait plus que 3 000 tonnes, mais il y avait à bord une tonne de dentelles de Lyon dont la valeur dépassait celle de 1 000 tonnes de vin. Il faut donc être prudent lorsqu'on se livre à des comparaisons.

Le même historien français a également montré combien la recherche antérieure avait sous-estimé la quantité de métal argent américain introduit en Europe dans la deuxième moitié du XVIIe siècle.

Alors, crise du commerce ? Un tel diagnostic appelle bien des réserves.

Le poivre

Même si le commerce demeurait de peu d'ampleur par comparaison avec ce que nous connaissons aujourd'hui, il ne se développait pas moins, et des relations commerciales se nouaient entre un nombre croissant de régions. Les plus gros profits venaient surtout de la vente des produits exotiques — profits qu'on pouvait encore accroître par des activités bancaires. Certaines marchandises étaient parées d'un lustre d'aventure, et elles permettaient de faire des bénéfices fabuleux.

Comme denrée commerciale, le poivre possédait beaucoup d'excellentes qualités. Il était facile à transporter et se vendait cher par rapport à son poids. Aussi pouvait-on le proposer un peu partout en petites portions, et pas uniquement aux plus riches. A une époque où on mangeait du beurre rance, du poisson à moitié pourri et de la viande avariée, les épices comme le poivre étaient des denrées recherchées. La rareté du poivre n'était nullement un inconvénient aux yeux du commerçant européen.

Depuis le Moyen Age, les villes italiennes, avant tout Venise et Gênes, avaient le monopole du commerce européen de cette épice. Elles disposaient du poivre que des caravanes acheminaient depuis l'Inde jusqu'aux côtes orientales de la Méditerranée.

Dès le milieu du XVe siècle, les Portugais se posèrent en concurrents, quoique de manière encore bien modeste. Alors qu'il recherchaient des métaux précieux, voire des esclaves, le long des côtes occidentales de l'Afrique, ils découvrirent des épices qui pouvaient servir de succédané au poivre asiatique. Au milieu du XVIe siècle, quelque 130 tonnes d'épices africaines arrivaient chaque année à Lisbonne, d'où une bonne partie était réexportée vers les Pays-Bas.

Ces liens avec les Pays-Bas se maintinrent après que les Portugais eurent doublé le cap Horn, ce qui leur ouvrait la route maritime des épices. En 1501, des navires portugais mouillèrent dans le port d'Anvers avec leurs premières cargaisons de poivre.

Ce commerce prit rapidement de l'ampleur. En 1503, Vasco de Gama rapportait presque 2 000 tonnes de poivre, et la cargaison valait 60 fois ce que l'expédition avait coûté. Pourtant, le produit vendu par les Portugais n'arrivait pas à supplanter celui acheminé par voie de terre. On croyait en effet que le transport maritime nuisait à la qualité du produit. Après les guerres d'Italie, Venise et Gênes redevinrent importatrices. A la fin du XVIe siècle, la part acheminée par caravane représentait encore les trois quarts de la valeur totale du poivre importé.

A partir du début du XVIIe siècle, la concurrence anglaise et hollandaise s'avéra meurtrière pour le commerce italien et portugais du poivre. On put bientôt cons-

Vasco de Gama (environ 1460-1524) ouvrit à l'Europe occidentale la voie maritime des « îles des épices » et termina sa carrière comme vice-roi en Inde.

Les nouvelles routes commerciales transatlantiques n'entraînèrent pas tout de suite la disparition des navires dans le port de Venise et autres villes italiennes. A terme, ces vieux centres commerciaux periclitèrent toutefois.

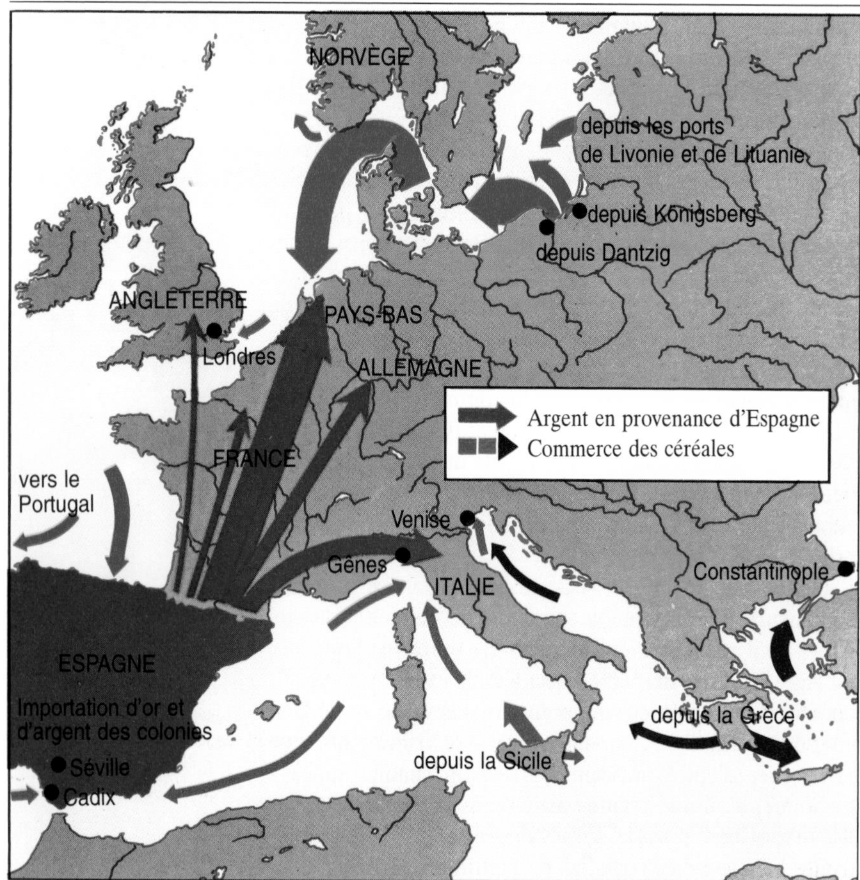

Les céréales en provenance des régions de la Baltique qui transitaient en grande quantité par le Sund constituèrent le fondement de l'empire commercial hollandais — où affluait également l'argent espagnol.

tater qu'Anglais et Hollandais, tant en matière de quantité que de prix, avaient totalement transformé ce marché.

Au cours du XVIIe siècle, la part relative du poivre dans les marchandises en provenance d'Asie diminua pourtant. En 1609, cette épice représentait 56 % des importations de la compagnie hollandaise des Indes orientales ; cent ans plus tard, ce pourcentage était tombé à 11 %. Les chiffres de la compagnie anglaise témoignent de la même évolution. De 1650 à 1750, la part du poivre passa de 20 % à 5 %. Pourtant, les importations ne cessaient de croître, mais d'autres marchandises se taillèrent une place dominante : les tissus indiens au XVIIe siècle, le thé à partir de 1700.

Mais avant de rentrer dans le rang, le poivre avait puissammment contribué à l'édification de grosses fortunes.

Le métal argent et l'inflation

Au XVe siècle s'amorca une chasse systématique aux métaux précieux. Il s'ensuivit que de nouveaux gisements furent découverts et que des mines désaffectées furent rouvertes, avant tout en Europe centrale où la production annuelle d'argent atteignit 65 tonnes au milieu du XVIe siècle. A une échelle plus modeste, les Portugais contribuèrent à augmenter la quantité des métaux précieux en cherchant d'où venait l'or que des caravanes acheminaient vers l'Afrique du Nord à travers le Sahara.

Tout cela paraît bien pâle en comparaison avec l'afflux de métaux précieux en provenance de l'Amérique espagnole. Selon des sources officielles, le transfert d'or et d'argent au cours du XVIe siècle correspondit à une valeur de 180 tonnes d'argent par an. Les chiffres sont encore plus impressionnants si on se limite à la fin du siècle, où l'importation annuelle atteint en moyenne 291 tonnes. Dans la première moitié du XVIIe siècle, le volume des importations régressa à 200 tonnes par an. L'opinion généralement admise était que ce recul caractérisait tout le siècle, mais Michel Morineau a montré qu'une forte reprise s'était opérée après 1660. L'afflux d'argent à la fin du XVIIe siècle fut largement supérieur à celui du XVIe siècle, et les chiffres s'élevèrent encore après 1700. Mais à cette époque, l'argent américain ne transitait plus en totalité par l'Espagne.

Il n'est guère douteux qu'il existe un lien entre l'afflux d'argent américain d'une part, et d'autre part l'inflation et l'expansion économique de l'Europe du XVIe siècle. Il reste cependant à savoir si l'argent fut générateur d'inflation et d'expansion, ou si ce fut l'expansion qui accrut la demande de moyens de paiement, autrement dit de métaux précieux.

Si l'on fait de l'argent le premier moteur de l'évolution, on peut expliquer par l'avidité à s'en procurer l'intensification de la production d'objets échangeables contre du métal précieux. On peut aussi estimer que l'afflux d'argent, générateur d'inflation, incitait à emprunter pour investir ; comme on le sait, l'inflation rend l'argent emprunté bon marché.

Mais la recherche systématique de métal précieux qui s'opère au début de notre période, y compris dans des régions aussi périphériques que la Suède et la Norvège où l'on extrait de l'argent au début du XVIe siècle, s'explique vraisemblablement par un besoin accru de moyens de paiement entraîné par l'expansion économique. La thèse selon laquelle le métal précieux aurait suscité l'expansion apparaît moins crédible.

En matière d'inflation, on a voulu voir une corrélation étroite entre les variations des prix et l'importation de métal précieux, ce qui reste à prouver.

La recherche a montré que cette importation fut plus massive que jamais après 1660, ce qui dément l'idée que la baisse des prix au XVIIe siècle aurait été causée par un tarissement de l'afflux d'argent. En outre, on a pu noter qu'au XVIe siècle, les prix augmentèrent en Angleterre et en Suède avant que l'argent américain n'ait pénétré dans ces régions. En revanche, Florence connut tardivement une telle hausse des prix — alors que ses relations étroites avec l'Espagne auraient dû la mettre précocement en

Riksdales en argent, monnaies utilisées en Suède sous Gustave Vasa. Pour les princes, il était important de pouvoir frapper des monnaies en métal précieux pour effectuer les paiements à l'étranger.

contact avec le métal précieux en provenance d'outre-mer.

Enfin, il faut souligner que les prix agricoles augmentèrent plus vite que les autres. Tel n'aurait pas été le cas s'il s'était agi d'une inflation générale due à la profusion des moyens de paiement.

En conclusion, il serait exagéré de voir dans l'argent américain la cause fondamentale de l'expansion économique et de l'inflation, mais il demeure que le métal précieux contribua grandement à cette évolution en fournissant les moyens de paiement indispensables.

Les esclaves — une marchandise commerciale

Le commerce des esclaves, principalement aux XVIIe et XVIIIe siècles, constitua une source notable de profit en Europe, bien qu'il s'effectuât pour l'essentiel entre l'Afrique et l'Amérique. Les données varient quant à son ampleur, mais on peut s'en faire une idée assez précise même en l'absence de chiffres exacts.

De 1450 à 1600, les Européens auraient exporté plus de 250 000 esclaves africains. La plupart d'entre eux échouaient dans les plantations sucrières de Madère et des Canaries, ou encore à Lisbonne où les familles riches recouraient volontiers à ces esclaves domestiques qui apportaient une touche exotique à leur maison. Les autres acheteurs au cours de cette période étaient le Brésil et l'Amérique espagnole.

Au XVIIe siècle s'y ajoutèrent les colonies anglaise, française et hollandaise des Antilles avec leurs plantations de canne à sucre. Au cours de ce siècle, le nombre des esclaves exportés atteignit presque 1 500 000 ; il s'éleva au XVIIIe à quelque 6 500 000.

Les Portugais furent les premiers sur la brêche, d'abord à échelle réduite, avec en 1444 la vente à Lisbonne de 263 esclaves, puis sur un plus grand pied. A terme, les besoins du Brésil, colonie portugaise, et de l'Amérique espagnole allaient se montrer importants. Quand les royaumes du nord-ouest de l'Europe fondèrent leurs colonies, ils se procurent également des bases en Afrique pour assurer l'approvisionnement en esclaves. Des compagnies spécialisées dans la traite des Noirs se formèrent au Portugal, en Hollande, en France et en Angleterre.

Les colonies espagnoles absorbaient plus du cinquième des esclaves et pourtant l'Espagne ne possédait pas de compagnie de ce type. Par choix ou par nécessité, les autorités préféraient louer leurs droits à des étrangers qui, moyennant redevance, se voyaient confier cette tâche. Les Portugais furent les premiers bénéficiaires de ces contrats et ils maintinrent leur avance même lorsque les Hollandais leur firent concurrence. En 1701, alors qu'elle était au sommet de sa puissance et qu'un prince français était appelé au trône espagnol, la France obtint le monopole de ces contrats — monopole qui, lors de la paix d'Utrecht (1713), passa à l'Angleterre.

Ce négoce était incontestablement lucratif. Les informations selon lesquelles les esclaves auraient été revendus trente fois le prix d'achat demeurent sujettes à caution,

Cette image de la Venise du XVe siècle, due à Gentile Bellini (1429-1507), montre qu'il y avait des esclaves noirs en Europe avant le XVIe siècle.

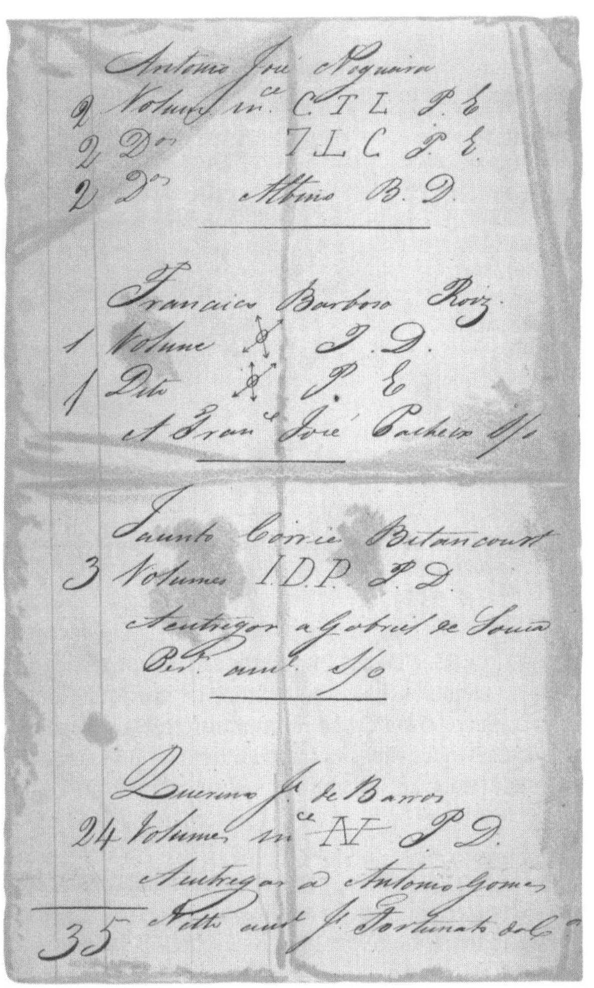

Antonio José Nogueira
2 Volumes m.ce C T L P.E
2 D.os 7 L C P.E
2 D.os Albino B. D.

Francisco Barboso Roiz
1 Volume X J. D.
1 Dito X P. E
A Fran.co José Pacheco S/

Sancto Correia Betancourt
3 Volumes I.D.P. P.D.
Entregar a Gabriel de Souza
Per. am. S/o

Querino J.e de Barros
24 Volumes m.ce N P.D.
Entregar a Antonio Gomes
35 Netto am. J. Fortunato dol.o

Bulletin d'acheminement d'esclaves en provenance du Cameroun.

Le drapeau danois flotte sur la forteresse Christiansborg située en Côte de l'Or (Ghana), une base danoise en Afrique occidentale pour le commerce des esclaves. Gravure en couleur du XVIIIe siècle.

mais des sources plus fiables de la fin du XVIIIe siècle font apparaître que le bénéfice moyen escompté était de 30 % — les 100 % pouvant être atteints lors de certains voyages.

Bref, les esclaves constituaient une marchandise qui permettait d'accumuler de grosses fortunes. De plus, la traite des Noirs, plus directement que l'importation d'argent ou de poivre, contribuait à l'expansion du secteur de la fabrication.

Du sucre contre des esclaves

Les esclaves étaient pour une bonne part achetés en échange de sucre brut. Cette denrée représentait pour la Royal African Company, une société anglaise, les deux tiers de la valeur de ses importations en provenance des Indes occidentales. Et à la différence du poivre et de l'argent, le sucre brut devait être transformé avant d'être vendu. Cette activité allait se développer puissamment, comme le montrent les chiffres suivants : il y avait 19 raffineries à Anvers en 1566, 60 à Amsterdam en 1661 et, en 1753, plus de cent en Angleterre.

Les cannes à sucre sont brisées en morceaux puis traitées pour donner du sucre de canne, prêt pour le raffinage, que l'on retire de moules en argile. Gravure sur cuivre d'après J. Stradanus (1523-1605).

Outre les esclaves, diverses marchandises pouvaient être échangées contre du sucre brut et autres matières premières d'origine coloniale. Tissus et outils fabriqués en Europe jouèrent un rôle croissant dans ces échanges. On reconnaît là le schéma centre-périphérie auquel les débats sur le tiers-monde nous ont accoutumé — centre qui échange avec profit des produits industriels contre les matières premières de la périphérie.

Sous cet angle, le cas de l'Angleterre, de la France et de la Hollande diffère de celui de l'Espagne et du Portugal, qui ne purent fournir que peu de produits manufacturés à leurs colonies. A la fin du XVIIe siècle, les flottes qui partaient de Cadix étaient pour l'essentiel chargées de marchandises en provenance d'autres pays, avant tout de France, les produits ibériques ne représentant guère plus de 5 % de la valeur du total. Les Espagnols tiraient leurs plus gros bénéfices du transport, des douanes et des droits acquittés par les étrangers. Dans le port de Lisbonne, les Anglais jouaient un rôle analogue à celui des Français dans celui de Cadix.

De la sorte, les revenus des colonies et des factories fondées par l'Espagne et le Portugal vinrent régulièrement enrichir la France, la Hollande et l'Angleterre.

Les céréales

Le commerce international des céréales était considéré comme le fondement même de l'économie hollandaise. La cause en est sans doute que les terres des Pays-Bas se prêtaient mal à ce type de culture. En 1491, la cherté des grains à Amsterdam incita les marchands hollandais à tirer parti des riches ressources des pays riverains de la Baltique, notamment la Pologne. Ainsi fut créée la route commerciale Dantzig-Amsterdam.

Depuis des temps immémoriaux, la principale denrée pour les échanges avec l'Est était le sel, mais à partir du XVIe siècle, les tissus et les produits métallurgiques gagnèrent en importance. A la fin du XVIe siècle, les textiles constituaient presque la moitié des importations maritimes de la Pologne. Cet échange de produits fabriqués contre des matières premières illustre à nouveau le rapport centre-périphérie évoqué plus haut.

Amsterdam et la Hollande dominèrent le commerce des céréales depuis l'Est où ils s'approvisionnaient jusqu'à l'Ouest où ils vendaient leurs stocks. Cette hégémonie est avant tout due au génie commercial des Hollandais.

Du fait que la Hollande effectuait des achats en grande quantité et disposait de la marine marchande la plus développée et de la plus efficace qui fût, elle était en position forte pour négocier avec la Pologne. Une politique protectionniste qui obligeait tous les navires céréaliers hollandais à relâcher dans le port d'Amsterdam fit de cette cité bien équipée en vastes magasins une ville-entrepôt pour les grains. A ce titre, elle pouvait importer ses céréales partout où on les produisait en abondance. De la sorte, les négociants d'Amsterdam purent en régler le flux vers les régions frappées de pénurie — et faire monter les prix.

Du fait des différences de prix entre l'Est et l'Ouest et des fluctuations importantes d'une année sur l'autre, on pouvait réaliser de gros bénéfices en spéculant sur les grains. La longue pénurie qui affecta les régions méditerranéennes aux alentours de 1600 consolida la position

Compte tenu de son éducation, de son entourage et des traditions impériales, tout laisse à penser qu'il fut catholique convaincu en tant qu'homme. Et en tant que roi d'Espagne, il était impensable, cette fois pour des raisons politiques, qu'il se ralliât au protestantisme. Tout le portait à prendre position pour le catholicisme, d'autant qu'une rupture idéologique dans une partie du royaume des Habsbourg aurait été particulièrement inopportune.

L'autorité impériale avait donc de bonnes raisons, tant religieuses que politiques, pour prendre position en faveur du pape contre Luther. En revanche, les motifs politiques semblent l'avoir emporté dans la volonté de compromis que l'empereur manifesta sporadiquement. Celui-ci, plus optimiste que véritablement conscient de la gravité des différends religieux, espérait qu'il serait possible de trouver un terrain d'entente si les deux parties consentaient à faire des concessions. Les fluctuations de cette volonté de compromis reflétèrent celles de la situation politique et militaire de l'Allemagne.

A l'issue d'un parcours tortueux jalonné de décisions parlementaires, de conventions, de décrets impériaux et de guerres, une paix religieuse fut conclue à Augsbourg en 1555. C'était une défaite pour la politique impériale. Elle n'avait pas atteint son premier objectif, à savoir une victoire totale du catholicisme, et il lui avait fallu renoncer au second — un compromis permettant de sauver l'unité religieuse —, car la paix d'Augsbourg consacrait le partage définitif de l'Europe en deux sphères, l'une catholique, l'autre protestante.

Deux décisions prises à Augsbourg soulignent particulièrement le rôle de la politique. L'une stipulait que c'était le prince, non le peuple, qui décidait de la religion du pays, l'autre excluait les calvinistes de la paix religieuse. La seconde découlait logiquement de la première, puisque le modèle d'organisation de l'Eglise réformée ne laissait aucune place à la sujétion à un prince. Aussi le calvinisme prit-il avant tout racine dans des territoires comme la Hollande, la Suisse, l'Ecosse, où le pouvoir du prince était faible ou inexistant.

Thomas Cranmer (1489-1556), archevêque de Canterbury, suscita l'élaboration d'un livre de prières et y collabora lui-même. Cet ouvrage est toujours utilisé par l'Eglise anglicane.

A l'inverse, l'Eglise évangélique de Luther allait se mettre au service du pouvoir. Lui-même avait pris parti pour les princes dans la guerre des paysans. Cette différence avec le calvinisme s'explique peut-être par le fait que la plus ancienne des Eglises protestantes avait dû rechercher l'appui des autorités pour pouvoir survivre. En échange de sa protection, le prince étendit sa souveraineté sur l'Eglise dont l'influence sur le peuple et les richesses pouvaient servir le pouvoir temporel.

Lorsque A. du Bourg, juge au parlement, fut brûlé, un catholique de l'époque déclara : « les sermons qu'il tint au gibet et au bûcher firent plus de dégâts que n'en auraient pu faire cent pasteurs protestants. »

En terre catholique également, les rois pouvaient avoir une position forte par rapport à l'Eglise, comme le montrent l'Espagne et la France, mais dans un contexte bien différent.

La Suède et le royaume de Danemark-Norvège suivirent le même chemin que les principautés protestantes allemandes. La Réforme y fut instaurée respectivement en 1527 et 1536. Nouvellement établis, les deux monarques, Gustave Vasa et Christian III, avaient grand besoin d'assurer leur souveraineté sur l'Eglise et ses biens. Ayant su rétablir l'ordre après une période de troubles intérieurs, ils en retirèrent assez de prestige et de puissance pour pouvoir accomplir leur volonté.

L'Angleterre suivit un autre chemin, mais le résultat politique fut le même.

L'Eglise anglicane

THE
booke of the common
prayer and admi-
nistracion of
the
Sacramentes, and other
rites and ceremonies of
the Churche: after the
use of the Churche
of England.

Le livre de prières de Cranmer, « Book of Common Prayer ».

L'évolution en Angleterre montre comment des circonstances politiques particulières peuvent engendrer des formes religieuses tout aussi particulières, en l'occurrence un mélange de catholicisme et de protestantisme. En vérité, le terrain était bien préparé pour une réforme protestante. Les lollards avaient toujours des adeptes dans les classes moyennes, et les idées de Luther avaient gagné du terrain parmi les théologiens et les prêtres. En revanche, il n'y avait guère de raisons politiques pressantes à une réforme puisque l'Eglise anglaise n'était nullement inféodée au pouvoir pontifical. L'Angleterre aurait pu connaître une évolution analogue à celle de l'Espagne.

Du reste, le roi Henri VIII (1509-47) ordonna des persécutions contre les partisans de Luther et put même, grâce à ses connaissances en théologie, composer un écrit dirigé contre celui-ci, ce qui lui valut de la part du pape le titre de « défenseur de la foi ».

La cause directe de la rupture avec le pape fut que le souverain pontife refusait de consentir à la dissolution du mariage de Henri VIII. Par décision parlementaire, le roi devint en 1534 le chef de l'Eglise. Le mariage put ainsi être dissous. La confiscation des biens fonciers de 600 couvents quelque temps après laisse cependant deviner d'autres raisons à la politique religieuse anglaise.

A ce stade, la rupture apparaissait clairement sur le plan économique, administratif et juridique mais n'affectait guère la confession et le culte. Aussi est-il extrêmement douteux qu'on puisse parler de Réforme à l'époque de Henri VIII. Il s'agissait plutôt d'une Eglise catholique en dehors du pouvoir pontifical. Elle fut d'ailleurs combattue par des groupes plus radicaux, d'obédience calviniste, qui étaient établis avant tout à Londres.

Une orientation plus nettement protestante apparut après la mort de Henri VIII. L'archevêque Thomas Cramner publia en 1548 un livre général de prières, le *Common Prayer Book,* dans l'esprit de la liturgie de Luther.

Après une brève période de réaction catholique sous Marie Tudor (1553-58), la fièvre de réforme protestante monta, et ce pour des raisons religieuses mais aussi politiques. L'Espagne catholique apparaissait comme le principal ennemi potentiel à la fin du XVIe siècle.

La vérité toute nue

Un événement survenu à Amsterdam en 1534 illustre les persécutions implacables dont furent victimes les anabaptistes. Sept hommes et cinq femmes de la secte se dépouillèrent de leurs vêtements, et, nus, se répandirent dans la ville en criant : « Malheur, malheur, la colère de Dieu. » Cet incident entraîna une répression encore plus dure. Un édit impérial déclara que tous les anabaptistes adultes devraient être brûlés sur le bûcher ; ceux qui avaient été baptisés par la secte ou qui la soutenaient seraient également exécutés ; le sort réservé aux femmes était d'être enterrées vivantes. Luther vit dans la capacité des anabaptistes à résister à la torture et aux châtiments les plus barbares le signe qu'ils étaient de connivence avec le diable.

L'exécution d'un anabaptiste à Amsterdam en 1524 — telle que la reconstitua un artiste de la fin du XVIIe siècle.

Les anabaptistes

Comme on a pu le constater, le succès d'un courant religieux ne dépendait pas seulement du message proprement spirituel. L'ancrage profane était également important pour la survie et les possibilités d'expansion d'une confession. L'Eglise luthérienne devint dépendante du prince dans les principautés allemandes et les pays nordiques, tandis que le calvinisme s'épanouissait particulièrement dans les Pays-Bas, les villes de Suisse ainsi qu'à Londres où il y avait une classe moyenne bien établie et autonome. Les sectes qui gagnaient des adeptes dans les classes défavorisées et se montraient critiques à l'égard du pouvoir temporel furent régulièrement persécutées aussi bien par l'Eglise officielle que par les autorités politiques.

L'une d'entre elles était celle des anabaptistes. Elle avait des origines lointaines mais connut une floraison au début du XVIe siècle dans le climat d'espérance que suscita la Réforme. Les anabaptistes, estimant que rien dans la Bible ne justifiait le baptême des enfants, jugeaient indispensable que ce sacrement soit à nouveau administré aux adultes, du moins à ceux qui étaient des croyants convaincus.

Bon nombre de réformateurs établis avaient la même opinion sur le baptême des enfants. Il n'empêche que les anabaptistes, comme tous ceux qui professaient des idées religieuses radicales, furent traînés dans la boue. On s'employa à les disqualifier en les présentant comme des extasiés, des illuminés.

L'examen des documents qui ont été conservés et ce que l'on sait de la conduite des anabaptistes montrent à quel point la réputation de révolutionnaires enragés qui leur fut faite par leurs détracteurs correspond mal à la réalité. Quand on les laissait en paix, ces gens n'aspiraient qu'à s'éloigner du monde profane pour former des commununautés démocratiques et tâcher de vivre une vie chrétienne authentique. Mais on ne les laissait en paix que très rarement. Constamment persécutés, soumis aux pires sévices physiques et moraux, ils montrèrent dans l'adversité une fermeté qui reflète la force de leur conviction.

Non seulement ce refus de tout compromis entre le royaume de Dieu et les empires d'ici bas ne pouvait s'accorder avec aucune idéologie politique mais encore il constituait une menace pour le pouvoir temporel. Il était aisé de faire l'amalgame entre les troubles sociaux caractéristiques de cette époque et les anabaptistes, leurs idées, les milieux parmi lesquels ils se recrutaient. Les exigences de cette secte plongèrent probablement aussi dans l'embarras les réformateurs plus pragmatiques.

Rejetés par les autorités temporelles et spirituelles, les anabaptistes furent soumis à une pression inhumaine, ce qui peut expliquer qu'ils aient parfois dérogé à l'esprit de réconciliation de leur doctrine et se soient comportés de manière aberrante. Leurs adversaires affirmaient que de tels écarts étaient de règle, et ils en tiraient argument pour les persécuter impitoyablement.

La conviction absolue que la Bible était le seul guide se heurtait à la dure réalité, et elle n'avait aucune chance de donner naissance à une idéologie viable.

A partir du milieu du XVIe siècle, les Eglises établies

commencèrent à se doter d'orthodoxies essentiellement destinées à se démarquer des autres confessions et à imposer à leurs membres une doctrine uniforme.

Scepticisme et piété

La montée des orthodoxies, la rupture de l'unité chrétienne, le développement des sciences et une connaissance accrue des autres pays contribuèrent à alimenter un scepticisme grandissant à l'égard des dogmes religieux. Cette attitude apparaît chez Michel de Montaigne (1533-92) qui jeta les bases du libertinage du XVIIe siècle, une forme de libre-pensée, voire d'athéisme. D'ordinaire, ce terme sert à désigner des mœurs dissolues, mais ici, il se réfère à une attitude critique face à tous les aspects du phénomème humain, y compris la religion.

Le philosophe juif hollandais Baruch Spinoza (1632-1677), défenseur de la liberté de pensée et lecteur critique de la Bible, représenta une forme de scepticisme. Les humanistes avaient signalé les erreurs de langue dans les livres sacrés qui pouvaient conduire à des interprétations erronées. Spinoza fit un pas de plus en considérant la Bible comme un document historique justiciable de la même approche critique que n'importe quel autre texte, et il y découvrit d'évidentes contradictions et erreurs. Ainsi s'ouvrait une nouvelle ère pour l'étude critique de la Bible.

Le scepticisme se manifesta aussi dans l'idée d'une religion naturelle qui gagna beaucoup de partisans parmi les intellectuels du XVIIe siècle. Ils étaient convaincus qu'il existait dans toutes les religions un fond commun. Les formes différaient certes, ce qui était naturel puisqu'elles étaient le fruit de cultures différentes, mais ces divergences étaient tout à fait secondaires. Fondamentalement, toutes les religions avaient la même valeur.

Le couvent de Port-Royal était un foyer d'opposition aussi bien religieuse que politique.

De plus en plus nombreux au XVIIIe siècle, les déistes — parmi lesquels il faut compter Voltaire — radicalisèrent ces idées. Pour eux, le seul point essentiel était l'existence d'une divinité. Tout le reste n'était que vaine spéculation. Il s'ensuivit inéluctablement une critique de l'Eglise et de la Bible.

Cet essor d'une libre pensée montre bien que les Eglises n'avaient plus le même pouvoir d'emporter la conviction. Il leur fallait essayer d'approfondir le message de la foi et inciter les croyants à aller au-delà d'un christianisme de pure forme. Dans le camp protestant, les puritains anglais, par exemple, œuvrèrent dans ce sens en s'éloignant du monde profane, en critiquant l'Eglise anglicane et en exigeant un contact personnel avec Dieu.

De même que les puritains voulaient purifier le protestantisme, ainsi les jansénistes, qui tenaient leur nom du théologien hollandais Cornelius Jansen (1585-1638), s'employèrent à approfondir le catholicisme. Ce mouvement avait son siège principal au couvent de Port-Royal, près de Versailles. Des écoles destinées à concurrencer celles des jésuites furent fondées à proximité. Les jansénistes offraient une retraite à ceux qui voulaient méditer loin du monde, et ils publièrent des livres qui allaient susciter une vive attention.

Le jeune et brillant mathématicien Blaise Pascal (1623-62) se joignit en 1654 au cercle de Port-Royal. Il abandonna la science pour s'adonner à la méditation, convaincu que les limites de la raison humaine ne faisaient que souligner la misère de l'homme sans Dieu. Ses *Pensées* furent publiées en 1669 sous une forme inachevée.

La papauté, l'ordre des jésuites et le pouvoir central en France se sentaient menacés par les doctrines des jansénistes, et ceux-ci furent persécutés. En 1710, Louis XIV fit raser Port-Royal, et, trois ans plus tard, il obtenait du pape une bulle condamnant le jansénisme.

Les rénovateurs religieux constituaient une menace contre l'ordre religieux et partant contre les autorités temporelles.

« Que-sais-je » ? Cette devise de Michel de Montaigne (1533-92) révèle les tendances sceptiques de sa pensée.

Après l'époque des guerres de Religion, le zèle religieux retomba peu à peu et les sermons perdirent de leur virulence militante.

Savoir, c'est pouvoir

La Réforme et la Contre-Réforme avaient souvent entraîné des transformations dramatiques dans la vie des gens, mais sans remettre en cause l'explication de l'univers. En revanche, la révolution scientifique qui marqua elle aussi cette période allait bouleverser de tout autre manière nombre de vérités traditionnelles. Fait capital, l'idée que l'être humain occupait le centre du monde cessa de s'imposer. Une découverte qui assurément causa aux hommes de cette époque une perplexité et une inquiétude comparables à celles que nous éprouverions aujourd'hui si nous recevions la visite d'extra-terrestres.

Avec leurs instruments pacifiques, le savant et le penseur pouvaient provoquer des changements plus importants que les rois et les généraux. Peinture de Hans Holbein le Jeune (environ 1470-1524).

Lorsque Robinson Crusoé, cherchant des objets utiles dans un coffre de l'épave, y découvre à la place une somme d'argent, il ne peut que s'en lamenter. L'argent n'a aucune valeur pour lui, et le moindre couteau est plus précieux que toutes ces pièces de monnaie. Cependant, lorsqu'il aura été rapatrié de son île déserte, il adoptera une tout autre attitude et déploiera beaucoup d'efforts pour recouvrer des créances. L'environnement matériel dans lequel nous nous trouvons détermine largement la manière dont nous réagissons et donnons un prix aux choses.

Il n'empêche que des facteurs non directement liés à cet environnement matériel exercent aussi une influence importante sur nos réactions. Grâce à notre éducation au sens large — façonnée par la famille, l'école, les relations personnelles et professionnelles — nous sommes en possession d'un cadre de référence qui nous permet d'interpréter les faits d'observation et d'expérience. Ainsi, l'apparition d'une comète dans le ciel ne nous remplit plus d'effroi comme jadis. Cette conception du monde varie avec le temps, et l'évolution de la civilisation matérielle contribue à ce changement. Laissons ici de côté la question fort complexe des rapports entre le substrat matériel et les vues théoriques sur l'univers. Quelle que soit la cause profonde d'un changement de vision du monde, c'est toujours par l'intermédiaire d'un individu que les nouvelles idées sont formulées, souvent en des termes qui les rendent inaccessibles à la majorité des gens. Pourtant,

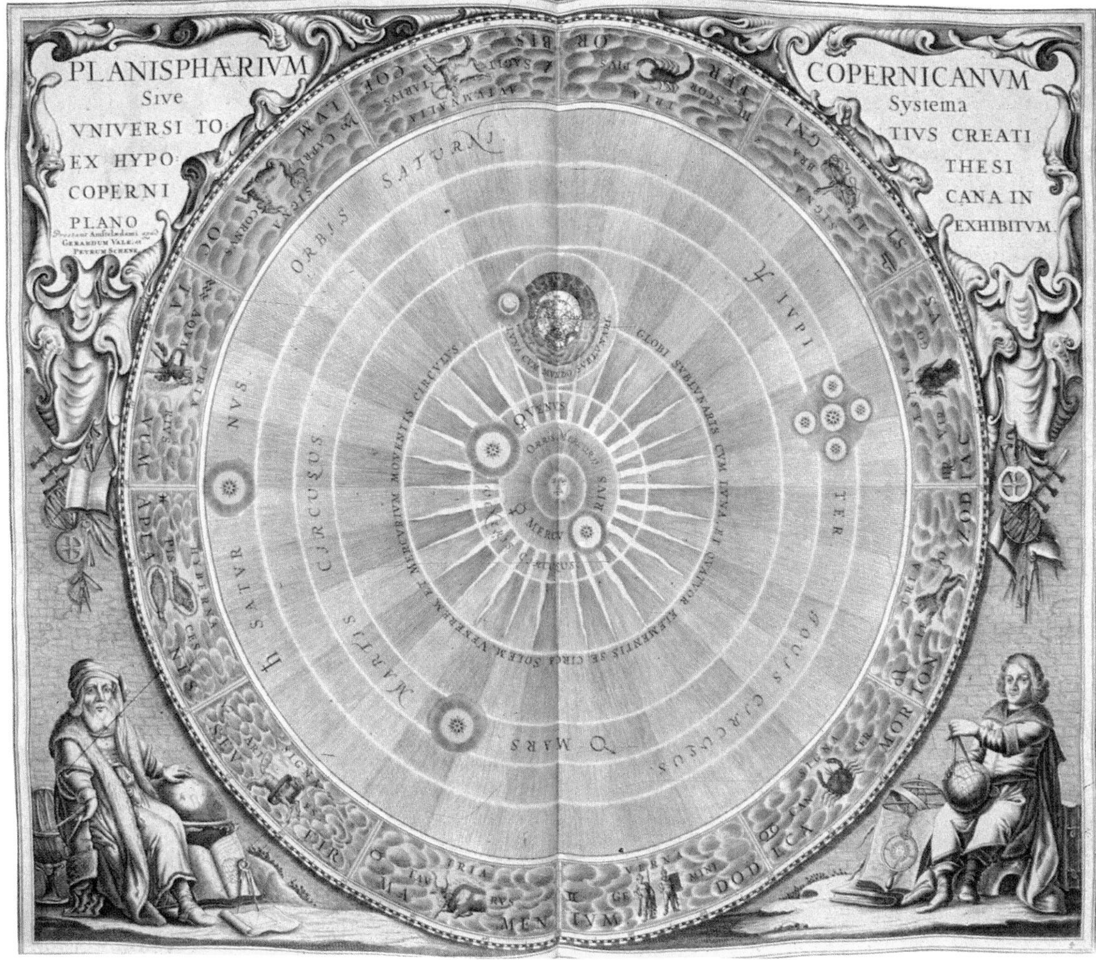

Dans l'image de l'univers que propose Copernic (1473-1543), ce n'est plus la terre mais le soleil qui est au centre. Plus tard seulement, on allait découvrir que le mouvement des planètes était elliptique et non circulaire. Sur cette illustration qui orne une édition du XVIIIe siècle de son ouvrage astronomique, il figure lui-même en bas à gauche.

si elles ont quelque ancrage dans la société, elles finissent — lentement, et peut-être sous des formes abâtardies — par imprégner les mentalités et influencer la manière dont la réalité est percue.

Au cours du XVIIe siècle apparut une nouvelle conception de l'univers qui bouleversa les idées traditionnelles sur la place de la terre et de l'homme en son sein. Mais ce renouvellement de l'astronomie n'était qu'un des éléments d'une révolution plus vaste, génératrice de nouveaux modes de pensée.

Avec la terre au centre

Le philosophe grec Aristote, trois siècles avant Jésus-Christ, avait construit son explication du monde sur l'idée de finalité : tout dans l'univers tendait à réaliser une fin déterminée selon un plan divin. Une telle doctrine put être aisément incorporée à la vision médiévale imprégnée de théologie : le rôle des sciences de la nature était de révéler les desseins de Dieu dans sa création. Egalement d'autres éléments de l'astronomie et de la physique d'Aristote, tels quels ou moyennant quelques ajustements, étaient tout à fait conciliables avec la doctrine scolastique.

L'univers, conçu comme une sphère limitée, était divisé en deux régions, l'une terrestre et l'autre céleste, la première soumise au changement et à la corruption, la seconde immuable et éternelle. C'est pourquoi il fallait admettre des lois physiques différentes pour ces deux régions qui en outre ne présentaient pas la même composition. Tout sur terre était formé de quatre éléments, la terre, l'eau, l'air et le feu, tandis que la région céleste n'en comportait qu'un seul, la quintessence. Puisque rien ne pouvait être plus parfait que l'immutabilité éternelle, seul le repos absolu de Dieu pouvait correspondre à cet état. Pour expliquer le mouvement obser-

Les doctes du Moyen Age se ralliaient volontiers à la conception de l'univers proposée par le philosophe grec Aristote 300 ans avant Jésus-Christ : la terre occupait le centre de l'univers, et les sphères, mues par un mouvement initial, tournaient autour de ce centre. Cette image est tirée de la « Cosmographia » d'Apianus, 1553.

vable des astres, on imaginait que chacun d'entre eux était accolé à une sphère dont le mouvement circulaire et régulier était ce qui différait le moins du repos absolu. La sphère la plus proche de Dieu, aimantée par le désir de se rapprocher de celui-ci, se mettait en mouvement, et du fait de la friction, les autres aussi commencaient aussi à se mouvoir.

A l'inverse des cieux, la région terrestre subissait des transformations constantes, et le mouvement qui y régnait était non pas circulaire, mais linéaire, orienté verticalement. En effet, les éléments tendaient à retrouver leur lieu naturel — les plus légers vers le haut, les plus lourds vers le bas. Et cette instabilité trahissait l'imperfection de la région terrestre.

La nouvelle astronomie allait s'attaquer à l'idée qu'il existât des lois physiques différentes dans les deux régions et que le mouvement fût produit par une tendance naturelle inhérente aux choses. Elle allait aussi contester la méthode médiévale mise en œuvre dans l'étude de la nature : observations et expériences y comptaient moins que les déclarations des anciens et l'idée toute théorique d'un état idéal. C'est parce que le mouvement circulaire était jugé le plus parfait qu'on le prêtait aux sphères.

En revanche, de telles représentations convenaient parfaitement à l'Eglise médiévale. Rien n'était plus naturel que la différence des lois régissant le ciel et la terre. Et le combat intérieur des hommes illustrait parfaitement l'idée de forces tendant vers leur lieu naturel. Le corps était attiré vers le bas, vers le monde souterrain où résidait le

Docteur en droit ecclésiastique, le Polonais Nicolas Copernic (1473-1543) a avant tout conquis la célébrité pour sa nouvelle conception révolutionnaire de l'univers.

diable, tandis que l'âme aspirait à s'élever vers Dieu. Dans cette lutte, l'homme pouvait aider son âme en mortifiant son corps.

Ces idées relatives à l'harmonie, au lieu naturel, au mouvement considéré comme imparfait, pouvaient servir à justifier le modèle social médiéval dans son ensemble. L'ordre divin avait assigné à chaque être humain une place bien précise dans la société, et cet ordre était immuable.

L'astronome danois Tycho Brahe (1546-1601) élabora une théorie complexe de l'univers où le soleil occupait une position centrale par rapport aux planètes mais où la terre demeurait le centre autour duquel le soleil et les planètes gravitaient.

Avec le soleil pour centre

En 1543, le jour du décès de l'auteur selon la légende, fut publié *Des révolutions des orbes célestes,* le chef-d'œuvre de Copernic (1473-1543). Ce livre révolutionnaire ne fut guère perçu comme tel. Le savant polonais restait fidèle à la conception médiévale d'un univers limité et composé de sphères, mais il plaçait en son centre le soleil et non plus la terre. L'idée n'était pas nouvelle, des philosophes grécs l'avaient soutenue deux siècles avant Jésus-Christ, mais elle avait été longtemps refoulée. Sans doute fallut-il beaucoup de volonté, de courage et d'intelligence à Copernic pour se libérer de la conception géocentrique si profondément ancrée dans la société, la religion et la science ; mais sans doute eut-il aussi le sentiment de travailler à la gloire de Dieu.

S'il parvint à des résultats révolutionnaires, Copernic procéda à bien des égards comme on le faisait au Moyen Age. Certes, il avait tenu compte de l'expérience des navigateurs et d'autres observateurs à même de constater que la théorie régnante s'accordait mal avec la réalité, mais il n'avait fait lui-même que relativement peu d'observations astronomiques. En revanche, dans l'esprit de l'humanisme, il s'appuyait volontiers sur les auteurs de l'Antiquité. Peut-être jegeait-il que le principal mérite de son système par rapport à l'ancien était de donner au problème une solution esthétiquement plus élégante.

L'astronome danois Tycho Brahe (1546-1601) bénéficia d'une situation économique qui lui permit de se consacrer presque exclusivement aux observations astronomiques. Il découvrit ainsi dans la voûte céleste des phénomènes qui renforcaient l'hypothèse de Copernic. Il n'apparaît pas pour autant comme un hardi pionnier. Apparemment, les théories relatives à l'univers étaient surtout à ses yeux des exercices intellectuels ne remettant pas fondamentalement en cause la conception dominante du monde. A vrai dire, Copernic était du même avis, si l'on se réfère aux déclarations qu'il fit publiquement.

Tycho Brahe rendit un grand service à l'astronomie en confiant ses protocoles d'observation à son assistant Johannes Kepler (1571-1630). Celui-ci allait précipiter le déclin du vieux système aristotélicien.

C'est en 1600 que Kepler entra en possession des notes de Brahe. Quatre ans auparavant, il avait publié *Mystère cosmographique,* ouvrage dans lequel il exposait une conception de l'univers fondée moins sur ses propres observations que sur l'idée d'un équilibre harmonieux exprimable en langage mathématique. Il fut conforté dans cette idée lorsqu'il crut découvrir une corrélation mathématique entre la distance des planètes au soleil et certaines figures de géométrie dans l'espace utilisées par les platoniciens.

En s'appuyant sur les observations précises de Tycho Brahe, il put formuler ses trois célèbres lois sur le mouvement elliptique — et non circulaire — des planètes, sur la vitesse variable de leur mouvement en fonction de la distance au soleil et sur le rapport exprimable mathématiquement entre le temps de révolution d'une planète et la distance moyenne de celle-ci au soleil.

Les résultats de Kepler rendirent la conception médiévale encore plus intenable. Symboles d'immutabilité, les cercles étaient remplacés par des ellipses. Plus profondément, l'idée d'un univers doté d'une âme commençait à s'effacer devant celle d'une machine obéissant mécaniquement à des lois mathématiques et physiques.

Astronome et astrologue

En 1627, Johannes Kepler (1571-1630), un des plus grands astronomes de tous les temps, se vit promettre par l'empereur Ferdinand II une récompense de 12 000 florins pour une table du mouvement des planètes. Les trois dernières années de sa vie, il essaya obstinément de se faire payer, mais en vain. Il entra en contact avec le camp de Wallenstein, le grand chef de guerre, où il servit comme astrologue. Car, comme Kepler l'a lui-même déclaré :

« Dieu donne à tous les animaux quelque chose pour vivre ; il a créé l'astrologie pour les astronomes. »

Kepler avait acquis une réputation comme astrologue en prophétisant d'emblée une guerre, une révolte et un hiver rigoureux qui eurent effectivement lieu. Il était loin d'être le seul à devoir combiner astronomie et astrologie pour assurer sa subsistance.

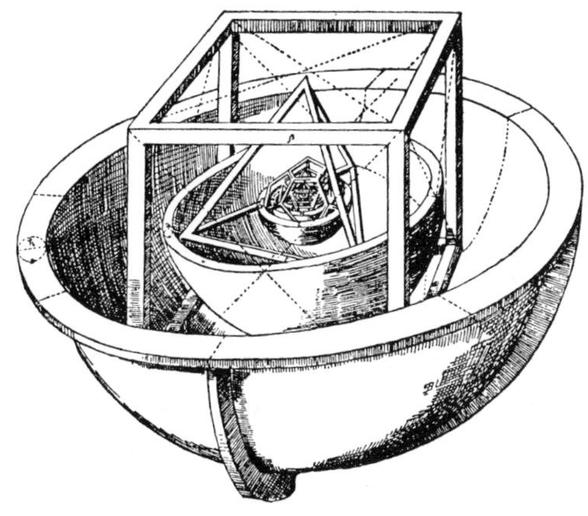

Cette illustration tirée de « Mystère cosmographique » (1596) révèle la manière dont Kepler concevait la structure mathématique de l'univers. Dans l'orbite de Saturne s'inscrit un cube dans lequel gravite Jupiter — cube qui contient à son tour un tétraèdre où une nouvelle planète effectue sa révolution, etc.

Galilée et le télescope

Le professeur italien Galilée (1564-1642) n'eut pas besoin de scruter les étoiles plus de deux jours pour se rallier sans réserves à Copernic. Il constata que le soleil avait des taches, que la lune possédait des montagnes et des vallées. La région céleste n'était donc pas aussi parfaite et aussi différente de la région terrestre qu'on le croyait d'ordinaire. Plus important encore, Jupiter et ses satellites apparaissaient au télescope comme un système copernicien en miniature. Les modèles théoriques élaborés par Copernic et Kepler se trouvaient confirmés par l'observation directe — mais il est vrai que les partisans de l'ancien système se fiaient plus aux Ecritures qu'au télescope.

Jusqu'alors, les attaques contre la conception médiévale du monde avaient pu être repoussées comme élucubrations d'intellectuels querelleurs. Le témoignage du télescope était plus difficile à réfuter, surtout avec un porte-parole aussi habile que Galilée. Celui-ci publia en 1610 *Le Messager astral,* ouvrage inspiré et riche d'arguments convaincants.

L'Eglise catholique réagit, et les idées de Copernic furent condamnées, du moins partiellement, en 1618. Galilée ne continua pas moins à se faire le propagateur infatigable de la nouvelle conception de l'univers. Il régla ses comptes avec l'ancienne dans *Dialogue sur les deux grands systèmes du monde* (1632). L'Eglise intervint, l'obligeant à rétracter cet écrit, mais en pratique, elle ne pouvait stopper la marche de la science.

Située à Rome, cette statue de Giordano Bruno (1548-1600) apparaît comme un symbole de la liberté de pensée. Bruno était un philosophe, non un savant, mais il fut brûlé par l'Inquisition car il refusa de rétracter sa théorie selon laquelle l'univers était infini.

Affaires astronomiques

« Galilée avait le sens de la publicité et était conscient de la valeur matérielle de ses découvertes. Successivement, il essaya de vendre en exclusivité le nom des étoiles au duc de Florence, au roi de France et au pape. Mais tous jugèrent cet honneur céleste trop cher. Lorsque le savant s'avisa que sa découverte permettait de faire le point en mer en se repérant au mouvement des corps célestes, il tenta de vendre ce secret au roi d'Espagne et aux états généraux de Hollande. Tous deux avaient promis une récompense à qui résoudrait de ce problème. Mais là encore, Galilée ne parvint pas à ses fins. »

Source : J. D. Bernal, *Science in History*.

Par ses résultats, Galilée (Galileo Galilei, 1564-1642) a conquis une place exceptionnelle dans l'histoire des sciences, mais il joua un rôle tout aussi important comme figure de proue de la recherche expérimentale moderne.

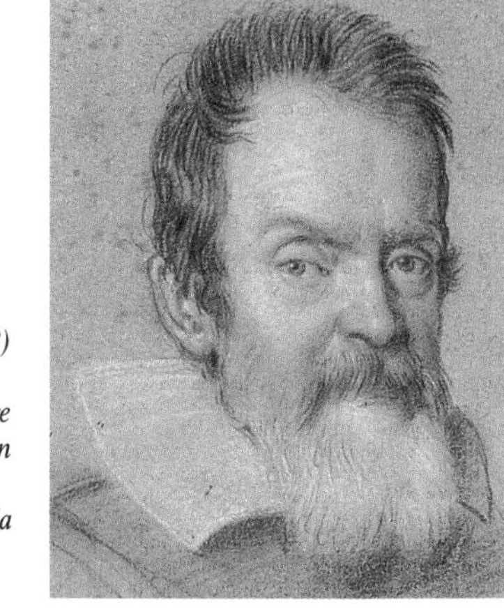

Ainsi, par la force de ses arguments, Galilée contribua à répandre les nouvelles connaissances, il donna un contenu concret à des modèles abstraits tout en poursuivant lui-même le travail d'élaboration théorique.

Ses travaux sur la nature du mouvement furent essentiels. Le principe d'inertie qu'il formula allait avoir une importance capitale pour le développement ultérieur de l'astronomie. Selon ce principe, le mouvement était aussi naturel que le repos, et un corps en mouvement continuait à se mouvoir tant qu'il ne rencontrait pas d'obstacles tels que friction ou résistance de l'air.

Bref, les corps n'avaient pas besoin de tendances naturelles pour se mouvoir. Là encore, la nature animée devait céder la place aux lois de la mécanique, exprimables en termes mathématiques.

Non seulement les résultats de Galilée mais aussi ses méthodes de travail firent de lui la figure de proue de la science nouvelle. Il apparaît comme le prototype du savant qui procède par expérimentation et se montre toujours prêt à réviser ses hypothèses en l'absence de confirmation expérimentale. Et cela même si Galilée lui-même n'avait pas pleine conscience de la valeur de ces procédures. Il estimait être en mesure de saisir l'essence de la nature sans l'aide de l'expérience, et il a soutenu avoir recouru à celle-ci dans le seul but de convaincre les autres.

Les principes mathématiques de l'univers

Si les planètes et les étoiles n'étaient pas accolés à des sphères mais constituaient des corps se mouvant librement dans l'espace, il restait à expliquer pourquoi elles

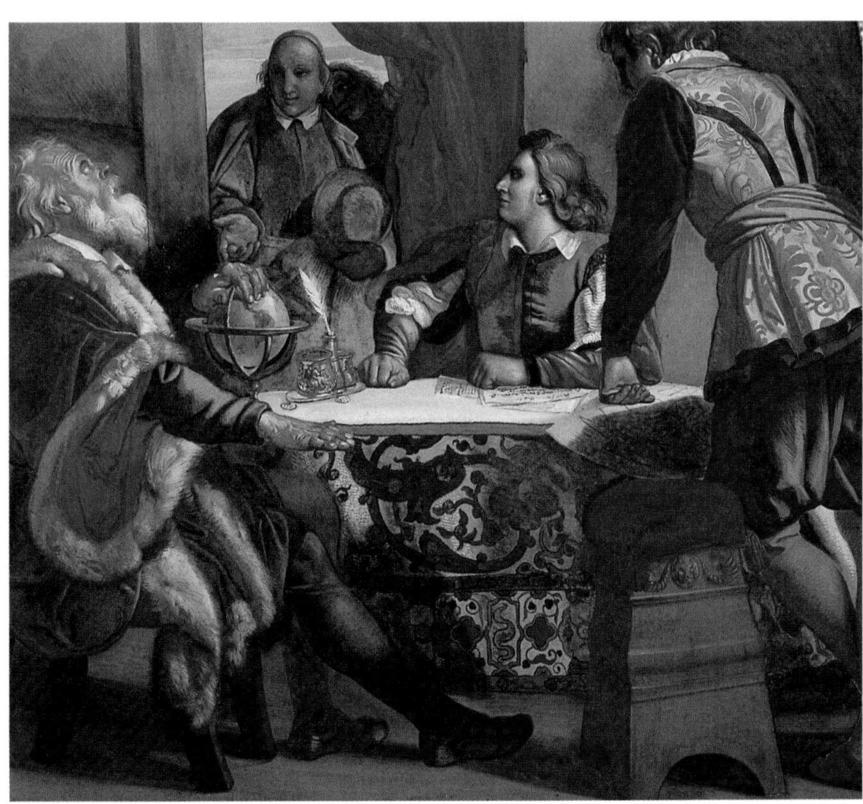

Galilée devant l'Inquisition, tableau historique de Luigi Sabatelli (1772-1850). Selon l'Italien Pietro Redondi qui a étudié les procès-verbaux de cet interrogatoire, Galilée dut faire amende honorable pour sa théorie atomiste qui entrait en conflit avec le dogme de l'eucharistie. Seule, sa répudiation de la théorie de Copernic fut rendue publique.

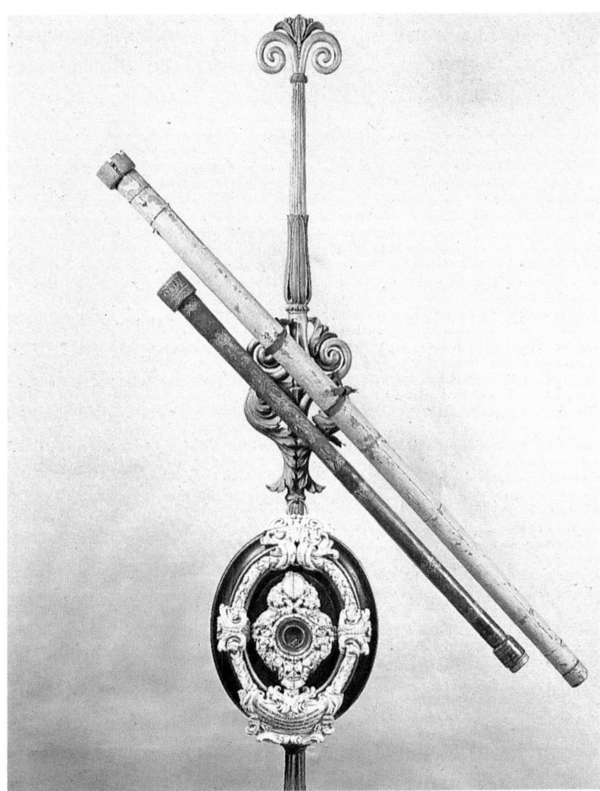

Le télescope de Galilée grâce auquel il put faire des observations directes qui confirmaient les théories de Copernic.

suivaient leur cours sans tomber à la verticale ou disparaître dans l'espace.

Beaucoup s'attaquèrent au problème, notamment le philosophe René Descartes (1596-1650) qui chercha une réponse s'accordant avec tout son système philosophique. Selon lui, l'espace était empli d'une quantité de petites particules animées d'un mouvement tourbillonnaire. Les planètes, qui résultaient d'une concentration de ces particules au centre des tourbillons, étaient entraînées par ceux-ci dans leur mouvement.

Cette explication modérément satisfaisante s'imposa jusqu'au moment où elle fut remplacée par celle de l'Anglais Isaac Newton (1642-1727). Celui-ci publia ses résultats en 1687 dans *Principes mathématiques de la philosophie naturelle,* ouvrage souvent appelé *Principia* d'après son titre latin. Par son importance dans l'histoire de la pensée humaine, ce livre a pu être comparé à celui de Darwin sur l'origine des espèces. Il est difficile de déterminer ce qui revient en propre à Newton, car beaucoup de chercheurs travaillaient sur ces questions, et lui-même,

Isaac Newton (1642-1727) devint professeur à 26 ans sans avoir à cette date publié d'ouvrage scientifique. Il fut également attaché à l'administration anglaise des monnaies. A la suite de sollicitations pressantes, il publia enfin son ouvrage célèbre sur les lois de la nature.

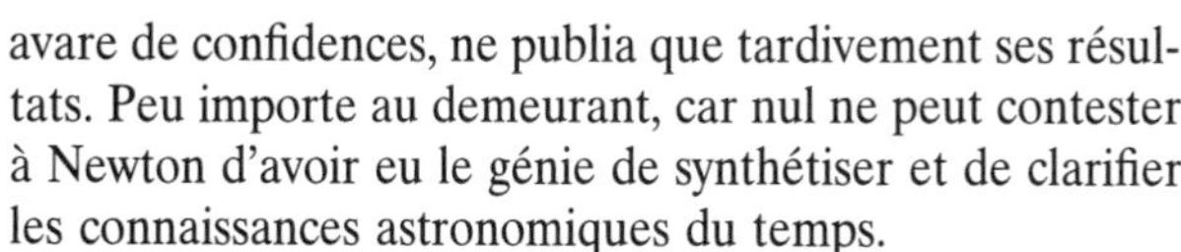

avare de confidences, ne publia que tardivement ses résultats. Peu importe au demeurant, car nul ne peut contester à Newton d'avoir eu le génie de synthétiser et de clarifier les connaissances astronomiques du temps.

Selon le principe d'inertie formulé par Galilée, un mouvement que rien ne venait entraver se poursuivait de manière rectiligne. Dans l'interprétation de Newton, ce principe impliquait qu'un corps en mouvement, la terre par exemple, continuerait à se mouvoir en ligne droite et se perdrait donc dans l'espace. Or, ce n'était pas le cas, la terre décrivait une courbe autour du soleil. L'explication du savant anglais réside dans la loi de la gravitation. En même temps que la terre est entraînée vers l'espace en vertu du principe d'inertie, elle est attirée vers le soleil par la loi de la pesanteur. Le mouvement de la lune autour de la terre ressortit du même mécanisme. Mais la chute des corps s'explique aussi par la loi de la pesanteur. Les mêmes lois régissent donc le ciel et la terre, et on peut les exprimer en langage mathématique.

Newton porta à son accomplissement la révolution amorcée par Copernic. Beaucoup de phénomènes jusqu'alors inexpliqués, comme le mouvement elliptique des planètes ou le mécanisme des marées, se trouvèrent élucidés grâce à Newton.

L'univers apparaissait dorénavant comme une grande machine qui fonctionnait selon des lois mécaniques. Newton avait montré comment, mais non pourquoi. Il ne semble pas avoir voulu s'attaquer à cette deuxième question. Proposer l'image d'un univers fonctionnant sans l'aide de Dieu entraînait des risques, et d'ailleurs, Newton accordait une place au Créateur dans son système. Difficile de savoir au juste si ce fut pour des raisons tactiques, par conviction religieuse ou simplement parce qu'il jugeait que certaines questions dépassaient l'entendement humain.

L'homme machine

Les progrès de l'astronomie, s'ils ne sont pas les seuls à justifier le terme de révolution scientifique, revêtent néanmoins une importance capitale. Les résultats obtenus entraînèrent une révision radicale des conceptions du monde et de l'homme. Et ils démontrèrent brillamment l'efficacité des nouvelles méthodes scientifiques.

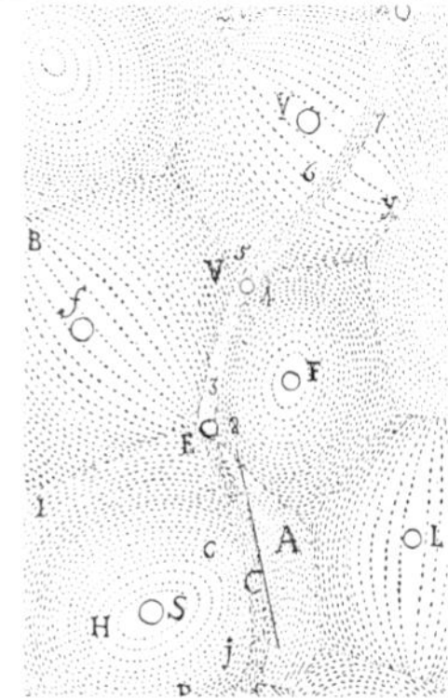

René Descartes (1596-1650) a lui-même illustré comment les tourbillons de particules dans l'espace rendent compte du mouvement des planètes. Cette théorie s'imposa massivement malgré son caractère passablement compliqué.

Instrument de 1694 pour la mesure des méridiens, et planétarium miniature du début du XVIIIe siècle. Avec ce modèle mécanique du système solaire, on pouvait en quelque sorte contempler de l'intérieur le mouvement des planètes.

C'est ainsi qu'un illustrateur du XVIe siècle représenta la comète de 1456, jugée de funeste augure. Cette comète reçut son nom de l'astronome Edmund Halley (1656-1742) qui, à l'aide des lois de Newton, parvint à calculer le temps de révolution d'un grand nombre de comètes. C'est d'ailleurs Halley qui finança la parution du grand ouvrage de Newton.

Variation sur le thème de l'homme-machine. Sur cette image de 1707, l'être humain est comparé à une maison.

Les progrès accomplis dans les autres sciences découlèrent pour une part des besoins de l'astronomie. Ainsi, par exemple, les découvertes en optique relatives à la nature et à la réfraction de la lumière. De même, les améliorations des méthodes mathématiques nécessaires à l'astronomie telles que les logarithmes ou le calcul différentiel et intégral.

D'autres sciences connurent une évolution qui rappelle celle de l'astronomie. On répudia les autorités antiques pour s'ouvrir à une conception mécaniste. De même qu'Aristote avait été l'oracle de la voûte céleste, ainsi le médecin grec Galien (129 ?-200) avait imposé ses théories sur le corps humain.

Sans forcer la comparaison, on peut constater que les

A l'extrême droite : illustration tirée du traité de médecine de Vésale (1543). L'arrière-plan antiquisant nous rappelle qu'à cette époque, artistes et médecins avaient des intérêts communs. Tout de suite à droite, on voit l'image précise, fondée sur des recherches anatomiques, que Léonard de Vinci (1452-1519) donne du corps humain.

De même que le télescope permettait d'explorer le macrocosme, ainsi le microscope offrait une voie vers l'infiniment petit. Il permit au XVIIe siècle de découvrir les cellules reproductrices et les capillaires.

quatre éléments aristotéliciens ont leur équivalent dans les quatre humeurs du corps, le sang, la lymphe, la bile et le fiel, qui doivent se trouver en proportion harmonieuse dans l'organisme pour que celui-ci soit en bonne santé. Pour Galien, l'âme de la nature constituait également la base de l'explication médicale, par exemple celle de la fonction du sang.

Les médecins médiévaux — et l'on songe à leurs collègues astronomes — étaient persuadés que la lecture de Galien était plus féconde que l'étude du corps humain.

En 1543, l'année même où paraissait l'ouvrage de Copernic, André Vesale (1514-64), médecin à Padoue, publiait *Fabrique du corps humain.* Etonnante rencontre historique, car ces deux livres avaient l'un et l'autre un contenu révolutionnaire. Sans réfuter directement Galien, Vesale entendait mettre la doctrine de celui-ci à l'épreuve en disséquant des corps humains.

Il n'était nullement le premier à procéder ainsi — des images du XIIIe siècle représentent des dissections — mais sa démarche coïncidait avec une nouvelle vague d'intérêt pour l'anatomie apparue au XVe siècle. Outre la curiosité scientifique, qui trouvait à se satisfaire dans les écrits médicaux arabes du Moyen Age, l'art de la Renaissance orienté vers le corps humain idéal allait renforcer ce mouvement.

L'orientation pratique que Vesale donna aux études de médecine à l'université de Padoue prépara efficacement le terrain à une révolution dans cette discipline, même si les maladies furent davantage du ressort de la philosophie que de la physiologie jusqu'au XIXe siècle.

L'élève le plus célèbre de l'université de Padoue fut le médecin anglais William Harvey (1578-1657). Sans disposer d'instruments avancés comme le microscope, il découvrit, en combinant expérimentation et déduction logique, le mécanisme de la circulation du sang.

L'ouvrage qu'il publia en 1628 — *Etude anatomique du mouvement du cœur et du sang chez les animaux* — participait du même esprit scientifique que la nouvelle astronomie et était appelé à terme à porter le coup de grâce à la médecine galénienne. La conception du corps comme machine ressemble fort à celle de l'univers telle que Newton allait la formuler.

Les empiristes

Lorsqu'on travaille sur des phénomènes aussi complexes et aussi éloignés dans l'espace que le mouvement des planètes et des étoiles, il est naturel de se demander par quel moyen on peut parvenir à des connaissances sûres. Il existe deux réponses à cette question. L'une d'elle est que si l'on rassemble un nombre suffisant d'observations, celles-ci s'ordonneront d'elles-mêmes en un modèle explicatif. On appelle empirisme cette conception selon laquelle nos connaissances reposent sur le témoignage des sens. L'autre réponse consiste à admettre que l'homme, à partir de quelques principes donnés, est en mesure de découvrir la vérité par un travail logique. Cette manière

Francis Bacon (1561-1626), qui affirma que « savoir, c'est pouvoir », était un haut fonctionnaire anglais. Accusé de corruption, il fut révoqué et se consacra alors entièrement à élaborer des règles pour le travail scientifique. Peinture de Paul van Somer (environ 1576-1621).

« Nous travaillons à déterminer la nature des éléments ». Ce texte évoque la pratique du chimiste, ou, à un stade préscientifique, de l'alchimiste, comme ici dans ce livre de 1598.

de faire reposer en totalité ou en partie les connaissances sur l'esprit humain constitue le rationalisme.

L'Anglais Francis Bacon (1561-1626) apparut au début du XVIIe siècle comme un critique sévère de la scolastique universitaire, caractérisée selon lui par un rationalisme formel sans contact avec la réalité. Pour parvenir à la connaissance vraie, il fallait partir des données des sens. Mais au préalable, il était indispensable de se délivrer des préjugés qui obscurcissaient les impressions sensorielles reçues. Parmi ces préjugés, Bacon mentionnait la soumission à l'autorité, notamment celle des auteurs antiques, et le pouvoir du langage sur la pensée qui entraîne une confusion entre mots et réalité. Une fois qu'on s'était débarrassé de ces obstacles, on pouvait commencer à rassembler des observations et à constituer progressivement un savoir fondé sur l'expérience. La recherche de la vérité, bien qu'ardue, n'était nullement réservée à quelques initiés. Rassembler des faits dégagés de la gangue des préjugés et les mettre à l'épreuve à l'aide de règles précises, ce n'était après tout qu'affaire de bon sens. Robert Boyle (1627-91), un Anglais lui aussi, offre un bon exemple de savant procédant par observation et expérimentation. Il contribua à transformer la vieille alchimie, liée à des représentations magiques, en une science plus rigoureuse annonçant la chimie moderne.

A la fin du XVIIe siècle, c'est encore un Anglais, John Locke (1632-1704), qui porta la philosophie empiriste à son accomplissement. A ceux qui prêtaient à l'homme des idées innées et à l'humanité un fond commun de valeurs religieuses et morales, Locke opposa le démenti de l'expérience ; le seul fait qu'il y eût des athées infirmait d'ailleurs de telles thèses.

Selon lui, l'âme humaine à la naissance est comme une table rase sur laquelle les impressions sensorielles viennent se graver progressivement. Celles-ci sont à l'origine de nos connaissances. De la même manière que nous apprenons à connaître notre entourage, nous découvrons les processus de l'âme en nous observant nous-mêmes.

A l'instar de Bacon, Locke dénonçait le danger de toute pensée inféodée à l'autorité, mais, tandis que son prédécesseur voulait surtout édicter des règles pour le travail intellectuel, lui-même eut pour ambition d'élucider le problème de l'origine de nos connaissances.

Baruch Spinoza (1632-77), qui eut la passion de la vérité, fut exclu de la communauté juive et tenu par les chrétiens pour un athée et un esprit subversif. Gravure sur cuivre de Jean Charles François (1717-69).

Charles XII rend visite à Gottfried Wilhelm Leibniz (1646-1716) à Königsberg. Gravure extraite du livre « La Philosophie de la nature » (1769). Le philosophe est surtout connu pour avoir affirmé que nous vivions dans le meilleur des mondes possibles. Voltaire ridiculisa ce jugement dans « Candide », faisant apparaître Leibniz comme un esprit borné, ce qui est profondément injuste.

Les rationalistes

En analysant la nature de la connaissance, Bacon et Locke visaient avant tout à élaborer une méthode pour la pratique scientifique. C'était le *comment* plutôt que le *pourquoi* qui sollicitait leur attention — dans la ligne de leurs convictions empiristes.

Mais d'autres penseurs visaient à élucider l'essence même de la réalité, et l'on ne peut s'étonner qu'ils aient choisi la voie du rationalisme. De manière générale, les bâtisseurs de systèmes philosophiques partaient du principe qu'il existait des vérités fondamentales,

René Descartes (1596-1650) s'entretenant avec la reine Christine de Suède qui l'avait fait venir à la cour de Stockholm en 1649. Probablement victime du climat, il mourut d'une pneumonie dans la capitale suédoise le 11 février 1650. Tableau historique de Pierre Louis Dumesnil (1698-1781).

reconnues par tous, à partir desquelles on pouvait, à l'aide de la logique, parvenir à une connaissance accrue du réel.

Le besoin de nouveaux systèmes explicatifs se fit sentir quand les progrès scientifiques et notamment astronomiques eurent ruiné les anciens. Les mathématiques, si importantes dans les sciences, marquèrent aussi la philosophie de leur empreinte. Deux des grands penseurs du temps, Descartes et Leibniz, contribuèrent eux-mêmes à faire progresser la méthode mathématique, et un troisième, Spinoza, voulut résoudre les problèmes moraux à l'aide de la géométrie.

L'astronomie, en imposant des modèles mécaniques, avait dépouillé les corps célestes des vertus et tendances par lesquelles on expliquait jadis leur mouvement. Fallait-il à présent substituer des explications matérielles à tout ce qu'on avait considéré jusqu'alors comme spirituel ? Et si l'on n'allait pas jusque-là, il restait à expliquer que le spirituel et le matériel puissent collaborer.

René Descartes fut au XVIIe siècle le plus illustre des bâtisseurs de système. Pour se procurer un point de départ indubitable, il commença paradoxalement par douter de tout. Mais un tel doute impliquait l'existence de celui qui doutait, et le philosophe put formuler son célèbre *cogito, ergo sum* — je pense, donc je suis.

Fort de cette première vérité, Descartes parvint à une deuxième tout aussi indubitable : l'existence d'un Dieu, et à partir de ces prémisses, il déduisit tout son système. La réalité se compose de deux substances radicalement distinctes, l'une matérielle, l'autre pensante. Seul l'être humain, que Dieu a créé avec un corps et une âme, participe de ces deux substances. On peut observer comment elles collaborent : les perceptions sensorielles influencent la vie affective et l'âme retentit sur le corps. Mais Descartes n'est pas vraiment parvenu à expliquer comment pouvait se produire une telle collaboration entre deux substances radicalement hétérogènes.

L'Anglais Thomas Hobbes (1588-1679) apporta une autre solution au problème en soutenant que tout en définitive appartenait au monde matériel. Une autre école philosophique, l'occasionnalisme, défendit la thèse que Dieu avait créé l'homme de telle façon que chaque fois que le corps était affecté, il se passait quelque chose d'équivalent dans l'âme, et vice-versa. A quoi les critiques objectèrent que Dieu était un bien mauvais mécanicien s'il devait sans cesse intervenir dans sa création.

Le philosophe hollandais Baruch Spinoza (1632-77) proposa encore une autre solution. Ce que Descartes considérait comme deux substances n'étaient en fait que deux attributs de Dieu, deux faces d'une même réalité. Avec une seule substance, le corps et l'âme étaient comme deux cadrans rattachés au même mécanisme d'horlogerie, et donc parfaitement synchrones.

Aux antipodes du matérialisme de Hobbes se situe le spiritualisme de l'aristocrate allemand Gottfried Wilhelm von Leibniz (1646-1716). Pour lui, tout était de nature spirituelle, y compris la matière, quoiqu'à un degré moindre que les âmes et bien sûr que Dieu. Le problème du dualisme cartésien était résolu puisque les deux substances étaient en fait de même nature.

Les sociétés savantes

Les scientifiques qui prétendent avec quelque fierté que leurs recherches n'ont aucune utilité pratique n'auraient pas trouvé grâce aux yeux de Francis Bacon. Celui-ci fut le premier prophète d'une science mise au service de la prospérité et du bonheur humain.

Dans *La nouvelle Atlantide,* Bacon alla jusqu'à imaginer une société idéale gérée à peu près comme un laboratoire scientifique. Et cette utopie avait pour but de montrer combien les gens seraient heureux et prospères s'ils confiaient les destinées de la cité à des scientifiques.

Dominées par une scolastique prêtant le flanc à la critique, les universités étaient fort peu orientées vers la vie pratique. Ce n'était pas de ces institutions qu'on pouvait attendre un renouvellement des sciences. Ceux qui s'engagèrent dans les voies de la recherche moderne durent chercher appui ailleurs. Une stratégie consistait à correspondre avec le monde savant. Erasme s'était déjà illustré comme épistolier et cette tradition continua de plus belle. Une république des savants s'instaura ainsi, et certaines personnes jouèrent un rôle important de médiateur dans les échanges scientifiques internationaux.

A l'échelon national, des sociétés savantes furent créées pour favoriser les échanges d'idées. Le programme de la *Royal Society* de Londres, fondée en 1662, était clairement d'obédience baconienne : il s'agissait d'« améliorer avec l'aide de l'expérience les connaissances naturelles et toutes celles concernant les arts utiles, la production, la pratique mécanique et les inventions », non de s'adonner aux spéculations théologiques, métaphysiques ou morales.

La *Royal Society* ne connut d'abord qu'une floraison de courte durée. A la fin du siècle, ses activités étaient des

L'académie et la société

Précédée par quelques sociétés savantes locales, l'Académie royale des Sciences fut créée à Stockholm en 1739. Seules les matières vraiment utiles devaient être prises en compte, et l'académie se tourna vers les hommes d'action. Cette ouverture démocratique lui valut une indiscutable popularité mais entraîna aussi quelques bizarreries. Ainsi, l'académie dut prendre position au sujet de la lettre anonyme de quelqu'un qui se croyait en mesure de prouver que, depuis l'Antiquité, on avait utilisé une formule erronée pour calculer la circonférence et la surface du cercle. L'épistolier se demandait ce qu'une telle découverte pouvait valoir. L'académie crut bon de promettre une médaille d'or en récompense de cette sensationnelle découverte mathématique au cas où elle se révélerait exacte.

Louis XIV (assis) en visite à l'Académie des Sciences de Paris. Cette image immortalise la décision de construire un observatoire. Peinture de Henri Testelin (1616-93).

plus réduites, mais elle allait refaire surface à l'époque des Lumières. Elle allait en outre exciter la verve satirique de Jonathan Swift. Dans *Les Voyages de Gulliver,* celui-ci se gausse d'un chercheur qui cherche à mettre en bouteille la lumière solaire contenue dans les concombres pour pouvoir ensuite l'utiliser les jours de pluie.

Cependant, malgré ce déclin passager et ces quolibets, la Société avait réussi à créer des liens entre les chercheurs et les hommes orientés vers la pratique. Elle servit de modèle à diverses institutions étrangères, notamment à l'Académie des Sciences de Paris (1668).

Les sociétés savantes surent tirer parti des capacités de ceux qui s'engageaient dans les voies nouvelles de la science. Tandis que la vie intellectuelle au Moyen Age avait été dominée par des personnes visant à une carrière ecclésiastique, les inventeurs et découvreurs du XVIIe siècle se recrutaient parmi les médecins, ingénieurs, métreurs, fabricants d'instruments, fonctionnaires — et parmi les gens fortunés.

Bref, la science tendait à devenir partie intégrante de la société. En revanche, elle n'était pas encore au service de la production. Pour cela, il faudrait attendre l'époque de l'industrialisation.

Cette représentation de sorcières datant du début du XVIe siècle ne laisse guère transparaître la terreur qu'inspirait la sorcellerie à cette époque. Peinture de Hans Baldung (environ 1480-1545).

Magie, religion et sciences de la nature

Même si des savants comme Galilée ou Newton et des philosophes comme Descartes faisaient place à Dieu dans leurs systèmes du monde, il était inévitable que la nouvelle science entrât en conflit ouvert ou larvé avec l'Eglise.

L'affrontement entre deux types d'explications concurrentes fut d'abord affaire d'experts — savants et théologiens. Puis entrèrent en lice ceux qui avaient le temps et l'instruction nécessaires pour s'initier aux nouvelles idées. En revanche, on peut se demander dans quelle mesure les couches les plus larges de la population ressentirent les effets de ces nouveaux modes de pensée. Il allait falloir du temps pour qu'ils se répandent dans le peuple.

Mais on peut se demander tout aussi légitimement jusqu'à quel point le message de l'Eglise pénétrait dans la conscience des paroissiens. La puissance de l'Eglise, la crainte de l'inconnu et la pression sociale les obligeaient à accepter les formes extérieures de la religion, mais cela est tout autre chose que de comprendre le contenu des dogmes.

La magie, c'est-à-dire la croyance au pouvoir des sorciers, des astres, des amulettes, des esprits élémentaires, était plus ancienne que la science et que le christianisme. Elle prenait le relai là où l'action pratique, la science ou la religion se révélaient inopérants.

Le chercheur anglais Keith Thomas a abordé ces problèmes dans *Religion and the Decline of Magic,* ouvrage qui traite de l'Angleterre mais revêt une portée plus générale. L'auteur souligne que le peuple fut enclin à réduire le rituel de l'Eglise médiéval à des formules magiques destinées à conjurer les malheurs ici bas. « Hocus pocus » est une déformation de « hoc est corpus », formule rituelle dite par le prêtre au moment de la communion.

De tels contresens furent renforcés par le fait que l'Eglise médiévale invoqua miracles et autres phénomènes surnaturels pour renforcer la foi. Dès le XIVe siècle, les lollards critiquaient les éléments magiques qui venaient se mêler à la religion, et les pamphlétaires protestants ne se firent pas faute d'assimiler le catholicisme à la magie. Mais la Réforme fut impuissante à extirper celle-ci, pratiquée par de pauvres gens sans cesse menacés par la famine et la mort.

Toutefois, vers la fin du XVIIe siècle, la magie commença à perdre de son importance. On serait tenté d'y voir un lien avec la percée des sciences qui fournissaient des explications naturelles à des phénomènes tenus jusqu'alors pour surnaturels. De nos jours, les paysans utilisent des engrais chimiques, non de l'eau bénite. Cependant, avant

Ce livre de 1483 intitulé « La forge des sorciers » contribua à la vague de persécutions qui se développa au cours des siècles suivants. Les progrès de la science ne dissipèrent que lentement les superstitions qui firent que tant de femmes périrent sur le bûcher.

Sur cette gravure ornant une table de multiplication de 1630, l'on voit un commerçant et son commis utiliser une machine à calculer appelée « abacus ».

la révolution scientifique, des voix critiques s'étaient déjà élevées contre la magie, et elle n'a pas disparu de nos jours, bien que la nouvelle conception de l'univers soit universellement acceptée. Dans les moments de dépression économique, l'occultisme a manifestement tendance à s'épanouir.

Ce recul de la magie peut s'expliquer autrement. Les progrès techniques auraient fait reculer la pire détresse, celle contre laquelle on luttait par des moyens surnaturels. Mais une telle explication se heurte bien entendu à la même objection que celle exposée précédemment.

Le moteur de cette évolution n'est probablement à chercher ni dans les résultats scientifiques, ni dans les progrès techniques, mais plutôt dans la prise de conscience accrue du pouvoir de l'homme à résoudre des problèmes qui jusqu'alors paraissaient dépasser ses forces. Une telle conviction gagna d'abord les novateurs et les gens instruits avant de se répandre progressivement dans la société tout entière.

La victoire des sciences de la nature

Selon l'historien des sciences J. D. Bernal, la révolution scientifique, bien que menée sur un large front, eut cette caractéristique importante qu'elle demeura unitaire.

C'est que le champ qu'elle embrassait demeurait suffisamment limité pour ne pas entraîner une spécialisation trop poussée, contrairement à ce qui allait se produire plus tard. Newton maîtrisait simultanément les mathématiques, l'astronomie, l'optique, la mécanique et la chimie de son temps. Cette pluridisciplinarité permettait de porter un regard d'ensemble sur toute la science, ce qui s'avéra fécond tant pour poser les problèmes que pour y apporter des réponses.

De plus, l'unité de la recherche était assurée par l'emploi de la méthode mathématique. Il y avait toutefois le risque que cette science devînt hégémonique jusque dans des domaines où apparemment elle n'avait pas sa place — le titre d'un ouvrage de Spinoza, *Ethique démontrée selon l'ordre géométrique,* le donne à penser.

En tant qu'instrument, les mathématiques faisaient avant tout merveille en astronomie et en mécanique, et c'est aussi dans ces domaines que la révolution scientifique réalisa les plus grands progrès.

Les intenses activités commerciales de l'époque suscitèrent un intérêt général pour la technique. Faire des motifs utilitaires le moteur de la science, c'est recourir à une

Otto von Guericke (1602-86), maire de Magdebourg à la fin du XVIIe siècle, n'était pas un scientifique de métier. Son nom est lié à l'expérience dite des « hémisphères de Magdebourg ». Il illustra la force du vide en montrant que deux attelages de chevaux ne suffisaient pas à séparer deux calottes métalliques creuses s'appliquant exactement l'une à l'autre. La pression de l'air était si forte qu'il fallut mobiliser seize chevaux pour dissocier ces deux calottes. Illustration tirée de son livre « Experimenta Nova » de 1672.

Dans cette galerie d'art qu'évoque un tableau flamand du XVIIe siècle, on voit sur la table divers instruments qui permirent à l'homme d'élargir son horizon : mappemonde, astrolabe, cartes et relations de voyage.

explication matérialiste trop simpliste. En revanche, ces motifs firent que certains résultats scientifiques suscitèrent plus d'intérêt que d'autres et qu'ainsi l'activité des chercheurs put se trouver orientée vers certains types de problèmes.

L'astronomie a sans conteste partie liée avec les besoins de la navigation, puisque le marin doit pouvoir faire le point en l'absence de repères terrestres. Mais ce problème fut avant tout résolu grâce au chronomètre qui permet de connaître l'heure exacte en mer. Avec quelque exagération, on pourrait dire que le fabricant d'instruments était plus important que l'astronome, même si, bien entendu, il fallait des bases cosmographiques pour utiliser correctement le chronomètre.

Le rapport entre science et technique peut être illustré par un autre exemple. Newton parvint à calculer avec une grande précision la trajectoire d'un projectile compte tenu de la résistance de l'air. Seulement, il fallut attendre notre siècle pour que ce calcul puisse recevoir des applications pratiques.

En effet, à l'époque de Newton, on était dans l'incapacité de fabriquer des canons avec une précision comparable à celle de la formule qu'il avait élaborée. La familiarité de l'artilleur avec sa pièce, l'expérience qu'il avait de ses défauts habituels, étaient plus importants que la détermination scientifique de la trajectoire.

Parmi les conséquences à terme de la révolution scientifique, deux méritent une mention particulière. La quasi-totalité des savants et des philosophes reconnaissaient l'existence de Dieu, peut-être pour des raisons tactiques, compte tenu de la puissance de l'Eglise, mais plus probablement par conviction personnelle. Cependant, Dieu jouait un rôle moins actif dans la nouvelle conception du monde. A l'horizon se profilait la négation de l'existence de Dieu ou du moins une sécularisation de la société.

Les sciences avaient apporté dans leurs domaines des réponses à la question du *comment,* tel était le champ de la rationalité scientifique. Dès lors, il était tentant de rejeter toute tentative d'explication du *pourquoi* comme purement spéculative.

Les raisonnements complexes des bâtisseurs de systèmes philosophiques, les constructions théoriques, cèdèrent le pas aux expériences empiriques. Cependant, on oubliait un peu vite qu'un Galilée, par exemple, avait obtenu ses résultats en combinant théorie et approche empirique.

Mais la plupart des scientifiques ne pouvaient se mesurer au physicien italien, et l'on comprend qu'ils aient choisi la voie plus aisée de l'expérimentation pure et simple. Cette orientation allait largement dominer la recherche postérieure à la révolution scientifique.

Médaille en l'honneur du Parlement anglais frappée en 1651. Sous un baldaquin est assis le porte-parole de la Chambre des communes qui conduit les débats.

de violation des règles obligeait cependant chacun à protéger sa vie, ses biens, sa liberté. Aussi l'état de guerre pouvait-il régner pendant de longues périodes. Pour éviter cela, les hommes avaient conclu un contrat social, sortant ainsi de l'état de nature. Ce faisant, ils renonçaient à la souveraineté individuelle mais non à leurs droits naturels ; au contraire, ils les assuraient ainsi.

Le fait que Dieu ait mis les ressources de la terre à la disposition de tous les hommes semble infirmer l'idée que le droit à la propriété privée ferait partie de ceux donnés par la nature. Mais Locke d'ajouter que parmi ces derniers, il y a le droit de survivre. Et même si le poisson constitue un bien commun, il serait absurde de prétendre qu'il appartient à tous au moment où quelqu'un en mange un. Ce qui fait qu'un poisson cesse d'être un bien commun pour devenir celui d'un seul, c'est l'effort fourni par un individu donné pour le pêcher. Donc, par le biais du travail, la propriété privée peut être rattachée au droit naturel.

Achevé en manuscrit au plus tard en 1683, l'ouvrage de Locke avait pour but de fournir une armature théorique à ceux qui œuvraient en Angleterre pour un renforcement du pouvoir parlementaire face aux aspirations royales à l'absolutisme.

Dans la ligne de son raisonnement général, Locke tirait la conclusion que le peuple pouvait légitimement se révolter si le gouvernement n'était pas en mesure de garantir les droits donnés par la nature aux individus ou s'il ne les respectait pas. Et dans le même esprit, il préconisait un partage du pouvoir en plusieurs organes. Pour des raisons pratiques, le pouvoir exécutif ne pouvait être exercé que par un petit nombre, mais le peuple ou ses représentants élus devaient pouvoir contrôler l'exercice du pouvoir. Le contraste avec Hobbes est saisissant.

Des conséquences pratiques importantes pouvaient être tirées des principes de Locke. Même si le philosophe anglais avaient conçu sa doctrine dans un contexte politique particulier, elle revêtait une portée très générale, et ses idées sur la propriété, la séparation des pouvoirs et le droit à l'insurrection allaient exercer une influence de longue durée sur la société bourgeoise qui commençait à prendre forme en Europe.

Les théories politiques de John Locke (1632-1704) fournirent des bases constitutionnelles à l'Angleterre du XVIIIe siècle.

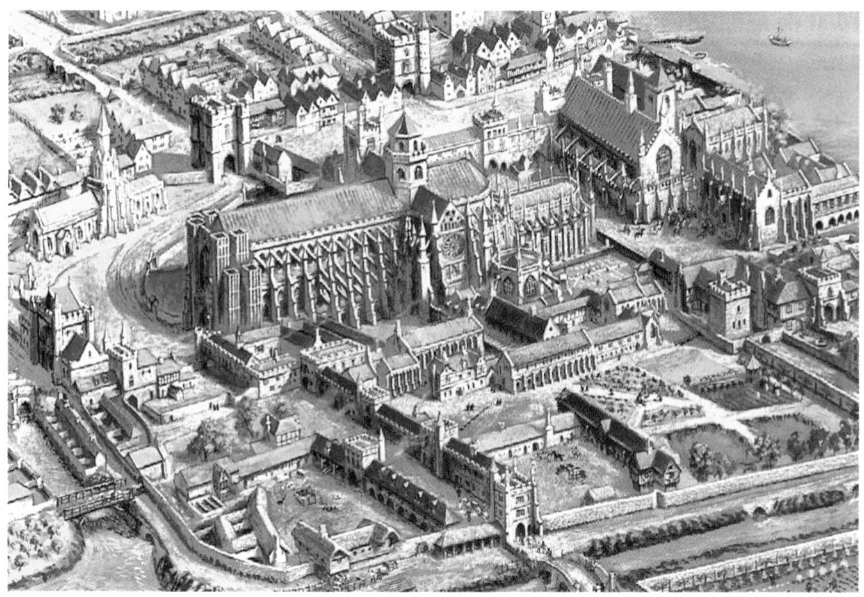

Westminster à Londres, qui fut pendant des siècles le centre de la vie politique dans les îles britanniques. Vue de 1537.

Guerre et paix

Hobbes et Locke avaient beau représenter des points de vue diamétralement opposés, ils étaient d'accord sur le fait que la mission principale de l'Etat était de protéger l'individu contre ses semblables. Mais en pratique, tous les gouvernements ou presque étaient avant tout intéressés par la politique étrangère. Il a déjà été question de l'accroissement des armées et des marines de guerre, moyens ultimes pour s'imposer sur la scène internationale. On constate aussi au cours de notre période une intensification des activités diplomatiques qui témoigne elle aussi de cette orientation extérieure.

L'usage de se faire représenter auprès des cours étrangères existait déjà au Moyen Age. Les rois envoyaient des ambassadeurs dans certaines occasions telles que noces, couronnements ou signatures de traités de paix.

La mission des ambassadeurs médiévaux avait été, du moins en théorie, de maintenir l'unité du monde chrétien. Après quoi se développa une forme de diplomatie ne visant qu'à défendre les intérêts du pays représenté. Au XVe siècle, les Etats urbains italiens furent les premiers à assurer dans ce but une représentation permanente à l'étranger. Pour préserver leur indépendance, il leur fallait se tenir informés aussi bien du jeu politique de leurs alliés que de leurs ennemis potentiels.

Les royaumes situés au nord des Alpes ressentirent aussi le besoin de recourir à la diplomatie, mais les luttes religieuses du XVIe siècle rendirent plus difficiles les échanges d'ambassadeurs.

Au XVIIe siècle, époque où l'intérêt supérieur de l'Etat commença ouvertement à prendre le rôle de la religion comme idéologie dominante, la représentation permanente auprès des cours étrangères se généralisa. Il était naturel que la France, grande puissance dominant le continent, donnât aussi le ton en matière diplomatique. Au milieu du XVIIe siècle, le latin, en concurrence avec l'italien, demeurait la langue diplomatique, mais à la paix d'Utrecht (1713), le français régnait en maître. Dès 1661, la France possédait 22 représentations permanentes à l'étranger ; dix s'y étaient ajoutées en 1715, et d'autres allaient suivre. Au début du XVIIIe siècle, un pays encore arriéré comme la Russie avait établi des ambassades dans 21 capitales, et la petite principauté allemande de Hanovre dans 16.

Ces activités diplomatiques rendaient actuelle la question de savoir s'il existait des lois régissant les rapports entre les nations. Dans *Le droit de la guerre et de la paix,* ouvrage paru en 1625, le Hollandais Hugo Grotius (1583-1645) répondit que le droit naturel institué par Dieu contenait de telles règles, mais que même sans Dieu, celles-ci étaient aussi indiscutables que les lois de la géométrie. Le jurisconsulte allemand Samuel von Pufendorf (1632-94) invoqua des principes analogues dans *Le droit de la nature et des gens* (1672). Mais il ne manquait pas de voix critiques pour soutenir que l'anarchie régnait dans les rapports internationaux, et qu'il n'existait aucune force supranationale pour assurer l'ordre.

La diplomatie joua un rôle croissant dans les rapports entre Etats. Ici, Louis XIV accorde une audience à l'ambassadeur de Perse. Peinture d'Antoine Coypel (1694-1752).

Valeurs mobilisatrices

On peut fortement douter que les guerres et la politique étrangère aient eu pour but le bien de la société. En général, la plupart des gens n'en retiraient aucun profit, pas même des victoires les plus brillantes.

En revanche, le rôle de l'Etat comme garant de la sécurité des sujets, ou si l'on préfère garant de l'ordre intérieur, avait une tout autre portée pour le plus grand nombre. La manière la plus souple de faire régner l'ordre et la loi est de promouvoir une société où chacun accepte les règles du jeu comme les seules possibles ou du moins les meilleures possibles.

A défaut de dominer le pouvoir spirituel, le gouvernement profane devait entretenir de bonnes relations avec l'Eglise. Dans la cathédrale de Chichester, ce tableau évoque la rencontre d'Henri VIII (1509-47) avec l'évêque. L'atmosphère paisible qui se dégage ici n'allait pas durer.

Là où existent de grandes disparités économiques et sociales, on ne peut parvenir à un tel consensus qu'en faisant appel à un principe s'élevant au-dessus de toute considération sur la répartition des biens matériels. Hobbes et Locke avaient essayé de dégager de tels principes, mais la diffusion de leurs idées était limitée à une petite fraction de la société.

On ne pouvait convaincre le peuple de l'excellence de l'ordre social à l'aide de raisonnements sur le droit naturel et le contrat social. A cette époque, le nationalisme et le patriotisme ne constituaient pas encore des valeurs mobilisatrices. En revanche, la religion demeurait apte à rassembler.

Elle apportait une explication et une justification à l'ordre social établi. Rien d'étonnant à ce que les autorités temporelles, tant dans les pays catholiques que protestants, aient été très soucieuses de s'assurer le contrôle de l'Eglise, non seulement par égard pour ses richesses mais aussi dans le but d'exercer une influence sur la conscience politique des paroissiens par l'entremise des prédicateurs. A l'approche de la guerre de Trente Ans, les populations rurales suédoises, pendant des années, furent conditionnées par des sermons évoquant les menaces qui pesaient sur la foi luthérienne en Allemagne du Nord et dans la mère patrie.

Les confessions religieuses avaient en commun d'accorder plus d'importance à la santé spirituelle des hommes qu'à leur bien-être matériel. En revanche, elles pouvaient avoir des avis différents sur les rapports entre l'Eglise et l'Etat. En pratique, ces divergences d'opinion n'avaient qu'une portée limitée, car partout ou presque, les autorités profanes et religieuses collaboraient pour parvenir à la plus grande homogénéité possible dans tous les secteurs de la société.

Si l'un des grands courants religieux, Réforme ou Contre-Réforme, l'avait emporté sans partage, la même conception de l'ordre social se serait imposée partout. Mais ce ne fut pas le cas, et chaque confession développa avec l'aide de l'Etat sa propre orthodoxie intransi-

Avec joie et sans renâcler

Avant de débarquer en Allemagne pour intervenir dans la guerre de Trente Ans, Gustave II Adolphe, dans son discours de mai 1630 au parlement, donna son sentiment sur les différentes tâches que devait accomplir la société.

Des nobles, il attendait qu'ils servent leur patrie les armes à la main, ce qui assurerait l'immortalité de leur nom — et leur vaudrait des biens et des terres.

Il souhaita aux paysans que leurs prairies verdoient et que leurs moissons soient abondantes, si bien que chacun pourrait faire son devoir « avec joie et sans renâcler ».

C'est le Conseil qu'il chargea de veiller à la pureté de la religion. Quant au clergé, il reçut pour mission d'exercer son influence sur les paroissiens pour que ceux-ci demeurent calmes et de bonne volonté, et qu'ils payent leurs redevances à la couronne et à leur maître comme ils en avaient le devoir.

Une exécution publique. En 1746, un grand nombre de gens s'étaient rassemblés à Londres pour assister à l'exécution de quelques nobles écossais. Il n'était cependant pas nécessaire que les condamnés fussent d'aussi haute naissance pour attirer les masses populaires à ce genre de spectacle.

geante. L'individu manifestait son appartenance à la doctrine authentique en se conformant strictement aux formes extérieures de la pratique religieuse. Quand la croyance ne suffisait plus à rassembler les hommes autour des desseins de l'Eglise, on faisait appel à la force. On retrouve le même mécanisme dans d'autres secteurs de la société.

Crime et châtiment

L'emprise croissante de l'Etat sur la société transparaît également dans la législation pénale et la justice, moyens de coercition contre ceux qui ne se soumettent pas à l'ordre social. Le plus souvent, les procès au Moyen Age mettaient aux prises des personnes privées.

Billot et hache de bourreau.

Le plaignant avait grande influence sur les débats et pouvait même les interrompre quand il estimait avoir obtenu satisfaction. Avec une telle conception de la justice, les peines ne pouvaient être spécialement sévères ou sanglantes. Elles se limitaient en général à des amendes ou à la relégation.

En matière de criminalité, les temps modernes marquèrent le passage du droit privé au droit public. Signe révélateur, le rôle principal jadis tenu par le plaignant fut endossé par le représentant de l'Etat, le procureur général. Cette charge fut créée ou confirmée presque simultanément en Allemagne (1532), en France (1539) et en Angleterre (1544). Crimes et délits sortaient de la sphère privée pour devenir l'affaire de toute la société, représentée dans l'institution judiciaire par l'Etat.

Ce changement de conception entraîna une augmentation du nombre des actes jugés délictueux et un alourdissement des peines. Jadis exceptionnels, les châtiments corporels devinrent courants. En 1689, 50 crimes furent punis de mort en Angleterre, et 200 à la fin du XVIIIe siècle. Les exécutions, particulièrement brutales, avaient lieu en public.

Il existe des liens réciproques entre les changements sociaux, l'emprise croissante de l'Etat et l'apparition d'une nouvelle délinquance. La contrebande en offre un exemple. Une telle activité n'aurait eu aucune raison d'être si les marchandises n'avaient été frappées de taxes. Au milieu du XVIIIe siècle, les autorités anglaises estimaient à 20 000 le nombre des personnes se livrant en permanence à la contrebande du thé sur les côtes — modérément étendues — du comté de Sussex. Cependant, ces liens réciproques n'apparaissent pas toujours aussi clairement.

Le vol, qui au Moyen Age déjà constituait le délit le plus courant, occupa une part croissante dans la délinquance générale, elle-même en augmentation. Autrefois, les voleurs s'en étaient essentiellement pris, du moins à la campagne, à des gens de même milieu qu'eux. A présent, les biens détenus par les classes aisées offraient un butin de choix, et, dans les bas-fonds de la société, un nombre croissant d'individus voyaient dans le vol leur seule chance d'échapper à la faim.

La dureté des peines — même le chapardage pouvait être puni de mort — semble témoigner d'une justice de classe destinée à protéger les possédants. Un peu partout en Europe, les lois, au milieu du XVIe siècle, rendirent la pauvreté délictueuse en assimilant la mendicité au vagabondage illégal. De la sorte, les gens sans ressources et sans domicile furent soumis à un contrôle strict frisant la persécution. La pauvreté devint une tare morale justifiant la répression et l'exploitation. Au XVIe siècle apparurent aussi des institutions regroupant les pauvres — sorte d'établissements pénitentiaires annonçant les prisons modernes.

Colbert et les finances de l'Etat

Les finances des Etats conditionnaient leurs possibilités d'action, notamment en matière de guerre et de politique

Exécutions massives de rebelles au cours de la guerre de libération hollandaise. Il faut se souvenir que des délits beaucoup moins graves étaient également punis de mort. Illustration tirée d'un livre de 1585.

Lorsqu'il s'agissait de manifester la puissance et l'éclat du prince, rien n'était trop cher. Une coûteuse entreprise de ce genre fut la construction du château de Marly qui, malgré ses dimensions imposantes, était destiné à servir de retraite tranquille à Louis XIV. Tableau du XVIIe siècle d'un artiste inconnu.

étrangère. L'intérêt des gouvernants pour les finances est aisé à comprendre si l'on examine de plus près recettes, dépenses et dettes publiques.

Les recettes de l'Etat français passèrent de 20 millions de livres vers 1600 à 200 millions à la fin du XVIIe siècle. Simultanément, la dette publique augmenta, malgré des remboursements au milieu du siècle, de 300 millions à 2 milliards de livres. Au cours de la même période, les dépenses de l'Etat anglais décuplèrent, et la dette de la Hollande s'élevait à 400 millions de florins en 1750 contre un million en 1579. Les recettes du Danemark et de la Norvège triplèrent entre 1660 et 1730. Au début de cette période, les revenus fonciers l'emportaient de beaucoup sur les taxes imposées au commerce et aux manufactures, mais les choses changèrent. En 1773, les impôts indirects représentaient la moitié des revenus de l'Etat français, et cette proportion était encore plus importante en Angleterre. Que l'Etat soutînt et contrôlât les secteurs économiques en expansion n'a donc rien d'étonnant.

Jean-Baptiste Colbert (1619-83), ministre de Louis XIV, fut un brillant représentant de cette politique. Il prit des mesures dirigistes dans les domaines les plus divers, depuis la construction de ponts jusqu'à l'instauration d'une académie des inscriptions et médailles. Le soutien aux beaux-arts visait à augmenter la qualité des produits de luxe que la France exportait.

D'autres mesures de Colbert furent plus directement liées aux activités économiques. Droits de douane et restrictions facilitèrent l'exportation de produits manufacturés et freinèrent celle de matières premières. Colbert interdit aux artisans spécialisés d'émigrer, et il attira en France des tisserands hollandais, des spécialistes italiens de la soie et du verre, en leur accordant des privilèges. Il encouragea la création de compagnies de commerce — notamment celles des Indes orientales, des Indes occidentales et du Levant — par l'octroi de capitaux et de monopoles.

De la même manière, les entreprises exportatrices reçurent des aides multiples : capitaux, experts, monopoles, locaux, matières premières, protections douanières, et l'estampille « royale » fut même accordée aux manufactures de l'Etat.

En quoi consistait le mercantilisme ?

L'Anglais Adam Smith (1723-90), qui fut témoin de la percée du capitalisme industriel dans son pays, vit dans le mercantilisme un système qui, en empêchant la libre concurrence, favorisait un petit nombre de gens aux dépens de la nation tout entière.

Dans l'Allemagne du XIXe siècle, dominée par l'Angleterre dans tous les domaines, le mercantilisme traduisit l'effort d'un nation soucieuse de conquérir sa place dans l'économie mondiale. Il y eut même des Anglais pour préconiser semblable politique à la fin du XIXe siècle, lorsque la concurrence étrangère se fit plus dure.

Le libéral suédois Eli F. Heckscher publia en 1931 un livre sur le mercantilisme à une époque où la planification économique et autres interventions étatiques gagnaient de plus en plus de partisans. Selon Heckscher, les résultats décevants du mercantilisme s'expliquaient par le fait qu'on s'était plus soucié de théorie que des réalités pratiques.

Dans l'après-guerre, on en est venu au contraire à soutenir que les Etats dits mercantilistes n'avaient nullement été guidés par des considérations théoriques mais que leur politique été née d'une confrontation avec des transformations économiques qu'on n'attendait pas.

L'or et l'argent

On a voulu voir dans cette politique l'application servile d'une théorie économique, le mercantilisme. Ce terme a été forgé plus tard, et l'on s'accorde aujourd'hui à penser que la politique suivie à l'époque du mercantilisme obéissait plus à des préoccupations pratiques qu'à des dogmes économiques. Comme le fait remarquer Jan de Vries, il n'avait pas encore d'écoles ou de chapelles parmi les économistes du XVIIe siècle.

Parmi les dogmes qu'on a attribués au mercantilisme, il y a celui que la richesse d'un pays équivaudrait à la quantité de métal précieux se trouvant à l'intérieur de ses frontières. A une époque où l'organisation du commerce et du crédit demeurait embryonnaire dans la plupart des nations, le fait de détenir des métaux précieux était d'une importance capitale pour compenser le déficit de la balance commerciale avec divers partenaires. Cette nécessité se faisait moins sentir en Hollande qui disposait de structures commerciales et bancaires très développées.

Autre preuve de l'orientation pratique du mercantilisme : si la monnaie se raréfiait, on se montrait beaucoup moins enclin à investir dans les activités en commandite, ce qui entraînait sous-emploi et troubles sociaux. Une réserve de métal précieux apportait donc une certaine garantie d'ordre et de stabilité.

A quoi il faut ajouter que les espèces sonnantes étaient le meilleur moyen de s'attacher les services d'armées de mercenaires.

Le pays qui parvenait à réduire ses importations de produits fabriqués, donc plus chers, et en même temps à stimuler ses exportations était assuré de préserver et même d'augmenter ses réserves d'or et d'argent. C'est pourquoi il fallait protéger les manufactures, créer un effet de serre pour en assurer leur croissance. Monopoles, barrières douanières élevées, interdictions à l'importation œuvrèrent en ce sens.

L'Acte de navigation anglais de 1651 entraîna trois guerres avec la Hollande. Les Britanniques connurent des fortunes diverses. En 1667, la flotte hollandaise menaca Londres, provoquant ravages et incendies...

En Angleterre, l'Acte de navigation de 1651 fut la première d'une série de mesures destinées à protéger le commerce en assurant le maximum de frêt aux navires anglais. Bien d'autres pays étaient tout aussi soucieux d'éviter cette fuite d'argent qu'occasionnaient les frais de transport. Au XVIIe siècle, la Hollande fut le seul pays à défendre la liberté des mers ; il est vrai qu'elle les dominait outrageusement.

Les mesures protectionnistes en faveur du commerce et des manufactures ne pouvaient être prises que par l'Etat. Celui-ci tirait aussi un bénéfice direct à s'assurer le contrôle des activités économiques où l'argent jouait un rôle prépondérant. Les droits de douane, les taxes et la vente de monopoles contribuaient à remplir les caisses de l'Etat.

... mais l'année précédente, la « bataille de quatre jours » avait été considérée comme un succès britannique. Peinture d'Abraham Storck (1644-environ 1704).

La taxe française sur le sel, la gabelle, variait considérablement d'une région à l'autre — le consommateur pouvait se voir réclamer de 5 à 62 livres pour une même quantité de marchandise. Là où l'imposition était la plus forte, tout le bénéfice était pour l'Etat.

Fonctionnaires — grands et petits

L'origine de l'administration centrale est à chercher dans l'entourage personnel des souverains du Moyen Age. Les affaires du roi et celles du royaume étaient étroitement imbriquées. A partir de ce modèle primitif allait se développer une administration mieux adaptée aux exigences des Temps modernes.

De telles exigences se firent particulièrement sentir en Suède, pays à faible population et économiquement peu développé mais qui nourrissait des ambitions de grande puissance. Après la mort de Gustave II Adolphe, la constitution de 1634 établit les principes d'une administration destinée à gérer au mieux les ressources du pays. Au niveau central, cinq conseillers dirigeaient chacun un département. De la sorte était jetée une passerelle entre le Conseil, qui prenait les décisions, et le pouvoir exécutif. En 1634, ces cinq départements étaient les affaires étrangères, l'armée, la marine, les finances et la justice. Plus tard, le Collège des mines et le Collège du commerce, typiques du temps, renforcèrent ce secteur administratif.

A l'occasion de cette réunion avec Louis XIV, la tenue sobre des fonctionnaires vêtus de noir tranche sur celle, élégante et recherchée, des aristocrates. Mais les nobles apprirent que l'habit ne fait pas toujours le moine. Mandatés par le roi, les hommes en noir exercèrent une grande influence sur le pays. Tableau du XVIIe d'un artiste inconnu.

La Suède servit de modèle à l'étranger, notamment en Russie pour la réorganisation de l'appareil d'Etat. L'Espagne avec sa vaste sphère d'intérêts ramifia encore plus son administration. Ces deux pays illustrent fort bien l'extension et la complexification des activités de l'Etat à cette époque.

Le nombre des personnes engagées dans l'administration centrale augmenta corrélativement, mais l'accroissement le plus spectaculaire concerna les petits fonctionnaires chargés à l'échelon local d'appliquer les décisions du pouvoir, et notamment de percevoir les impôts.

En 1505, il y aurait eu 12 000 fonctionnaires en France ; en 1660, ils étaient quelque 50 000. Une estimation — certainement exagérée — fait état de 80 000 personnes chargées vers 1700 de recouvrer les impôts indirects en Espagne.

Cette extension du secteur administratif n'impliquait pas nécessairement une augmentation correspondante de l'efficacité. On peut l'affirmer sans recourir aux vieux quolibets traditionnellement lancés contre les fonctionnaires. En fait, la création de nombreux postes n'était pas destinée à améliorer la gestion, mais à renforcer les finances de l'Etat par la vente de ces charges.

Les achats de charges

A dater du XVIIe siècle, les achats de charges apportèrent aux finances publiques un supplément appréciable de revenus dans la mesure où cet argent parvenait effectivement dans les caisses de l'Etat. Car il n'était pas rare que des favoris royaux et autres personnes privées aient acquis le droit de monnayer des charges. En outre, le fonctionnaire pouvait lui-même revendre son poste à son successeur.

Cette possibilité d'acheter une charge — parfois même avec droit héréditaire — peut nous sembler hautement immorale. Aujourd'hui, nous faisons grand cas du mérite personnel, mais la mentalité était alors différente. Pour accéder aux emplois supérieurs de l'administration, être de haute naissance, appartenir à une coterie influente ou jouir des faveurs du roi étaient les meilleurs des passeports. Quant aux postes subalternes, on se les procurait plus aisément en étant le protégé d'une personne influente qu'en possédant une formation adéquate. Dans tous les cas, rien ne garantissait la compétence des serviteurs de l'Etat.

Mais ceux qui avaient la tâche ingrate d'essayer d'équilibrer les recettes et les dépenses du royaume voyaient d'un bon œil les revenus supplémentaires procurés par la vente des charges. Il s'agissait de sommes importantes. En Espagne, il fallait payer trois millions de reales — une somme astronomique — pour être nommé chancelier du Conseil royal des finances. En France, on pouvait pour moins cher devenir contrôleur royal des perruques du royaume.

Comment trouvait-on des acheteurs pour ces charges ? Louis XIV avait fait cette réponse sereine que chaque fois que sa majesté instituait une charge, Dieu créait un fou qui voulait l'acheter. Mais ce fou devait malgré tout y voir son intérêt. La possession d'une charge conférait des avantages économiques et sociaux. Le titre était source de prestige et pouvait conduire à l'anoblissement. Un tel achat pouvait également être conçu comme un investissement assurant des revenus fixes et d'autres plus occasionnels — émoluements et pots-de-vin.

On associe aisément cette pratique à l'arbitraire du pouvoir absolutiste. Il est vrai qu'elle fut érigée en système en France sous l'Ancien Régime et qu'elle connut en Angleterre sa plus belle floraison sous le règne de souverains à prétentions absolutistes, alors qu'elle était beaucoup moins développée en Hollande, Etat non monarchique.

Ce serait néanmoins une erreur de ne voir dans la vente de charges que pur arbitraire, car aucune des modalités de nomination n'excluait l'arbitraire. Le besoin d'argent était ici le ressort essentiel. En France, on procédait à un tel commerce pour financer les guerres, et en Angleterre, le roi y recourait pour s'assurer des revenus quand le parlement refusait d'approuver de nouveaux impôts. La Hollande, quant à elle, était en mesure de se procurer les moyens de couvrir les dépenses publiques autrement qu'en vendant des charges. Aussi les politiciens au pouvoir pouvaient-ils monopoliser les grands emplois publics pour les attribuer à leurs partisans.

Comme on a pu le constater, aucun des différents systèmes de nomination n'était de nature à renforcer l'efficacité de l'administration, ce qui obligea les gouvernements à prendre des mesures. Dans les pays où les charges étaient à vendre, on en créa d'autres qui ne pouvaient être négociées. Ainsi, les intendants français prirent en main et contrôlèrent une bonne partie de l'administration locale. Et dans toute l'Europe, on prit des initiatives pour donner une formation adéquate aux fonctionnaires, y compris de haute naissance, mais il fallut attendre le XVIIIe siècle que ces efforts aboutissent concrètement.

Lutte des classes et guerres défensives

Dans tout le continent européen, à l'est comme à l'ouest, l'Etat étendit son pouvoir, ce qui eut des répercussions profondes sur les différentes couches sociales.

En Europe occidentale, l'Etat mit avant tout à contribution les gens du peuple, libres mais pour la plupart peu fortunés. Ils assumèrent l'essentiel du fardeau des impôts directs. Quant à la fiscalité indirecte, l'on sait qu'elle frappe toujours plus durement les pauvres. Le peuple ne pouvait guère voir l'Etat d'un bon œil. Dans les villes, les anciennes libertés des conseils municipaux et des corporations étaient menacées par les prétentions du pouvoir central à contrôler la société tout entière. Une fraction de la classe bourgeoise montante put tirer profit de la politique économique de l'Etat et de ses besoins, notamment en matériel de guerre, mais pour beaucoup, monopoles et réglementations constituèrent un obstacle aux affaires.

C'était toutefois l'aristocratie rurale de type médiéval qui avait les meilleures raisons de s'opposer à l'Etat. Socialement, elle ne s'imposait plus avec la même évidence, et ses méthodes traditionnelles de gestion n'étaient guère concurrentielles. Il est souvent difficile pour une classe longtemps dominante de s'adapter à un contexte nouveau.

L'appareil d'Etat ne cessait de croître et de se renforcer, malgré les inconvénients que cela entraînait, y compris pour les hautes classes. Ce paradoxe appelle une explication. Selon l'historien anglais Perry Anderson, la raison en est que les catégories sociales les plus défavorisées, constamment au bord de la révolte, faisaient peser une menace croissante sur les couches supérieures de la société.

Le besoin de fonctionnaires civils et ecclésiastiques incita à créer des universités ou à renforcer les anciennes. L'Université de Copenhague bénéficia de mesures d'élargissement en 1539, en 1601 et, à la suite d'un incendie, en 1728. On en voit ici la partie médiévale qui existe toujours.

Un Etat fort était la meilleure garantie contre les troubles sociaux. Il possédait aussi les moyens d'imposer aux roturiers de nouvelles redevances dont les revenus étaient ensuite redistribués aux privilégiés, par exemple sous forme de rétributions aux fonctionnaires, officiers et autres.

En Europe orientale, où le servage faisait que les paysans étaient entièrement au pouvoir de leurs maîtres, cette explication est insuffisante. Selon Anderson, la menace contre l'aristocratie venait du dehors sous forme d'attaques de puissances étrangères — notamment la Suède qui joua ainsi un rôle moteur dans l'évolution à l'Est.

Une guerre de conquête victorieuse entraînait souvent une nouvelle répartition des terres. Les anciens propriétaires risquaient fort d'être remplacés par de nouveaux. De ce fait, l'aristocratie rurale en Europe de l'Est avait grand besoin d'une armée forte. Seul l'Etat pouvait mobiliser les ressources nécessaires à cette fin. Dans un royaume d'Europe orientale comme la Prusse, les nobles abandonnèrent leurs droits politiques au pouvoir central avec comme contrepartie la liberté de traiter leurs paysans comme ils l'entendaient. En Pologne, où on ne parvint pas à un tel accord, le pays allait se trouver démembré à la fin du XVIIIe siècle.

Selon le raisonnement qui vient d'être exposé, l'Etat fort aurait été le fruit des événements extérieurs en Europe orientale tandis qu'il aurait résulté en Europe occidentale de l'évolution politique intérieure. Cependant, une telle explication occulte le fait que la mise sur pied d'armées offensives occupa une place toute aussi importante dans la politique des gouvernements occidentaux.

On peut se demander si les entreprises militaires caractéristiques de cette période ne rendent pas mieux compte du besoin d'un Etat fort que la lutte des classes, même si ce dernier aspect est susceptible d'apporter un surcroît d'intelligibilité.

François de Noailles, gouverneur d'Auvergne, offre un exemple de ces nobles puissants dont il s'agissait, à mesure que l'Etat moderne se développait, de faire des fontionnaires dévoués à la couronne.

L'Espagne — colosse aux pieds d'argile

Dans l'histoire de l'Europe et du monde, l'Espagne émerge de manière presque inattendue vers 1500. Au Moyen Age, la péninsule Ibérique appartenait au monde arabe, à l'écart des événements européens. Mais des princes chrétiens allaient lentement étendre leur influence vers le sud, et au XVIe siècle, le pays se trouve propulsé au centre de la politique internationale. Avec sa puissance coloniale, l'Espagne se dresse comme une menace pour de nombreux régimes européens. Cependant, un déclin tout aussi spectaculaire s'amorce au XVIIe siècle, qui va réduire l'Espagne, et pour longtemps, à une puissance insignifiante.

Aussi bien cette émergence soudaine sur la scène mondiale que l'incapacité à préserver les positions acquises sont de nature à frapper les imaginations.

La grille contre laquelle saint Laurent endura le martyre inspira les plans de l'Escurial, à la fois couvent et palais, que Philippe II fit construire entre 1563 et 1584. Tableau du XVIIe siècle d'un artiste inconnu.

Il avait fallu dix ans aux musulmans pour conquérir la péninsule au XIIIe siècle. La reconquête à partir du nord, la *reconquista,* va prendre 700 ans ; elle ne sera achevée qu'avec la chute de Grenade en 1492. Au cours de ces siècles, le monde ibérique fut une arène pour les combattants de la foi, les aventuriers et les politiciens ambitieux. De ces luttes contre les « infidèles » et parfois contre d'autres chrétiens émergèrent trois royaumes importants, le Portugal sur les côtes atlantiques, l'Aragon près de la Méditerranée et la Castille au milieu. Parmi les petits royaumes, seule la Navarre avait évité d'être absorbée par les grands à l'aube du XVIe siècle. En 1469, un mariage entre l'héritière de Castille, Isabelle, et le successeur au trône d'Aragon, Ferdinand, jetait les bases de ce qui allait devenir le royaume d'Espagne.

Mais il restait bien du chemin à parcourir avant que ne s'opère l'intégration des différentes composantes. Cela prit de tant de temps que ni Ferdinand et Isabelle n'en furent témoins, ni même leurs successeurs immédiats.

L'Aragon et son commerce

Le royaume d'Aragon se composait de trois parties : l'Aragon proprement dit, la Catalogne et Valence. Chacune de ces provinces avait sa propre constitution, mais les deux régions côtières différaient grandement de l'Aragon. Au Moyen Age, la puissance maritime aragonienne, qui s'étendait sur la Méditerranée jusqu'à la Sicile et l'Italie du Sud — et même un temps jusqu'à Athènes — n'était pas due seulement à l'esprit conquérant et à l'expérience militaire des chevaliers de la Reconquête. Le commerce de la Catalogne, centré sur Barcelone, la plus grande ville de l'Espagne médiévale, y avait également contribué. L'Aragon ne disposait pas des mêmes atouts que les régions côtières pour développer son commerce. Elle ne semble guère avoir été touchée par les transformations économiques et sociales entraînées au Moyen Age par la haute conjoncture. Dans ces régions montagneuses, où les propriétaires régnaient en maître sur des paysans souvent réduits au servage, la terre n'était guère rentable. La situation de ces paysans dépendait en partie du fait qu'ils étaient les descendants des Maures et donc ne pouvaient qu'être traités en vaincus après la Reconquête. La crise du Moyen Age tardif fit que les propriétaires terriens se montrèrent encore plus exigeants, à tel point que des révoltes éclatèrent au milieu du XVe siècle.

Quand Ferdinand monta sur le trône, la situation était tout aussi tendue en Catalogne et à Valence, bien que l'évolution dans les régions côtières ait été tout autre que dans celles de l'intérieur. Lorsqu'à la fin du XIIIe siècle la Reconquête perdit de son intensité en Aragon, l'attention put se porter à nouveau vers la Méditerranée — tandis que le Portugal se tournait vers l'Atlantique. Les commerçants se répandirent au Moyen Orient et en Afrique du Nord, ils jouèrent un rôle actif à Alexandrie en Egypte et à Bruge en Flandre. Ils se dressèrent en concurrents des Vénitiens et des Gênois pour le commerce des épices orientales et vendirent du fer catalan et des textiles sur le marché méditerranéen.

Les marchands acquirent une position dominante, ce qui donna aux régions côtières une autre configuration sociale que celle des régions agraires de l'intérieur où régnaient quelques très grands propriétaires nobles.

Mais la crise du Moyen Age tardif et la peste atteignirent de plein fouet la Catalogne dont les méthodes commerciales se révélèrent dépassées, de moins en moins efficaces pour concurrencer Gênes. Le déclin du commerce catalan donna aux petites gens des villes, commerçants et artisans, la possibilité de se révolter et de revendiquer plus d'influence sur la gestion de la cité. Simultanément, des révoltes paysannes éclatèrent contre l'oppression grandissante.

La plus méridionale des provinces d'Aragon, Valence, sut attirer à elle une partie du commerce au moment où la Catalogne déclinait, mais cette relative prospérité ne put suffire à maintenir dans tout le royaume d'Aragon un niveau de vie comparable à celui du Moyen Age.

C'était donc un royaume sur le déclin, déchiré par des luttes sociales, que Ferdinand apportait à la communauté espagnole. En outre, ses prédécesseurs lui avaient légué une situation conflictuelle opposant politiquement les principaux dirigeants à leur souverain. Il fallait que cette

Souverains espagnols

Ferdinand et Isabelle	1479-1516
Charles Quint (I)	1516-1556
Philippe II	1556-1598
Philippe III	1598-1621
Philippe IV	1621-1665
Charles II	1665-1700
Philippe V (Bourbon)	1700-1746

Ferdinand accéda au trône d'Aragon en 1479, Isabelle à celui de Castille en 1474. Elle mourut en 1506. L'empereur Charles Quint fut appelé en Espagne Charles I.

Célébré en 1469, le mariage de Ferdinand et Isabelle devait conduire à l'unité de l'Espagne.

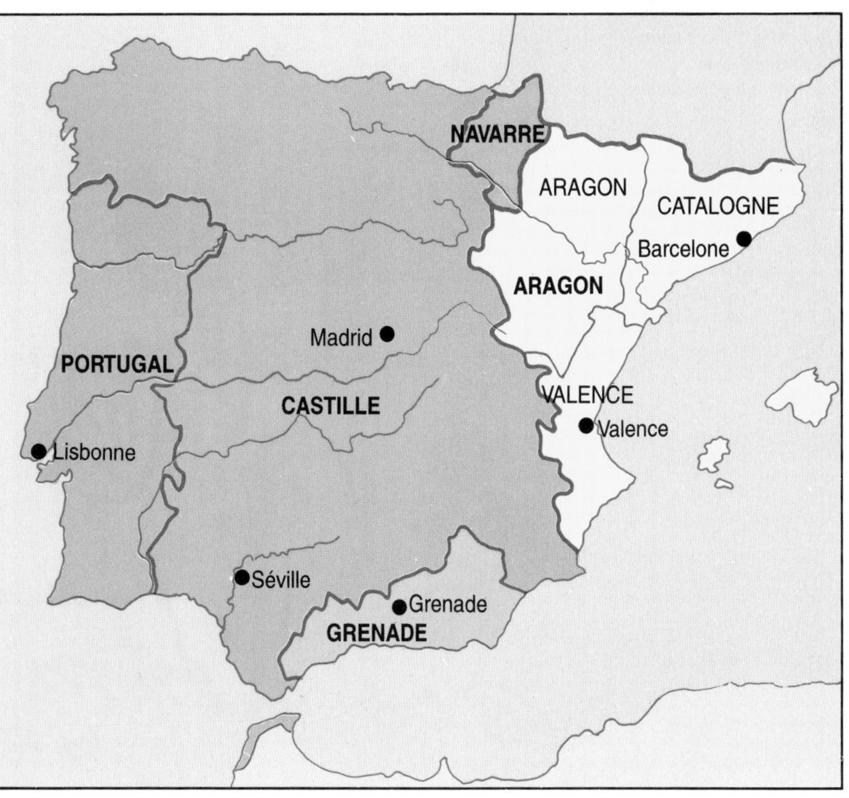

L'Espagne se composait de la Castille, y compris Grenade à partir de 1492 et la Navarre à partir de 1515, et de l'Aragon qui comportait l'Aragon proprement dit, la Catalogne et Valence. A quoi s'ajoutaient des possessions en Europe et en Amérique. Le Portugal appartint à l'Espagne de 1580 à 1640.

La nature castillane se prêtait à l'élevage du mouton.

tension s'apaise sous peine que l'Aragon ne devienne une charge pour l'avenir.

La Castille, ou « l'Australie de l'Europe »

La Castille — l'apport d'Isabelle — était par sa superficie trois à quatre fois plus grande que l'Aragon, et cinq à six fois plus peuplée, selon les chiffres du temps dont la fiabilité est sujette à caution. De plus, la Castille était un royaume en expansion, tandis que l'Aragon stagnait.

Du fait que le combat contre les infidèles se poursuivait en Castille alors qu'il était achevé en Aragon, l'esprit de croisade y était plus marqué. Aussi l'Eglise jouissait-t-elle d'une position forte dans la société, spirituellement parlant mais aussi matériellement grâce à d'importants biens fonciers. Les grandes propriétés des trois ordres de chevaliers croisés peuvent être également comptées parmi les richesses de l'Eglise.

Cette lithographie de Picasso représente le célèbre héros de Cervantes, Don Quichotte, un gentilhomme castillan.

Les rudes chevaliers qui n'appartenaient pas à ces ordres mais participèrent à la guerre de reconquête en tirèrent bien sûr profit en acquérant des propriétés dans les territoires nouvellement conquis. Au cours du XVe siècle, politiquement troublé, de nombreuses terres passèrent de la couronne à la noblesse.

Il en résulta que 2 à 3 % de la population possédait 97 % des terres de Castille et que la plus grande partie de celles-ci était contrôlée par un petit nombre de familles. On raconte que Léonore d'Albuquerque, appelée « la femme riche », pouvait dans les années 1450 se rendre de la frontière de l'Aragon à celle du Portugal sans jamais quitter ses propres terres.

Economiquement, la différence était considérable entre la haute aristocratie et les nombreux *hidalgos* qui représentaient la petite noblesse, mais un même idéal chevaleresque les unissait, qui exaltait l'honneur, la gloire et les hauts faits militaires. Lorsque la lutte contre les infidèles perdit de son intensité, les plus démunis des *hidalgos* purent se livrer sans déroger à l'activité qui ressemblait le plus à la guerre, le brigandage de grand chemin.

Malgré tout, les paysans ne furent pas particulièrement oppressés en Castille. Cela s'explique en partie par le fait qu'ils n'avaient pas été conquis avec les terres comme les Maures d'Aragon. Ils étaient venus pour remplacer des paysans en fuite et avaient peut-être même participé à leur expulsion. Mais la raison majeure n'est autre que la place prédominante de l'élevage dans la vie rurale castillane. Le servage et autres institutions féodales étaient difficiles à établir dans une société nomade de bergers qui suivent leurs troupeaux. Le cheptel était composé de moutons en si grand nombre — deux, trois millions de têtes — qu'on a ultérieurement parlé d'« Australie de l'Europe » à propos de la Castille.

L'importance de l'élevage de moutons tenait à plusieurs facteurs. La rude terre de Castille s'y prêtait mieux qu'aux activités agricoles. La diminution de population consécutive à la peste faisait que les branches économiques n'exigeant qu'un travail limité étaient les plus rentables. Cet élevage était source de richesse. On avait importé d'Afrique du Nord le mérinos dont la laine était très recherchée sur tous les marchés textiles d'Europe. La laine permit à la Castille de nouer des contacts avec la Flandre et de se doter de villes marchandes dans le nord du royaume ; elle suscita aussi la naissance d'une industrie textile.

A la fin du XIIIe siècle fut créée une organisation commune pour les éleveurs de moutons, appelée plus tard *Mesta*. Celle-ci organisait la migration des bêtes entre pâturages d'été et d'hiver. Une telle organisation étant une excellente source de revenus fiscaux, elle reçut le soutien des rois et exerça une forte influence.

Si l'élevage de moutons revêtait une grande importance économique, elle constituait aussi une menace pour l'approvisionnement en vivres. L'impératif de rentabilité entraîna une extension des pâturages au détriment des cultures céréalières, et les tentatives faites pour y remédier furent contrecarrées par la puissante *Mesta*. Cette évolution fut catastrophique, puisque la Castille finit par devenir dépendante des importations de grains.

Les Cortes et le roi

Les différences économiques et sociales entre les deux royaumes se reflétaient aussi dans les systèmes politiques. Certes, la Castille et les trois provinces aragonaises avaient en commun d'avoir chacune leur parlement ou Cortes, mais cette ressemblance n'était que de facade. Dans les provinces d'Aragon, les états parlementaires avaient acquis de l'influence dans la direction des affaires. Ils se réunissaient à échéances fixes et avaient le droit de participer au travail législatif. En Aragon, les ressources fiscales de la couronne consistaient en subsides accordés par ces parlements. En Castille, les droits des Cortes n'étaient pas aussi clairement établis. Ils n'avaient aucun pouvoir législatif, et aucune disposition statutaire ne précisait quand ils devaient se réunir, ni même comment les différents états y seraient représentés. Le gouvernement en désignait lui-même les membres.

Un serment de fidélité ?

Le serment de fidélité au roi qu'on attribue aux Cortès d'Aragon de l'époque médiévale témoigne de la tradition de liberté de cette province :

« Nous qui sommes aussi bons que toi, nous te promettons, toi qui n'est pas meilleur que nous, de t'accepter comme roi et souverain, à condition que tu garantisses toutes nos libertés et nos lois ; sinon, non. »

Pour pouvoir lever de nouveaux impôts, le gouvernement devait certes demander l'approbation des Cortes de Castille. Mais la noblesse et le clergé, exempts d'impôts, n'étaient guère enclins à vouloir renforcer la position du parlement. Le tiers-état composé de représentants des villes se trouvait donc seul dans son combat pour une influence politique accrue.

En outre, les états parlementaires aragonais étaient parvenus par d'autres voies à accroître leur pouvoir. A l'origine avait été créée en Aragon même une charge spéciale confiée à un noble ayant pour mission de protéger les habitants contre tout abus de pouvoir de la part du roi ou des grands propriétaires terriens. A l'aube des Temps modernes, cette charge était toutefois devenue héréditaire au sein d'une famille noble. Une institution jadis résolument moderne s'était ainsi transformée en symbole d'une société médiévale.

Cette charge avait pour équivalent en Catalogne un comité de six personnes, deux de chaque état. Renouvelable tous les trois ans, ce comité était à l'origine chargé de percevoir les impôts et de les adresser à la couronne, mais grâce à la puissance que lui conférait le maniement de cette masse d'argent, il put aussi s'ériger en gardien des libertés et des droits catalans.

En Aragon, la stabilité politique des états demeurait de caractère provincial. On ne saurait parler d'unité du royaume. Le seul lien ténu par-delà les frontières était la personne du souverain, représenté par des vice-rois dans les provinces et les possessions. Celles-ci étaient du reste administrées en fonction de leurs traditions et de leurs droits ancestraux. La tâche s'annonçait difficile pour Ferdinand et Isabelle qui allaient essayer d'unir deux royaumes aussi différents — et dont l'un, l'Aragon, était dépourvu d'unité interne. Le jeu en valait-il la chandelle ?

Le rôle de l'Aragon dans la communauté

La première tâche du couple royal fut de restaurer le calme et l'ordre dans les parties composantes du royaume, condition préalable à l'édification d'un Etat centralisé. En Aragon, cela se fit par l'amélioration de la condition paysanne et les possibilités accrues données aux petits commerçants et artisans d'influencer la gestion des villes. Les Cortes demeurèrent inchangés, et on ne toucha pas aux privilèges des états. Sur place, le souverain était représenté par un vice-roi, tandis qu'au niveau central, un conseil défendait les interêts du pays. Aucune des mesures prises en Aragon ne préparait la voie à un pouvoir fortement centralisé. C'est qu'en fait les activités réformatrices portèrent avant tout sur la Castille dont l'économie se développait et qui se prêtait bien à un gouvernement central fort ; de là partirent aussi les expéditions coloniales. On attendait de l'Aragon qu'il se tînt tranquille, qu'il se contentât de jouer les seconds rôles au sein de l'empire espagnol.

Cette politique appliquée à l'Aragon n'allait que trop bien réussir. Et la Castille allait endosser le rôle écrasant de faire de l'Espagne une puissance mondiale.

Les deux composantes du royaume étaient à tel point séparées que les commerçants des villes catalanes n'eurent pas la possibilité de participer à l'exploitation des marchés coloniaux. Il est vrai que l'Aragon ne subven-

Le processus de décision

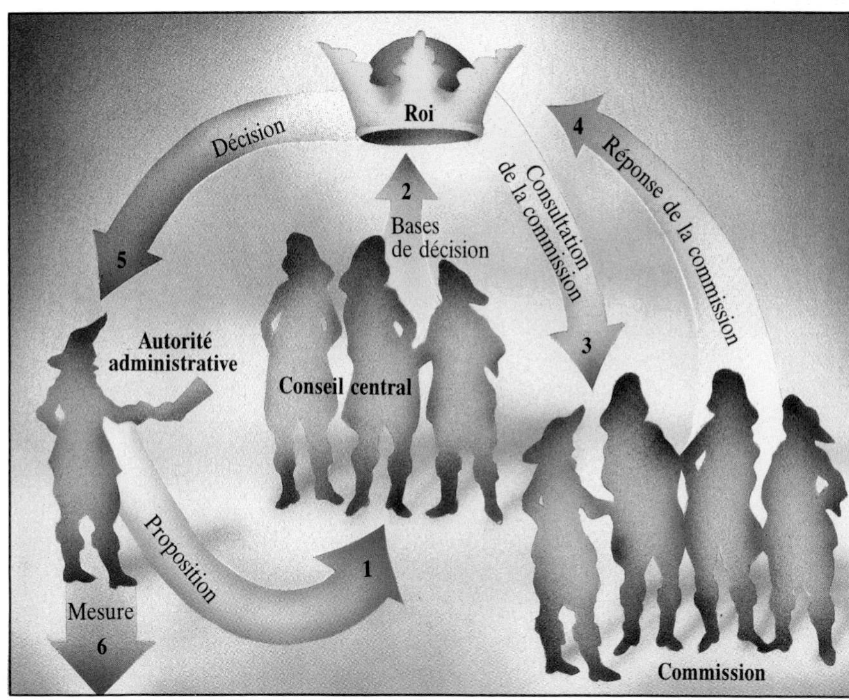

tionna pas non plus les armées qui assurèrent la suprématie de l'Espagne en Europe et dans le monde.

La couronne et la noblesse

Une première condition pour créer un pouvoir fort en Castille était d'en finir avec l'anarchie que représentaient les bandes de pillards et les grands propriétaires terriens n'en faisant qu'à leur tête. Une telle ambition ne pouvait que réunir les suffrages de la plupart des gens. Depuis le Moyen Age, il existait des associations pour la défense des villes. Elles furent réorganisées en milices placées sous l'autorité de la couronne et dotées de pouvoirs judiciaires pour combattre le brigandage. Cette mesure s'avéra efficace pour restaurer l'ordre et la loi. La décision de raser les fortins que les nobles utilisaient pour leurs guerres privées fut également approuvée par une large majorité, y compris au sein de l'aristocratie.

Grâce au crédit qu'obtint ainsi le pouvoir central, le couple royal put aller plus loin pour réduire l'influence politique de la haute noblesse. Les souverains évitèrent soigneusement de nommer des représentants des grandes familles aussi bien dans les conseils que dans des organes administratifs plus modestes. On invoqua la nécessité d'une formation que la noblesse estimait peu compatible avec ses idéaux chevaleresques. Par ailleurs, la haute aristocratie gardait ses titres ronflants, mais cela n'impliquait pas pour autant une participation active aux affaires du gouvernement central. Pour contrecarrer l'influence politique des nobles au sein des Cortes, les dirigeants omirent tout simplement d'y convoquer les deux états privilégiés. Au demeurant, la noblesse et le clergé n'étaient pas spé-

Gentilhommes espagnols peints par Francisco de Zurbaran (1598-1664). Ils se livrent à l'activité la plus prisée de toutes, la guerre. Des siècles de croisade avaient renforcé en Espagne cet idéal martial en vigueur dans toute l'Europe.

cialement intéressés par ces sessions dont le rôle était d'approuver les impôts, eux-mêmes en étant exemptés.

Une partie non négligeable de la noblesse appartenait aux trois ordres des chevaliers croisés liés par serment de fidélité à leurs grands maîtres. Ferdinand profita de la mort de ceux-ci pour se faire élire à leur place. Ainsi, 1 500 aristocrates assermentés furent soumis à la couronne, celle-ci contrôlant par surcroît les importants biens fonciers de ces ordres. Une noblesse qui n'obéissait autrefois qu'à sa loi se courbait sous celle d'un pouvoir central énergiquement dirigé par le couple royal.

Ceci s'explique en partie par le prestige que les souverains acquirent grâce à leurs succès en Italie, grâce à la conquête de Grenade en 1492, celle de la Navarre vingt ans plus tard, grâce surtout à la restauration de l'ordre en Castille — ordre qui non seulement assurait le calme mais constituait aussi la garantie d'une société stable. Cela impliquait que l'aristocratie, malgré tous les changements politiques, gardait ses prérogatives — possession des terres, souveraineté sur les paysans et prestige social. L'exemption d'impôts de la caste nobiliaire ne fut pas remise en question, et la petite noblesse tira des revenus de l'extension de l'administration de l'Etat.

A la mort de Ferdinand (1516), quelques grandes maisons se partageaient toujours l'essentiel des terres. Soixante-deux familles titrées — 13 ducs, 13 marquis, 34 comtes et 2 barons — disposaient au total de revenus s'élevant à plus de 1 300 000 ducats par an, ce qui équivalait au moins à la moitié des recettes de l'Etat. Les familles les plus fortunées percevaient 60 000 ducats, ce qui correspondait aux revenus de 3 000 ouvriers agricoles.

Certes, les paysans avaient obtenu en 1480 le droit de vendre leurs terres, mais ils payaient toujours des redevances au seigneur et étaient placés sous sa juridiction.

Grands d'Espagne et caballeros

Une ordonnance de 1520 détermina la hiérarchie au sein de la noblesse espagnole. En haut de l'échelle, il y avait les 25 grands d'Espagne qui avaient le droit de garder leur chapeau en présence du roi et d'être appelés cousins par celui-ci.

Ensuite venait un groupe d'à peine 50 *titulos* qui ne jouissaient pas de ces marques extérieures de respect mais étaient par ailleurs sur un pied d'égalité avec les grands. Un autre groupe au sein de la haute noblesse était formé des *segundones* — fils cadets des grands et des *titulos* dont les aînés avaient hérité du titre et de l'essentiel des biens.

Les *hidalgos* ou *caballeros* constituaient la petite noblesse. Il y avait dans leurs rangs des riches et des pauvres, des gens de vieille noblesse et d'autres récemment anoblis. Tous les aristocrates avaient en commun le droit d'avoir des armoiries familiales et celui d'être exempts d'impôts.

Le roi et l'Eglise

Depuis le Moyen Age, l'Eglise était très puissante en Espagne. Elle disposait de propriétés foncières dont on a estimé les revenus annuels à 6 millions de ducats. L'archevêque de Tolède qui ne reconnaissait d'autre suzeraineté que celle du roi disposait de 80 000 ducats par an.

Ne serait-ce que pour des raisons économiques, un pouvoir central ambitieux se devait de s'assurer le contrôle de l'Eglise, ce qu'il pouvait notamment faire par le biais des nominations aux charges ecclésiastiques. Depuis le Moyen Age, les chapitres et la papauté s'opposaient sur ce point. Ferdinand et Isabelle s'allièrent avec les chapitres pour créer une sorte d'Eglise nationale espagnole, mais respectueuse bien sûr de l'autorité spirituelle du pape.

La présence des armées espagnoles en Italie contribua sans nul doute à rendre les papes coopératifs. Le droit effectif de nomination assurait au pouvoir central d'importantes ressources, notamment du fait que les revenus d'un diocèse échouaient pendant un temps à la couronne lorsqu'un nouvel évêque était désigné. En nommant le personnel ecclésiastique, les autorités pouvaient aussi indirectement contrôler les biens de l'Eglise.

Mais il était non moins important pour un Etat en expansion de pouvoir utiliser le pouvoir spirituel qu'exerçait l'Eglise sur la population. Ceci était particulièrement vrai en Espagne où les liens entre les deux composantes du royaume étaient si lâches. La force unificatrice et la pureté doctrinale d'une religion commune ont certainement joué un rôle capital dans un pays qui avait connu sept siècles de croisades. Au sein des frontières naturelles de l'Espagne, il y avait eu jusqu'en 1492 une religion étrangère, l'islam, protégée par un royaume, celui de Grenade.

Ce climat spirituel et l'aspiration de l'Etat à l'unité expliquent la puissance particulière de l'Inquisition en

L'Inquisition brûlait des livres mais aussi des gens, pour des raisons aussi bien religieuses que politiques. Peinture de P. Berruguete (mort en 1504).

empire européen. Charles Quint se déplaçait constamment en Europe. Il régna 40 ans mais n'en passa que 16 en Espagne. Des vice-rois avaient la charge de représenter le monarque dans les différentes parties de l'empire — à la fin du XVIe siècle en Aragon, en Catalogne, à Valence, en Navarre, en Sardaigne, en Sicile, à Naples, ainsi qu'au Pérou et en Nouvelle Espagne. Ces territoires étaient représentées auprès du souverain par divers conseils composés pour l'essentiel par des autochtones. A côté de ces conseils régionaux, d'autres exerçaient une fonction évoquant celle des ministères modernes — ainsi, par exemple, un conseil des finances et un conseil de la guerre.

Lorsque Charles Quint accéda au trône, il existait cinq conseils. A son abdication, ils étaient beaucoup plus nombreux, et la plupart avaient été créés au début de son règne. Ils étaient destinés à faciliter dans tous les domaines les décisions que le souverain était seul habilité à prendre — tâche écrasante si l'on songe au fait que la plupart des conseils se réunissaient quotidiennement pour préparer les dossiers. Parmi les successeurs de Charles Quint, c'est surtout Philippe II qui apparut comme un forcené du travail. Fidèle à son devoir, il se penchait jour et nuit sur la masse de rapports que lui fournissaient ses subordonnés.

Ascèse et sens du devoir, tels sont les principaux traits qui se dégagent du portrait de Philippe II (1556-98) exécuté par le peintre hollandais Antonio More (1519-76).

Les secrétaires d'Etat s'occupaient de la correspondance royale et servaient de lien entre les conseils et le souverain. Cela leur donnait un pouvoir étendu et de nombreuses possibilités de toucher des pots-de-vin. Issus de la petite noblesse des villes, ils n'avaient aucune formation supérieure, à l'inverse des membres des conseils. Malgré leur extraction modeste et l'insuffisance de leur formation, il leur arrivait souvent d'amasser des fortunes. Francisco de los Lobos était l'un de ces hommes qui

La vaste bibliothèque de l'Escurial offrait un cadre digne des collections de manuscrits latins, grecs et arabes de Philippe II.

avaient gagné la confiance de Charles Quint ; en tant que secrétaire d'Etat, c'est lui qui, en l'absence du souverain, représentait formellement le gouvernement espagnol dans tous les conseils sauf trois. Jugé d'une totale intégrité par l'empereur, il disposait tout de même à la fin de sa carrière de revenus aussi élevés que ceux des plus gros propriétaires terriens, lui qui avait commencé sans le sou.

Les successeurs immédiats de Ferdinand et d'Isabelle suivirent leur exemple en maintenant la haute aristocratie hors de l'administration. Certes, le Conseil d'Etat comportait des membres issus de la haute noblesse, mais il n'eut bientôt plus qu'une fonction honorifique. Le gratin de la bureaucratie était constitué par les secrétaires d'Etat et les membres des conseils, gens de petite noblesse, qui avaient sous leurs ordres une multitude de secrétaires, inspecteurs et percepteurs.

Cette expansion du secteur public dut coûter cher, même si elle était en partie autofinancée par la corruption qui régnait à tous les niveaux, et par la vente des charges. Mais cette bureaucratie faisait aussi rentrer de l'argent dans les caisses de l'Etat, ce qu'on ne saurait dire de la guerre qui représentait le poste budgétaire le plus important.

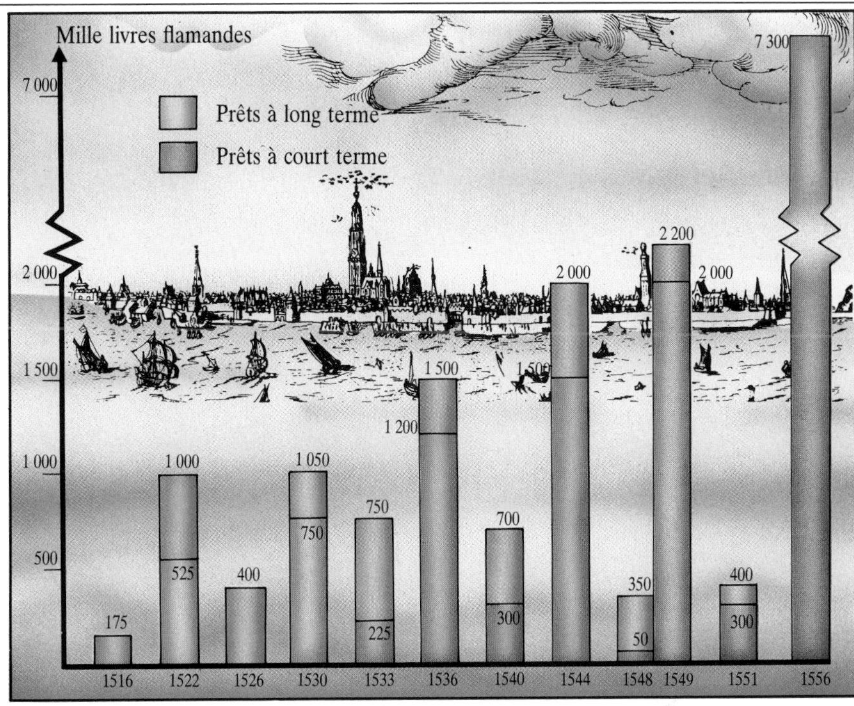

Les emprunts de Charles Quint à Anvers entre 1516 et 1556. Source : F. Braudel, « La Méditerranée et le monde méditerranéen à l'époque de Philippe II », Vol. II (1973).

Les problèmes financiers d'un empereur

Lorsque Charles Quint prit possession du trône d'Espagne, les Cortes votèrent un impôt qui, conformément à l'usage, serait perçu pendant trois ans. Mais au bout de deux ans seulement, un nouvel impôt fut exigé. C'était un début malheureux pour un prince qui déjà éveillait la méfiance du fait de son origine étrangère. Ces exigences fiscales furent aussi l'une des causes d'une révolte des classes moyennes des villes — révolte vite réprimée.

Le besoin d'argent ne cessa de se faire sentir au cours du règne de Charles Quint. Au début, les Pays-Bas et les possessions italiennes contribuèrent au financement des guerres incessantes, mais en 1540, l'empereur écrivit à son frère qu'à présent il ne pouvait compter que sur l'Espagne, autrement dit sur la Castille. Certes, l'Aragon, au début de son règne, avait accepté de payer un impôt de 100 000 ducats par an, mais cette somme ne fut jamais révisée malgré l'inflation. L'argent en provenance d'Amérique ne parvenait alors qu'en quantité limitée. La part de métal précieux du nouveau monde revenant à la couronne représenta en moyenne 60 000 ducats par an jusqu'en 1535, puis s'éleva à 500 000 dans la seconde moitié du règne de Charles Quint. C'était peu de chose comparé aux deux bons millions qui échurent annuellement à Philippe II au cours des dernières décennies de son règne. L'argent était important car il pouvait rapidement se métamorphoser en armées, mais, comme on le voit, il ne joua qu'un rôle modeste dans le budget de Charles Quint.

Autrement importants étaient les impôts que celui-ci, en tant que défenseur de la foi, pouvait obtenir par l'intermédiaire de l'Eglise. Un seul de ces impôts, appelé *cruzada,* rapporta au cours des vingt premières années de son règne au moins deux fois plus que l'argent d'Amérique. Mais le poids essentiel de la fiscalité pesait sur la Castille. Une taxe sur le chiffre d'affaires, l'*alcabala,* et la part de la dîme ecclésiastique revenant à la couronne, alimentaient à 80-90 % les caisses de l'Etat au début du XVIe siècle. L'*alcabala* fut remplacée par une taxe fixe répartie sur toutes les villes castillanes. L'avantage de ce nouvel impôt, l'*encabezamiento,* était de garantir une somme annuelle, mais il avait l'inconvénient de se déprécier lorsque les prix augmentaient.

Un impôt appelé *cruzada*

En considérant la conquête de Grenade comme une croisade espagnole, le pape pouvait offrir la rémission des péchés pendant trois ans à ceux qui payaient une taxe pour cette croisade. Cette redevance appelée *cruzada* cessa bientôt d'être associée à la croisade et devint un impôt ordinaire administré par un conseil spécial.

Outre la rémission des péchés, l'acquittement de cette somme donnait droit à manger de la viande en période de jeûne. En revanche, ceux qui négligeaient de payer cette redevance en principe volontaire étaient condamnés à écouter pendant plusieurs jours des sermons interminables.

C'est pourquoi les impôts votés par les Cortes revêtirent une importance accrue pour les finances de l'Etat. Tandis que d'autres taxes étaient loin de suivre l'augmentation des prix, les impôts adoptés par les Cortes avaient été multipliés par quatre quand les prix en règle générale n'avaient fait que doubler.

Mais l'augmentation des recettes restait régulièrement en deça de celle des dépenses, et il y avait toujours des trous à boucher. A plusieurs reprises, alors que les besoins étaient particulièrement pressants, on confisca purement et simplement la part des cargaisons d'argent revenant à

La bataille de Lépante (1571) fut remarquable à plus d'un titre. Cette victoire impressionnante des forces navales espagnoles fut tenue pour un des plus grands triomphes de la chrétienté. Cet affrontement constitua aussi la plus grande bataille navale entre galères.

des particuliers. Au lieu de métal sonnant, ceux-ci durent se contenter d'obligations d'Etat.

En Espagne comme ailleurs, l'expédient essentiel consistait à emprunter. L'Etat offrait comme garantie l'impôt sur l'argent et diverses ressources fiscales des années à venir ainsi que des biens fonciers, notamment ceux des ordres militaires. Dès 1534, 65 % des impôts réguliers étaient entre les mains des créanciers.

Dans sa tentative grandiose mais malheureuse pour conquérir l'Europe, Charles Quint abandonna la Castille — ou du moins ses revenus — à ceux qui avaient financé son entreprise.

Les faillites de Philippe II

Dès le milieu du XVIe siècle, les banquiers internationaux cessèrent de croire que l'Espagne pourrait jamais payer ses dettes. Ainsi disparut le dernier espoir de restaurer la grande Europe de Charlemagne. Charles Quint abdiqua en 1556, et son empire se morcela. Philippe II (1556-98) reçut l'Espagne avec ses possessions en Italie et en Amérique, ainsi que les Pays-Bas. Les conséquences des guerres de Charles Quint se firent sentir dès l'année qui suivit son abdication, puisque le gouvernement de Philippe II dut suspendre les paiements aux créanciers du royaume. Autrement dit, les prêts à court terme et à fort taux d'intérêt furent remplacés par des obligations d'Etat moins avantageuses pour les bailleurs de fonds.

Mais suspendre les paiements est une chose, remettre une entreprise sur pied en est une autre. Sans doute avait-on abandonné l'espoir d'atteindre un équilibre financier durable au sein de l'empire, mais il fallait que l'Espagne tienne son rang, et les dépenses que cela exigeait dépassaient les revenus existants.

En 1558 furent prises une série de mesures pour augmenter les recettes. Elles allaient du monopole de l'Etat sur les jeux de cartes à des taxes particulièrement rentables sur l'exportation de la laine. A partir de 1562, l'argent, après un déclin au milieu du siècle, commença à affluer en quantité, et l'*encabezamiento,* la taxe urbaine sur le chiffre d'affaires, fut augmentée à deux reprises (1561 et 1575). Toutefois, l'Etat espagnol fit à nouveau faillite en 1575, ce qui s'explique par les coûts de la guerre dans les Pays-Bas et l'armement de la flotte qui fit merveille contre les Turcs à la bataille de Lepante en 1571.

Un énorme effort militaire fut à nouveau consenti en 1588 pour mettre sur pied la grande armada. On en évalue le coût à 16 millions de ducats, une somme astronomique pour un Etat dont le budget était de l'ordre de 10 millions. Après l'anéantissement de l'armada, le gouvenement parvint à obtenir des Cortes castillans une augmentation de l'*encabezamiento*. Cette taxe s'éleva à huit millions de ducats pour une période de trois ans, et elle allait être doublée quelques années plus tard.

Pourtant, Philippe II connut sa troisième faillite en 1595. Jamais les recettes ne parvenaient à équilibrer les dépenses. De nouvelles augmentations d'impôts n'étaient qu'un palliatif. En 1608, 10 ans après la mort de Phi-

Auteur d'un des grands classiques de tous les temps, « Don Quichotte », Miguel de Cervantes Saavedra (1547-1616) participa avec une grande bravoure à la bataille de Lépante. Il mourut le 23 avril 1616, la même année et le même jour que son collègue anglais William Shakespeare

lippe II, l'Etat fit à nouveau banqueroute. Tout semblait indiquer que l'âge de grandeur espagnol était révolu, même si un demi-siècle allait s'écouler avant que ce déclin apparût irrémédiable.

La malédiction de l'argent

A priori, l'argent américain aurait dû vitaliser l'économie espagnole et être source de prospérité. C'est l'inverse qui se produisit. On a pu dire, en forçant un peu le trait, que si la politique européenne avait été fatale à l'empire des Habsbourg, les possessions américaines avaient ruiné l'économie espagnole. Et dans ce double naufrage, l'argent avait joué son rôle.

De 30 à 40 % du métal précieux acheminé vers l'Espagne allait directement dans les caisses de l'Etat, ce qui suscitait l'envie des autres pays européens. Pourtant, une grande partie de cet argent ne stimulait en rien l'économie espagnole puisqu'il servait à payer les créanciers et disparaissait donc du pays.

Le reste de l'argent appartenait à des personnes privées, notamment de celles qui avaient fait fortune aux colonies et investissaient ensuite dans des obligations d'Etat, des charges et des titres nobiliaires. De la sorte, même cet argent, en transitant par les caisses de l'Etat, allait sortir des frontières pour financer les guerres.

L'essentiel du métal précieux arrivait cependant pour payer les marchandises dont les colonies avaient besoin — et au début, elles avaient besoin de pratiquement tout. Les commerçants castillans pouvaient proposer des textiles, du vin et de l'huile d'olive. Ces exportations enrichirent quelques négociants, mais eurent aussi un effet négatif sur la production de grains. Vignobles et oliveraies refoulèrent les champs de céréales. Ainsi se trouva renforcée une tendance déjà largement amorcée par le soutien exclusif du gouvernement à l'élevage ovin.

Recettes	**5 978 535**
Dépenses pour	
dettes	2 730 943
défense et administration	2 000 000
guerre en Méditerranée	2 052 634
guerre aux Pays-Bas	3 688 085
	10 471 662
Déficit	**4 493 127**

Les recettes et les dépenses de la Castille en 1574. Source : G. Parker, « Spain and the Nederlands » (1979).

Dans les années 1570, cette évolution avait rendu la Castille entièrement dépendante des importations de céréales. Ainsi, l'argent avait contribué à miner en Castille le fondement même de toute économie préindustrielle, à savoir une agriculture apte à nourrir la population.

Cette carence ne fut pas compensée par une forte expansion des manufactures. Certes, la production de textiles fut stimulée au début grâce à la demande des colonies, mais à terme, la concurrence de l'étranger s'avéra trop forte. En effet, les tissus espagnols étaient chers et de qualité médiocre, et cela pour de multiples raisons. Les réglements étatiques et l'expulsion des juifs avaient freiné les investissements dans les manufactures et les avaient privées de main-d'œuvre qualifiée. Ceux qui avaient des capitaux préféraient acheter des titres nobiliaires, ce qui était facile et garantissait l'exemption

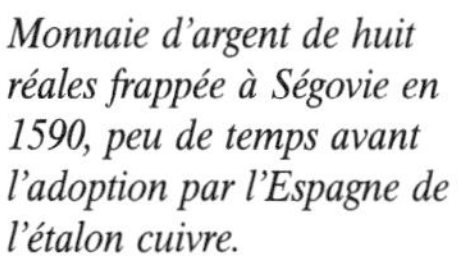

Monnaie d'argent de huit réales frappée à Ségovie en 1590, peu de temps avant l'adoption par l'Espagne de l'étalon cuivre.

Monnaie de cuivre frappée en 1625. Le fait qu'on ait dû y imprimer une nouvelle valeur révèle l'instabilité de cette monnaie.

d'impôts, et ainsi ils s'établissaient comme rentiers en se procurant des obligations d'Etat. L'afflux d'argent et le manque de céréales provoqua une forte inflation et accrut les coûts de la main-d'œuvre. Il s'ensuivit que le textile espagnol perdit aussi bien le marché des colonies que le marché intérieur.

Le coup de grâce fut porté au commerce espagnol avec les colonies lorsque celles-ci se développèrent à tel point que l'économie castillane, trop primitive, fut dans l'incapacité de répondre à leurs besoins multiples. Par comparaison avec d'autres pays disposant apparemment de conditions moins favorables, cette inertie peut s'expliquer par le fait que les produits espagnols, trop chers, n'étaient pas concurrentiels. Par ailleurs, l'afflux d'argent rendait plus facile pour beaucoup de vivre en fonction d'idéaux aristocratiques qui n'avaient rien à voir avec la comptabilité, le commerce ou les activités manufacturières. La part de la noblesse, héréditaire ou acquise, était disproportionnée au sein de la société espagnole : 13 % des chefs de famille étaient exemptés d'impôts.

Le temps des favoris

Sous le règne de Philippe IV (1621-65), un groupe d'experts en théologie déclara dans un rapport sur la construction d'un canal que si Dieu avait voulu que des cours d'eau soient navigables, il les aurait certainement créés comme tels. Le fatalisme qui ressort de cette déclaration imprégnait la majeure partie de la société. De nombreux paysans abandonnaient les terres ingrates qui leur valaient surtout des impôts et des taxes. La crise de l'agriculture au XVIe siècle, aggravée lorsque les colonies cessèrent d'être acheteuses, trouva un épilogue tragique vers 1600 avec de mauvaises récoltes et une épidémie de peste.

Les grands propriétaires terriens furent eux-mêmes atteints par cette crise. Les revenus fonciers de treize des plus riches familles avaient à peine doublé au cours du XVIe siècle, mais la valeur monétaire avait chuté de 75 % à la suite de la révolution des prix. Et selon l'ambassadeur de Venise, les quatre cinquièmes des revenus des grands d'Espagne servaient à rembourser des dettes.

Le résultat, c'est que l'aristocratie chercha à obtenir de hautes charges à la cour, sources de profit et d'influence politique — de cette influence politique dont on l'avait si efficacement privé au cours du XVIe siècle.

Les juntes

Le mot junte signifie association ou compagnie. De nos jours, on l'emploie surtout pour désigner la clique au pouvoir dans les dictatures militaires d'Amérique du Sud.

Hors des organes administratifs ordinaires, Philippe II eut recours pour consultation à quelques personnes choisies. Ce groupe fut appelé *junta de noche*, « association de nuit », par allusion au moment où il se réunissait.

Ce système se développa avec les juntes dont s'entourèrent les favoris royaux. Ceux-ci préféraient prendre leurs décisions en petit comité pour pouvoir échapper aux lenteurs de la bureaucratie et se soustraire à l'opposition politique.

En sa qualité de favori de Philippe III, le duc de Lerme — Francisco Gomez de Sandoval y Royas, marquis de Denia — fut le véritable maître de l'Espagne depuis l'accession du souverain au trône en 1568 jusqu'en 1618, date à laquelle il fut renversé par un coup d'Etat dirigé par son propre fils. Ce tableau de Rubens figure au musée du Prado à Madrid.

Par ailleurs, la politique gouvernementale se poursuivit avec de nouveaux impôts, des ventes de titres et des banqueroutes — 1608, 1627, 1647, 1653, 1698. Une nouveauté, apparemment paradoxale au pays de l'argent, fut en 1599 l'adoption de l'étalon cuivre qui facilita les manipulations avec la monnaie.

L'entrée de l'Espagne dans la guerre de Trente Ans entraîna de nouvelles charges financières que l'économie du pays était de moins en moins à même d'assumer. Mais l'héritage du passé rendait inévitable cette participation à la guerre, motivée pour l'Espagne par ses devoirs de grande puissance, la défense de la religion catholique et le souci de soumettre les rebelles hollandais.

Rien n'avait profondément changé au XVIIe siècle, mais l'Espagne n'avait plus un Philippe II à sa tête. Les affaires gouvernementales avaient pris une telle ampleur qu'il eût fallu une capacité de travail hors du commun pour y faire face. Le défunt monarque avait été plus ou moins son propre secrétaire d'Etat. Statistiquement parlant, la probabilité n'était pas grande que cette disposition se retrouve chez ses successeurs, même si les rois étaient entraînés et formés à cette tâche.

Les souverains qui lui succédèrent laissèrent le champ libre à des favoris. S'ils le désiraient, les rois pouvaient toujours déléguer à d'autres les tâches les plus lourdes pour s'adonner à des occupations plus agréables. Mais il est évident que les capacités des favoris n'étaient pas toujours contrôlées de très près. A terme, le jeu des intrigues et des révolutions de palais aboutissait au remplacement d'un favori par un autre.

L'expulsion des Morisques au début du XVIIe siècle est un exemple des mauvaises décisions qui pouvaient être prises avec un tel système. Pour se rendre populaire dans un pays en proie au mécontentement et à l'intolérance religieuse, le duc de Lerme fit reconduire aux frontières 275 000 descendants, en principe christianisés, des conquérants islamiques. La plupart d'entre eux furent expulsés en Afrique du Nord où ils moururent de faim. L'Espagne perdit ainsi un groupe qui avait exploité les terres de certaines parties du pays, et les propriétés agricoles où les Morisques avaient travaillé nombreux souffrirent du manque de main-d'œuvre.

Un des confesseurs du roi commenta ainsi l'événement : « Il n'y a pas longtemps que les Morisques ont été expulsés — une mesure si désastreuse que ce serait une bonne idée de les rappeler, si toutefois on pouvait les convaincre d'embrasser notre sainte religion. »

Les tentatives de réformes d'Olivares

Il apparut clairement aux yeux de beaucoup, du moins après la mort de Philippe II, que l'Espagne avait besoin de réformes radicales, ne serait-ce que pour adapter les visées nationales aux ressources existantes. Le travail de réforme pouvait être mené sur deux axes. Le premier consistait à répartir plus également le fardeau fiscal parmi la population castillane. Les groupes de privilégiés s'y opposaient, d'autant moins disposés à renoncer à leurs prérogatives qu'ils étaient eux aussi touchés par la crise économique générale. Au XVIIe siècle, ils avaient plus qu'auparavant la possibilité d'influencer les décisions, puisque l'aristocratie était largement représentée dans la haute administration. Au XVIe siècle, les gouvernements espagnols avaient acheté leur liberté d'action politique en échange de celle pour les nobles de s'enrichir comme ils l'entendaient, mais à présent, la marge de manœuvre était plus étroite.

Le second type de réformes consistait à faire participer les différentes parties du royaume espagnol, et non plus la seule Castille, au financement de l'Etat. Quand en 1632 le gouvernement central essaya de faire approuver un impôt par les Cortes de Catalogne, c'était après 33 d'exemption ; et le Portugal montra peu d'enthousiasme à financer la reconquête de sa propre colonie, le Brésil, tombée aux mains des Hollandais.

Si les régions périphériques se faisaient tirer l'oreille, la Castille, elle, était encline à considérer l'empire espagnol comme lui appartenant. Seuls des Castillans accédaient aux emplois centraux, et les autres parties du royaume étaient exclues du commerce avec les colonies.

La participation à la guerre de Trente Ans fut à nouveau une épreuve pour les finances publiques. Quand le duc d'Olivares (1587-1645), lors de l'accession au trône de Philippe IV en 1621, devint le vrai maître du pays, les partisans des réformes ne pouvaient que s'en réjouir. Mais tout réformateur qu'il fût, Olivares ne se rallia pas moins à la tradition politique de la grande puissance.

Œuvre de Rubens, ce portrait de Philippe IV (1621-65) donne au roi une allure martiale que la réalité ne justifie guère. Sous le règne de ce monarque, il apparut clairement que l'Espagne était devenue une puissance de second rang.

En 1623 fut présentée, dans un registre souvent moralisateur, une proposition de réformes en 23 points. Ce programme comportait notamment l'examen de la manière dont les ministres avaient fait fortune, la suppression des deux tiers des emplois communaux, l'interdiction d'impor-

Comme son père, Philippe IV, lorsqu'il accéda au trône, confia le pouvoir à un favori, Gaspar de Guzman, comte et duc d'Olivares. Celui-ci présida aux destinées de l'Espagne à partir de 1621, mais il fut renversé en 1643. Un des nombreux portraits de cour de Vélasquez (1599-1660).

Lisbonne au XVIIIe siècle. C'est au Portugal que l'aventure transatlantique avait commencé, mais ce pays perdit rapidement sa position dominante au profit de concurrents mieux armés.

ter des produits manufacturés et la fermeture des bordels. Trois ans après, aucune réforme digne de ce nom n'avait été accomplie.

Freiné dans son effort réformateur par la cour et la bureaucratie, Olivares essaya alors d'instaurer une répartition fiscale plus égale dans l'ensemble du royaume. La noblesse des régions périphériques aurait désormais accès aux postes élevés jusqu'alors détenus par les seuls Castillans, en échange de quoi toutes les régions d'Espagne contribueraient à financer une armée de réserve de 140 000 hommes. Cela constituerait le premier pas vers une uniformisation.

Cette proposition ne souleva pas l'enthousiasme. En 1640, elle eut pour prolongement une révolte en Catalogne. Quand cette révolte en vint à menacer les classes dirigeantes catalanes, celles-ci placèrent leur pays sous la protection de la France. La Catalogne demeura séparée de l'Espagne jusqu'en 1653. L'année même où l'insurrection catalane avait lieu, le Portugal rompit lui aussi des liens vieux de 60 ans. Les revers essuyés par Olivares en politique intérieure et à la guerre le contraignirent à se retirer en 1643.

L'Espagne, qui jusqu'alors n'avait connu que peu de révoltes malgré le poids de la fiscalité, fut alors secouée, et la même année, par deux soulèvements sérieux.

La décennie 1640-50 fut du reste particulièrement

Le Portugal

L'évolution du Portugal rappelle à bien des égards celle de l'Espagne à laquelle elle fut liée de 1580 à 1640. C'est la lutte contre l'Islam qui fit de ces deux pays des royaumes, et les Portugais commencèrent à bâtir leur empire colonial à partir du XVIe siècle. Au début du siècle suivant, Lisbonne était un port d'importance mondiale. Mais les revenus coloniaux du Portugal, comme ceux de l'Espagne, ne firent que passer avant d'être transférés plus au nord.

Quand Philippe II put profiter d'une vacance sur le trône pour incorporer le Portugal à l'Espagne, c'était donc les deux grandes puissances coloniales qui se trouvèrent unies, mais même ensemble, elle ne parvinrent pas à tirer le meilleur parti de leur empire mondial.

Après plusieurs révoltes, le Portugal rompit ses liens avec l'Espagne en 1640, mais l'indépendance n'améliora pas la position économique internationale du pays qui devint de plus en plus un satellite de l'Angleterre.

Le couvent royal de Batalha, 110 km au nord de Lisbonne. Comme en Espagne, il existait au Portugal un lien étroit entre l'Etat et l'Eglise. Le dernier maître du pays avant l'incorporation à l'Espagne en 1580 était un cardinal.

éprouvante. En 1647 éclatèrent des révoltes à Naples et en Sicile, qui purent toutefois être jugulées, et en 1648, l'Espagne, après 80 ans de luttes, dut reconnaître l'indépendance des rebelles hollandais.

Dernier acte

Ceux qui après Olivares s'efforcèrent de maintenir les positions de l'Espagne en Europe ne furent pas plus heureux. Morceau par morceau, les possessions européennes s'effritèrent dans la seconde moitié du XVIIe siècle. Cela était largement dû à l'incompétence des dirigeants politiques. On a comparé la politique intérieure espagnole à un opéra comique. Les intrigues de cour se succédaient sans trêve. Et l'aristocratie au sein de laquelle se recrutaient les dirigeants apparaissait aux yeux des contemporains comme orgueilleuse, inculte, ignorante, tout juste bonne à gloser sur les actions d'éclats de ses ancêtres sur des champs de bataille qu'elle était incapable de situer géographiquement. Le dernier des Habsbourg, Charles II (1665-1700), était maladif, et on le tenait pour imbécile.

Mais on peut aussi admettre que ce furent les échecs politiques qui poussèrent à renchérir sur les faiblesses morales et intellectuelles des dirigeants. Et ces échecs étaient inévitables, puisque liés à des prétentions que les ressources de la société ne pouvaient soutenir. En 1680, les deux tiers des cargaisons d'argent allèrent directement à des étrangers sans même transiter par l'Espagne.

Entouré de conseillers français, le nouveau monarque, Philippe V (1700-46), avaient de meilleures chances de rompre avec cette tradition lorsqu'il succéda en 1700 à Charles II. La guerre de Succession d'Espagne qui l'avait conforté dans ses droits à la couronne avait par ailleurs œuvré à une centralisation accrue. L'Aragon avait misé sur le mauvais prétendant au trône, comme du reste bon nombre de grands seigneurs castillans. Le gouvernement central put enfin soumettre l'Aragon à la loi castillane et éloigner les nobles castillans du pouvoir politique. Même la perte des possessions européennes consécutive à la paix d'Utrecht (1713) fut un bien sur la scène intérieure puisque les dépenses de l'Etat diminuèrent notablement.

Avec moins de dépenses et des recettes acrues du fait du rattachement de l'Aragon au système fiscal, avec des fidèles du gouvernement aux postes clés, avec les colonies américaines préservées, le couple royal et l'équipe au pouvoir purent accomplir la centralisation qui, ouvertement ou implicitement, avait aimanté les efforts politiques des siècles précédents.

Mais les ambitions étaient limitées à la politique intérieure. Malgré une certaine reprise à la fin du XVIIe siècle, les ressources demeuraient insuffisantes pour une politique étrangère de grand style.

Ainsi était scellé le destin de l'Espagne au sein de l'Europe. Elle produisait de la laine pour les pays économiquement avancés du Nord et leur servait d'intermédiaire pour leurs exportations vers les colonies espagnoles.

Cette image du dernier des Habsbourg sur le trône espagnol, Charles II (1665-1700), dont les cours européennes attendaient la mort avec impatience, apparaît tragiquement révélatrice.

Philippe V (1700-46), le petit-fils de Louis XIV, avec l'Escurial de Philippe II à l'arrière-plan. Cette peinture allégorique associant la nouvelle dynastie à l'ancienne est l'œuvre de Felip de Silva.

L'âge d'or de la Hollande

Un petit pays en lutte contre une grande puissance pour défendre sa liberté mérite qu'on lui consacre un chapitre à part. Et les Pays- Bas réussirent si bien qu'ils se placèrent à la pointe de l'évolution économique et culturelle, ce qui rehausse encore leur intérêt. Parmi les traits qui s'écartent du modèle courant, il y a aussi le fait que la Hollande demeura une république dans un monde où les monarchies abondaient et où l'on parlait volontiers de droit divin. Il faut examiner de plus près comment cet âge d'or commercial et culturel a pu s'épanouir malgré les attaques militaires et économiques de royaumes beaucoup plus importants.

Depuis le Moyen Age, les Pays-Bas se composaient de provinces placées sous la suzeraineté du duc de Bourgogne. Au milieu du XVIe siècle, elles étaient 17, parmi lesquelles, la Hollande, porteuse d'avenir, qui allait donner son nom à toute la partie nord autonome. Le terme de Provinces-Unies a également été employé.

L'autonomie des provinces était marquée par le fait que chacune possédait depuis le XIVe siècle ses propres états provinciaux où siégeaient des représentants des villes, du clergé et des propriétaires terriens nobles.

L'unité politique n'était en fait ancrée que dans la personne du prince. Mais celui-ci essaya de renforcer cette unité en nommant des *stathouder* qui le représentaient à l'échelon régional et en créant des institutions centralisées, notamment une cour suprême. Cette ambition entraîna également la mise en place d'états généraux où siégeaient sur convocation du duc des représentants des provinces appelés avant tout à traiter des questions fiscales.

Ces états généraux, surveillés de près par les provinces, n'étaient nullement l'instrument docile du prince, mais au niveau régional, on voyait avec inquiétude cette centralisation croissante et les tentatives faites pour alourdir la pression fiscale — conséquence d'une politique étrangère expansive.

Le Grand Privilège

En 1477, une occasion s'offrit aux provinces. Le duc Charles le Téméraire tomba sur le champ de bataille. Le Grand Privilège, document par lequel les états généraux reconnurent le droit héréditaire de sa fille Marie, limitait sur des points essentiels le pouvoir des ducs. Un droit à l'insurrection était prévu sous certaines conditions, et la cour suprême ducale fut remplacée par un tribunal que les provinces contrôlaient. Dorénavant, les états décidèrent eux-mêmes de leurs réunions, et les négociants furent autorisés à commercer avec l'ennemi en temps de guerre. Le Grand Privilège ne marquait pas la victoire de l'esprit constitutionnel sur l'absolutisme, mais témoignait de la manière dont les provinces entendaient défendre la liberté de commerce. Pour le pays et les provinces, ce document allait servir de bouclier face aux exigences fiscales du gouvernement central.

Corrélativement, il devint plus difficile de prendre des mesures rapides car les états généraux ne pouvaient agir qu'après avoir pris l'avis des états provinciaux. Un tel système favorisait la bonne entente mais non l'efficacité. Dans certaines villes, les artisans et les petits commerçants avaient de l'influence politique via leurs corporations. Celles-ci étaient en lutte avec les hautes classes, nobles et gros négociants, ce qui freinait encore un peu plus les décisions.

Dans des situations critiques, en cas de guerre par exemple, le besoin d'un homme fort pouvait indiscutablement se faire sentir. Ainsi, il risquait d'y avoir conflit entre l'exigence de liberté et celle d'action rapide.

Les événements de 1477 obligèrent les représentants du pouvoir ducal à se remettre à la tâche pour construire le centralisme. Maximilien de Habsbourg s'y employa en diverses circonstances — comme époux de Marie de Bourgogne, puis successivement comme tuteur de son fils

Ce tableau de Rembrandt représente les dirigeants de la corporation des tisserands à Amsterdam. Economiquement puissants, ils exerçaient aussi un mécénat en commandant des œuvres d'art.

Philippe et de son petit-fils Charles, le futur Charles Quint.

Après la mort de Charles le Téméraire, la France avec ses revendications territoriales faisait planer une menace imminente. Dans cette situation critique, le soutien de la puissante maison des Habsbourg via Maximilien était un avantage de taille. Mais les impôts ne devaient servir qu'à la défense des frontières des Pays-Bas, non à la politique expansionniste des Habsbourg en Italie. Dans ce pays de commerçants, la guerre pouvait être un mal nécessaire, mais surtout un mal puisqu'elle entravait le négoce. Si l'on salua d'abord Maximilien comme le défenseur du pays, on ne tarda à s'opposer à lui de plus en plus ouvertement.

A la périphérie d'un puissant empire

En 1515, les états payèrent une somme importante à Maximilien pour qu'il déclare majeur son petit-fils Charles comme grand duc de Bourgogne. Les états justifièrent cette propension inhabituelle à dénouer les cordons de la bourse en arguant que le pays devait être gouverné par un prince authentiquement bourguignon. Mais sans doute espéraient-ils aussi qu'un jeune prince élevé aux Pays-Bas et entouré de conseillers néerlandais serait plus facile à manier que Maximilien, qui lui était empereur allemand.

Bien entendu, ils savaient pertinemment que le nouveau duc ne tarderait pas à diriger un empire encore plus étendu que celui de Maximilien. Mais le titre de roi d'Espagne de Charles, et probablement la couronne impériale, ouvraient de brillantes perspectives d'avenir pour les aristocrates de son entourage — biens fonciers, hautes fonctions et mariages avantageux attendaient ceux sur qui rejaillirait l'éclat du plus puissant monarque d'Europe.

Quand Charles de Bourgogne devint Charles Ier d'Espagne puis l'empereur Charles Quint, les Pays-Bas se retrouvèrent à la périphérie d'une grande puissance. Un prince constamment absent avait besoin d'un système central puissant pour garder son emprise. Le grand conseil ducal fut divisé en deux. Des aristocrates choisis formaient le Conseil d'Etat, tandis que des juristes issus de la petite noblesse et de la bourgeoisie expédiaient les affaires courantes au sein du Conseil secret. Pour accélérer les procédures de décision, une campagne se déclencha dans les villes flamandes contre les représentants des corporations, éléments les plus hostiles aux compromis. Dans plusieurs des cités, il furent même exclus des conseils.

Si les classes aisées siégeant dans les états provinciaux et généraux étaient plus enclines aux concessions, elles n'acceptaient cependant les réformes que dans des limites précises. Elles faisaient toujours passer le droit coutumier avant les lois de l'empereur, négligeant les décisions qui ne reposaient pas sur ce droit. Les états et les conseils municipaux étaient prêts à la lutte pour s'opposer à un alourdissement des impôts. Les occasions ne manquèrent pas. Les exigences fiscales augmentèrent, et pas seulement, tant s'en faut, pour promouvoir les intérêts des Pays-Bas. A plusieurs reprises, ces exigences financières conduisirent le pays au bord de la révolution ; des révoltes locales éclatèrent çà et là qui furent brutalement réprimées.

A partir des années 1520, les troubles religieux s'ajoutèrent aux problèmes sociaux suscités par le poids des

Territoires bourguignons
Acquisitions sous Charles Quint
Régions ecclésiastiques
Frontière de 1648 entre les Provinces Unies indépendantes et les Pays-Bas espagnols
Amsterdam
Utrecht
Rotterdam
Anvers
Gand
Bruxelles
Liège
Lille
Luxembourg

L'évolution des Pays-Bas.

impôts et la conjoncture économique. Les protestations contre l'Eglise catholique pouvaient être considérées comme dirigées contre l'ordre établi et donc susceptibles de rallier à elles les classes les plus défavorisées. Sous cet angle, critique religieuse et critique sociale avaient partie liée. Et de la part du pouvoir central, la défense du dogme et l'hostilité à toute forme de rébellion allaient de pair. L'exemple de l'Espagne rendit plus facile la décision de l'empereur d'écraser l'opposition à l'aide de l'Inquisition, fût-ce au mépris des règles du droit coutumier. C'est un lourd héritage politique que Charles Quint légua à son fils Philippe en 1556.

Liberté avant tout

Aux Pays-Bas, le règne de Philippe II, qui allait être marqué par tant de violence, s'ouvrit dans le calme, du moins en apparence. Les états accordèrent un impôt au souverain et obtinrent en échange d'être débarrassés de 3 000 soldats espagnols qui leur coûtaient cher. Des nobles néerlandais accédèrent à de hautes fonctions, mais le véritable chef du gouvernement, Antoine de Granvelle (1517-86) venait, lui, de Bourgogne. Ce qui était plus grave, c'est qu'il s'était fait connaître sous Charles Quint comme le fidèle serviteur des Habsbourg et du catholicisme. Cela ne promettait rien de bon pour la politique néerlandaise traditionnelle.

Un premier pas vers la révolution fut franchi quand Philippe II obtint du pape que les Pays-Bas soient dotés d'une administration ecclésiastique propre avec trois archevêchés et quinze évêchés. Une telle réforme impliquait qu'un secteur important de la société se trouverait placé sous le contrôle direct du roi et qu'ainsi les revenus des charges ecclésiastiques pourraient être soustraits à l'aristocratie. Les intentions du roi apparurent encore plus clairement quand Granvelle, en 1561, fut nommé archevêque du diocèse le plus important.

Les nobles étaient conscients des menaces qui pesaient sur la liberté des provinces et sur leurs propres prérogatives. Ils résistèrent, obtinrent la mise à l'écart d'Antoine de Granvelle en 1564, mais les adversaires de celui-ci ne purent s'entendre sur un programme politique commun.

Le duc d'Albe (1507-82) dirigea la première vague sanglante de répression contre l'insurrection hollandaise (1567-73). Revenu en Espagne après son échec, il fut congédié par Philippe II qui aurait déclaré n'avoir nul besoin d'une orange pressée.

Le comte d'Egmont fit partie de ces nobles exécutés sur l'ordre du duc d'Albe pour rébellion contre l'Espagne. L'exécution eut lieu à Bruges en 1568.

Philippe II attendait l'occasion de mater ceux qui s'opposaient au pouvoir central, et celle-ci surgit lorsque des masses populaires saccagèrent des églises catholiques en 1566.

Quand le duc d'Albe (1507-82), bras armé du souverain, arriva aux Pays-Bas à la tête d'une expédition punitive en 1567, le calme était déjà rétabli. En procédant à des épurations sanglantes, à des persécutions religieuses, et en exigeant un impôt permanent qui rendrait le pouvoir central indépendant des états, le duc insuffla une nouvelle vie à la révolution.

Les principaux événements de ces luttes révolutionnaires — ou guerre de Quatre-Vingts Ans — ont été évoqués précédemment, mais il faut les rappeler pour la clarté de l'exposé. Les rebelles dominaient les mers, ce qui rendait difficile les transports de troupes espagnoles, et à la fin de la décennie 1570-80, ils contrôlaient une bonne partie des

Pays-Bas. Cependant, par l'Union d'Arras (1579), l'Espagne regagnait les provinces du Sud qui allaient demeurer les Pays-Bas espagnols jusqu'au début du XVIIIe siècle.

En 1579, les provinces du Nord conclurent l'Union d'Utrecht qui marquait la naissance des Provinces-Unies — ou de la Hollande. Deux ans plus tard, ces provinces déclarèrent former un Etat indépendant. La guerre se poursuivit jusqu'à ce qu'un armistice soit conclu en 1609, puis rompu lors de la guerre de Trente Ans. En 1648, l'Espagne reconnut enfin l'indépendance de la Hollande.

Le coût des armées destinées à écraser les rébellions contribua grandement aux crises financières espagnoles du XVIe siècle. L'Espagne avait perdu progressivement le contrôle d'une possession qui s'était certes montrée récalcitrante mais avait aussi grassement alimenté le budget militaire. En Hollande, cette révolution avait eu pour effet, outre l'indépendance, un transfert de pouvoir aux états généraux et provinciaux ainsi qu'aux conseils municipaux, au détriment des institutions centralisées.

Guillaume d'Orange (1533-84), qui avait été l'âme de la révolution, fut assassiné en 1584. Son fils Maurice (1567-1625) prit le relai. Avec la maison d'Orange s'amorça au sein de la république hollandaise un embryon de monarchie qui n'allait devenir officielle qu'en 1815.

Villes et régions où eurent lieu des saccages d'églises en août 1566. Source : G. Parker, « The Dutch Revolt » (1977).

Grand-pensionnaire et *stathouder*

Après l'armistice de 1609 entre l'Espagne et la Hollande, la souveraineté du monarque espagnol sur cette dernière apparaissait problématique. Un large consensus régnait sur le fait qu'une restauration des Habsbourg aurait signifié l'ingérence d'une puissance étrangère. En revanche, les avis étaient partagés sur la ligne politique à adopter.

Au plus fort de la guerre, les provinces maritimes, notamment la Hollande avec Amsterdam, étaient devenues des centres commerciaux d'importance mondiale. La guerre elle-même y avait contribué. En arraisonnant des bateaux et en arrachant aux Espagnols et aux Portugais des marchés lointains, les rebelles avaient atteint leur double but d'affaiblir l'ennemi et de s'enrichir. La province de Hollande fournissait plus de la moitié des sommes payées aux caisses de l'Union. Cette charge économique lui fit revendiquer le leadership politique, ce qu'elle obtint grâce à la position dominante du grand-pensionnaire de la province. Ce pensionnaire ou « avocat » comme on l'appelait à l'origine, était un haut fonctionnaire élu qui dirigeait la délégation hollandaise lors des états généraux. Sa qualité de représentant de la province la plus importante lui conférait un rôle politique prééminent.

Cette concentration de pouvoir dans une seule province ou presque — les régions maritimes disposant de ports bien situés eurent aussi une certaine importance — provoqua le mécontentement de provinces plus modestes et économiquement moins développées.

Si le grand-pensionnaire personnifiait la puissance politique de la Hollande, le prince qui représentait la maison d'Orange était lui bien placé pour canaliser les mécontentements. Depuis le temps de Guillaume Ier, on choisissait un représentant de cette famille comme *stathouder* dans la plupart des provinces, voire dans toutes. Celui-ci deve-

Cette représentation d'un saccage d'église destiné à enlever toute trace de décoration catholique reflète une énergie méthodique qui semble exclure toute spontanéité. Illustration tirée de « De Leone Belgico » (1583) du baron Eytzinger.

nait ainsi commandant en chef des forces armées et navales.

Les frictions entre grand-pensionnaire et *stathouder* eurent souvent des causes politico-militaires. Les groupes qui soutenaient le grand-pensionnaire étaient partisans de la paix, propice au négoce, et du désarmement, par souci de réduire les coûts. Responsable des forces militaires, le *stathouder* était d'un tout autre avis, non seulement car il portait un autre regard sur la politique internationale, mais aussi parce que l'armée lui était d'une aide précieuse dans son combat politique.

La force sur laquelle s'appuyait le grand-pensionnaire était constituée par les gardes civiles des villes, recrutées parmi les petits commerçants et les artisans. Mais du fait que les classes moyennes citadines avaient été privées de leur influence politique, les gardes civiles n'étaient pas entièrement sûres. En outre, elles disposaient de groupes situés encore plus bas dans l'échelle sociale et économique, et donc d'autant moins fiables.

Politiquement, le grand-pensionnaire devait se frayer un chemin entre deux abîmes. En tant que défenseur d'un petit groupe de privilégiés, il risquait des révoltes populaires. En tant que défenseur des privilèges des provinces — avant tout de celle de Hollande —, il se heurtait à la résistance des puissants *stathouder* qui aspiraient au titre de roi. Le vieil antagonisme entre centralisation et décentralisation resurgissait sous de nouvelles formes.

La garde civile d'Amsterdam, immortalisée par Rembrandt, fête la paix de Westphalie qui sanctionna en 1648 la victoire de la république d'inspiration bourgeoise sur cette grande puissance qu'était l'Espagne.

Luttes internes pour le pouvoir et pressions extérieures

Si l'on ramène l'histoire intérieure de la Hollande à un

Un procès politique

Le 13 mai 1619, Johan van Oldenbarnevelt, âgé de plus de 70 ans, fut exécuté à la Haye. Pendant un bon quart de siècle, il avait joué un rôle de premier plan dans la lutte contre l'Espagne. Il avait collaboré aussi bien avec Guillaume d'Orange qu'avec le fils de celui-ci, Maurice. Quand en 1609 il conclut l'armistice en dehors de ce dernier, il se fit un dangereux ennemi. Oldenbarnevelt suscita une hostilité croissante en défendant les intérêts du petit groupe de gros négociants amsterdamois auquel il appartenait.

Tout bascula lorsque dans une querelle théologique il défendit la cause de la tolérance contre les calvinistes dogmatiques. Maurice exploita l'impopularité que cette prise de position valut à Oldenbarnevelt. Le vieil homme d'Etat perdit peu à peu ses soutiens politiques et, sur des bases juridiques des plus douteuses, il fut traduit devant un tribunal et condamné à mort lors d'un procès qui fut avant tout politique.

Johan van Oldenbarnevelt (1547-1619) qui fut victime d'un procès politique (voir encadré ci-contre).

combat entre deux fonctionnaires, le *stathouder* et le grand-pensionnaire, on peut constater que la puissance du premier atteignit son apogée lors des guerres ou des menaces de guerre. Le second étendit son pouvoir surtout en temps de paix, mais aussi dans les périodes où la maison d'Orange n'avait pas de chef adulte.

Au cours des années de paix qui s'ouvrirent en 1609, Johan van Oldenbarnevelt (1547-1619) fut l'homme fort du pays, mais à la fin de cette période, il perdit aussi bien le pouvoir que sa vie. Les *stathouder*, Maurice d'abord (1567-1625) puis Frédéric-Henri (1584-1647) poursuivirent le combat hollandais contre l'Espagne sans opposition particulière des provinces. Le second qui nourrissait des ambitions royales s'allia à la maison d'Angleterre et se fit appeler « Votre Altesse » Dans les années 1640 se forma un parti de la paix qui, en 1645, réduisit l'armée d'un quart. Frédéric-Henri mourut en 1647, au grand soulagement de la bourgeoisie influente, mais son programme fut repris par son fils Guillaume II (1626-50) qui à l'aide de troupes et de nobles essaya d'imposer obéissance à ses adversaires. Il n'y parvint guère, et sa mort précoce en 1650 suspendit pour un temps la poursuite des violences.

Guillaume III (1650-1702) naquit après la mort de son père, si bien que le parti orangiste se trouva sans dirigeant adulte. Le grand-pensionnaire Jean de Witt (1625-72) mit sur pied un nouveau système sans *stathouder*. En 1667, la province de Hollande déclara qu'une même personne ne pourrait commander et l'armée et la flotte. Simultanément, le poste de *stathouder* fut supprimé dans la province. Autant de mesures dirigées contre le pouvoir princier incarné par Guillaume III.

Lors de deux guerres contre l'Angleterre, le pays montra qu'il pouvait se défendre sur mer mais qu'il était vulnérable sur terre. Tout le problème était là. Puissance maritime, la Hollande possédait une situation géographique qui permettait à des troupes terrestres étrangères de s'emparer de ses richesses.

Lorsqu'en 1672, la France attaqua la Hollande, on put voir la fragilité des bases sur lesquelles de Witt avait édifié son pouvoir. Le petit groupe qu'il représentait était universellement détesté, et cette haine se concentrait sur la personne du grand-pensionnaire. Le parti de Guillaume III orchestra une campagne de propagande et renforça le climat de sédition né de la panique ayant suivi l'annonce que les Français avaient franchi le Rhin.

De Witt connut le même destin qu'Oldenbarnevelt un demi-siècle plus tôt, alors que Guillaume III tira le plus grand profit de la guerre. La charge de *stathouder* fut rendue héréditaire au sein de la maison d'Orange, ainsi que le commandement de l'armée et de la flotte.

Encore un représentant de la bourgeoisie en plein essor, le bourgmestre de Delft. Œuvre de Jan Steen (1625-79).

Quatre-vingts jours qui secouèrent la Hollande

1672	
12 juin	L'armée française passe le Rhin et attaque.
21 juin	Le grand Pensionnaire Jean de Witt est sérieusement blessé lors d'un attentat perpétré par des partisans de Guillaume III.
2 juillet	Guillaume III devient *stathouder* de la province de Zélande.
3 juillet	Guillaume III devient *stathouder* de la province de Hollande.
8 juillet	Guillaume III devient le commandant en chef de l'armée et de la marine.
juil.- août	Emeutes contre de Witt dans plusieurs villes
4 août	de Witt renonce à sa charge
20 août	de Witt est lynché par une populace qui soutient Guillaume III

Les frères de Witt, Cornelius et Jean, furent lynchés en 1672 par une foule en colère qui servit d'instrument à Guillaume III.

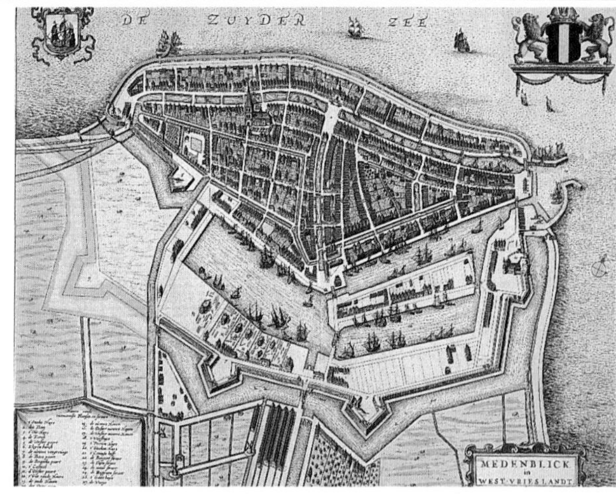

Ce système de canaux faisait partie du projet d'assèchement permettant de gagner de nouvelles terres. Simultanément, les canaux étaient un parfait moyen de transport à une époque où les communications par terre étaient lentes et coûteuses.

De 1662 à la mort de Guillaume III survenue en 1702, la diplomatie hollandaise s'employa à contracter des alliances contre la France pour sauvegarder le territoire national et l'indépendance du pays. Ce dessein se trouva facilité lorsque Guillaume III, en 1688, fut également proclamé roi d'Angleterre.

Les guerres incessantes étaient cependant une lourde charge pour l'économie, ce qui contribue à expliquer que la Hollande n'ait pu conserver sa position de puissance mondiale. Autre raison, la marine anglaise détrôna la marine hollandaise du fait que les îles britanniques s'engagèrent à fond dans un affrontement sur mer avec la France alors que la Hollande, de par sa position continentale, était contrainte de miser sur ses forces terrestres. En 1750, ce déclin ne faisait toutefois que s'amorcer.

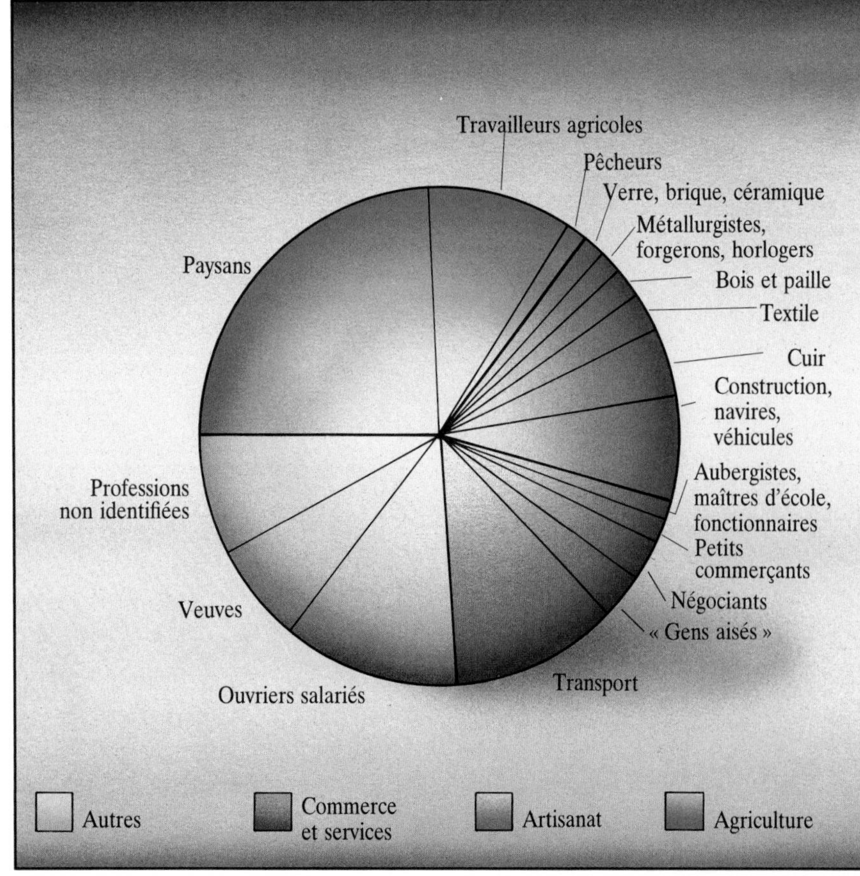

Répartition par métiers des chefs de familles dans l'Idaarderadeel en 1749. Source : J. de Vries, « The Dutch Rural Economy in the Golden Age 1500-1700 » (1974).

Inondations et activités multiples

Dans la Hollande du XVIIe siècle, l'agriculture aussi provoquait l'admiration et l'envie des voyageurs, avant tout celle des provinces maritimes, car ailleurs, elle n'était pas toujours plus moderne que dans la plupart des autres pays européens.

Au début du XVIe siècle encore, il est peu probable que l'agriculture de ces régions côtières avait de quoi soulever l'enthousiasme. Les plaines basses qui étaient constamment inondées et demeuraient gorgées d'eau malgré d'importants travaux de drainage ne se prêtaient pas à la culture des céréales, fondement de l'économie domestique.

Pour éviter la famine, on faisait pousser tant bien que mal des céréales sur de larges bandes laborieusement surélevées, à l'abri des inondations dans la mesure du possible. Le rendement était des plus réduits.

Les conditions naturelles étaient plus propices à l'élevage, mais au début du XVIe siècle, les paysans possédaient peu de vaches, 10 à 12 en moyenne pour les plus riches. Faute de grains et de bêtes en quantité suffisante, les familles paysannes devaient trouver des activités annexes, par exemple l'exploitation des tourbières, le petit commerce ou la pêche, sans compter les nombreuses tâches imposées par la vie en autarcie. Chacun devait faire un peu de tout, il n'était pas question de se spécialiser.

Les bases économiques données par la nature conférèrent aux provinces côtières une organisation sociale spécifique qui, malgré des variations locales, présente des traits généraux.

Les grands propriétaires terriens étaient peu nombreux dans ces régions. Au XVIe siècle, la province de Hollande ne comptait que douze familles véritablement aristocratiques — sept seulement au XVIIe siècle. Elles ne possédaient pas plus de 10 % des terres. En Frise et à Groningue, il existait une petite noblesse qui ne tranchait guère par les titres ou les privilèges sur les gros paysans. Politiquement, socialement et économiquement, la noblesse des régions maritimes apparaissait faible en comparaison avec celle du reste de l'Europe.

La bourgeoisie s'écartait du modèle général européen en ce qu'elle ne recherchait pas le prestige social que conférait des alliances avec des familles nobles ou l'acquisition de terres seigneuriales. Elle gérait ses affaires de manière raisonnable, pour ne pas dire prudente. Elle répugnait aux achats de caractère spéculatif, préférant procéder à des placements qui lui rapportaient un intérêt modeste mais sûr. Seuls les bourgeois de la province de Hollande possédaient des terres en quantité non négligeable.

Pour les villes, il était important d'avoir de l'influence sur les régions rurales d'où provenaient les matières premières et qui constituaient un marché pour les produits fabriqués. A cette fin, elles essayèrent notamment d'acquérir des droits seigneuriaux sur des terres, mais de tels droits étaient denrée rare, et la concurrence entre les villes laissa aux paysans une grande liberté d'action.

Les progrès de l'agriculture — l'Idaarderadeel comme exemple type

L'Idaarderadeel, un petit territoire au sud de Leeuwarden, la capitale de la Frise, représente un cas typique de l'évolution du monde rural dans les régions maritimes. D'un peu plus de 1 000 habitants en 1511, la population était passée à 2 522 personnes en 1689 pour ensuite demeurer à peu près constante jusqu'au milieu du XVIIIe siècle.

Au début du XVIe siècle, environ la moitié de la superficie était tant bien que mal utilisée pour l'agriculture. Les 184 exploitations paysannes possédaient en moyenne 20 hectares de terres marécageuses utilisées avant tout pour l'élevage. La majeure partie des terres appartenait à la petite noblesse, mais les différences sociales n'étaient guère marquées, et quatre foyers seulement étaient considérés comme réellement pauvres.

Dès le début du XVIe siècle, on procéda énergiquement à des travaux de drainage, d'abord à l'initiative des paysans, puis à plus grande échelle à partir du milieu du siècle. On dragua les voies fluviales, on s'assura le contrôle des eaux à l'aide de moulins à vent et d'écluses. Les villes importantes misèrent elles aussi sur ces travaux d'aménagement. Ainsi, les bourgeois d'Amsterdam investirent en 1632 une somme importante pour l'assèchement du lac Waargastermeer.

Le résultat de ces efforts se reflète dans l'augmentation du cheptel. On ne possède malheureusement pas de données chiffrées sur cette région au XVIe siècle, mais dans la province voisine de Hollande, les fermes possédaient en règle générale cinq ou six bovins au début de ce siècle. En 1689, les paysans d'Idaarderadeel disposaient normalement de cinq fois plus d'animaux.

Il fallait pouvoir transporter les produits du terroir, viande et beurre, vers des marchés plus lointains. Grouw, le chef-lieu local, connut une croissance rapide, un marché s'y tint chaque semaine et une colonie de marchands s'y installa. Les transports s'effectuaient par voie d'eau, et, à partir de 1642, Grouw devint un centre portuaire doté de liaisons maritimes régulières.

La navigation donna naissance à un chantier naval, et l'intensité des activités attira des représentants du petit commerce et des métiers de service. Au milieu du XVIIIe siècle, les foyers de la cité se répartissaient ainsi : 60 chefs de famille étaient des paysans, 31 des ouvriers agricoles, et 245 représentaient d'autres professions.

L'évolution de Grouw vers une spécialisation professionnelle croissante caractérise aussi les campagnes avoisinantes. Au cours de toute cette période, le nombre des foyers paysans demeura en gros constant, et il en était probablement ainsi depuis le XIIe siècle. Cependant, la superficie exploitée par chaque foyer s'était accrue, avant tout parce que la petite noblesse affermait des terres.

Mais le changement majeur fut que les paysans se spécialisèrent dans l'élevage. Toutes les autres tâches qu'ils avaient jadis accomplies pour leur subsistance ou comme activités annexes étaient à présent aux mains d'autres gens qui du reste étaient en majorité dans la région.

Une division du travail richement ramifiée caractérisait donc l'Idaarderadeel au milieu du XVIIIe siècle, même si la

Grâce à des techniques agricoles avancées, les paysans hollandais avaient la possibilité d'avoir un cheptel plus important que dans le reste de l'Europe. Et les récoltes étaient meilleures grâce aux bêtes de somme et au fumier.

Grâce à de robustes dragues, les canaux étaient maintenus navigables.

stagnation démographique à partir de la fin du XVIIe siècle reflète le déclin économique général du pays. Et il convient de remarquer que les gens sans terre n'avaient pas besoin des villes pour vivre puisqu'ils trouvaient à s'employer dans l'agriculture locale.

Grâce à la proximité des villes et à la bonne qualité des communications, les paysans disposaient d'un marché pour leurs produits spécialisés et pouvaient se livrer sans partage à leur activité principale — dans l'Idaardedeel, la viande et les produits laitiers, ailleurs, les produits maraîchers, le lin ou le chanvre.

L'importation de céréales revêtait aussi une importance particulière. Elle était indispensable, et elle dispensait les paysans d'utiliser des terres ingrates pour produire coûte que coûte le grain nécessaire à la survie. Les exploitants pouvaient à la place se livrer à des activités plus lucratives et développer des méthodes qui allaient s'avérer bénéfiques, même pour les cultures céréalières.

Sur cette toile d'Adrian van Ostade (1610-85), cette poissarde illustre l'importance de la pêche aussi bien pour les exportations hollandaises que pour la nourriture des populations.

Les ressources de la mer

Pour les populations maritimes, la pêche fut sans doute dès les origines une source importante de revenus, y compris, à la morte saison agricole, pour les journaliers. On consommait le hareng frais, salé ou fumé.

Au cours de cette période, les Hollandais, fort de leurs traditions et remarquablement organisés, dominèrent la pêche au hareng dans la mer du Nord. Cette supériorité se manifesta dans plusieurs domaines. Un bateau spécialement construit pour la pêche en haute mer, le *buisen,* procurait aux pêcheurs hollandais une avance technique sur leurs concurrents, ce qui suscita des pamphlets envieux. Outre les pêcheurs, il y avait à bord du personnel pour nettoyer et saler le poisson. Le *buisen* représentait le stade pré-industriel de ces navires-usines qui conditionnent le poisson avant traitement à terre.

Vers 1600, on comptait de 450 à 500 de ces bateaux, avant tout en Hollande et en Frise. C'est que le hareng, « le rôti de veau du pauvre » était important comme ressource alimentaire.

Il régnait une grande effervescence lorsque les bateaux de pêche regagnaient le port. Le poisson était promptement déchargé sur des charrettes, et les marchands rivalisaient de célérité pour arriver les premiers sur les marchés de l'intérieur.

Selon le grand-pensionnaire Jean de Witt, il y aurait eu 450 000 personnes qui directement ou indirectement tiraient leur subsistance du poisson. Compte tenu de la population globale des provinces côtières, cette évaluation est certainement exagérée ; il n'empêche que dans la province de Hollande, 2 500 personnes étaient exclusivement occupées à confectionner des filets pour la pêche au hareng.

Cette supériorité hollandaise était due notamment au contrôle rigoureux du poisson. Un comité remontant à 1575 où siégeait des représentants des principaux ports de pêche contrôlait à terre le hareng pour s'assurer de la qualité du poisson et du sel. Les Anglais qui essayèrent de copier les méthodes hollandaises dans les moindres détails ne parvinrent pas à garantir la même qualité. En revenche, il leur arriva de proposer leurs marchandises 20 % en dessous du prix des Hollandais. Mais ceux-ci étaient constamment prêts à revoir leurs tarifs, quitte à se situer au-dessous du seuil de rentabilité, à seule fin de concurrencer efficacement leurs rivaux.

Le hareng était en effet un important article d'exportation, essentiellement à destination de l'Europe de l'Est. Pour garder le métal précieux à l'intérieur des frontières, les commerçants hollandais cherchaient à échanger les matières premières importées contre d'autres marchandises. Le hareng en était une. Il fallut attendre les années 1630 pour que, comptés en argent, les produits coloniaux l'emportent sur le poisson dans le frêt transitant par le Sund.

Le déclin économique de la Hollande au XVIIe siècle se remarque aussi dans la pêche. Le nombre de *buisen* en service diminua de moitié et plus entre 1600 et 1700, et les prises chutèrent des deux tiers. Entre 1600 et 1650, bon an mal an, au minimum 4 000 cargaisons de hareng hollandais franchissaient le Sund. Après 1654, ce chiffre ne fut dépassé qu'à quatre reprises.

Pourquoi précisément Amsterdam ?

C'est la ville marchande d'Amsterdam qui brilla du plus vif éclat au cours de l'âge d'or néerlandais. Beaucoup d'activités qui faisaient la réputation de la ville jouaient un rôle important dans l'économie européenne. Elles ont été évoquées précédemment.

L'accession d'Amsterdam au statut de métropole mondiale fut favorisée notamment par sa position géographique entre deux mers à la navigation intense, la Méditerranée et la Baltique, et — encore plus important à terme — par son site en bordure de l'Atlantique.

Mais Amsterdam n'était pas la seule dans ce cas. Et elle souffrait même de certains handicaps. Le sol était si bas qu'il fallut construire la ville sur pilotis, et le port, peu profond, était difficilement accessible par vent d'est. Seul avantage naturel, la ville était facile à défendre contre des agresseurs.

Le port d'Amsterdam — porte du commerce mondial. Peinture de Abraham Storck (1644-environ 1704).

Un contrôle strict de la salaison et de l'emballage du hareng garantissait la qualité supérieure du produit. Gravure sur cuivre de C. J. Visscher (environ 1587-1652).

Le développement spectaculaire d'Amsterdam ne démarra vraiment que lorsque Anvers, concurrente jusqu'alors intouchable, déclina à la suite du pillage espagnol de 1585 et du blocus maritime qui s'ensuivit — blocus avant tout destiné à priver les Espagnols des revenus d'un commerce florissant.

Cependant, en 1585, Amsterdam ne partait pas de zéro. Au milieu du XVe siècle déjà, le duc de Bourgogne mentionnait l'importance de son port. De tels jugements positifs allaient ensuite se multiplier, mais vers 1550, la prospérité d'Amsterdam était toujours largement dépendante des capitaux d'Anvers et des besoins de cette ville en navires de frêt.

Avec ou sans l'aide d'Anvers, Amsterdam apparaissait à la fin du XVIe siècle comme un important port d'entrepôt pour marchandises volumineuses. Les bourgeois de la ville orientèrent d'emblée le commerce dans une direction qui allait se révéler extrêmement fructueuse. Point n'est besoin d'admettre qu'ils possédaient un sens exceptionnel des affaires. De toutes façons, l'économie des régions côtières rendait nécessaire l'importation de vivres en grande quantité.

Une qualité particulière mérite d'être mise en exergue, c'est l'excellence des connaissances nautiques. Celles-ci s'étaient naturellement développées chez un peuple tourné vers la mer faute de pouvoir assurer sa subsistance uniquement par l'agriculture. Le secret de cette capacité à gagner de l'argent avec des marchandises volumineuses venant de loin résidait pour une bonne part dans l'aptitude à réduire les coûts de transport. Dans ce domaine, les Hollandais étaient les plus expérimentés et les plus habiles. Il avaient mis au point un navire spécialement conçu pour le frêt, le *fluten,* apte à transporter beaucoup de marchandises avec un équipage réduit.

Pour construire une flotte, il fallait du bois de charpente et autres matières premières. Amsterdam servit aussi d'entrepôt pour ce type de marchandises. Les

Ce voilier hollandais n'était peut-être pas une beauté, mais il était sans égal pour transporter des marchandises volumineuses.

Terres agricoles gagnées par assèchement entre 1540 et 1739. Toutes ne furent cependant pas conquises sur la mer : le drainage de régions marécageuses joua un grand rôle dans ce combat. Source : B. H. Slicher van Bath dans « The Cambridge Economic History of Europe », vol. V (1977).

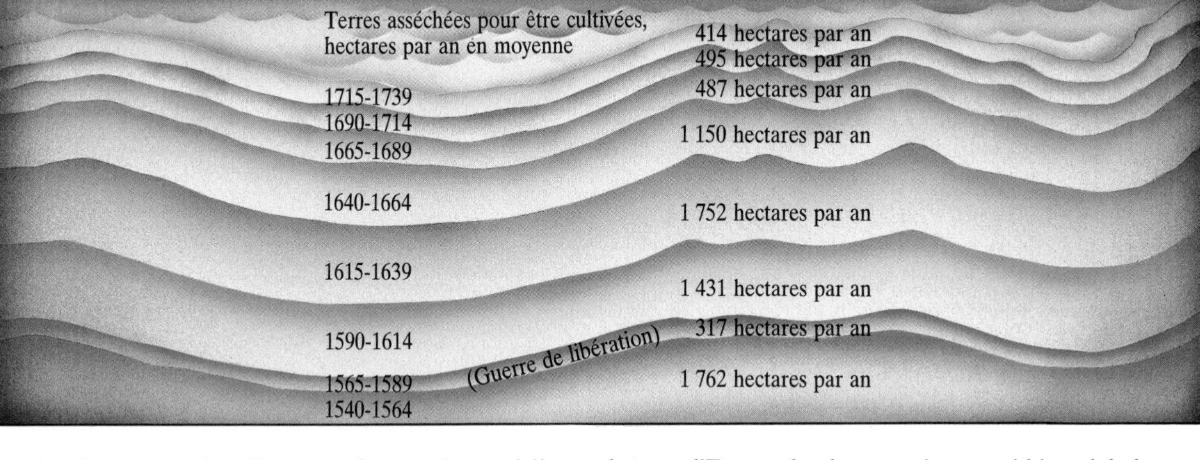

besoins du pays et singulièrement des provinces côtières étaient donc à la source d'activités prospères qui devaient nécessairement être concentrées quelque part. Que ce fût à Amsterdam précisément pouvait apparaître comme le fruit du hasard, mais il faut reconnaître que les bourgeois de la ville surent fort bien tirer profit de la conjoncture. Au cours des décennies qui précèdent et suivent 1600 furent créées toutes les institutions — bourse, banque d'escompte, compagnie des Indes orientales — qui canalisèrent le commerce mondial dans cette ville.

La tolérance religieuse permit aussi d'accueillir des réfugiés qui possédaient des capitaux et du savoir-faire. Amsterdam devint une place où l'on pouvait tout acheter, depuis des oignons de tulipe jusqu'à des escadres de bateaux prêts à appareiller. Et il y eut initialement des investisseurs prêts à miser des capitaux dans des entreprises à risques.

Les régents de Hollande

Au milieu du XVIIe siècle, la Hollande était sans conteste le pays d'Europe le plus prospère, aussi bien globalement que pour chaque groupe social en particulier. Rationnelle et adaptée aux impératifs commerciaux, l'agriculture assurait aux paysans des revenus supérieurs à ceux de leurs confrères étrangers, et même les habitants des villes ou des campagnes ne possédant pas de terres menaient une existence plus supportable qu'ailleurs. Seule exception peut-être, l'aristocratie, peu nombreuse dans la plupart des provinces, n'avait pas la même position que la noblesse des autres pays.

Une telle comparaison tourne surtout à l'avantage de la bourgeoisie des villes, notamment celle des provinces côtières. La population urbaine de Hollande était proportionnellement très élevée. Tous les citadins n'étaient pas fortunés, tous n'appartenaient pas à l'état de la bourgeoisie, mais le nombre de ceux qui purent y accéder ne cessa d'augmenter : à Amsterdam, huit fois plus de demandes de ce genre furent satisfaites au début du XVIIe siècle qu'à la fin du XVIe.

La bourgeoisie des provinces côtières qui, au début du XVIIe siècle, avait gagné des fortunes à oser miser sur des entreprises à risques modifia son comportement par la suite. Les commerçants les plus en vue en vinrent à former une élite de rentiers vivant de revenus sûrs tels qu'obligations d'Etat, actions de compagnies solides comme celle des Indes orientales, ou encore de ce que leur rapportait leurs charges ou leurs propriétés foncières. L'influence politique que les bourgeois avaient acquise au cours de la révolution ne fit que se renforcer.

Au début, des personnes socialement douteuses mais économiquement prospères purent s'intégrer rapidement à ce milieu. Mais peu à peu, le cercle de la bourgeoisie ne cessa de se rétrécir et de se fermer. Il devait sa cohésion à des relations familiales et commerciales établies depuis longtemps, depuis des générations. Avant d'être acceptés dans ce milieu, les membres d'une famille devaient d'abord amasser une fortune, puis se voir confier des missions officielles pour ne plus avoir l'air de parvenus. Venait enfin le temps où, par le biais de mariages, on était admis dans ce cercle qui était aussi dispensateur des charges les plus flatteuses et les plus rentables.

Bref, ces régents, comme on les appelait, disposaient d'un pouvoir qui n'était réservé qu'à un petit nombre. Le népotisme et la corruption étaient certes inévitables au sein d'un groupe aussi restreint. Dans certaines villes, il

Les régents de Hollande voulaient apparaître aux yeux du monde comme des gens aimant les vêtements et les distractions simples. Ainsi cette famille, peinte par Frans Hals (environ 1580-1666), qui se livre aux joies de la musique.

existait même des contrats précisant la manière dont les charges seraient distribuées parmi les régents pour exclure toute immixtion de parvenus. Malgré sa puissance, cette élite se caractérisa par une grande simplicité de vie, y compris dans la deuxième moitié du XVIIe siècle où elle connut son apogée. Simplement vêtus, ennemis du superflu dans leur foyer et à leur table, assidus aux offices, ces régents en vinrent à symboliser les vertus bourgeoises. Certains observateurs du XVIIIe siècle crurent cependant observer un relâchement de ces bonnes mœurs, peut-être simplement parce que l'image idéalisée qu'on se faisait de ces hommes ne tolérait pas la moindre entorse.

Un régent et sa famille

A la fin des années 1640, Stockholm reçut la visite d'un des politiciens européens appelés à jouer un rôle important. C'était le Hollandais Jean de Witt, futur grand-pensionnaire, qui au cours d'un voyage d'étude était venu rendre visite à son père Jacques, diplomate en Suède.

Jean de Witt venait d'une bonne famille, ce qui était une condition essentielle pour faire une carrière politique aux Pays-Bas. A partir de la fin du XVe siècle, il y avait toujours eu un de Witt dans le conseil de la ville de Dordrecht. Le grand-père de Jean, Cornelius, avait hérité d'une entreprise florissante dans le secteur du bois, et il possédait de nombreuses actions dans la Compagnie des Indes orientales. Toutefois, c'est surtout à la politique qu'il consacrait son temps.

Avec son comportement simple, ses succès économiques et politiques et l'honorabilité irréprochable de sa famille, Jean de Witt incarnait le parfait Hollandais — titre que lui décerna d'ailleurs un de ses admirateurs.

Quand l'or se ternit

En 1750, la Hollande et Amsterdam n'étaient plus comme cent ans auparavant le moteur incontesté et l'âme du commerce mondial. Le déclin économique du pays s'amorça dans la deuxième moitié du XVIIe siècle.

De nombreuses guerres, et notamment celles consécutives à l'attaque française de 1672, mirent à mal les ressources du pays. C'était un lourd fardeau que de se procurer sans cesse de l'argent pour de nouvelles armées. Et au XVIIIe siècle, l'Etat hollandais, pour la première fois, eut du mal à obtenir un prêt destiné à son effort de guerre.

La Hollande ne possédait pas un substrat démographique suffisant pour compenser la baisse de la demande étrangère par la consommation intérieure. La prospérité du pays avait été largement liée à la liberté des mers et du commerce. Lorsque de grands royaumes comme la France et l'Angleterre commencèrent à mener une politique protectionniste en réservant le frêt à leur propre marine marchande, la Hollande fut durement touchée.

La compétitivité des manufactures hollandaises reposait essentiellement sur le fait qu'elles s'étaient spécialisées dans la finition de produits semi-fabriqués. Cela resta rentable tant que les techniques employées ne furent pas utilisées ailleurs. Mais là encore, les gouvernements étrangers soutinrent leurs propres manufactures pour les rendre indépendantes. Ces mesures protectionnistes furent d'autant plus préjudiciables que la Hollande ne disposait pas de matières premières en quantité suffisante.

A quoi s'ajouta le fait que le bien-être relatif qui régnait en Hollande rendait la main-d'œuvre chère. Dans les villes, les corporations maintenaient les salaires à un niveau assez élevé, et l'agriculture n'engendrait pas de prolétariat rural, ce qui privait les cités d'ouvriers bon marché.

On peut invoquer bien des causes pour expliquer la stagnation économique hollandaise, mais aucune d'entre elles n'apparaît décisive à elle seule. Le plus important fut peut-être que les gens fortunés cessèrent d'être des moteurs du renouvellement. La haute bourgeoisie en vint à compter plus de rentiers que d'entrepreneurs hardis misant sur le commerce, l'agriculture ou les manufactures. Dans la première moitié du XVIIe siècle, les régents possédaient tant de fortune, de prestige social et de garanties politiques qu'ils n'avaient plus besoin de faire preuve d'esprit d'aventure.

Cependant, il y eut encore au XVIIIe siècle des investisseurs capables de prendre des risques et de faire des affaires fructueuses par exemple en Russie, en Suède, au Danemark, en Norvège, dans des territoires d'outre-mer en voie d'exploitation et même dans des pays développés comme la France et l'Angleterre. Pour l'Etat et pour les populations, cette stagnation économique ne fut nullement une catastrophe comme cela avait été le cas pour l'Espagne. Il ne fut jamais question de faillite pour l'Etat ni de misère pour le peuple. La Hollande perdit sa position dominante en Europe, non sa prospérité.

On peut se demander pourquoi ce fut l'Angleterre et non la Hollande qui fit le premier pas vers l'industrialisation. Jan de Vries propose la réponse suivante : « Un peuple prospère, instruit et tourné vers le commerce n'a pas nécessairement besoin — et peut-être déteste-t-il — les maudites usines de la société industrielle. »

Malgré son économie avancée, la Hollande gardait plus ou moins son caractère d'idylle pastorale, comme sur ce tableau de Pieter Brueghel le Jeune (1564-1638).

L'Angleterre révolutionnaire

En l'an 1485, après 30 ans de guerre civile, Henri VII Tudor devint roi d'Angleterre. Epuisée par les luttes intérieures, dépouillée de ses possessions françaises, peu peuplée par rapport à de grandes puissances comme l'Espagne et la France, économiquement arriérée en comparaison avec les Pays-Bas et l'Italie du Nord, l'Angleterre ne semblait pas promise à un avenir radieux. Un peu plus de deux cents ans plus plus tard, vers 1700, la Grande-Bretagne était en passe de se hisser au premier rang des nations mondiales, une position qu'elle allait occuper jusqu'à notre siècle.

Les armes nationales anglaises d'Elizabeth (1558-1603), avec la devise : « Semper eadem ». Le bouclier comprend les armes de l'Angleterre, celles du pays de Galles officieusement annexé et celles de l'Irlande, formellement rattachée à l'Angleterre mais nullement soumise.

L'Angleterre joua un rôle de pionnier dans l'évolution de l'Europe occidentale vers le capitalisme et l'industrialisation évoquée précédemment. Etre le premier procure des avantages en matière de concurrence, mais implique aussi qu'on ne peut se référer à des expériences antérieures pour gérer les problèmes posés par le passage d'un type de société à un autre. L'administration héritée du Moyen Age se trouva confrontée à de tout nouveaux problèmes : transformation des conditions de l'agriculture, influence du système de commandite sur le monde rural, exigences politiques de nouveaux groupes sociaux, paupérisation croissante de certaines catégories, pour ne citer que ces exemples.

Lords et forêts de chênes

Au début du XVIe siècle, l'Angleterre était toujours un pays agraire au sens médiéval du terme. Autrement dit, seule une fraction des terres était cultivée. Les forêts de chênes constituaient un élément important du paysage, et l'habitat ressemblait à des îlots perdus dans une vaste mer. Cent ans plus tard, la construction navale, les hauts-fourneaux et l'accroissement de la population avaient entraîné une pénurie criante de bois, jadis denrée si abondante.

Les troupeaux de moutons étaient particulièrement importants. L'exportation médiévale de laine avait certes fait place au commerce des lainages, mais cela ne diminuait en rien l'importance de l'élevage ovin. Sans doute y avait-il moins de moutons qu'il n'y en a aujourd'hui, mais par rapport à la population humaine, leur nombre était énorme au XVIe siècle.

Souverains d'Angleterre

Henri VII	1485-1509
Henri VIII	1509-1547
Edouard VI	1547-1553
Marie I	1553-1558
Elizabeth I	1558-1603
Jacques I	1603-1625
Charles I	1625-1649
République et Oliver Cromwell	1649-1658
Richard Cromwell	1658-1659
Charles II	1660-1685
Jacques II	1685-1688
Guillaume III	1688-1702
Anne	1702-1714
George I	1714-1727
George II	1727-1760

Au sommet de la hiérarchie sociale particulière à l'Angleterre se trouvaient les lords (the peers). Ils étaient les chefs des familles qui avaient reçu un titre nobiliaire, de duc à baron. Ce titre revenait à leur fils aîné, non aux cadets et encore moins aux filles qui, à défaut du titre, tiraient parti du prestige et de l'influence de la famille.

Le mot *peer* signifie pair, égal. Les lords étaient les pairs du roi, une dignité acquise au Moyen Age par les grands vassaux du fait de leur puissance militaire. La guerre des Deux-Roses avait décimé les lords, et les Tudor veillèrent soigneusement à ce que leur nombre ne s'accroisse pas trop. Jusqu'en 1600, ils ne furent jamais plus de 60 — et parfois à peine la moitié. C'est le souverain qui avait la prérogative de nommer les lords.

Ceux-ci se distinguaient du reste de la population par leurs nombreux privilèges dans divers domaines. Leur dignité leur valait une place personnelle dans la Chambre des lords, celle où les évêques siégeaient. Au sein de l'administration et de la cour, les places d'honneurs, lucratives

Bergers avec leurs troupeaux. Illustration tirée d'un calendrier datant du début du XVIe siècle.

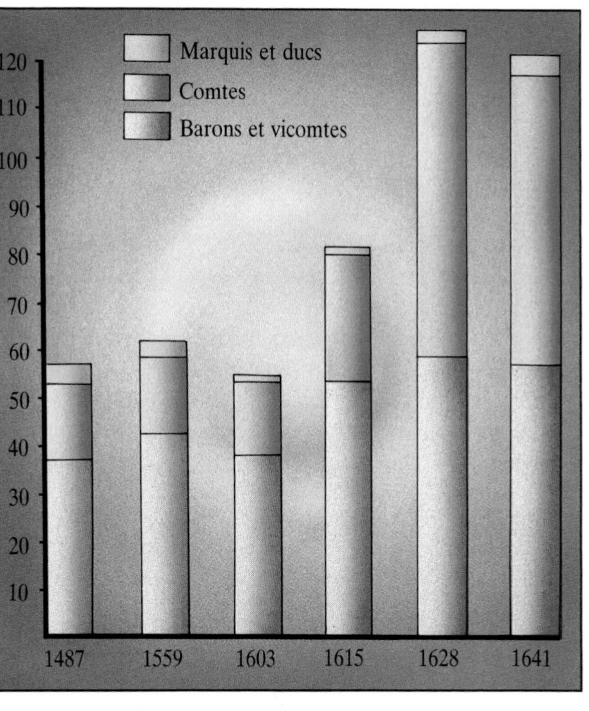

Les lords de 1487 à 1641. Par leur politique prudente de nomination, les Tudor en maintinrent le nombre à peu près constant. Les Stuart qui avaient besoin de soutien furent beaucoup moins restrictifs.

sinon toujours d'importance capitale, leur étaient réservées. En matière judiciaire, ils disposaient de tels privilèges que leurs créanciers n'avaient guère de recours légaux pour recouvrer l'argent prêté.

Cette dignité allait de pair avec la possession de vastes biens fonciers. La couronne pouvait intervenir pour procurer aux nouveaux lords, ou à ceux dont les ancêtres avaient dilapidé l'héritage, des propriétés leur permettant de vivre selon leur rang. Cependant, les lords d'Angleterre ne bénéficiaient pas de la large exemption d'impôts accordée un peu partout en Europe à la noblesse.

Avec leurs vastes propriétés, leurs titres imposants et leur position dans la vie politique, les lords, bien entendu, exerçaient aussi une influence considérable à l'échelon local. L'histoire de l'Angleterre médiévale montre combien ils furent redoutables en tant qu'adversaires du centralisme incarné par le roi. Apprivoisés par la couronne

Actes du Parlement signés par les Tudor qui se succédèrent sur le trône d'Angleterre pendant un bon siècle (1485-1603).

Un château médiéval dans le comté de Kent. C'est à partir de telles forteresses que les grands vassaux défièrent leur suzerain royal, mais les techniques militaires des Temps modernes dépouillèrent ces édifices de leur qualités défensives.

qui s'assura leur concours, ils devinrent un instrument efficace au service de l'appareil d'Etat.

Les « gens ordinaires »

En dessous des lords, il y avait le reste, les gens ordinaires (*the commoners*), y compris donc les épouses, fils et filles des lords. Au sein de cette vaste catégorie, la *gentry* formait la couche supérieure. On a souvent rendu ce terme par petite noblesse ou noblesse rurale, ce qui est trompeur car la gentry ne disposait pas de privilèges légaux qui l'auraient distinguée des autres commoners. Certains se voyaient attribuer le titre honorifique de *knight*, chevalier, sans autre avantage toutefois que de faire précéder leur nom de « Sir » Beaucoup d'entre eux, mais pas tous, se procurèrent des armoiries, ce qu'au demeurant n'importe qui pouvait faire s'il avait les moyens d'acquitter les droits afférents et pouvait prouver qu'il vivait des revenus de sa fortune. Ce qui liait les membres de la gentry en un groupe relativement homogène, c'est que tous étaient propriétaires terriens sans posséder les titres requis pour la dignité de lord. En général, leurs domaines étaient plus petits que ceux des lords.

La pénurie de main-d'œuvre agricole à la fin du Moyen Age puis la guerre des Deux-Roses avaient soumis les membres de la gentry à rude épreuve. Pour survivre, il leur avait fallu recourir à des méthodes telles que procès contre des voisins, contrebande, piraterie — et aussi mariages avantageux. Ces temps difficiles avaient sans nul doute influencé la mentalité de la gentry qui, à la fin du XVe siècle, voyait enfin le bout du tunnel. Le contexte politique était plus calme, et les travailleurs ruraux, jadis trop peu nombreux, se montraient à présent très désireux d'exploiter des terres.

L'essentiel de la population se composait d'agriculteurs qui en règle générale étaient délivrés du servage depuis plusieurs siècles. Certes, un certain lord Stafford, aussi tard qu'en 1586, tenta de faire valoir que ses paysans étaient des serfs, mais ses prétentions, plus révélatrices des rêves de l'aristocratie que de la réalité sociale anglaise, furent rejetées. En revanche, les conditions avantageuses liées au métayage et l'augmentation du commerce avaient commencé au XVe siècle à créer des inégalités parmi les paysans.

L'ambassadeur de Venise en Angleterre exagérait quelque peu lorsqu'il affirma en 1497 qu'à part Londres, le pays ne possédait que deux villes, York et Bristol. Il y avait pourtant un fond de vérité car les cités anglaises ne tranchaient guère sur les campagnes environnantes. Ceci d'autant plus que la classe supérieure, ne disposant pas

La chasse au renard, intense et dangereuse, est liée à l'image de la gentry, comme la littérature et l'art en témoignent. Peinture de James Seymour (1702-52).

des ressources des grandes villes, devait chercher le soutien des propriétaires terriens de la région pour garder son rang face à la pression des petits commerçants et des artisans.

Londres constituait l'exception. Aucune autre nation européenne n'était aussi fortement marquée par une seule ville que l'Angleterre. La cité s'accrut à tel point que le pays tout entier ou presque l'approvisionna en marchandises de première nécessité. En même temps, Londres draina à elle les tissus de laine, articles d'exportation. Les monopoles permirent aux bourgeois londoniens d'édifier des fortunes.

Les nouveaux propriétaires terriens venaient pour l'essentiel de Londres. Fonctionnaires royaux, négociants et représentants des métiers intellectuels se rendaient acquéreurs d'une propriété, ce qui leur conférait sans contestation possible le statut de gentleman. Mais le flux s'opérait aussi dans l'autre sens.

Du fait que l'aristocratie et la gentry transmettaient leurs prérogatives au fils aîné, beaucoup parmi les cadets devaient faire carrière dans l'administration ou le commerce, activités tenues généralement pour bourgeoises. Ainsi se resserraient les liens entre les gens aisés au sein de la société anglaise.

A gauche : Henri VIII se rendant au Parlement en 1512.

Henri Tudor — père et fils

Le règne d'Henri VII (1485-1509) fut une période constructive. Quand les aristocrates hostiles furent vaincus et désarmés, le temps était venu d'une concentration de pouvoir entre les mains du roi et de ses conseillers. Le Parlement avait cessé d'être comme au Moyen Age un contrepoids aux mesures centralisatrices ; à présent, il était convoqué pour entériner les décisions royales. Au cours de ses douze dernières années de règne, Henri VII, dont le pouvoir était assuré, n'appela les parlementaires qu'une seule fois à siéger.

Après la désorganisation causée par la guerre civile, il fallut mettre sur pied une administration centrale. Le Conseil royal qui comportait de nombreux membres fut scindé en conseils ou comités plus petits. Certains accompagnaient le roi dans ses déplacements incessants, d'autres veillaient au grain dans des régions peu sûres comme la frontière nord ou le pays de Galles, et un certain nombre étaient stationnés à Londres. Il existait un conseil pour contrôler les revenus de la couronne, un autre était chargé de veiller à ce que les suites armées des aristocrates ne dépassent pas certaines limites. Symbole du centralisme, la cour suprême du roi pouvait également rendre de grands services politiques. On l'appelait la Chambre étoilée par allusion à la décoration de la salle.

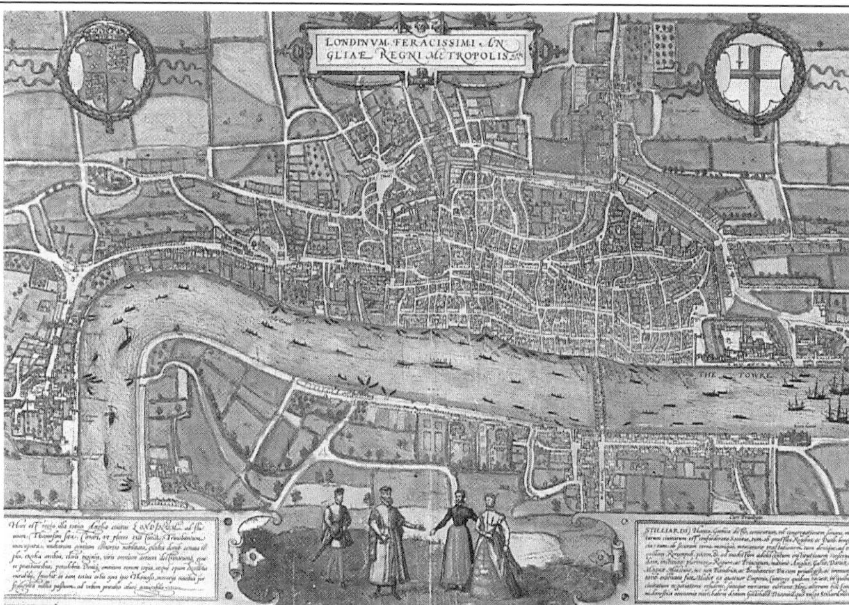

Londres au XVIe siècle. Au nord de London Bridge s'étendait déjà la City, le centre économique de la ville. A l'ouest, derrière la courbe du fleuve, apparaît Westminster, foyer politique et administratif.

Les décisions centrales étaient exécutées au plan régional par des shérifs ou juges de paix, recrutés essentiellement parmi les propriétaires terriens localement influents.

L'efficacité de ce nouveau système contribua notamment à renflouer les caisses de l'Etat. Les recettes publiques, qui avaient chuté pendant la guerre des Deux-Roses, s'élevèrent de 50 000 livres à 140 000 entre l'accession au trône d'Henri VII et la mort du souverain. Grâce à la position insulaire protégée de l'Angleterre et à une politique étrangère prudente, les finances de l'Etat ne furent

Henri VIII (1509-47) dans une attitude princière imposante, peint vers sa cinquantième année par Hans Holbein le Jeune (1498-1543).

Henri VIII et toutes ses épouses sous forme de poupées. C'est bien ainsi que fonctionnaient les conjoints royaux dans le jeu politique et dynastique du temps.

Henri VIII et ses épouses

Nom	Reine en	Enfants (qui survécurent)	Causes de la dissolution du mariage
Catherine d'Aragon	1509-1533	Marie (I)	Absence d'héritier mâle, et amour du roi pour Anne Boleyn
Anne Boleyn	1533-1536	Elizabeth (I)	Accusée d'infidélité, exécutée
Jane Seymour	1536-1537	Edouard (VI)	Morte après l'accouchement
Anne de Clèves	1540		Mariage jamais consommé
Catherine Howard	1540-1542		Accusée d'infidélité, exécutée
Catherine Parr	1543-1548		Mort d'Henri VIII en 1547

pas obérées par de ruineuses dépenses de guerre. Le roi put léguer à son fils Henri VIII non seulement une administration bien rodée mais aussi un avoir important, du moins pour l'époque.

Dans un livre de morale, Henri VIII (1509-47) serait l'exemple parfait du fils dépravé. Il dilapida rapidement l'héritage paternel dans des guerres, abandonna pendant un quart de siècle la direction du royaume à des favoris et mena une vie conjugale des plus orageuses.

A sa décharge, il faut rappeler que cette manière de ruiner les finances par des entreprises guerrières était plutôt la règle que l'exception parmi les rois. La guerre permettait d'entretenir l'aristocratie, ce qui aidait à maintenir le calme intérieur. En outre, la conjoncture était favorable à une politique étrangère active puisqu'aussi bien le roi de France que l'empereur, lors de leur affrontement au début du XVIe siècle, recherchaient des alliés. Et il y avait aussi que les ressources de l'Angleterre étaient insuffisantes, ce dont Henri VII avait été conscient.

Les trois premiers mariages d'Henri VIII peuvent se comprendre du fait qu'il fallut attendre la troisième union pour que la dynastie des Tudor se trouvât affermie par la naissance d'un fils.

Les puissants conseillers du roi finirent par être choisis non en fonction de leur naissance ou de leurs belles manières mais pour leurs qualités d'administrateur. Au demeurant, ils n'étaient pas aussi omnipotents qu'il pouvait y paraître. Leur destin en témoigne : disgrâce, renvoi et dans le pire des cas exécution. Leur fortune ou infortune dépendait au plus haut degré d'un caprice royal.

La Réforme

En 1514, Henri VIII abandonna la corvée des tâches gouvernementales quotidiennes à son homme de confiance, Thomas Wolsey, chancelier de 1515 à 1529. La tâche principale de celui-ci consistait à assurer le financement de la diplomatie aventureuse du roi à laquelle il participait lui-même comme négociateur. Cette mission ingrate de trouver de nouvelles sources de revenus lui valut une large impopularité, ce dont il se consola en accumulant les char-

Le cardinal Thomas Wolsey, chancelier d'Henri VIII de 1515 à 1529, et négociateur malheureux du divorce royal auprès du pape.

ges hautement rémunératrices. Au sommet de sa puissance, il disposa non seulement de l'archevêché de York mais aussi, pendant des périodes plus ou moins longues, de cinq autres diocèses et du couvent le plus riche d'Angleterre, St-Alban, situé 35 kilomètres au nord de Londres. Ses revenus souffraient la comparaison avec ceux des lords les plus riches, et son train de vie fut en conséquence.

Mais son destin était entre les mains du souverain. Lorsque Wolsey échoua dans sa plus importante mission — obtenir du pape qu'il consente à la dissolution du mariage du roi avec Catherine d'Aragon —, la faveur royale prit fin et il fut livré aux attaques de ses ennemis. Accusé de haute trahison, il fut emprisonné mais mourut avant son procès.

La diplomatie de Wolsey n'ayant pu résoudre le problème du divorce, le souverain se plaça sur le terrain de la politique ecclésiastique. En cette période de crise que traversait l'Eglise catholique, le pape, sous peine de perdre encore une province, devait être enclin aux concessions. Une série de mesures parlementaires prises en 1532 visèrent à soustraire de plus en plus l'Eglise anglaise à la souveraineté du pape. Des statuts furent élaborés, qui plaçaient le clergé sous l'autorité de la Couronne et non plus de Rome. Dans ses rapports avec le Parlement, le roi se servit de Thomas Cromwell, qui, de 1532 à 1540, occupa une place aussi éminente que Wolsey auparavant.

Toutefois, le pape refusa de céder à la menace. Fin 1532, il y avait urgence. La promise du roi, Anne Boleyn, était enceinte. Si elle devait accoucher d'un fils, il fallait que celui-ci fût légitime pour assurer la succession. Après la mort opportune de l'archevêque de Canterbury en 1532, on obtint du pape la nomination à cette charge d'un fidèle du roi, Thomas Cranmer (1533-53). Celui-ci maria d'abord secrètement Henri VIII et Anne Boleyn, puis déclara dissous le précédent mariage du souverain. Le pape répliqua en excommuniant Cranmer, menaçant de faire subir le même sort au roi.

L'enfant qui naquit fut une fille, Elizabeth. Apparemment, on s'était donné beaucoup de mal pour rien — du point de vue de la succession — mais il n'était plus temps de revenir en arrière. En 1534, le Parlement édicta l'Acte de suprématie qui reconnaissait formellement au monarque une souveraineté sur l'Eglise qu'en fait il possédait déjà.

Dans l'optique du roi, la Réforme était donc achevée. Il ne restait qu'à mettre au pas tous ceux, protestants aussi bien que catholiques, qui s'imaginaient que la liberté religieuse était plus importante que la raison d'Etat. Le célèbre humaniste Thomas More (1478-1535), chancelier du roi entre Wolsey et Cromwell, fut exécuté parmi d'autres.

Certes, la Réforme résultait des motifs personnels du roi et de l'habileté de Cromwell à manier le Parlement, mais les deux hommes n'avaient pas eu à lutter contre la volonté de tout un peuple. Le terrain était bien préparé. Dans le pays, le clergé, avec ses mœurs et sa manière de collectionner les prébendes — voyez Wolsey — suscitait les plus vives réserves. Cette défiance était renforcée par les prédicateurs protestants que soutenait la bourgeoisie de Londres gagnée au calvinisme. Quant aux contribuables, ils pouvaient espérer une baisse des impôts du fait que la Réforme étant source de profits pour la Couronne.

Henri VIII et ses enfants

L'étoile de Thomas Cromwell commença à pâlir à la fin des années 1530, avant tout car le roi estimait qu'il soutenait trop les protestants. Mais le coup de grâce lui fut porté lorsque, mû par des impératifs politiques, il arrangea le remariage du roi. Henri VIII ressentit de l'aversion pour la fiancée que le chancelier lui désignait, Anne de Clèves. Furieux de se retrouver dans une situation impossible et ridicule, il s'en prit à Cromwell, l'entremetteur, qui fut arrêté et exécuté.

Les femmes firent le malheur de Wolsey et de Cromwell, sinon d'Henri VIII lui-même. Cependant, entre l'Acte de suprématie de 1534 et son exécution huit ans plus tard, Cromwell avait rendu bien des services à son maître. Le pays de Galles fut incorporé au royaume en 1535. La confiscation des terres monastiques (1536-40) eut d'importantes conséquences économiques, sociales et culturelles. Au cours de ces quelques années, les revenus fonciers de la couronne triplèrent. Mais les propriétés ne restèrent pas longtemps aux mains de la royauté. Au cours des années 1540, les guerres d'Henri VIII contre la France et l'Ecosse provoquèrent une crise financière si aiguë qu'il fallut se procurer de l'argent en vendant des biens. Les deux tiers des terres monastiques furent ainsi cédées, avant tout à la gentry et à l'aristocratie.

Thomas Cromwell, chancelier d'Henri VIII de 1532 à 1540, et négociateur malheureux du remariage royal.

Outre une dette publique importante, Henri VIII laissait à sa mort trois enfants : une fille issue de son premier mariage, une autre du deuxième, et un fils du troisième. Celui-ci, Edouard VI (1547-53), était appelé à régner.

La régence fut assurée par des tuteurs représentant deux fractions rivales. On s'accorda du moins à miser sur

Immédiatement à droite : portrait en médaille d'Edouard VI (1547-53). Henri VIII avait déployé beaucoup d'énergie pour engendrer un successeur au trône. Ironie du sort, celui-ci n'atteignit jamais l'âge adulte.

Plus à droite : Marie Tudor (1553-58) avec son époux Philippe II d'Espagne.

le protestantisme pour dresser un bouclier contre l'assaut catholique qui était à prévoir si la demi-sœur du roi, Marie, fille de Catherine d'Aragon, héritait du trône.

Ce qu'on craignait se réalisa effectivement. Quand Edouard mourut à seize ans, Marie devint reine d'Angleterre (1553-58) malgré une tentative de coup d'Etat. En 1553, lors de la première session parlementaire qui se tint sous son règne, toutes les lois et ordonnances sur la religion adoptées au nom d'Edouard VI furent abrogées. En outre, quelque 2 000 prêtres mariés furent révoqués. L'année suivante, les membres du Parlement durent recevoir à genoux le pardon du pape. L'Angleterre rentrait à nouveau dans le giron de l'Eglise catholique.

L'archevêque Thomas Cranmer (1489-1556), qui accéléra le processus de la Réforme, fut victime de la réaction catholique. Au cours d'interrogatoires pressants, il fit amende honorable avant de reprendre sa parole. Lors de son exécution, il aurait d'abord offert aux flammes la main qui avait signé cette amende honorable.

Une chasse aux protestants s'ensuivit. Trois cents personnes furent brûlées sur le bûcher, dont l'archevêque Thomas Cranmer.

Le mariage de Marie avec Philippe II d'Espagne entraîna l'Angleterre dans de nouvelles guerres coûteuses contre la France. Calais fut perdu. A la mort de Marie (1558), sa demi-sœur Elizabeth lui succéda, ce qui fut sans doute accueilli avec soulagement ; en tout cas, il n'y eut pas de tentative de coup d'Etat.

L'avenir sur mer

Le règne d'Elizabeth d'Angleterre s'étendit sur quarante-cinq ans (1558-1603). Pendant presque tout ce temps, William Cecil (1520-98) fut son premier ministre. Ces deux personnalités qui collaborèrent étroitement symbolisèrent une politique prudente et souple visant à assurer la paix intérieure et extérieure — mais pas à n'importe quel prix.

Portrait dit de l'Armada représentant Elizabeth d'Angleterre (1558-1603). L'arrière-plan glorifie le plus grand triomphe remporté sous le règne de la souveraine.

Lorsqu'Elizabeth accéda au trône, le problème diplomatique majeur était celui d'une éventuelle alliance entre l'Ecosse et la France, adversaire traditionnel de l'Angleterre. Marie Stuart personnifiait ce danger. Elle était reine d'Ecosse depuis sa naissance (1542), elle avait des prétentions sur la couronne anglaise et, en 1558, elle avait épousé le prince héritier français, le futur François II ; catholique elle-même, elle était apparentée à la famille de Guise, championne du catholicisme en France. Marie Stuart symbolisait donc des forces coalisées qui faisaient planer une menace sur l'Angleterre.

Quand François II mourut prématurément en 1560 disparurent les raisons dynastiques à une union entre

l'Ecosse et la France. Avant même que Marie Stuart ait eu le temps de s'installer en Ecosse, l'Angleterre exploita une révolte, fomentée par des groupes aristocratiques, anti-français et calvinistes, qui avait éclaté dans ce pays. Une expédition anglaise de renfort chassa les troupes françaises hors d'Ecosse où Marie Stuart se retrouva seule face à ses sujets dont le moins qu'on puisse dire est qu'ils se montrèrent méfiants.

Elle-même contribua largement à affaiblir encore sa position. Lorsqu'en 1568 elle fut obligée de fuir en Angleterre, elle posa cette fois un problème de politique intérieure — les complications diplomatiques passèrent d'autant plus au second plan que les protecteurs français de Marie Stuart étaient en pleine guerre civile.

A cette époque, l'Angleterre s'intéressait au premier chef à la guerre de libération hollandaise. La cause des Pays-Bas était aussi la sienne tant en raison d'affinités religieuses qu'à cause de la menace espagnole pesant sur le commerce et la sécurité du pays.

Jusqu'à la conquête d'Anvers par les Espagnols en 1585, le soutien anglais à la révolte hollandaise demeura officieux et limité. Des volontaires étaient envoyés sur le lieu des hostilités, et le commerce espagnol d'outre-mer fut entravé par des corsaires anglais dont le butin était source de profit pour eux-mêmes mais aussi pour le gouvernement et la reine en personne.

C'est au cours de cette période que des hommes comme John Hawkins (1532-95), marchand d'esclaves et trésorier de la marine, et Francis Drake (1543-96), grand

Le mystère des lettres de la cassette

La nuit du 10 février 1567, les habitants d'Edimbourg furent réveillés par une violente explosion. Ils purent constater que la maison où lord Darnley était alité avait volé en éclats. Darnley fut retrouvé dans le jardin, étranglé. Le soir précédent, il avait reçu la visite de son épouse qui n'était autre que la reine d'Ecosse, Marie Stuart. Leur mariage n'avait pas été spécialement harmonieux. Lord Darnley avait lui-même participé au meurtre du favori et secrétaire de sa femme, le chanteur italien Riccio.

Les indices recueillis après l'assassinat de Darnley accusèrent James Bothwell. La reine fut également soupçonnée, et ces soupçons se renforcèrent quand Marie Stuart épousa Bothwell peu de temps après. Le meurtre de Darnley allait contribuer à coûter à la reine son trône, puis sa vie.

La culpabilité de la reine semble fort probable, mais les preuves décisives dépendent de l'authenticité de certaines lettres qu'elle aurait écrites, les *lettres de la cassette*. On a douté très tôt de leur authenticité, et l'incertitude demeure malgré tous les efforts déployés par les historiens.

Marie Stuart avec son époux, lord Darnley. Ce mariage entraîna des conséquences très dramatiques, tant politiques que personnelles.

navigateur, corsaire et vice-amiral, amorcèrent leur carrière de héros des mers. Tous deux étaient présents lorsque la grande tentative d'invasion espagnole consécutive à l'entrée officielle de l'Angleterre dans la guerre fut repoussée en 1588.

Déjà protégée par sa position insulaire, l'Angleterre pouvait encore renforcer sa défense en se dotant d'une puissante marine de guerre. Henri VIII avait commencé à bâtir une flotte axée sur quelques gigantesques navires de combat, mais elle périclita après la mort du roi. John Hawkins fut chargé de créer une nouvelle flotte moderne composée de bâtiments rapides. Deux preuves éclatantes de la puissance de la marine britannique furent apportées lorsque Francis Drake « roussit la barbe du roi d'Espagne » — il commandait l'escadre qui prit le port de Cadix en 1587 — et lorsque l'Armada fut vaincue l'année suivante.

Aristocrates, puritains et catholiques

Sur la scène intérieure où se manifestaient des forces antagonistes, Elizabeth et Cecil durent également manœuvrer pour trouver un équilibre. Du temps du jeune Edouard VI, les conseillers nobles avaient retrouvé le goût de la puissance politique que leurs prédécesseurs médiévaux avaient détenue.

Sous le règne de Marie Tudor, les catholiques avaient eu confirmation que même en Angleterre, la Contre-

Construit en 1610, le « Prince Royal » avec son ornementation, ses 3 ponts et ses 56 canons, offre un bon exemple de navire de guerre anglais de la fin du XVIIe siècle. Peinture de Hendrick Cornelisz van Vroom (environ 1591-1661).

Réforme pouvait compter sur des appuis. Et quand Elizabeth accéda au trône, les protestants en exil regagnèrent massivement leur patrie, persuadés que pareil exode ne se reproduirait plus.

Ce furent les aristocrates qui causèrent le moins de soucis au gouvernement. Ils étaient en général démilitarisés, et la couronne pouvait leur offrir des charges rémunératrices. Deux révoltes, celle des « comtes du nord » (1569) et la tentative de coup d'Etat du favori Essex (1601), furent aisément réprimées.

Robert Devereux, comte d'Essex (1566-1601), se vit attribuer de hautes charges lucratives en qualité de cousin et favori de la reine. Il surestima ses talents politiques et alla finalement trop loin. Il ne lui resta comme issue que la révolte armée, et il mourut sur l'échafaud un jour de février 1601. Peinture d'Isaac Oliver.

Pour des raisons tenant autant à la politique intérieure qu'aux relations avec l'étranger, le gouvernement voulait autant que possible éviter de prendre position sur la question religieuse. Cette tendance au compromis n'était pas du goût des calvinistes, des puritains, qui, confortés par leurs contacts avec les communautés du continent, entendaient extirper de l'Eglise anglaise tout ce qui rappelait le catholicisme. Ils étaient également hostiles au pouvoir des prélats. Dans la Genève de Calvin, il n'y avait pas d'évêché.

Mais toute attaque contre les évêques était indirectement une attaque contre l'appareil d'Etat, et le gouvernement essaya de tempérer les exigences, exprimées en chaire ou au parlement, d'une Réforme plus poussée.

L'autre bord représentait aussi une menace. La Contre-Réforme envoyait des missionnaires en Angleterre. Et les catholiques anglais étaient soutenus par les grandes puissances de religion romaine. La catholique Marie Stuart, avec ses prétentions à la couronne anglaise, avait suscité des espoirs, mais elle avait fui l'Ecosse et était à présent aux mains du gouvernement anglais. Une série de complots furent découverts, qui visaient à un changement sur le trône, éventuellement au prix de l'assassinat d'Elizabeth. La reine, hésitante, finit par confier au Conseil le soin de condamner Marie à mort (1587).

A ces problèmes s'ajouta le fait que l'évolution sociale entraîna la paupérisation de certains groupes tandis que d'autres ne cessèrent de croître en importance. La puissance politique accrue des bourgeois et de la gentry se remarqua à la Chambre des communes qui, à la fin du règne d'Elizabeth, commença à s'opposer sérieusement aux mesures financières impopulaires du gouvernement.

Une nouvelle classe

En 1550, l'écrivain Robert Crowley a porté le jugement suivant sur les hommes des Temps modernes :

« Gros paysans, éleveurs, riches bouchers, chicaneurs, négociants, gens de qualité, petits hobereaux, seigneurs féodaux, je ne puis les mentionner tous ; hommes dont la position n'a pas de nom puisqu'ils font tout ce qui permet de réaliser des bénéfices. Hommes sans conscience. Hommes totalement dépourvus de piété. Oui, hommes qui vivent comme si Dieu n'existait pas. Hommes qui veulent tout rassembler entre leurs mains ; hommes qui veulent vivre seuls sur la terre ; hommes qui ne veulent rien laisser aux autres ; hommes qui ne sont jamais contents. Avides et cupides comme des mouettes ; oui, des êtres humains qui pourraient dévorer hommes, femmes et enfants. C'est à cause d'eux que se développe l'esprit de révolte. Ils nous privent de notre toit, achètent nos terres, augmentent les taux d'intérêts, exigent des redevances indues et ferment les terrains communaux. Aucune tradition, aucune loi, aucune ordonnance ne peut les empêcher de nous opprimer ainsi, et nous ne savons plus que faire pour survivre. »

La reine Elizabeth salue les nobles et les évêques de la Chambre des lords, tandis que des membres de la Chambre des communes regardent la scène derrière une barrière.

La gentry et le Parlement

Du fait de son isolement, l'Angleterre avait moins besoin d'une grande armée que les pays du continent. Tant que l'on s'en tenait à une diplomatie prudente, cela ne présentait que des avantages pour les finances publiques et les contribuables. D'un autre point de vue, le pouvoir royal et le Conseil, face à l'opposition, étaient privés de moyens de pression vraiment dissuasifs. Les gouvernements étaient donc obligés de chercher appui dans quelque groupe social influent. L'aristocratie, avec ses prétentions politiques poussées, était à éviter.

De ce fait, les gouvernants recrutèrent tout naturellement leurs conseillers parmi la gentry dont la fraction supérieure pouvait servir à tenir les lords en échec. Le père de Thomas Wolsey était boucher et marchand de bestiaux,

Thomas Cromwell était le fils d'un brasseur et forgeron, William Cecil venait d'une famille de la gentry qui s'était enrichie avec la confiscation des terres monastiques. Trois exemples parmi bien d'autres qui montrent que la position sociale n'était plus seulement affaire de sang bleu mais qu'elle se mesurait aussi en livres et en shillings.

En règle générale, le gentry ne recherchait cependant pas les hautes charges auprès du souverain. Ses membres avaient plutôt l'ambition de contrôler indirectement l'appareil d'Etat, au niveau central en tant que membres du Parlement et sur le plan régional en qualité de juges de paix. Dans un cas comme dans l'autre, ils étaient associés aux décisions et en surveillaient l'exécution. Une loi risquait de demeurer lettre morte si les juges de paix ne prenaient la responsabilité de son application.

En ce qui concerne le Parlement, le nombre des membres de la Chambre des communes augmenta au cours du XVIe siècle, tandis que la Chambre des lords eut constamment beaucoup moins de représentants. Dans le même temps, les groupes de la gentry et de la haute bourgeoisie parmi lesquels se recrutaient les membres de la Chambre des communes connurent une ascension économique notable. Ces groupes qui avaient en partie la même origine sociale étaient liés par des relations d'affaires et de famille. Rien d'étonnant donc à ce que la Chambre des communes devînt le centre de gravité du Parlement et que ceux qui y siégeait en fussent de plus en plus conscients. Et, bien entendu, le prestige du Parlement fut renforcé par le rôle qu'il avait joué dans l'accomplissement de la Réforme.

Bref, le gouvernement devait mettre les parlementaires de son côté pour faire passer ses décisions. Il put y être aidé par des circonstances extérieures telles que bonnes récoltes ou conjoncture favorable, mais des mesures gouvernementales directes y contribuèrent aussi — exigences fiscales modérées, vente de terres monastiques ou concessions aux puritains, par exemple.

Toutefois, il n'était pas toujours possible pour les gouvernants de caresser le Parlement dans le sens du poil. Des guerres plus ou moins imposées de l'extérieur entraînèrent une imposition accrue, une détérioration de la monnaie, des douanes financières et la vente de monopoles. D'autres mesures impopulaires furent le soutien aux prélats et l'interdiction de la réforme agraire, l'*enclosure*, source de troubles sociaux aux yeux du gouvernement. Dans de tels cas, il fallait à la fois se montrer ferme et tâcher de gagner l'opinion. Des membres du Conseil se faisaient élire à la Chambre des communes pour pouvoir y promouvoir la politique du gouvernement.

La personne du souverain jouait un grand rôle. Elizabeth possédait ce mélange d'humilité face à sa tâche, de prévenance à l'égard des parlementaires et de rayonnement majestueux qu'il fallait pour dompter sans recourir à la violence une Chambre des communes souvent rétive. Toutefois, cette entente se dégrada passablement à la fin de son règne, ce qui ne présageait rien de bon pour son successeur.

Le cygne de Stratford

Sous le règne d'Elizabeth naquit William Shakespeare (1564-1616) à Stratford-sur-Avon. Ses contemporains n'eurent pas conscience de sa grandeur littéraire, lui non plus du reste. Il ne fit rien pour que ses drames fussent conservés. Sans doute, quelques-uns d'entre eux furent imprimés de son vivant, mais apparemment sans son concours.

Ce n'est qu'après sa mort que quelques-uns de ses amis

Paroles royales d'une reine

Lors de son discours d'adieu au Parlement, Elizabeth d'Angleterre, alors âgée de soixante-huit ans, donna un des derniers exemples de son talent à subjuguer son auditoire :

« Dieu m'a donné une haute position, mais le grand honneur de ma couronne, c'est que j'ai gouverné avec votre amour... Je ne désire vivre et régner que tant que ma vie et mon gouvernement œuvrent à votre bien. Vous avez eu et vous aurez sur ce trône bien des princes plus puissants et plus sages, mais vous n'avez jamais eu et vous n'aurez jamais quelqu'un qui vous aura plus aimé. »

William Shakespeare (1564-1616) est peut-être l'écrivain le plus célèbre au monde. Ce portrait pourrait avoir été exécuté par son collègue Richard Burbage.

Richard Tarlton (1530-88), un des comédiens de la troupe de Shakespeare.

entreprirent en 1623 d'imprimer son œuvre. Ainsi furent sauvés pour la postérité des pièces telles que *Jules César*, *Macbeth* ou *La Tempête*.

Pour ses contemporains, Shakespeare était un comédien parmi bien d'autres, mais qui avait le don d'écrire le type de pièces que les gens voulaient voir. Si ses drames rehaussèrent le prestige du monde théâtral, ce ne fut pas en raison de leurs qualités artistiques mais bien parce qu'ils faisaient assez recette pour assurer à la troupe une relative aisance. Shakespeare lui-même acquit une maison dans sa bonne ville de Stratford. De tels comédiens échappaient à l'opprobre qu'une ordonnance de 1545 réservait à leurs confrères en amalgamant « brigands, vagabonds, gens sans aveu, comédiens des places publiques et personnes mal intentionnées ».

Pour ne pas être emprisonnées pour vagabondage, les troupes théâtrales se plaçaient sous la protection de quelque personnage puissant. William Shakespeare fit ses débuts vers 1590 dans la troupe de lord Stange qui le 3 mars 1592 joua sa première pièce, *Henri VI*, et en donna ensuite 15 représentations devant un large public.

Les pièces étaient souvent jouées dans des cours d'auberge. Le public populaire se tenait debout devant une scène très simple, sans toile de fond ni coulisses. Il y avait des places plus chères aux fenêtres et balcons des bâtiments avoisinants, et sur la scène elle-même. Le premier théâtre fixe fut construit en 1576, tout à fait hors de portée des autorités puritaines de la cité de Londres.

Le théâtre du Globe où Shakespeare joua et où ses pièces furent représentées.

D'autres suivirent, dont le plus connu s'appelait *The Globe*. Il avait cette particularité que les comédiens eux-mêmes, et parmi eux Shakespeare, en étaient propriétaires, échappant ainsi à un loyer qui aurait mangé le plus gros de la recette.

Les pièces représentées étaient souvent des œuvres bâclées, produites à la chaîne par des auteurs qui en écrivaient une par mois. Cette abondance révèle, tout comme l'empressement à créer des scènes fixes, que le théâtre attirait un vaste public. Le contenu des drames de Shakespeare et la vaste galerie de personnages qu'ils présentent témoignent indirectement des goûts fort divers qu'il fallait satisfaire chez un public composite.

Dans ce milieu, quelques écrivains donnèrent leurs lettres de noblesse à des activités souvent assimilées aux jeux du cirque ou aux combats de coqs. Ainsi, Christopher Marlowe (1564-93), le créateur du drame élizabéthain qui mourut dans une rixe d'auberge, et Ben Jonson (1573-1637) dont le *Volpone* est toujours représenté. Mais le plus grand de tous fut William Shakespeare, le cygne de Stratford.

Le sarcophage d'Elizabeth à l'abbaye de Westminster. La personnalité de la souveraine contribua grandement à maintenir la cohésion d'une société en proie à de nombreux conflits.

Les héritiers d'Elizabeth

Elizabeth ne se maria jamais. Les prétendants ne manquèrent évidemment pas, mais les négociations matrimoniales n'étaient qu'une partie du jeu diplomatique. Bien que le Parlement se montrât particulièrement soucieux d'assurer la succession au trône, la reine vierge ne se laissa pas fléchir. Le roi d'Ecosse, fils de Marie Stuart, lui succéda en Angleterre sous le nom de Jacques Ier (1603-25).

On peut se demander jusqu'à quel point Jacques et son fils Charles peuvent être tenus personnellement pour responsables de la grande révolution qui allait se déclencher. Pour pouvoir surmonter les difficultés nées des tensions de la société anglaise, à supposer que ce fût possible, il aurait fallu un génie politique dont le père et le fils étaient manifestement dépourvus — encore que Jacques, en tant que roi d'Ecosse, ait su tirer son épingle du jeu entre une noblesse toute puissante et un clergé farouchement calviniste.

Même si Jacques Ier avec sa suffisance, sa raideur, ses excès de table et de boisson, son homosexualité affichée, fit tout pour discréditer le pouvoir royal, ce sont les problèmes hérités d'Elizabeth qui expliquent la tension croissante entre le roi et le Parlement. Ce conflit allait conduire sur l'échafaud Charles Ier (1625-49), le fils de Jacques. Une telle évolution n'avait bien sûr rien d'inéluctable, mais pour sauver la tête de Charles, les deux Stuart auraient dû renoncer au type de pouvoir politique, le seul qu'ils jugeaient compatible avec leur dignité de roi, qui avait été celui des Tudor.

Parmi les doléances suscitées par le gouvernement des Stuart, aucune n'était vraiment nouvelle. Coûteuse vie de cour, toute-puissance des favoris, tolérance à l'égard des restes de catholicisme dans la vie religieuse et l'organisation ecclésiastique, vente de charges, titres et monopoles de commerce, tout cela remontait au siècle précédent et s'expliquait en définitive par le fait que le roi et le Conseil, faute d'une armée et d'une administration développées, manquaient d'instruments vraiment efficaces. Pour renforcer le pouvoir, il ne restait qu'à conférer à la personne du roi éclat et prestige religieux, et à attacher au gouvernement le plus grand nombre de personnes possible à l'aide d'avantages et de privilèges.

Jacques Ier (1603-25). Médaillon miniature exécuté par le célèbre artiste anglais Nicholas Hilliard (1547-1619).

L'ascension et la chute d'un favori

Lionel Cranfield (1575-1645) était un négociant prospère lorsqu'il entra au service de la couronne en 1613. Il ploya sous les charges et les titres, et devint notamment comte du Middelsex. Sa principale mission fut d'essayer de mettre de l'ordre dans les finances royales. Il s'en prit énergiquement aux privilèges dont jouissaient les favoris de la cour mais il augmenta son propre traitement qui passa de 4 000 livres en 1618 à 20 000 en 1624. Son ascension lui valut bien des ennemis. Ce qui lui fut sans doute fatal, c'est que le favori du roi, le duc de Buckingham, craignit qu'il ne s'en prennne au réseau qu'il avait soigneusement mis en place pour promouvoir ses intérêts. En 1624, le duc parvint à faire déférer devant la Chambre des lords son ancien protégé qui fut notamment accusé de corruption. Il dut payer 50 000 livres d'amende et fut privé de toutes ses charges. La carrière de Cranfield était finie.

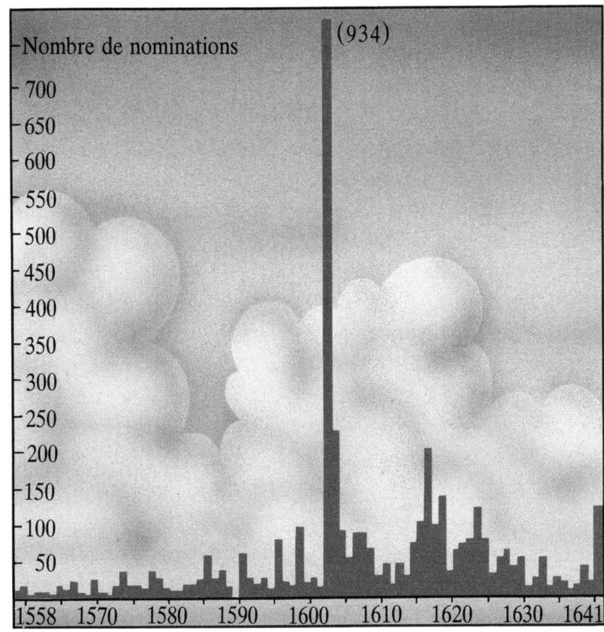

Nominations de chevaliers de 1558 à 1641. Au XVIe siècle, elles demeurent relativement limitées. Leur augmentation ultérieure révèle que les Stuart ont besoin de soutien et d'argent. Source : L. Stone (1967).

Si la postérité a porté un jugement beaucoup plus dur sur les Stuart que sur les Tudor, cela s'explique entre autres parce que l'histoire n'est guère tendre pour les perdants. En 1610, le conseiller de Jacques Ier, lord Salisbury (1563-1612), essaya de négocier au Parlement le « Grand contrat ». Celui-ci impliquait que la couronne se verrait garantir 200 000 livres de revenus annuels, en échange de quoi elle renoncerait à certaines redevances médiévales

Charles Ier (1625-49) vu sous trois angles. Peinture exécutée par Anthonis van Dyck (1599-1641) comme modèle pour une statue.

archaïques et fâcheusement arbitraires. Ce compromis aurait pu être avantageux aussi bien pour la couronne que pour les contribuables. Pourtant, il fut rejeté.

La proposition fut combattue par les courtisans qui tiraient de grands profits à collecter ces redevances litigieuses. La cause principale de cet échec fut toutefois que le roi décida de dissoudre le Parlement avant l'adoption du « Grand contrat ». Les parlementaires avaient en effet inscrit à l'ordre du jour des questions relatives à l'Eglise, à la justice, au contrôle des impôts, et le roi, non sans raison, y vit une ingérence intolérable dans son domaine réservé. D'où sa décision.

Cet événement est représentatif de la vie politique au temps des Stuart. Les réformes achoppaient sur des intrigues de cour, et l'on n'était pas d'accord sur la frontière à tracer entre le pouvoir du Parlement et celui du roi. Concrètement, le différend portait sur la manière d'adapter les structures politiques à une société en pleine transformation.

Le duc de Buckingham, George Villiers (1592-1628). A propos du roi et de son favori, un témoin de l'époque a déclaré : « Je n'ai jamais vu un homme amoureux courtiser sa belle fiancée avec autant d'ardeur que le roi Jacques ses favoris, notamment Buckingham ».

L'absolutisme

Lorsque Charles Ier (1625-49) accéda au trône, il avait en fait déjà régné plusieurs années à la place de son père sénile. Il reprit comme conseiller le grand amour de son père, le duc de Buckingham (1592-1628). Avant même la mort de Jacques Ier, les deux hommes s'étaient attirés le mécontentement du Parlement en demandant au nom de Charles la main d'une princesse espagnole, puis d'une princesse française — qui l'une et l'autre, aux yeux de l'opinion, avaient le tort d'être catholiques.

Les trois parlements qui furent convoqués entre 1625 et 1629 continuèrent à affirmer leurs droits au détriment du gouvernement. Le premier, déjà, manifesta son humeur pugnace. En 1625, une redevance sur le commerce que depuis 1485 le Parlement avait accordée automatiquement à chaque nouveau souverain pour toute la durée de son règne ne fut octroyée que pour un an.

Le gouvernement répliqua en dissolvant le Parlement et en levant impôts et redevances sans son consentement. Les juges qui déclarèrent cette procédure illégale furent révoqués, les personnes qui refusèrent de payer furent arrêtées. En l'an 1628, le Parlement vota la Petition du droit (*Petition of Right*) qui interdisait arrestations arbitraires et levée d'impôts par le roi. En 1629, on s'efforça à nouveau de trouver un accord, mais finalement, la Chambre des communes adopta des résolutions condamnant la politique ecclésiastique et fiscale ; et l'on empêcha à la force du poignet un porte-parole au bord des larmes de dissoudre le Parlement sur l'ordre du roi.

La rupture était totale, et une période s'ouvrit pendant laquelle le monarque, dans l'esprit de l'absolutisme, régna sans parlement.

Buckingham qui avait été assassiné en 1628 fut remplacé par l'archevêque William Laud (1573-1645) et par le comte de Strafford (1593-1641), deux serviteurs efficaces de l'absolutisme. Strafford mit l'Irlande au pas, Laud travailla à l'uniformisation religieuse, ce qui entraîna une émigration des puritains vers l'Amérique.

Mais le plus important était d'équilibrer les finances de l'Etat. Les recettes ordinaires de la couronne passèrent d'un peu plus de 600 000 livres au début de l'absolutisme à 900 000 à la fin de cette période. On utilisa des méthodes parfois curieuses pour compléter ces revenus. Ainsi, ceux qui ne se faisaient pas armer chevaliers (*knights*) tout en en ayant les moyens étaient mis à l'amende. Le droit de la couronne à gérer les terres d'héritiers mineurs fut utilisé sans scrupules, par exemple sous forme de coupe abusive de bois.

La dette publique fut réduite, mais malgré tous les efforts déployés, le gouvernement manquait de liquidités car 60% des recettes ordinaires étaient liés au remboursement des prêts — capital et intérêts.

Globalement, la politique économique du gouvernement fut un succès, mais le mécontentement ne cessait d'augmenter parmi les groupes qui avaient fourni des membres à la Chambre des communes. Toutefois, l'impulsion révolutionnaire décisive vint d'Ecosse.

Le gouvernement essaya d'imposer aux Ecossais le même ordre politique et religieux qu'en Angleterre. Les magnats écossais répliquèrent en organisant une armée à laquelle les pasteurs calvinistes insufflèrent l'envie de se battre. Le gouvernement anglais qui manquait à la fois de forces armées et d'argent fut obligé de convoquer le Parlement pour obtenir des subsides.

Puritanisme et opposition politique étaient étroitement liés. Les procès contre les puritains s'inscrivirent logiquement dans la stratégie de l'absolutisme anglais pour renforcer le régime.

La révolution

Au sein du Parlement convoqué au printemps 1640, la Chambre des communes était plus soucieuse de combattre l'absolutisme que de voter des crédits militaires. Aussi le Parlement fut-il dissous après deux ou trois semaines. Mais le gouvernement n'avait plus les moyens de mener sa politique sans parlement, aussi fut-il obligé dès l'automne de le convoquer à nouveau, et celui-ci, le « Long Parlement » ne fut pas dissous avant 1653.

La Chambre des communes adopta d'abord une série de mesures qui sapaient les fondements mêmes de l'absolutisme. Le Parlement ne pourrait être dissous contre sa volonté, il se réunirait tous les trois ans ; ses prérogatives en matière fiscale furent réaffirmées ; et les tribunaux royaux comme la « Chambre étoilée » furent supprimés. En outre, la Chambre des communes fit arrêter Strafford et Laud, les deux conseillers du roi ; ils furent ultérieurement exécutés.

Les efforts absolutistes des Stuart étaient anéantis, et les évêques anglicans perdaient du même coup leur pouvoir. Mais les membres des Communes avaient des avis partagés sur la politique à adopter dorénavant. Tandis que les discussions à ce sujet allaient bon train, une révolte irlandaise éclata en 1641. Il fallait mettre sur pied une armée, mais pouvait-on s'en remettre au roi ? Cette question creusa encore le fossé entre le souverain et la phalange radicale de la Chambre des communes. La rupture décisive se produisit quand celle-ci vota à une faible majo-

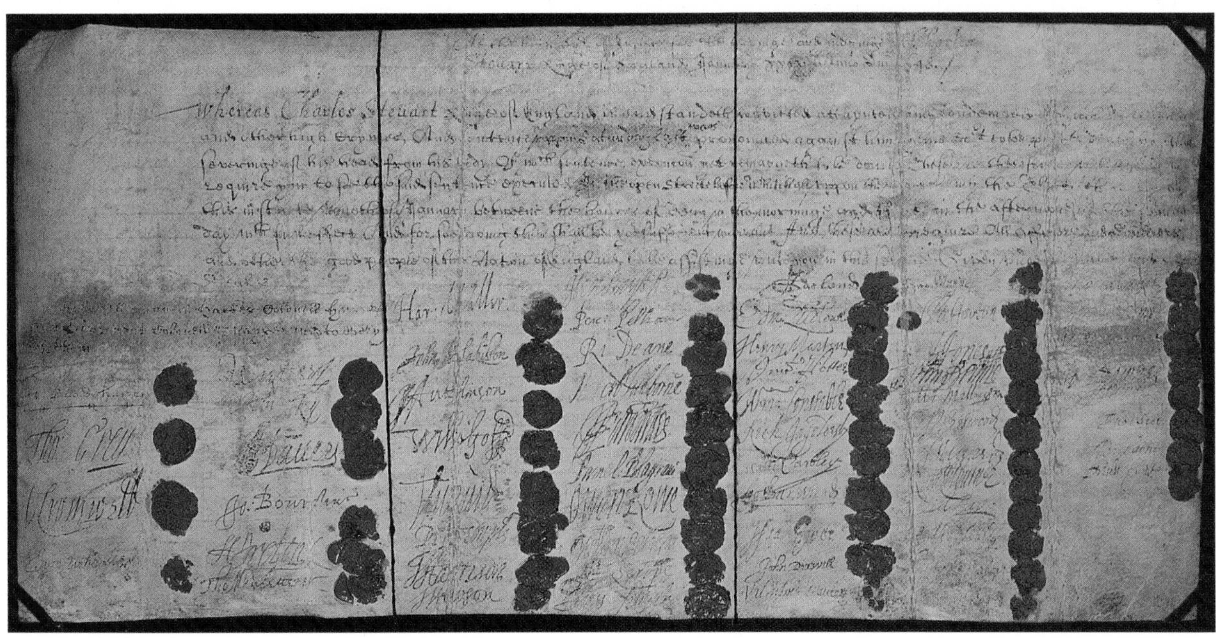

La condamnation à mort de Charles I, revêtue des signatures et des cachets des juges, est conservée à la Chambre des lords.

rité la « Grande remontrance » (novembre 1641) qui était un appel au roi mais aussi à l'opinion — elle fut imprimée à cet effet.

Selon cette remontrance, il fallait instaurer un ordre ecclésiastique puritain, exclure les évêques de la Chambre des lords et ne choisir d'autres conseillers royaux que ceux ayant la confiance du Parlement. Le gouvernement répondit à ces exigences par une tentative de coup d'Etat. A la tête d'une troupe armée, le roi comptait arrêter les chefs de l'opposition parlementaire. Les plus connus étaient John Pym (1584-1643) et John Hampden (1594-1643).

Les victimes présumées furent cependant prévenues à temps et se réfugièrent dans la *city* londonienne où les adversaires du roi s'étaient emparés du pouvoir. Le roi quitta alors Londres dans l'intention de résoudre militairement le problème. La guerre civile avait commencé (1642).

Au début, celle-ci mit aux prises les milices locales des deux camps, mais le Parlement mit progressivement sur pied une armée nationale (*The New Model Army*) au sein de laquelle la valeur militaire importait plus pour l'avancement que la naissance et l'appartenance sociale.

Dans cette armée, le parlementaire Oliver Cromwell (1599-1658), futur homme fort de l'Angleterre, joua un rôle majeur à la tête d'une puissante cavalerie. En 1646, les royalistes étaient vaincus.

Parmi les vainqueurs, les avis divergeaient sur la manière de tirer profit de la situation. Une majorité modérée à la Chambre des communes — les presbytériens — voulait dissoudre l'armée et trouver un compromis avec le roi. Une minorité radicale — les indépendants — soutenait l'armée et voulait poursuivre le combat. L'esprit de conciliation des modérés achoppa sur la mauvaise volonté du roi à honorer quelques accords précédemment conclus avec les révolutionnaires, tandis que l'armée et les indépendants furent renforcés dans leur conviction qu'il fallait prendre des mesures radicales.

Des troupes commandées par le colonel Thomas Pride expulsèrent la majorité presbytérienne de la Chambre des communes. Après cette « purge de Pride »(*Prides Purge*), seuls siégèrent les indépendants minoritaires — initialement une soixantaine de membres seulement parmi les 552 que comptaient normalement les Communes.

Ce qu'on a appelé le « Parlement croupion » (*Rump Parliament*, 1648) fit traduire le roi en justice. Et Charles Ier, défenseur convaincu de la monarchie de droit divin mais tragiquement incapable de mener une politique réaliste, fut exécuté en janvier 1649.

Un Parlement révolutionnaire ?

Lors des sessions précédentes du Long Parlement, un clivage était apparu entre royalistes et parlementaristes. Beaucoup de ceux qui par la suite allaient appartenir au camp monarchique s'étaient d'abord montrés opposés aux tendances absolutistes. En 1640, le roi avait pu mobiliser à peine 50 voix — sur plus de 500 — pour la défense de Strafford.

La Grande remontrance de 1641 apparut trop radicale aux yeux d'une bonne partie de l'opposition. Elle fut adoptée à la Chambre des communes par 159 voix contre 148. Au vu de ces chiffres, on pourrait penser que les royalistes avaient triplé depuis 1640.

A la Chambre des lords, les évêques, dont la position sociale et politique était contestée, ne pouvaient que défendre la monarchie, tout comme la plupart des lords,

Charles Ier fut exécuté le 30 janvier 1649. Ce tableau a été peint par un artiste inconnu qui n'assista assurément pas à la scène mais s'inspira des gravures royalistes du temps.

évidemment peu enclins à voir changer l'ordre établi.

Toutefois, l'opinion n'était pas unanimement royaliste au sein de cette chambre. Ainsi, elle comptait des parlementaristes tels que Robert Rich, comte de Warwick (1587-1658), qui en tant qu'amiral mit la flotte à la disposition du Parlement, Robert Devereux, comte d'Essex (1591-1646), commandant de l'armée parlementaire, et Edward Montagu, comte de Manchester (1602 ?-71), un de ceux que le roi essaya d'arrêter en 1642.

Mais il est clair qu'une majorité à la Chambre des lords était fidèle au roi et formait le noyau de son armée de « cavaliers » en lutte avec les « têtes rondes » — les sans perruques qui combattaient pour le Parlement. Au moment décisif, plus de 200 membres de la Chambre des communes se rallièrent également au souverain.

Le terme de révolution puritaine trahit l'interprétation des historiens qui ont jugé que l'enjeu fondamental était d'ordre religieux. Eglise d'Etat anglicane ou Eglise libre puritaine, telle était l'alternative.

Mais d'autres ont voulu voir dans cette opposition religieuse le reflet de luttes sociales. On a parlé d'une révolution de la gentry, voire d'une révolution bourgeoise ouvrant la voie au capitalisme, et on a voulu s'appuyer sur la composition sociale de la Chambre des communes pour étayer ce jugement. Le problème, c'est que ses membres provenaient d'un groupe homogène de « gentlemen » : propriétaires terriens, négociants et juristes. Comment s'étonner dès lors que les enquêtes statistiques ne laissent guère apparaître le clivage entre royalistes et parlementaristes. L'instrument de mesure est ici trop grossier.

Si l'on se montre attentif au détail, les différences entre groupes apparaissent en pleine lumière. Parmi les commerçants londoniens élus, douze d'entre eux qui jouissaient d'un monopole royal furent exclus de la Chambre des communes comme royalistes, tandis que les dix-neuf autres, à une exception près, soutenaient le Parlement. Difficile de ne pas y voir le reflet d'intérêts commerciaux divergents.

John Pym, John Hampden et le comte de Warwick étaient membres de la *Providence Company* dont la double mission consistait à concurrencer l'Espagne et à fonder des colonies puritaines. Cette ligne, si elle était conforme à la tradition élizabéthaine — politique coloniale agressive et protestantisme militant —, divergeait en revanche de celle de Charles Ier. Pym, Hampden et Warwick étaient trois des principaux leaders de l'opposition parlementaire.

Le pouvoir au peuple

Dans une perspective plus générale, on ne peut être sûr que les opinions des membres de la Chambre des communes reflétaient celles de leurs mandants. A deux reprises, la ville de Bristol avait élu des membres qui furent exclus comme royalistes. Pourtant, un témoin du temps affirme que tous les habitants de la cité, hormis quelques rares dirigeants, étaient des têtes rondes. Manifestement, le système électoral ne permettait pas à l'opinion de s'exprimer.

En outre, les recherches sur les membres du Parlement doivent tenir compte du fait que les convictions des individus ne sont pas entièrement déterminées par l'appartenance sociale.

A défaut d'enquêtes méthodologiquement fiables, il faut s'abstenir de porter des jugements péremptoires sur le ralliement ou non des différents groupes sociaux à la révolution. Les observateurs de l'époque estimaient cependant que la gentry soutenait le roi, tandis que les entrepreneurs les plus dynamiques au sein de l'agri-

Un pamphlet royaliste datant du début de la guerre civile.

L'action de forces radicales — religieuses, économiques et politiques — prépara l'émigration des puritains en Amérique du Nord.

La City de Londres, foyer d'opposition, à l'époque qui précède la révolution. Détail avec London Bridge.

culture, du commerce et de l'artisanat, du reste politiquement plus actifs que les royalistes, appartenaient au camp révolutionnaire.

La révolution et la guerre civile avaient également suscité de nouveaux courants de pensée selon lesquels tout pouvoir émanait du peuple. Ils avaient leur partisans parmi les apprentis, les petits artisans et les soldats de la nouvelle armée dont le système d'avancement, ouvert, incitait aux idées radicales. Les simples soldats choisirent des représentants, les « agitateurs », qui furent les porte-parole de leurs revendications.

Ces partisans de l'égalité, *the levellers*, présentèrent en 1647 un projet de constitution qui prévoyait une extension du droit de vote telle que le nombre des électeurs aurait été multiplié par quatre. Le radicalisme de ces *levellers* avait toutefois des limites. Ceux qui n'étaient pas économiquement indépendants — salariés ou indigents — étaient exclus des urnes. Sinon, des effets pervers auraient été à craindre. Ces gens étaient à la merci des propriétaires terriens qui, de la sorte, auraient pu peser encore plus sur les élections. Telle quelle, la proposition des *levellers* ne fut pas moins jugée trop radicale. Combattue par les officiers supérieurs de l'armée, appelés « les généraux », elle ne fut pas adoptée.

Hatfield House, dans le Hertfordshire, apparaît comme un symbole du prestige social, de la puissance économique et de l'influence politique des propriétaires terriens.

Encore plus à gauche, il y avait les *diggers* qui préconisaient une forme de communisme. Lorsqu'en 1649, ils commencèrent à réaliser leur programme en cultivant des terres en friche, on fit donner l'armée contre eux.

Vers la fin de la guerre civile, il existait donc en Angleterre une grande diversité d'opinions. Mais face aux forces politiques et religieuses que la révolution avait libérées, les possédants qui avaient abattu l'absolutisme évoluèrent de plus en plus vers la droite.

La république anglaise

Après l'exécution du roi en 1649, le Parlement croupion déclara que l'Angleterre était une république libre. Avec la monarchie disparut la Chambre des lords, comme auparavant les charges de prélat. Les instances dirigeantes de la République furent le Parlement croupion et l'armée — qui, après 1649, avait réduit au silence les groupes les plus radicaux. Dans le pays, parmi les fractions sociales autrefois dominantes, le soutien au régime était faible.

En Ecosse comme en Irlande, Charles, fils de Charles Ier, fut proclamé roi, et l'Angleterre se trouva menacée sur deux flancs. Cromwell reçut le commandement des forces chargées de réprimer les révoltes, et en 1652, Ecossais et Irlandais étaient vaincus. Ces derniers furent traités avec une brutalité inhumaine du fait qu'ils étaient catholiques.

Donc, les succès de l'armée continuaient. C'est le Parlement qui constituait le point faible de la République. Il comptait dans ses rangs des idéalistes mais aussi de ces arrivistes qu'on rencontre immanquablement dans les sphères du pouvoir. Ces derniers, on s'en doute, ne voulaient pas qu'on procède à de nouvelles élections parlementaires, mais les autres n'y tenaient pas non plus tant qu'ils n'avaient pas atteints leurs objectifs, entre autres la tolérance religieuse et la suprématie politique de la Chambre des communes.

Le plus important pour les « généraux », parmi lesquels figurait Henry Ireton (1611-51), le gendre de Cromwell, était d'assurer le maintien de l'armée. Elle était une garantie pour la République — et pour la position des « généraux ». L'armée avait avant tout besoin que les impôts fussent approuvés par un Parlement jugé représentatif dans le pays, ce qui alors n'était pas le cas. L'assemblée qui siégeait travailla fébrilement à l'élaboration d'un système électoral qui assurerait la réélection de ses membres. En 1653, les chefs militaires perdirent patience et envoyèrent à la Chambre des communes des troupes qui expulsèrent les députés.

Ainsi fut dissous le Long Parlement après treize ans d'existence. L'armée put ensuite s'occuper elle-même de la question constitutionnelle. Une assemblée pour le

Bien organisée et très efficace, l'armée parlementaire a inspiré les peintres. Ici, c'est Abraham Cooper (1787-1868) qui évoque un des combats de Cromwell.

moins informelle, dirigée par les « généraux », fut désignée pour élaborer la nouvelle constitution qui plaçait un « lord-protecteur » à la tête de l'Etat. Cromwell fut investi de cette charge à vie.

En matière d'élections parlementaires, deux nouveautés apparurent. Le droit à désigner des délégués fut réformé de telle sorte que des régions peuplées et économiquement développées comme Leeds et Manchester devinrent circonscriptions électorales autonomes au détriment d'autres circonscriptions plus anciennes. En outre, les conditions de fortune auxquelles était lié le droit de vote furent revues à la hausse, mais on instaura un mode de calcul qui ne tenait pas exclusivement compte des biens fonciers. De la sorte furent exclus un certain nombre d'anciens électeurs, avant tout parmi les petits propriétaires terriens, tandis que de nouvelles catégories, métayers et commerçants, purent dorénavant voter.

Les « généraux » ne s'oublièrent pas en matière de garanties. L'essentiel du pouvoir fut confié au gouvernement qui était inamovible et où le parti des « généraux » était majoritaire. La décision d'entretenir une armée permanente de 30 000 hommes fut inscrite dans la constitution, et obligation fut faite au Parlement de traiter en priorité les questions relatives à la gestion des forces militaires.

Oliver Cromwell (1599-1658)

Protectorat et restauration

Le lord protecteur Cromwell et son gouvernement eurent autant de fil à retordre avec le Parlement que les rois en leur temps. Les députés entendaient bien faire valoir leurs droits et essayaient de contrôler les finances.

A l'échelon régional, il était difficile d'obtenir des propriétaires terriens qu'ils remplissent les fonctions de juges de paix bénévoles aux conditions du gouvernement. En conséquence, celui-ci intervint de plus en plus dans la gestion des affaires locales. Il disposait certes d'une armée, mais il ne jouissait pas de la confiance des notables. Aussi le régime ne tarda-t-il pas à évoluer vers la dictature militaire, tant au niveau central qu'au niveau local.

Lorsque le Parlement offrit la couronne royale à Oliver

A gauche : sur cette image de 1658, Oliver Cromwell apparaît comme le sauveur de l'Angleterre. A l'arrière-plan, la Renommée a embouché sa trompette, et le héros est entouré de symboles qui évoquent non seulement la religion et la politique mais aussi le travail quotidien.

Cromwell en 1656, c'était dans l'espoir de revenir à la situation d'avant la révolution, quoique sans l'absolutisme, et avec une gestion locale autonome entre les mains de la gentry. Dépendant des « généraux » et de l'armée, Cromwell déclina cette offre et se contenta du droit de nommer lui-même son successeur.

Sur son lit de mort, en 1658, il désigna son fils Richard, mais celui-ci abandonna ses fonctions dès l'année suivante, ouvrant ainsi la porte toute grande à l'anarchie politique.

L'étendard de la révolte fut brandi au profit du fils de Charles Ier qui attendait son heure en exil. Quelqu'un se déclara prêt à remplacer Cromwell — plutôt comme dictateur militaire que comme protecteur suprême. Même le vieux Parlement croupion se réunit à Londres pour tâcher d'apporter son écot. Sans gouvernement, l'armée commençait à n'obéir qu'à sa propre loi.

Deux perspectives d'avenir peu réjouissantes se présentaient pour les possédants : ou bien le pillage de la soldatesque, ou bien la collusion entre l'armée et des groupes politiquement et religieusement radicaux. Tout bien pesé, une monarchie était préférable pour garantir la loi et l'ordre, même s'il fallait subir le pouvoir des évêques et la Chambre des lords.

Le général George Monk (1608-70), l'homme de Cromwell en Ecosse, mit ses forces armées au service de cette cause. En février 1660, ses troupes atteignirent Londres et trois mois plus tard, le fils de Charles Ier était roi d'Angleterre sous le nom de Charles II (1660-85). Auparavant, il avait fait des promesses d'amnistie et garantit le financement de l'armée ainsi que les prérogatives du Parlement en matière politique.

Le collège St John de l'Université de Cambridge. Avant que n'éclate la révolution, l'afflux des étudiants vers les universités et autres établissements d'enseignement augmenta considérablement. Selon l'historien Lawrence Stone, l'époque du Long Parlement marque une floraison éducative unique dans toute l'histoire d'Angleterre.

Le charnier de Tyburn

L'amnistie décidée au moment de la Restauration ne valait pas pour les régicides. Un problème surgit du fait que certains étaient morts trop tôt pour pouvoir être châtiés, et il fut résolu de manière assez peu élégante (John Bradshaw avait présidé le tribunal qui avait condamné Charles Ier à mort) :

« Les membres des Lords et des Communes réunis au Parlement ordonnent que les cadavres d'Oliver Cromwell, Henry Ireton, John Bradshaw et Thomas Pride, enterrés à l'abbaye de Westminster ou ailleurs, soit déterrés sans délai et transportés sur la charrette du bourreau à Tyburn (le lieu de supplice de Londres) pour y être pendus quelque temps dans leur cercueil puis ensevelis sous les gibets... »

Les Stuart étaient restaurés, le fils succédait au père. Charles II essaya de combler le vide dans la liste des souverains en datant son accession au pouvoir de 1649. Mais la réalité, elle, avait beaucoup évolué, et souvent de manière irréversible.

A l'époque révolutionnaire, l'Irlande, considérée comme un bastion du pouvoir royal, avait été définitivement soumise. L'artillerie des forces rebelles avait anéanti des forteresses médiévales qui longtemps avaient dominé les campagnes anglaises.

Avant 1640, la cour constituait le centre du gouvernement. Les hauts fonctionnaires étaient les protégés du roi et ils plaçaient à leur tour leurs propres protégés aux postes subalternes. Un tel système n'avait pu se maintenir lorsque le Parlement dirigeait les affaires. Un début de bureaucratie s'était alors mis en place.

Une décision de 1652 alla dans le même sens, qui attribuait aux juges un salaire fixe, mais leur interdisait de se faire rétribuer pour leurs services. Ce qui fit qu'ils prêtèrent moins l'oreille aux tentatives de persuasion du gouvernement. Il était dorénavant plus difficile d'introduire en Angleterre un absolutisme royal de type continental. Et le domaine politique n'était pas le seul a avoir subi des transformations.

Agriculture et manufactures

A partir du milieu du XVIe siècle, l'Angleterre avait connu des changements importants en matière de propriété agricole. La confiscation des terres monastiques avait apporté à la couronne de nombreux biens, mais le manque chronique d'argent entraîna la nécessité de les vendre. Au cours des années 1640 et 1650, les coûts liés à la guerre civile, à la répression des révoltes, aux conflits avec la Hollande et l'Espagne, obligea le gouvernement à poursuivre dans cette voie.

Pendant la période révolutionnaire, le gouvernement put disposer des terres confisquées aux royalistes et à l'Eglise. Cette restructuration de la propriété eut pour conséquence la dissolution des vieux liens personnels entre exploitants agricoles et propriétaires, ce qui sans doute fut le plus important pour l'évolution de l'agriculture. Ceux qui achetaient des terres confisquées savaient qu'ils pouvaient les perdre en cas de changement politique. Il s'agissait donc de tirer rapidement le meilleur profit possible du capital investi. Ces propriétaires avaient tout lieu d'agir en hommes d'affaires plutôt que d'adopter le style patriarcal du Moyen Age.

Les royalistes purent conserver leurs terres moyennant paiement d'une redevance. Pour amortir ce coût supplémentaire, il leur fallut adopter des méthodes d'exploitation plus rationnelles. Là encore, cette recherche de rentabilité fit passer l'aspect humain au second plan. De plus, les royalistes, au cours de la période révolutionnaire, avaient été privés d'une cour dispensatrice de faveurs. Isolés politiquement, ils avaient pu se consacrer exclusivement à la mise en valeur de leurs domaines.

Cette libération de l'agriculture n'était donc pas le fruit d'une action politique concertée de la part du gouvernement, mais il prit aussi des mesures qui allaient dans ce sens. Le droit de la couronne à gérer les biens d'héritiers mineurs fut abrogé. La rupture de ce vieux lien féodal permit aux grands propriétaires de disposer plus librement de leurs terres.

Au cours de ces années-là, les pouvoirs publics cessèrent également de s'opposer aux réformes agraires (*enclosures*), à l'inverse des gouvernements précédents soucieux de protéger les plus pauvres mais qui ainsi avaient fait obstacle à la modernisation voulue par les propriétaires terriens entreprenants.

Cette évolution vers une agriculture capitaliste dépendait avant tout de facteurs sur lesquels les mesures gouvernementales n'avaient guère de prise — la conjoncture internationale par exemple — mais la politique anglaise, directement ou indirectement, facilita cette évolution.

Dans le secteur de la production de biens, l'action gouvernementale contribua plus vigoureusement à la suppression des entraves. Les contrôles et réglementations diminuèrent sensiblement.

La position du régime révolutionnaire apparaît dans la manière dont il abandonna en pratique une ordonnance de 1563 qui n'autorisait la pratique d'un métier qu'après six années d'apprentissage — les possibilités de carrière étant ainsi déterminées par l'origine sociale.

Cette ordonnance avait pour but de protéger les corporations et les maîtres artisans contre la concurrence de l'artisanat rural. Les deux tiers des campagnards se trouvaient exclus de la production textile. Mais cette réglementation avait peu de chances de survivre puisque les juges de paix qui étaient chargés de son application n'avaient aucune raison de protéger les corporations. Les gouvernements avaient toutefois essayé de la maintenir, mais ils cessèrent de le faire après 1640.

Commerce et politique étrangère

Le Long Parlement combattit les monopoles dans le secteur manufacturier, non dans le secteur commercial. Après les épurations au Parlement à la fin des années 1640, la politique économique prit une tournure plus radi-

Un des navires de la Compagnie des Indes orientales s'éloigne des côtes anglaises pour aller chercher des denrées coloniales lucratives. Peinture de H. C. van Vroom (1566-1640).

La flotte anglaise devait entre autres assurer la sécurité des mers pour la marine marchande. Ici, elle attaque des pirates nord-africains. Peinture de W. van de Velde le Jeune (1611-93).

Le « Saint Michel » avec ses 90 canons faisait partie de la flotte qui allait assurer à la Grande-Bretagne la maîtrise des mers.

cale, ce qui ressort du fait que le monopole de la Compagnie des Indes orientales fut supprimé pendant quelques années.

Simultanément, petits artisans et commerçants essayèrent de briser l'oligarchie qui permettait à un petit nombre d'imposer sa loi dans les compagnies et le centre d'affaires londonien, la *City*. Ils reçurent le soutien des *levellers* mais se retrouvèrent isolés lorsque Cromwell devenu lord-protecteur vira à droite dans les années 1650.

Au milieu du XVIIe siècle, l'Europe entra dans une période de protectionnisme et de guerre commerciale. La politique étrangère anglaise se trouva à la croisée des chemins. Fallait-il faire concurrence aux Espagnols à l'ouest ou considérer les Indes orientales comme le secteur commercial le plus important ? Dans ce dernier cas, la Hollande devenait l'adversaire principal.

La concurrence la plus redoutable venait sans nul doute de cette puissance qui dominait le commerce mondial. Mais l'idée de lutter avec l'Espagne réveillait le souvenir des fructueux raids des corsaires à l'époque élizabéthaine.

La politique étrangère anglaise mettait en balance ces deux possibilités — profiter de la faiblesse manifeste de l'Espagne, ou disputer à la Hollande la maîtrise des mers.

Au début et à la fin de la période révolutionnaire, la politique étrangère fut anti-espagnole, mais entre-temps, au cours des années les plus radicales 1646-56, antihollandaise. En 1650 et 1651 furent promulgés les Actes de navigation. Seuls des navires du pays étaient autorisés à acheminer des marchandises depuis l'Angleterre vers l'Europe et le reste du monde. Ces Actes, directement dirigés contre la Hollande, furent à l'origine de la guerre anglo-hollandaise de 1652-54. La lutte pour la domination du commerce avait sérieusement commencé.

Les navires de guerre anglais commençèrent à protéger la marine marchande, ce qui était plus sûr et moins risqué que d'armer celle-ci. Les coûts de transport anglais baissèrent, atteignant le niveau hollandais. L'utilisation des forces navales contribua à lier en un empire la mère patrie et les colonies.

Au milieu des années 1650, cette politique tournée contre la Hollande fit place à une autre, anti-espagnole, puis, plus tard, antifrançaise. Dans tous les cas, le but demeurait le même, à savoir la domination anglaise sur le commerce mondial.

A l'inverse de ce qui s'était produit à la période prérévolutionnaire, ces variations de politique étrangère ne dépendaient ni de visées dynastiques, ni de considérations fondées sur l'honneur.

Mais il fallait de l'argent pour réaliser un programme aussi ambitieux. A l'époque du Protectorat, les impôts furent quatre fois supérieurs à ceux, jugés insupportables, qui étaient en vigueur sous Charles Ier. Une partie plus importante de ce fardeau reposait à présent sur les propriétaires terriens. Ils eurent le sentiment de ne pas obtenir assez en échange de leur effort fiscal, ce qui contribua à la chute de la république. A terme, il allait toutefois apparaître clairement que la politique étrangère menée favorisait tout le monde, la meilleure part revenant aux possédants.

La révolution puritaine

Les puritains ne protestaient pas seulement contre ce qui restait de catholicisme dans le culte, ils s'opposaient aussi au fait que l'Eglise était un instrument aux mains de l'Etat qui, par le biais des évêques, persécutait les dissidents.

Cette organisation épiscopale était à leurs yeux le symbole d'une Eglise devenue profane où par exemple des laïcs, propriétaires terriens ou favoris de la cour, pouvaient nommer le personnel ecclésiastique sans se soucier ni des besoins des paroisses, ni de la qualité des prêtres. Avec la suppression des évêchés en 1646, la voie semblait ouverte à une organisation ecclésiastique puritaine. Mais les avis divergeaient quant à l'orientation à lui donner. Les termes de presbytériens et d'indépendants ont été utilisés précédemment, mais dans leur acception politique. En matière religieuse, un presbytérien admettait le principe d'une Eglise d'Etat mais estimait qu'elle devait être organisée à partir de la base et non l'inverse : chaque paroisse choisissait ses représentants qui a leur tour élisaient les synodes de province, puis ceux-ci désignaient les membres d'un synode national. L'Eglise écossaise, « The Kirk », possédait une organisation presbytérienne.

Les indépendants exigeaient que chaque paroisse constituât une unité souveraine, hors de toute ingérence d'autorités extérieures. Cela avait pour conséquence que les paroisses entretiendraient leur prêtre à l'aide de dons volontaires et donc que la dîme serait supprimée. De même, le gouvernement et les propriétaires terriens perdraient toute influence sur la nomination du clergé. Le programme des indépendants supposait une liberté de choix, de réunion et d'opinion qui, même limitée, risquait de mettre à mal de vieux liens sociaux et même familiaux — entre femme et mari, enfants et père, serviteurs et maître.

Jugés immoraux, les combats de coqs furent interdits, à la colère de nombreux Britanniques mais pour le plus grand bien des coqs.

Boire de la bière en public fut l'un de ces plaisirs auxquels les Anglais durent renoncer à l'époque du régime puritain.

Comme de juste, de telles idées séduisaient plus les petites gens que les classes dirigeantes. Du reste, à l'époque des troubles, le peuple avait acquis plus de confiance et d'influence grâce au rôle qu'il avait joué dans la nouvelle armée. En revanche, il n'était pas directement représenté au Parlement. Au sein de celui-ci, les indépendants formaient le groupe le plus enclin, surtout pour des raisons tactiques, à collaborer avec « agitateurs » et *levellers*, ou tout au moins à faire preuve de tolérance à l'égard de leurs communautés. Mais personne n'était disposé à étendre cette tolérance aux catholiques ou aux partisans de l'ancienne Eglise d'Etat. Les puritains réagissaient aussi contre tout ce qui était profane. Les théâtres furent fermés en 1642, les combats de coqs interdits, et l'on observa rigoureusement le sabbat.

Quand le Parlement croupion fut dissous et l'opposition au sein de l'armée muselée, ç'en était fini de la cause des indépendantistes. Aucun régime ne pouvait subsister s'il ne disciplinait la population, ce à quoi l'Eglise se prêtait invariablement le mieux. Sous le Protectorat fut élaboré un système presbytérien faisant une large place à l'influence de l'Etat, et au moment de la restauration, le terrain était préparé pour la réintroduction d'une Eglise épiscopale.

Charles II et Jacques II

Les deux fils de Charles Ier qui lui succédèrent sur le trône à tour de rôle essayèrent comme leur père de défendre le pouvoir royal face au Parlement.

Le règne de Charles II commença sous des auspices

Une procession de personnages de Shakespeare à Stratford-sur-Avon, ville natale du grand dramaturge. A l'époque de la révolution, le théâtre était jugé aussi immoral que la consommation de bière ou les combats de coqs.

Charles II (1660-85).

En haut à droite : Jacques II (1685-88) succéda à son frère Charles II mais fut déposé après trois ans. Peinture de l'artiste français Nicolas de Largillière (1656-1746).

favorables pour une collaboration avec les parlementaires. Le Parlement élu en 1661 venait de connaître vingt ans d'attaques contre les structures politiques et sociales existantes. De ce fait, les élus de la Chambre des communes étaient royalistes et se montraient méfiants à l'égard de tout ce qui rappelait, même de loin, la révolution. Ce *Parlement de cavaliers* était dominé par des propriétaires terriens solidement attachés à l'ordre établi ou par des personnes que ces derniers avaient désignées pour représenter les villes de province. Leur conservatisme s'appuyait sur l'idée d'une collaboration entre d'une part le pouvoir central et l'Eglise d'Etat, d'autre part les instances locales contrôlées par la gentry, pour imposer la loi et l'ordre parmi les groupes de dissidents qui professaient des opinions non conformes en matière sociale ou religieuse.

Le roi aurait pu exercer un pouvoir réel en collaboration avec le Parlement, mais Charles, Jacques et leurs conseillers nourrissaient plus d'ambition. De l'autre côté de la Manche, le modèle français avait de quoi séduire : les Etats Généraux, qui correspondaient au Parlement, n'avaient pas été convoqués depuis 1614, et le souverain brillait de mille feux. Cependant, il était difficile d'espérer un équilibre durable entre la cour et la Chambre des communes. Les dissensions étaient aussi bien religieuses que constitutionnelles. Les deux frères étaient catholiques, Charles II en secret et Jacques II ouvertement.

S'ils avaient des raisons personnelles de soutenir le catholicisme, ils pouvaient aussi compter que la France les soutiendrait dans cette voie. En 1672, Charles II promulga la Déclaration d'Indulgence (*Declaration of Indulgence*) qui rendait la situation des catholiques et des dissidents plus tolérable. Les seconds, qui étaient des protestants marginaux, servirent d'alibi pour accorder aux premiers une liberté accrue.

L'année suivante, Charles récolta les fruits de sa politique sous forme d'un traité avec la France qui rapporta gros mais dut être signé à l'insu du Parlement.

Sur la scène intérieure, la Déclaration d'Indulgence eut des effets moins flatteurs. Le Parlement adopta en 1673 une loi qui à nouveau interdisait les emplois publics aux groupes religieux non conformes et les désignait aux persécutions. La majorité parlementaire n'était pas plus disposée à accorder la liberté religieuse aux dissidents qu'aux catholiques.

Tories et *whigs*

Du fait que Charles II n'avait pas d'enfants légitimes et que son frère Jacques était de ce fait prince héritier, le catholicisme ouvert de celui-ci apparaissait comme un problème politique majeur. Vers 1680 déjà, le Parlement

Guillaume III (1688-1702) ne prit aucun risque lors de la Révolution glorieuse. Il arriva en Angleterre avec une armée de 15 000 hommes, mais la prise de pouvoir s'effectua sans effusion de sang.

souleva la question de savoir si l'on pouvait exclure Jacques de la succession au trône. Charles II fit promptement dissoudre le Parlement où la Chambre des communes s'obstinait à en discuter. Son premier ministre, le comte de Danby (1632-1711) forma un parti de la cour destiné à sauver la dynastie des Stuart en manipulant les voix de la Chambre des communes.

Les membres de ce parti furent appelés *tories* par leurs adversaires — terme servant à désigner des bandits irlandais, catholiques donc, ce qui ne pouvait qu'éveiller la méfiance de la plupart des Anglais.

Parmi les tories, rares étaient les vrais catholiques, mais la propagande adverse parvint habilement à discréditer ce parti en lui prêtant cette orientation religieuse. Les tories soutinrent Charles II et, au début, Jacques II. Puis ils jugèrent qu'une royauté forte était l'alternative adéquate à l'anarchie qui avait régné au cours des années 1640. Mais lorsqu'ils durent choisir entre l'Eglise anglicane et le souverain légitime, ils se rallièrent à la première.

L'autre parti classique en Angleterre reçut le nom de *whigs* — terme désignant à l'origine des voleurs de bétail

Les souverains d'Angleterre, Guillaume III et Marie. Ce mariage avec la fille protestante de Jacques II avait ouvert à Guillaume la voie du trône anglais. Il était en outre le neveu de Charles Ier.

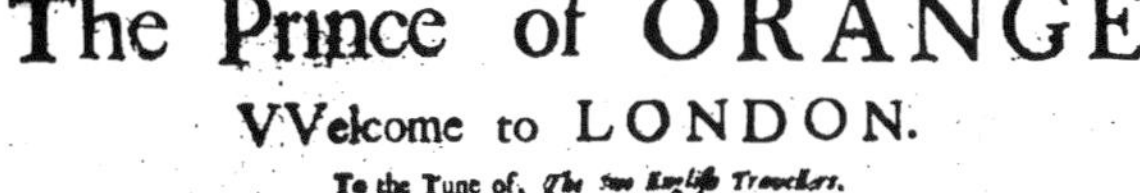

The Prince of ORANGE
VVelcome to LONDON.
To the Tune of, The two English Travellers.

« Bienvenue à Londres, prince d'Orange ». Cette édition bon marché de chanson rend hommage à Guillaume III après la Révolution glorieuse.

écossais et presbytériens. De même que le nom de tories évoquait une dérive catholique, ainsi celui de whigs, imposé lui aussi par le parti rival, était porteur de connotations suggérant la dissidence religieuse — et une tolérance coupable à son égard. Le premier objectif de ce parti était d'empêcher l'accession au trône d'Angleterre d'un prince catholique. Les whigs entendaient aussi défendre la place du Parlement dans le système constitutionnel.

Il ne fallut que trois ans à Jacques II, devenu roi en 1685, pour dilapider le capital de confiance dont il disposait. Il défendit ouvertement la cause du catholicisme et celle d'une royauté forte, mais bientôt avec des méthodes que même les tories jugèrent insupportables.

En 1688, le Parlement appela au trône d'Angleterre Guillaume d'Orange, époux de Marie, la fille protestante de Jacques II. Cet événement est connu sous le nom de « glorieuse révolution ».

La glorieuse révolution

Lorsqu'en 1660 le Parlement avait appelé Charles II au trône, aucun monarchiste ne pouvait contester ce choix. En 1688, la situation était différente avec l'accession au trône de Guillaume III (1688-1702) et de Marie (1688-94). D'une part, les royalistes fidèles devaient toujours considérer Jacques II pour le souverain légal, et d'autre part, celui-ci avait un fils, Jacques Edouard (1688-1766). Mais dans ce contexte, les principes monarchiques importaient moins que la défense de la foi protestante.

Guillaume et Marie n'avaient pas d'enfants. Le Parlement veilla à ce que la couronne revienne à un souverain protestant — Anne (1702-14), la sœur de Marie. Quand il apparut qu'elle aussi mourrait sans postérité, le droit de succession fut attribué, au détriment de nombreux héritiers présomptifs mieux placés, à un bon protestant, George Ier de Hanovre (1714-27).

Grâce à cet Acte de succession (*Act of Settlement*) adopté en 1701, les exigences religieuses liées à la succession dynastique étaient satisfaites. Au début du XVIIIe siècle, seule une infime minorité de tories trouva à redire à cette entorse aux principes monarchiques. Certes, ceux qu'on a appelé les jacobites firent deux tentatives de reconquête du trône — en 1715 et 1745. L'une comme l'autre s'avérèrent aussi inoffensives qu'irréfléchies, et elles furent aisément désamorcées. L'année 1745 marque la fin des luttes séculaires entre Ecossais et Anglais. Ainsi fut renforcée l'union de 1707 entre l'Ecosse et l'Angleterre qui faisait de cette der-

Un moment solennel en 1707. La reine Anne (1702-14) reçoit l'acte qui entérine l'union avec l'Ecosse.

nière la Grande-Bretagne, alors que dans le même temps l'Irlande était entièrement réduite par la force.

Fait important, les décisions excluant les Stuart catholiques de la succession au trône manifestaient le pouvoir du Parlement à modifier par voie législative des règles que l'on tenait plus ou moins pour sacro-saintes.

Instruit par ses déboires de 1660, le Parlement veilla à garantir ses prérogatives dans la vie publique. En 1689 furent promulgées une déclaration et une loi sur les droits des Anglais (*Bill of Rights*).

Sous le règne de Guillaume et Marie, ces documents furent complétés par d'autres lois comme par exemple un « acte de tolérance » (1689) qui certes ne reconnaissait pas complètement les droits des dissidents mais accordait une liberté accrue pour la pratique religieuse individuelle, ce qui favorisa le calme intérieur.

Le parlementarisme anglais, qui à l'instar de l'industrialisme allait servir de modèle à tant de pays, se mit en place dans la première moitié du XVIIIe siècle. Certes, le roi était loin de n'être qu'un symbole, mais c'est à cette époque que s'amorça une évolution dans ce sens.

Le parlementarisme du XVIIIe siècle, qui n'avait pas grand-chose à voir avec la démocratie, renforçait grâce au système électoral l'influence des plus fortunés. Le régime ressembla de plus en plus à une oligarchie. Sans doute, ce gouvernement de quelques-uns devait tenir compte de l'opinion des électeurs, mais ceux-ci étaient également en nombre restreint.

William Hogarth (1697-1764) s'est moqué cruellement des travers, politiques et autres, de la société anglaise. Ici, les électeurs sont soudoyés par les agents des candidats au Parlement.

Deux cents livres de pension annuelle

En 1677 fut publié anonymement un répertoire des membres du Parlement accusés d'être achetés par le gouvernement. Au fil des pages, circonscription par circonscription, des informations de ce type furent rendues publiques :

« Sir Humpfrey Winch, baronet, reçoit de la cour 500 livres de traitement annuel et siège au conseil du commerce et des colonies. »

« Sir Robert Sawyer, juriste d'aussi mauvaise réputation que son père, a reçu pour sa présence à cette session 1 000 livres, et on lui a promis (selon ses propres dires) qu'il serait nommé juriste de la couronne et porte-parole de la Chambre des communes ».

« Sir Thomas Dolman reçoit 200 livres de pension annuelle, et il a été aidé par la cour à falsifier un testament, ce qui lui a permis de dépouiller John Quarles d'un héritage d'une valeur de 1 600 livres. »

Les électeurs des Communes

A partir de 1688 s'accrut la dépendance des gouvernements à l'égard de la Chambre des communes. Les remarques qui suivent valent avant tout pour la première moitié du XVIIIe siècle, mais cela ne signifie pas que tous les traits observés datent de cette période. Au contraire, bien des mécanismes gouvernant la composition et le mode de fonctionnemnt du Parlement remontaient au Moyen Age.

La Chambre des lords, à l'origine la partie la plus importante du Parlement, avait alors cédé le pas à la Chambre des communes. Elle était composée de membres de droit, prélats et lords. Le gouvernement était à même de contrôler les évêques du fait qu'il les nommait. L'évêque qui votait contre le gouvernement risquait d'attendre longtemps sa promotion dans un diocèse plus riche.

Les lords avaient souvent des intérêts communs avec le roi et la cour. Le souverain pouvait étouffer leur opposition en nommant de nouveaux membres. Les gouvernements étaient toujours composés d'un groupe de lords qui s'étaient assurés un contrôle suffisant de la Chambre des communes pour pouvoir compter sur une majorité — condition nécessaire à l'exercice du pouvoir.

Les élections aux quelque 550 mandats de la Chambre des communes avaient lieu dans deux types de circonscriptions. D'une part, deux députés étaient élus dans chaque comté (*shire*) ; d'autre part, un grand nombre de bourgs (*boroughs*) étaient devenus circonscriptions électorales grâce à des privilèges royaux.

La propriété foncière représentant un certain montant en argent conférait le droit de vote dans les comtés. Avec l'érosion monétaire, on put acquérir ce droit avec moins de terres, et le nombre des électeurs augmenta. Ce qui en fait contribua plutôt à accroître l'influence électorale des grands propriétaires. Dans ces élections ouvertes, ils pouvaient se servir de leur prestige social et de la dépendance des petits propriétaires à leur égard pour peser sur le scrutin.

C'était une entreprise onéreuse que de se porter candidat dans un comté. Aussi valait-il mieux être sûr de son fait, ce qui était le cas si l'on disposait du soutien des propriétaires terriens les plus influents. Bien souvent, les places au Parlement étaient quasiment heréditaires au sein d'une même famille de possédants.

Plus des quatre cinquièmes des membres des Communes étaient élus dans les villes. Des privilèges particuliers à chaque circonscription déterminaient qui avait le droit de voter. Rien que pour cette raison, le nombre des électeurs pouvait varier selon les lieux. En outre, certaines agglomérations qui avaient été florissantes au Moyen Age s'étaient à tel point dépeuplées qu'elles ne comptaient plus qu'un ou deux électeurs. On pouvait acheter le droit de propriété d'une telle cité fantôme et se procurer ainsi une possibilité réelle de peser sur les éléments aux Communes.

Là où les électeurs étaient plus nombreux mais sans excès, on pouvait tâcher d'acheter leurs voix. Si leur nombre rendait trop onéreux le recours à la corruption, des donations à la cité étaient à même de rapporter des suffrages. Bref, les gens fortunés ne manquaient pas de possibilités pour s'assurer une place à la Chambre des communes — pour eux-mêmes ou pour leurs partisans.

Le prix de telles places eut tendance à augmenter. En 1689, il en coûtait huit livres de se faire élire député de Harwich au Parlement ; en 1727, ce prix était monté à 900 livres. Ainsi diminua le nombre de ceux qui avaient les moyens de se porter candidats. Moins de personnes en vinrent à contrôler les places à la Chambre des communes dont le nombre augmenta. Cette évolution vers une oligarchie très poussée fut freinée du fait que toutes les circonscriptions électorales n'étaient pas à vendre, que le nombre des électeurs des comtés rendait impossible l'usage généralisé des pots-de-vin et qu'on ne pouvait tout de même espérer faire voter un membre des Communes pour n'importe quoi. Il fallait bien tenir compte de l'opinion des gens en général et de celle des électeurs en particulier.

Le parlementarisme comme gagne-pain

Au Parlement siégeaient des personnes dont l'élection, financée par elles-mêmes ou par leurs protecteurs, avait coûté cher. Le record appartient sans doute à Robert Clive (1725-74) — un de ceux qui conquirent l'Inde au nom de la Compagnie des Indes orientales et de la Grande-Bretagne — dont on dit qu'il aurait payé 30 000 livres pour représenter aux Communes Shrewsbury, un *borough* de l'ouest de l'Angleterre.

Dans certains cas, on misait de grosses sommes parce qu'un intérêt particulier était menacé. Dans les années 1690, les attaques prévisibles contre le monopole des compagnies de commerce firent monter le prix moyen des mandats. D'autres candidats à la députation recherchaient le prestige social ou entendaient se conformer à une tradi-

Encore une scène électorale tumultueuse, saisie sur le vif par William Hogarth.

La Chambre des communes se réunit en 1710. Peinture de Peter Tillemans.

Robert Walpole (1676-1745) assura la stabilité politique de la Grande-Bretagne pendant la longue période où il fut au pouvoir. Il amassa aussi une belle fortune personnelle. Peinture de John Wootton (environ 1686-1765).

tion familiale. Les motifs les plus divers se conciliaient aisément avec les perspectives de revenus qui s'ouvraient dans les sphères du pouvoir. Plus l'élection avait coûté cher, plus il importait de la rentabiliser.

Depuis l'époque où les affaires du roi et celles du royaume ne faisaient qu'un, le souverain avait eu le dernier mot pour distribuer les tâches au sein de l'administration. L'augmentation du volume de l'appareil d'Etat lui avait donné des possibilités accrues de s'attacher de fidèles serviteurs en leur offrant des charges bien rémunérées. Mais après la glorieuse révolution de 1688, le roi eut moins d'influence que le « Premier ministre » sur la distribution des faveurs.

Le gouvernement avait donc la possibilité d'accorder des récompenses et des faveurs aux membres des Communes qui y comptaient bien. On attendait de ceux qui étaient ainsi distingués qu'ils votent pour la politique gouvernementale. Celui qui contrôlait plusieurs circonscriptions électorales et donc un grand nombre de voix pouvait briguer une haute charge politique. Le duc de Newcastle (1693-1768), le plus grand manipulateur électoral de l'époque si l'on excepte la couronne, possédait une douzaine de circonscriptions et en contrôlait beaucoup d'autres. Il était un allié politique précieux pour ses hommes placés à la Chambre des communes où lui-même ne pouvait siéger en tant que lord. Il fit partie des principaux dirigeants du royaume de 1717 à 1762.

Un premier ministre devait s'imposer un travail presque inhumain pour rassembler aux Communes une majorité favorable à la politique du gouvernement. Ce fardeau était d'autant plus grand qu'il ne pouvait décider seul des faveurs à attribuer ; il lui fallait aussi compter avec les éventuels caprices royaux.

On considère généralement que Robert Walpole (1676-1745) inaugura la série des premiers ministres anglais — même si à l'époque, ce titre, injurieux, était synonyme de soif illégitime de puissance. S'il réussit pendant plus de vingt ans à conduire avec succès la politique gouvernementale, c'est qu'il avait su s'y prendre aussi bien avec la Chambre des communes qu'avec les souverains.

Walpole gagna la confiance de George Ier en le sauvant du « scandale des mers du Sud » dans lequel il était compromis. Le fils de celui-ci, George II (1727-60), se montra d'abord négatif à l'égard de Walpole, mais le ministre parvint à manipuler le souverain grâce à l'aide précieuse de la reine.

Un haut politique devait tout à la fois posséder des qualités d'homme de cour et d'homme de parti.

L'économie britannique

Le groupe qui monopolisait le pouvoir politique connut également une prospérité économique croissante au cours de cette période. L'évolution de l'Europe occidentale — agriculture capitaliste, système de commandite, commerce en expansion — s'accéléra grâce à de nouveaux marchés, et il en résulta une différenciation sociale accrue, comme nous l'avons déjà vu.

Bornons-nous ici à signaler quelques traits spécifique-

Le « Robinson Crusoe » de Defoe est un roman éducatif, et « Les voyages de Gulliver » de Swift une satire sociale. Raccourcis, adaptés et édulcorés, ils sont devenus des livres pour enfants. Ces illustrations datent du XIXe siècle. A gauche, on voit Gulliver chez les Lilliputiens, à droite, Robinson et Vendredi.

Littérature et politique

Après plus de deux cents ans, « Robinson Crusoé » et « Les voyages de Gulliver » demeurent des classiques pour la jeunesse. Cependant, aucun des deux écrivains, Daniel Defoe (1659-1731) ou Jonathan Swift (1667-1745), n'avait l'intention d'écrire un livre pour enfants. L'ouvrage de Defoe montre comment un Anglais pieux et entreprenant peut transformer une île déserte en un empire florissant. Et à mesure qu'on avance dans la lecture des « Voyages de Gulliver », la misanthropie de l'auteur et sa satire sociale se font plus âpres, plus sombres.

Outre leur popularité qui ne se dément pas, Defoe et Swift ont en commun d'avoir été politiquement actifs. Swift écrivit des pamphlets pour les *tories* et Defoe pour le parti qui était alors au pouvoir.

Dans ce domaine, ils avaient un illustre prédécesseur, John Milton (1608-74), l'auteur du « Paradis perdu » — une œuvre souvent citée mais guère lue aujourd'hui. Ce bon puritain mit ses talents au service de la République en qualité de secrétaire d'Etat.

ment anglais. Du fait de son homogénéité, le pays constituait le plus grand marché d'Europe occidentale pour un commerce intérieur sans douane. Au XVIIe siècle, ce commerce l'emportait de beaucoup sur les exportations, et il s'accrut encore quand l'Ecosse se trouva unie à l'Angleterre. Il existait donc des bases solides pour conquérir des marchés étrangers.

Dans les royaumes absolutistes, les gouvernements

Maquette de la Bourse de Londres qui supplanta celle d'Amsterdam comme centre économique mondial.

To all and Singular

Charte de la Compagnie des Indes orientales, établie en 1698.

avaient tendance à prendre des mesures économiques directement destinées à augmenter les recettes de l'Etat. Le gouvernement britannique devait se montrer plus attentif à l'opinion du Parlement, des électeurs et du peuple. Il ne pouvait s'aliéner ceux qui constituaient les soutiens du pouvoir poltique. Les douanes sur l'importation de matières premières et sur l'exportation de produits manufacturés furent supprimées. En outre, des primes à l'exportation de céréales furent instituées. Autant de mesures qui n'alimentaient pas directement les caisses de l'Etat, mais le produit national augmenta.

Un excellent exemple de la manière dont les intérêts de l'Etat et ceux du monde des affaires pouvaient se conjuguer nous est offert par la Banque d'Angleterre créée en 1694. Cette institution apparut au moment où le gouvernement avait grand besoin d'emprunter de l'argent à taux d'intérêt raisonnable pour financer la guerre qui opposait alors l'Angleterre à la France. Les fondateurs de la banque réunirent plus d'un million de livres qu'ils prêtèrent à l'Etat à 8% avec pour garantie les rentrées fiscales.

La banque mettait aussi des capitaux à la disposition des entreprises, y compris les compagnies de commerce et les exploitations agricoles. Ceux qui avaient les plus grands biens à hypothéquer pouvaient emprunter les plus grosses sommes, ce qui leur assura un avantage supplémentaire sur les petits propriétaires terriens en matière de rationalisation de l'agriculture.

La création de la Banque d'Angleterre en 1694 apporta à l'économie britannique une stabilité qui contribua grandement à la prospérité du pays et à sa position dominante sur la scène internationale

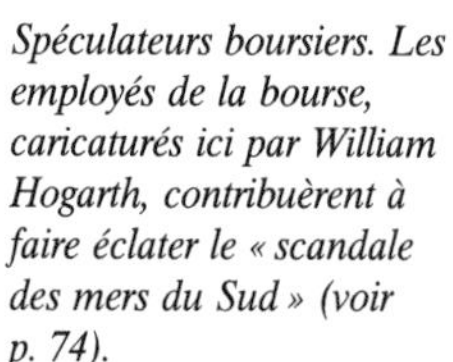

Spéculateurs boursiers. Les employés de la bourse, caricaturés ici par William Hogarth, contribuèrent à faire éclater le « scandale des mers du Sud » (voir p. 74).

Une preuve de la stabilité de l'économie britannique fut apportée quand éclata le « scandale des mers du Sud » en 1720. L'affaire se déclencha quand la Compagnie des mers du Sud, après une tentative malheureuse d'investissement dans la traite des esclaves, commença à se poser en concurrente de la banque d'Angleterre pour administrer la dette publique. Il s'ensuivit une vague de spéculations sauvages. Au cours des années précédant le crach de 1720, 190 sociétés nouvelles furent créées. Tout cela n'est pas sans rappeler l'« escroquerie du Mississippi » dont il a été question précédemment. Mais tandis que celle-ci allait entraîner des dommages de longue durée pour la France, la Grande-Bretagne surmonta rapidement le choc. La crise put être maîtrisée grâce à des mesures gouvernementales adéquates et grâce à la stabilité de la banque d'Angleterre.

« Rule, Britannia, rule... »

Jusqu'à la révolution, la politique étrangère et la guerre avaient été l'affaire du roi, et les conflits avaient eu pour enjeux l'honneur, l'extension territoriale ou l'attrait du butin. A l'époque révolutionnaire, les guerres avec la Hollande concernèrent en revanche la maîtrise du commerce et des transports maritimes. La période de la restauration

Par son côté idyllique, cette peinture anonyme représentant la maison du poète Milton (1608-74) n'évoque ni les activités religieuses et politiques de l'écrivain, ni l'essor économique que connaît alors l'Angleterre.

marqua un retour en arrière, puisque le roi put conclure un accord avec la France sans se soucier du Parlement ni de l'opinion.

La glorieuse révolution marqua un nouveau tournant. Certes, Guillaume III dirigea la politique étrangère et les guerres contre la France — motivées à ses yeux par les menaces qui pesaient sur la Hollande —, mais la France était aussi l'ennemie de la Grande-Bretagne puisqu'elle était la dernière puissance à lui disputer les colonies.

Quand Guillaume III mourut au début de ce grand affrontement européen que fut la guerre de Succession d'Espagne (1701-13), la Grande-Bretagne, loin de se retirer de la guerre, la poursuivit jusqu'à son terme. C'est alors que John Churchill, duc de Marlborough (1650-1722), gagna à l'armée anglaise le respect dont jouissait déjà la marine du pays.

Une lassitude généralisée poussa le gouvernement à conclure une paix en 1713. Une période pacifique s'ouvrit alors, mais un nouveau renversement de l'opinion obligea un gouvernement réticent à s'engager dans une guerre contre l'Espagne en 1739. Cette période s'acheva avec la guerre de Succession d'Autriche et la guerre de Sept Ans où l'adversaire principal fut à nouveau la France. Les guerres du XVIIIe siècle rapportèrent avantages commerciaux, points d'appui et territoires coloniaux, autant de bénéfices qui, aux yeux de la classe politique dominante, valaient bien qu'on prît des risques pour les acquérir.

Arrivée au seuil du capitalisme industriel, la Grande-Bretagne possédait un système d'institutions qui allait se montrer rebelle à toute tentative de démocratisation de la vie publique mais qui allait aussi renforcer une solide tradition parlementaire — condition importante, à terme, pour l'instauration d'une démocratie politique.

Les étendards des familles nobles exposés dans l'abbaye de Westminster témoignent d'un attachement profond aux valeurs traditionnelles.

La France — l'Ancien Régime

Ce sont les hommes de la Révolution française qui forgèrent le terme d'Ancien Régime pour désigner une société de privilèges où les droits et les devoirs de chacun étaient liés à son appartenance à un état. L'absolutisme de Louis XIV offre un exemple monumental de l'Ancien Régime. Sous son règne, le potentiel de l'ancienne société fut exploité au maximum. S'il n'y eut pas de nouveautés bouleversantes, l'efficacité du système mérite le qualificatif de révolutionnaire. Les succès éblouissants de la France — militaires, politiques et culturels — suscitèrent la haine, l'admiration et l'imitation. Selon l'historien danois de l'art R. Broby-Johansen, il fallut attendre les années 1960, date à laquelle Paris ne fut plus seul à décider de la longueur des jupes, pour que l'éclat hérité de la cour de Louis XIV commence à pâlir. Ce formidable foyer de rayonnement faisait encore sentir ses effets à trois siècles d'intervalle.

Louis XIV (1643-1715) à 68 ans, portrait d'Antoine Benoist. A cette époque, l'éclat du Roi-Soleil et de son règne commençait à pâlir.

Depuis l'époque de Charlemagne, jamais la France n'avait occupé une telle position politique, militaire et culturelle en Europe que sous le règne de Louis XIV. Aux yeux des contemporains et de la postérité, ce pays apparut aussi comme l'exemple type de la forme de gouvernement alors la plus répandue, l'absolutisme.

On peut faire remonter au Moyen Age l'évolution vers une centralisation croissante, même si la guerre de Cent Ans marqua un temps d'arrêt. Les efforts en ce sens reprirent à la fin du XVe siècle. Puis les guerres civiles de la deuxième moitié du XVIe siècle y firent à nouveau obstacle.

Au XVIIe siècle, la construction de l'absolutisme fut d'abord l'œuvre des premiers ministres Richelieu et Mazarin, tous deux cardinaux. Après la Fronde qui se manifesta au milieu du siècle, Louis XIV déclara en 1661 qu'il serait dorénavant son propre premier ministre.

La société qui allait être remodelée et adaptée en fonction des impératifs de l'absolutisme a été analysée en profondeur par l'historien français Pierre Goubert dans son ouvrage intitulé *L'Ancien régime*.

Un vaste pays très peuplé

Tant par sa superficie que par sa population, la France était un grand pays. Elle s'étendait sur environ un demi-million de kilomètres carrés. Avec une densité de population de 40 habitants au kilomètre carré — selon des chiffres du XVIIIe siècle qui présentent une certaine fiabilité — elle comptait quelque 20 millions d'âmes. Cette population était à la fois plus dense et plus élevée que celle des nations rivales de la France. Beaucoup d'habitants, cela voulait dire beaucoup de contribuables, et ce grand nombre était d'importance dans un pays où les grosses fortunes et les revenus résultant de privilèges étaient en partie ou en totalité exempts d'impôts. Mais pour que les petits ruisseaux fassent une grande rivière, il fallait un système efficace de recouvrement. Les exigences fiscales élevées entraînèrent un appauvrissement des particuliers.

Emmanuel Le Roy Ladurie, dans son étude en profondeur sur *Les paysans du Languedoc*, a montré que dans cette province méridionale, le nombre des fermes et leur part relative de terre a augmenté au détriment des exploitations d'une certaine importance, plus rentables, au cours de la période 1500-1700. En moyenne, la population paysanne est devenue plus pauvre.

Certes, le Languedoc n'était pas une France en miniature. Sur le vaste territoire français, les conditions de l'agriculture variaient d'une région à l'autre. Mais la densité de population ne pouvait augmenter qu'au prix d'une détérioration des conditions de vie des paysans. Les épidémies et les famines se manifestèrent aussi avec une régularité qui peut paraître fatidique : 1584, 1597, 1618, 1639, 1649, 1662, 1677, 1694, 1710, 1741. A quoi s'ajoutèrent bien des catastrophes locales.

La recherche récente a remis en question la vieille idée que les populations de l'Europe préindustrielle auraient été étroitement enracinées dans leur terroir natal. Pourtant, cela semble être largement vrai en France. En matière d'émigration, le flux le plus important fut celui de quelques centaines de milliers de protestants fuyant les persécutions — parmi eux de nombreux commerçants et artisans. La perte qui en résulta fut plus sensible qualitativement que quantitativement.

A l'intérieur des frontières, les éléments mobiles étaient les serviteurs, les apprentis, les travailleurs saisonniers, les soldats et les mendiants. Annuellement, il pouvait s'agir tout au plus d'un demi-million de migrants, ce qui demeure modeste en regard de la population globale. Les registres paroissiaux renforcent cette impression de sédentarité : les trois quarts des gens qui se mariaient avaient trouvé leur partenaire dans leur propre village, et presque tous les autres dans le village voisin.

L'économie française

Les céréales, le vin, le sel ainsi que les produits de la laine, du chanvre et du lin constituaient la base du commerce extérieur de la France. L'importance des campagnes pour l'exportation était d'autant plus grande que les produits textiles étaient fabriqués par un prolétariat rural employé à temps partiel.

Dans le combat commercial européen, l'Angleterre et la Hollande ne considéraient nullement la France comme un concurrent négligeable, plus ou moins arriéré. L'agressivité croissante des Anglais en est un indice. En matière d'activité économique, la France n'apparaissait guère en retrait par rapport à l'Angleterre, et sans doute ne le fut-elle pas vraiment avant le milieu du XVIIIe siècle.

Il reste bien sûr à expliquer pourquoi l'Angleterre s'industrialisa plus précocement que la France. Avec le recul, on peut déceler assez clairement une série de différences d'ordre purement économique.

Malgré une production importante de fer brut, on ne se soucia nullement en France d'exploiter la houille avant 1750, alors que dès le XVIIe siècle, les Anglais en faisaient grand usage, avant tout pour le chauffage domestique. Disposant de vastes forêts et donc de charbon de bois en abondance, les Français ne ressentirent pas le besoin d'innover techniquement, contrairement aux Anglais tri-

Paysage du Languedoc, province à laquelle l'historien E. Le Roy Ladurie a consacré des ouvrages célèbres.

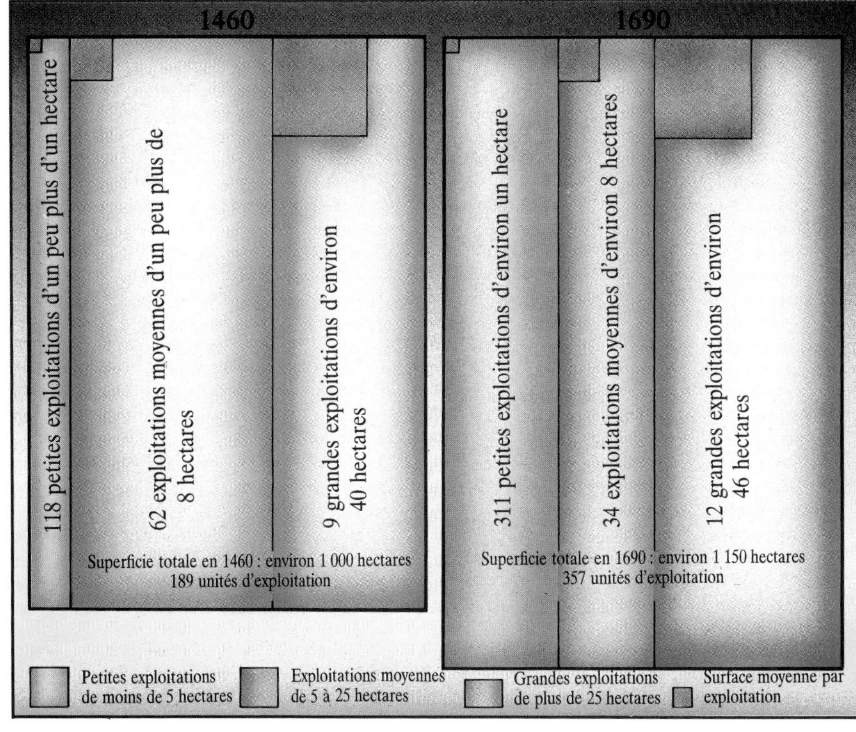

La répartition des terres à Saint-Thibéry, Languedoc, entre 1460 et 1690. La surface cultivée n'augmenta que très peu, tandis que le nombre des unités d'exploitation doubla presque. Ce sont les exploitations moyennes qui diminuèrent au profit des petites et des grandes. La différenciation au sein de la classe paysanne est manifeste. Source : E. Le Roy Ladurie, « Les paysans du Languedoc » (1974).

La guilde des marchands à Paris. Gravure sur bois du début du XVIe siècle.

Ceux qui mesurent les céréales, et ceux qui les portent. Gravure sur bois de 1528.

butaires de la houille. En matière de production textile, la France utilisait également des méthodes plus traditionnelles que l'Angleterre.

Le marché intérieur était un complément important aux activités exportatrices et même une condition pour que celles-ci se développent. La superficie moins grande de l'Angleterre rendait plus facile l'échange de marchandises, et l'étendue des côtes constituait aussi un avantage du fait de la supériorité du transport par voie maritime.

En outre, sous l'Ancien Régime, il n'y avait pas d'équivalent français de la Banque d'Angleterre. Grâce à une meilleure organisation économique, la livre anglaise garda pratiquement la même teneur en argent pendant au moins deux cents ans à partir du milieu du XVIe siècle. En revanche, au cours de la période 1550-1726, la teneur en argent de la livre tournois passa de plus de 15 grammes à 4,5 seulement.

Les chercheurs d'aujourd'hui sont enclins à voir dans l'évolution de l'agriculture une des causes importantes du passage à une société capitaliste et industrielle. En France, lorsque les terres abandonnées au cours du Moyen Age tardif furent reprises en main, on ne se soucia guère de faire évoluer les techniques d'exploitation agricole. Celles-ci demeurèrent pratiquement inchangées du XVIe siècle au début du XIXe. L'agriculture ne constitua pas moins le fondement même de l'expansion française.

Le fondement de la société

Dans le chapitre sur la nourriture quotidienne, le modèle économique et social régnant dans les campagnes a été évoqué. La France n'en représente pas une variante mais bien plusieurs. Les différences climatiques, géographiques et géologiques ainsi que la diversité des coutumes, des conditions de propriété, des formes de souveraineté sont à la source de cette riche variété. En matière d'agriculture, on peut cependant dégager quelques facteurs généraux.

Dans un village, on exploitait la terre de trois manières. Il y avait d'abord le terrain clos de la ferme où le paysan était libre de choisir lui-même ses cultures et ses méthodes. Aux alentours s'étendaient des champs, essentiellement destinés à la culture des céréales, qui nécessitaient la coordination des efforts. Enfin, il y avait le terrain communal qui fournissait aux villageois du bois et où ils menaient paître leurs bêtes. Là encore, une réglementation communautaire était nécessaire.

Il serait vain d'essayer de déterminer la proportion relative de ces trois types de terrain car celle-ci variait selon les lieux et les conditions naturelles. Les conditions de vie et de survie des exploitants dépendaient grandement de ces particularités locales. En cas de mauvaises récoltes, les régions les plus durement touchées étaient celles dont la majeure partie de la superficie servait à la culture des céréales. Elles étaient très peuplées et ne pouvaient guère enrayer la mortalité due à la famine lorsque la terre se montrait ingrate. Lorsque le terrain communal était petit, il fallait faire paître les bêtes dans les champs entre la récolte et les semences, ce qui exigeait des règles collectives strictes.

Tous les payans pouvaient assister aux assemblées qui décidaient des affaires communes, mais ceux qui possédaient le plus de terre exerçaient une influence majeure sur les décisions. Ces mêmes personnes donnaient le ton en matière de gestion paroissiale. Et elles étaient chargées par l'administration centrale de répartir les impôts entre les habitants du village. Un système poussé d'autogestion locale sous la houlette des paysans les plus riches caractérisa longtemps l'Ancien Régime français.

Environ un tiers des terres cultivées appartenait aux paysans, ce qui veut dire qu'ils avaient le droit, avec plus ou moins de restrictions, de les exploiter, de les vendre et de les transmettre par héritage. Bien entendu, ils n'étaient pas dispensés pour autant de verser des redevances à ceux qui exerçaient par privilège un droit de souveraineté sur les terres. Les seuls qui y échappaient étaient les paysans de franc alleu qui eux jouissaient d'un droit de propriété plein et entier. Des enquêtes récentes ont montré qu'ils étaient plus nombreux qu'on ne l'avait cru auparavant, notamment dans le sud de la France.

Mais la plupart des paysans ne possédaient pas leur lopin et devaient donc payer des redevances tant au propriétaire qu'au seigneur des terres — il pouvait s'agir de la même personne. Tous les paysans payaient aussi des impôts à l'Etat. Dans certaines régions de l'ouest de la France, le montant total des redevances était si élevé que la moitié des exploitants agricoles durent abandonner leur ferme faute de pouvoir y faire face. Du fait de la pénurie de terres, il n'était cependant pas difficile de les remplacer. Il se peut que cette pression fiscale extrême n'ait été qu'un cas particulier.

Malgré les différences régionales, le même type de stratification sociale pouvait s'observer dans le monde rural. La sédentarité, c'est-à-dire l'accès à des terres cultivables, garantissait la participation aux affaires communes, même si cela ne signifiait pas toujours une influence réelle.

La plupart des Français étaient dans ce cas. La catégorie inférieure des non sédentaires demeurait donc très limitée, n'excédant probablement pas 1% de la population.

Les paysans fortunés étaient encore moins nombreux. Leur prospérité dépendait non seulement des terres qu'ils possédaient mais aussi de celles qu'ils administraient pour quelque propriétaire terrien éloigné. Ils possédaient des bêtes de somme, des outils, de l'argent qu'ils pouvaient prêter. Aussi leur aisance et leur influence ne faisaient-elles que croître.

A l'autre bout de l'échelle, on peut mentionner les journaliers/tisserands picards qui ne disposaient que d'une cabane misérable, de quelques maigres parcelles, de deux ou trois poules et éventuellement d'un mouton. Ils étaient dépendants des gros paysans pour emprunter cheval ou charrue, et des entrepreneurs du textile pour se procurer des matières premières.

La dépendance — plus ou moins accentuée — était caractéristique des populations rurales françaises, mais beaucoup plus de campagnards qu'en Angleterre par exemple étaient parvenus à garder un lopin de terre à cultiver.

La noblesse d'épée

L'appartenance à la noblesse conférait une position spéciale. Le droit de porter l'épée en était l'un des signes extérieurs. Plus concrètement, l'aristocratie avait un droit prioritaire aux charges de la cour, de la haute administration, de l'Eglise et de l'armée. On exigeait d'un page de Louis XIV qu'il fût de lignée noble depuis au moins deux cents ans.

Aimable scène de vendange qui ne rend sans doute pas justice à la situation des paysans français en général.

A ces avantages matériels s'ajoutait l'exemption fiscale, même si l'aristocratie n'était pas seule à jouir de ce privilège.

Bien que la noblesse ne constituât qu'une petite fraction de la population — de un à deux pour cent —, elle était assez nombreuse pour pouvoir être divisée en catégories. Bien des distinctions sont possibles : noblesse d'épée ou de robe, de cour ou de province, ancienne ou nouvelle, riche ou pauvre. Il faut toutefois noter que ces distinctions ne se recoupent qu'imparfaitement. La noblesse d'épée était représentée aussi bien à la cour que dans les provinces, elle comptait en son sein des riches comme des pauvres, etc.

Quand le duc de Saint-Simon (1675-1755) décrit le gouvernement de Louis XIV comme dominé par la roture bourgeoise, il faut surtout y voir l'humeur d'un grand seigneur imbu de titres. A ses yeux, la noblesse véritable se limitait à un petit cercle de princes du sang, de ducs, de pairs et de grands prélats.

Ceux-ci formaient le gratin de la noblesse d'épée. Titres prestigieux mais aussi fortunes colossales caractérisaient ce petit groupe. Parmi les princes du sang, la famille Condé disposait au début du XVIIIe siècle d'un revenu annuel de plus d'un million et demi de livres, ce qui correspondait à neuf tonnes d'argent pur. En règle générale, ces hauts personnages dépensaient cependant plus qu'ils ne gagnaient. Cela ne les inquiétait guère car ils pouvaient compter sur une intervention du roi lorsque leurs dettes devenaient trop criantes.

Le duc de Saint-Simon, politicien malheureux mais grand mémorialiste. Portrait de Hyacinthe Rigaud (1659-1743), alors peintre à la mode.

Les mémoires d'un duc

Louis de Rouvroy, duc de Saint-Simon (1675-1755), est l'un des mémorialistes les plus productifs de tous les temps. Ses mémoires remplirent 21 volumes lorsqu'ils furent édités au XIXe siècle. Il appartenait à la vieille noblesse d'épée, mais le titre de duc ne remontait qu'à la génération précédente. Cette dignité ne le remplissait pas moins d'une immense fierté, et elle l'aida à devenir colonel à 19 ans. Faute d'être nommé général, il abandonna la carrière militaire à 27 ans. Il passa alors de nombreuses années à la cour, intrigua, observa, critiqua et surtout prit ombrage des succès des autres. Il était impensable à ses yeux qu'on se souciât de personnes qui n'appartenaient pas à la haute noblesse. Voltaire n'était pour Saint-Simon qu'Arouet, fils d'un notaire dont son père et lui-même avait utilisé les services.

Invoquant sa fortune et son prestige, ce groupe briguait le pouvoir politique que conféraient les charges de conseillers du roi ou de gouverneurs de province, ces derniers disposant de prérogatives étendues.

A l'autre bout de l'échelle, il y avait la noblesse pauvre, celle qui ne disposait que de ses armoiries et de sa fierté — l'aristocratie désargentée maniant la charrue l'épée au côté. Des recherches précises ont cependant montré que nombre de ces familles jugées pauvres avaient tout de même les moyens d'entretenir des serviteurs et qu'elles disposaient de revenus au moins égaux à ceux du curé de la paroisse.

Malgré tout, les nécessités économiques étaient à ce point pressantes qu'il leur fallait pressurer au maximum les gens placés sous leur domination. S'ils n'avaient pas les moyens de vivre dans la pompe et le luxe, ils entendaient tout de même marquer la position sociale liée à leur naissance.

A vrai dire, la noblesse d'épée ne se caractérisait pas par les extrêmes — ni par excès, ni par défaut. La plupart de ses membres se situaient dans une bonne moyenne avec un manoir à la campagne et une maison dans la ville la plus proche. S'ils résistaient à la tentation de mener la vie dispendieuse de cour qui risquait de les livrer au pouvoir des usuriers, s'ils se montraient attentifs aux possibilités et aux risques liés à l'évolution économique, leur position sociale et économique était assurée — du moins jusqu'en 1789.

D'Artagnan père et fils. Illustration du roman d'Alexandre Dumas, « Les trois mousquetaires ».

Les présents de d'Artagnan père à son fils

D'Artagnan est sans doute le représentant le plus populaire de l'aristocrate bien né mais désargenté. Lorsque dans le roman d'Alexandre Dumas, « Les trois mousquetaires », il se met en route pour chercher fortune, son père n'a à lui donner que 15 écus, un vieux cheval « jaune de robe, sans crins à la queue, mais non pas sans javarts aux jambes », une lettre de recommandation pour l'ami du roi, M. de Tréville, et enfin quelques bons conseils dont celui-ci : « A la cour, si toutefois vous avez l'honneur d'y aller, honneur auquel, du reste, votre vieille noblesse vous donne des droits, soutenez dignement votre nom de gentilhomme, qui a été porté dignement par vos ancêtres depuis plus de cinq cents ans. »

La noblesse de robe

Chaque siècle voyait disparaître un tiers des familles de ducs et de pairs. La noblesse dans son ensemble enregistra sans doute des pertes équivalentes. Pour éviter qu'elle ne s'éteigne complètement, il fallait puiser de nouveaux membres dans les rangs des roturiers. En vendant des charges qui conféraient la noblesse, la couronne put à la fois se procurer de l'argent et s'assurer des serviteurs dévoués en satisfaisant la soif d'ascension sociale de certaines classes. Les plus chères et les plus importantes de ces charges garantissaient l'anoblissement de la famille de l'acheteur après vingt ans de service ou à la mort de celui-ci.

Une solution meilleur marché mais moins rapide consistait à acheter un office permettant l'anoblissement après deux générations. Le délai pouvait toutefois se trouver raccourci dans le cas où l'acheteur était si vieux que son successeur prenait vite le relai. Une fois le titre de noblesse acquis, rien n'empêchait de revendre cette charge à quelque personne en mal d'anoblissement.

Ce commerce des charges engendra une caste différente de la noblesse d'épée, la noblesse de robe. Mais il faut se garder de ramener celle-ci à une catégorie homogène. Le plus souvent, ceux qui se procuraient les charges les plus hautes et les plus influentes — par exemple au sein des cours suprêmes appelées parlements — appartenaient déjà à la vieille noblesse au moment de l'achat.

Au XVIIIe siècle, il n'y avait qu'un roturier sur dix parmi les membres puissants et influents du parlement de Paris, et celui-ci était pourtant plus ouvert que bien des parlements de province. En 1670, de nombreuses personnes siégeant au parlement de Bretagne pouvaient se prévaloir d'une noblesse remontant au Moyen Age.

Si l'acquisition de telles charges n'augmentait pas le nombre des familles nobles, le cas était différent avec d'autres moins élevées — avant tout dans l'administration des finances et des impôts ainsi que dans la gestion municipale d'un certain nombre de villes. On disait de ces charges qu'elles étaient la savonnette des roturiers puisqu'elles étaient destinées à laver la tache de leur basse extraction.

Formellement, les secrétaires royaux appartenaient à la noblesse de robe, mais dans la pratique, ils n'avaient aucune tâche à remplir, et leur titre ne servait que de « savonnette ». Il fallait en payer le prix : 70 000 livres en 1700, 100 000 en 1750. Il est vrai qu'on pouvait revendre ce titre honorifique une fois l'anoblissement acquis.

Mentionnons encore deux possibilités d'accéder à la noblesse sans acheter de charge. Le roi avait le droit de délivrer des lettres de noblesse pour distinguer des personnes de mérite. Cette procédure ne fut que parcimonieusement utilisée, sauf sous Louis XIV. A une occasion, celui-ci fit établir en blanc mille lettres de noblesse ; destinées à être vendues 6 000 livres pièce, elles risquaient fort de n'être que de la vulgaire savonnette.

La deuxième possibilité dont Pierre Goubert donne des exemples consistait pour un roturier fortuné à acheter une propriété foncière avec les droits afférents. Il pouvait aussi se procurer une charge municipale assortie d'exemption fiscale. Posséder des biens et ne pas payer d'impôts constituaient deux des signes distinctifs de la noblesse.

Après quelque temps — peut être en l'espace d'une génération — le nom de famille de cette personne allait être suivi dans les actes officiels de la mention « écuyer » — nouveau signe de distinction aristocratique. Selon certains chercheurs, c'était la manière la plus courante pour les familles roturières d'accéder à la noblesse. Dans la deuxième moitié du XVIIe siècle, une chasse aux faux aristocrates avait révélé l'existence de 40 000 familles de ce genre.

Pour le peuple, il était sans doute difficile de faire la distinction entre la noblesse d'épée et la fraction supérieure de la noblesse de robe. Les signes distinctifs étaient les mêmes. Les seuls peut-être à percevoir la différence étaient les rares aristocrates qui appartenaient aux deux catégories. Concrètement, la noblesse de robe avait probablement des contacts plus étroits avec la haute finance, et elle manifestait un vif intérêt pour le commerce d'outre-mer et la traite des esclaves — activités auxquelles un noble pouvait se livrer sans déroger.

Dans les murs de la cité

Une ville, tout au moins au XVIIe siècle, était caractérisée

Le jeune Louis XIV distribue des lettres de noblesse aux fonctionnaires communaux de Paris.

Paris au XVIIe siècle vu du Pont Neuf, avec le Louvre à l'arrière-plan. Œuvre d'un artiste inconnu.

par ses murs d'enceinte que les habitants entretenaient et flanquaient de gardes, et par ses privilèges particuliers. Hormis Paris, il y avait peu de grandes cités en France. Pourtant, les villes allaient exercer une domination croissante sur tout le pays.

Dans bien des cas, les municipalités jouissaient entre autres privilèges de l'exemption du principal impôt, la taille, et du droit de nommer leurs propres fonctionnaires — droit que le pouvoir central s'efforçait d'abroger ou du moins de contrôler.

Les citadins se regroupaient dans des associations telles que corporations pour les artisans, guildes pour les commerçants, compagnies pour les fonctionnaires. Même les apprentis et les journaliers essayaient de s'organiser, ce que les autorités s'employaient à combattre.

Les habitants des villes formaient différentes couches selon leur revenu et leur prestige social. Au plus bas, il y avait le prolétariat de ceux qui ne possédaient ni maison, ni terre, ni outils. Le destin de ces gens dépendait entièrement des caprices de leurs maîtres et des fluctuations économiques. Ils étaient probablement moins bien organisés que ceux qui se situaient hors la loi — mendiants, délinquants et prostituées.

Maîtres artisans et petits commerçants, rentiers, fonctionnaires municipaux subalternes, formaient une classe moyenne. Ils possédaient une maison en totalité ou en partie, un vignoble ou quelque hectare de terre dans les environs, ils disposaient de domestiques et avaient pris soin d'accumuler un petit pécule pour les temps difficiles. Economiquement, leur autonomie était cependant limitée, et ils ressentaient les effets des moindres variations de la conjoncture.

Certains d'entre eux tombaient dans l'indigence tandis que d'autres s'élevaient socialement. Un moyen de financer une telle ascension consistait à prêter de l'argent à des taux usuraires.

Juste au-dessus se situaient les hauts fonctionnaires roturiers, les collecteurs d'impôts des grands domaines aristocratiques ou ecclésiastiques et les fermiers de la couronne.

Ces derniers avaient toutes possibilités de devenir membres des grandes compagnies de fermage s'occupant

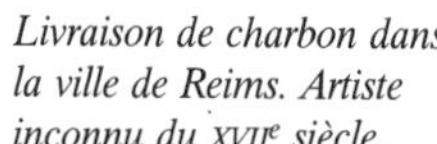

Livraison de charbon dans la ville de Reims. Artiste inconnu du XVIIe siècle.

de la perception des impôts et pouvant financer les emprunts de la couronne.

Les fortunes « bourgeoises » les plus importantes étaient l'apanage des gros négociants. Pour réussir dans leurs affaires, il leur fallait une tout autre mentalité que celle des fonctionnaires. Les commerçants dynamiques estimaient que ceux-ci ne faisaient que mettre des bâtons dans les roues, ce qui ne les empêchait pas, une fois fortune faite, d'investir dans l'achat de charges administratives.

Parmi les hautes classes urbaines, il ne faut oublier la noblesse. Les aristocrates de province possédaient une maison en ville et, grâce à leur prestige, ils pouvaient peser sur les élections et sur les décisions. Dans les principales villes de province, il y avait des représentants haut placés de la noblesse de robe, par exemple les magistrats siégeant dans les parlements.

Les villes en général et Paris en particulier offraient donc des possibilités d'ascension sociale, mais la porte du succès était fort étroite.

L'aventure italienne

Lorsqu'au milieu du XVe siècle, à l'issue de la guerre de Cent Ans, les Anglais furent boutés hors de France, disparut un premier obstacle majeur à l'instauration de l'absolutisme ; un second fut balayé quand l'empire bourguignon s'effondra en 1477.

Charles VIII (1483-98) disposait de deux atouts qui faisaient défaut outre-Manche à Henri VII. La lutte contre les Anglais avait rendu nécessaire la constitution d'une armée régulière au service du roi et la levée d'un impôt permanent, la taille, destiné à financer cet effort militaire.

L'existence d'un tel impôt qui pouvait être augmenté et recouvré sans consultation des états généraux, l'équivalent du Parlement anglais, rendait le pouvoir central français moins dépendant d'une assemblée nationale. Les états généraux ne furent d'ailleurs jamais convoqués entre 1487 et 1560, ni entre 1614 et 1789.

L'armée régulière n'avait sans doute pas l'ampleur requise pour affronter victorieusement des puissances étrangères. Elle ne pouvait même suffire pour imposer par la force la volonté du roi dans un pays aussi peuplé que la France. Du moins permettait-elle au monarque de tenir tête à la noblesse.

Urne posée sur les trois grâces. Commandée en 1659 au sculpteur de la cour Germain Pilon, cette urne était destinée à recevoir le cœur d'Henri II et celui de son épouse Catherine de Médicis.

Les rois de France

Charles VIII	1483-1498
Louis XII	1498-1515
François I	1515-1547
Henri II	1547-1559
François II	1559-1560
Charles IX	1560-1574
Henri III	1574-1589
Henri IV	1589-1610
Louis XIII	1610-1643
Louis XIV	1643-1715
Louis XV	1715-1774

Cependant, le chemin de l'absolutisme et de la centralisation était loin d'être tracé. Il fallait d'abord venir à bout de tous les privilèges particuliers dont jouissaient les provinces, les villes, les états, les associations et certains individus. Au début du XVIe siècle, l'administration centrale était dans l'incapacité de le faire.

Ni Charles VIII, ni son successeur Louis XII (1498-1515) ne semblent avoir été de brillants administrateurs. Et l'expédition militaire de 1494 en Italie, prélude à une série de guerres, ne révèle pas non plus un sens politique très réaliste chez Charles VIII.

Pour avoir les mains libres en Italie, celui-ci céda des territoires à l'Espagne et versa une somme d'argent au roi d'Angleterre. Derrière les objectifs italiens se profilait une croisade à destination de Jérusalem. La politique étran-

Galerie François Ier (1515-47) du château de Fontainebleau, achevée en 1530.

gère de la France obéissait à différents motifs : honneur chevaleresque, devoirs chrétiens, espoir de prises de guerre. Au cours du demi-siècle qui suivit, le financement de ces guerres fut la grande affaire du pays.

Sous François Ier (1515-47) et Henri II (1547-59), les guerres d'Italie provoquèrent une polarisation naturelle entre les deux grandes puissances du continent, la France et l'empire des Habsbourg, jusqu'au traité du Cateau-Cambrésis (1559).

Les guerres étaient coûteuses. A titre d'exemple extrême, on peut mentionner la rançon que la France dut payer à l'Espagne pour les fils de François Ier. Le souverain avait laissé ceux-ci à Madrid comme gage qu'il tiendrait ses promesses après le désastre de Pavie (1525). La rançon en question s'éleva à deux millions d'écus, ce qui correspondait en gros au produit de la taille, source principale de revenu pour l'Etat, pendant toute une année.

Cette ponction avait un caractère exceptionnel, mais à la longue, les dépenses ordinaires de guerre s'avérèrent encore plus douloureuses. La taille passa d'un million et demi de livres en 1507 à six millions en 1552. Il faut cependant garder à l'esprit que la teneur en argent de la monnaie diminua et que la révolution des prix provoqua une érosion de la valeur réelle des sommes encaissées par l'Etat.

Il fallut recourir à d'autres moyens pour faire face aux besoins, par exemple emprunts garantis par les biens et les recettes futures de la Couronne, ou encore extension de la vente de charges, une pratique qui remontait à la fin du XVe siècle. En 1559, le traité de Cateau-Cambrésis fut conclu sous le signe de l'épuisement et des banqueroutes de l'Etat.

Structure inchangée du pouvoir

L'édification du pouvoir central qui s'était poursuivie pendant un siècle s'interrompit vers le milieu du XVIe siècle lorsque se déclenchèrent de longues guerres de religion. Si les quatre dernières décennies du siècle sont marquées par des enjeux confessionnels, la crise revêt aussi bien d'autres aspects — économiques, sociaux, politiques au plus haut niveau.

L'évolution économique avait créé des problèmes pour ceux qui, quelle que fût leur position sociale, n'avaient pas su s'adapter au changement. Les exigences fiscales de la Couronne rendaient la situation encore plus difficile pour ceux qui exploitaient directement la terre. Et la fin des guerres avait privé la noblesse d'une source de revenus. Un tel contexte ne pouvait que favoriser les troubles sociaux et religieux.

Les réformes administratives entreprises n'avaient pas fondamentalement modifié les structures du pouvoir. Du reste, elles n'avaient pas été conçues dans cet esprit. Elles visaient à utiliser au mieux l'appareil d'Etat pour que le roi puisse apparaître comme un brillant chef d'armée et un généreux dispensateur de faveurs.

Aussi bien les relations du roi avec l'Eglise que la vente de charges — particulièrement importante sous François Ier — en portent témoignage. Par le concordat de Bologne conclu en 1516 par François Ier et le pape , le roi se voyait confirmer le droit de nommer les titulaires des charges ecclésiastiques — droit qui servit éminemment à attacher la haute noblesse à la personne du souverain.

Une politique semblable présida à la vente des charges.

Les postes ainsi créés assuraient certes à l'administration centrale un meilleur contrôle sur les provinces, mais le plus important pour le roi était sans doute de créer un système hiérarchisé, basé sur la dépendance. La ressemblance avec l'ordre féodal du Moyen Age est frappante.

Ce qui pouvait menacer le pouvoir personnel du roi, c'était une haute noblesse trop puissante. Il se trouve que le souverain avait accordé à des représentants de cette aristocratie le droit de vendre de nombreuses charges. Par le biais des acheteurs qui étaient leurs obligés, les nobles pouvaient ainsi exercer une influence sur les affaires de la Couronne, ce qui venait s'ajouter à la forte position qu'ils occupaient dans les provinces grâce à leurs biens, leur prestige séculaire et la dépendance à leur égard des classes socialement inférieures. Et ne disposaient-ils pas d'hommes de loi pour leurs procès et de littérateurs pour leur propagande ? A l'échelon régional, ils exerçaient aussi de hautes fonctions politiques et militaires, et leur influence était grande au sein du Conseil du roi ainsi qu'à la cour.

Le contenu religieux des guerres de Religion

Indépendamment de leur propre conviction religieuse, les rois de France dont le pouvoir était lié à l'Eglise catholique n'avaient aucune raison politique de soutenir la Réforme. Fort logiquement, les mesures prises eurent pour effet d'étouffer presque entièrement le luthéranisme. C'est le calvinisme, plus militant, qui fut le cheval de Troie du protestantisme en France.

La France ne possédait pas d'inquisition, et les poursuites judiciaires contre les hérétiques étaient l'affaire des tribunaux civils. Quand le gouvernement décida en 1539 de dessaisir les tribunaux locaux de ces procès, instruits dorénavant par les cours suprêmes de Paris et de province — les parlements —, la situation des protestants s'améliora. Les autorités locales qui étaient les mieux placées pour connaître les opinions des gens cessèrent de chercher à débusquer les hérétiques lorsqu'elles n'eurent plus de bénéfices à attendre des procédures judiciaires.

Le calvinisme connut un remarquable essor dans les années 1540 et 1550, surtout dans la France méridionale, traditionnellement opposée à l'hégémonie du gouvernement de Paris, proche de ce foyer de missions qu'était Genève et riche d'une ancienne tradition de dissidence religieuse.

Comme partout ailleurs, les premiers convertis furent les artisans et petits commerçants des villes, puis ce fut le tour des intellectuels et des gros négociants, et enfin d'une partie de l'aristocratie. Les paysans se laissèrent moins facilement convaincre. E. Le Roy Ladurie décrit dans son livre sur le Languedoc comment les paysans organisèrent en 1560 une manifestation à Montpellier pour défendre le mode de vie traditionnel avec ses fêtes populaires et la vieille foi catholique.

Pourtant, la Réforme était susceptible d'apporter un certain nombre d'avantages économiques qui auraient pu séduire les paysans. L'historien français en nomme deux : la possibilité d'acquérir des terres appartenant à l'Eglise, et la perspective d'échapper — peut-être — à la dîme. En 1561, les états provinciaux du Languedoc, arguant de l'ampleur de la dette publique, décidèrent que l'Eglise devrait vendre des terres — ce qui montre combien la position de celle-ci était vacillante. En pratique, ces terres ecclésiastiques allaient échoir à des acheteurs fortunés plutôt qu'à des petits cultivateurs désireux d'agrandir leur exploitation.

Il fut aussi stipulé que la dîme ne serait plus versée à l'Eglise catholique mais aux paroisses calvinistes. Les paysans qui estimaient que cet impôt devait être abrogé résistèrent énergiquement en refusant tout simplement de payer. Une série de livres de comptes du Languedoc montre que cette grève des paiements fut efficace au cours de la période 1560-1600.

Si diverses actions purent être ainsi défier les autorités, c'est que les huguenots, au cours des années 1540 et 1550, avaient rassemblé des forces armées. Le commandement en était assuré par des nobles qui trouvaient ainsi le moyen de compenser le tarissement des revenus auparavant assurés par les guerres extérieures.

La nuit de la Saint-Barthélemy

La période des guerres de Religion fut caractérisée par la vie chère, les troubles sociaux, le fanatisme religieux, la résistance des provinces au centralisme et la lutte pour le pouvoir au plus haut niveau. Il n'est guère aisé de démêler

La France divisée par les guerres de religion au XVIe siècle.

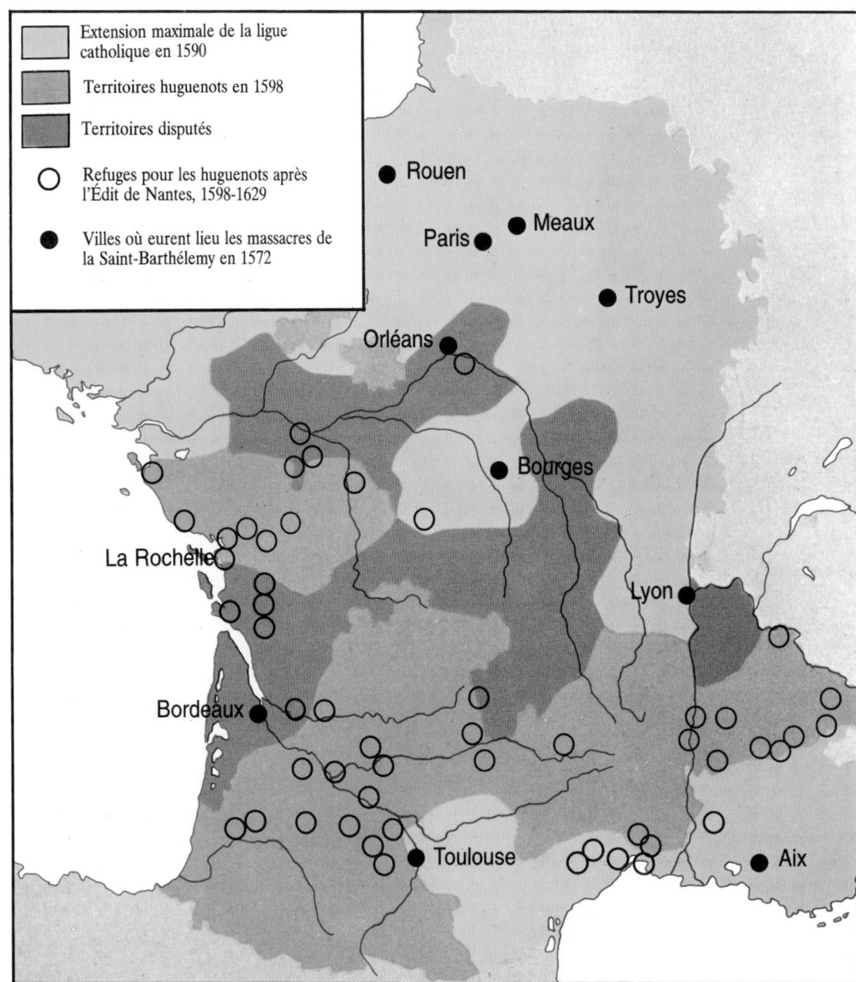

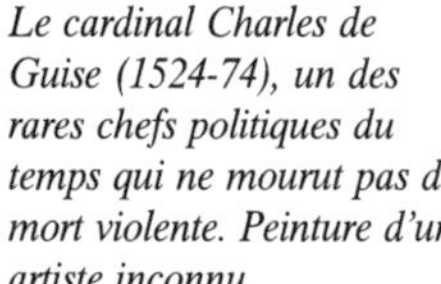

Le cardinal Charles de Guise (1524-74), un des rares chefs politiques du temps qui ne mourut pas de mort violente. Peinture d'un artiste inconnu.

cet écheveau, d'autant que les affrontements guerriers se terminèrent par des accords de paix que personne ne pouvait et peut-être ne voulait mettre à exécution. Et les périodes de paix furent aussi marquées par des massacres de gens sans défense. En outre, des puissances étrangères, l'Espagne et l'Angleterre, se mêlèrent à ces règlements de comptes.

La lutte pour le pouvoir au sommet ressemble à un drame triangulaire. Il y avait d'abord deux grandes familles, les Guise et les Bourbon, l'une catholique, l'autre protestante. Outre ces protagonistes essentiels, il faudrait aussi mentionner la puissante dynastie catholique des Montmorency et la lignée des Condé, apparentée aux Bourbon, qui joua un rôle majeur au début de la guerre.

Le troisième acteur du drame n'était autre que la famille royale des Valois, officiellement au pouvoir. Henri II avait eu pour successeur trois de ses fils, François II (1559-60), Charles IX (1560-74) et Henri III (1574-89). Au cours d'une bonne partie de cette période, ce fut toutefois la reine mère Catherine de Médicis (1519-89) qui dirigea la politique royale.

Catherine de Médicis (1519-89), veuve de roi et mère de trois rois. Peinture d'un artiste anonyme.

Familles et personnes impliquées dans les guerres de religion

Les Valois. Famille royale : les fils et l'épouse d'Henri II, mort en 1559
- Catherine de Médicis (1519-89). Reine douairière. Dirige la famille royale.
- François II. Mort à seize ans en 1560.
- Charles IX. Mort en 1574.
- Henri III. Assassiné en 1589.

Les Guise. Chefs du parti catholique.
- François de Guise (1519-63). Duc. Assassiné.
- Charles de Guise (1524-74), frère du précédent, cardinal.
- Henri de Guise (1550-88), fils de François, duc. Assassiné, de même qu'un de ses frères.

Les Montmorency, catholiques.
- Anne de Montmorency (1493-1567). Duc. Mort au combat.

Les Condé et les Bourbon, princes du sang. Chefs des huguenots.
- Louis de Condé (1530-69). Oncle d'Henri IV. Assassiné.
- Henri de Condé (1552-88). Fils du précédent. Mort au combat.
- Henri de Bourbon (Henri IV). Roi en 1589. Assassiné.

Les Coligny. Huguenots.
- Gaspard de Coligny (1517-72). Comte, amiral. Assassiné, de même que deux de ses frères.

Celle-ci visa notamment à rassembler les neutres ainsi que les modérés des deux bords autour de la personne du roi. Cette ligne fut toutefois abandonnée à maintes reprises — lorsque l'on estimait dans l'entourage du souverain que la situation politique exigeait qu'il se ralliât à l'un ou l'autre camp.

En 1572, une telle volte-face eut des conséquences sanglantes. Au cours des années précédentes, Catherine de Médicis s'était rapprochée des Bourbon. Cette bonne entente avait été scellée par un mariage entre sa fille et le jeune roi de Navarre Henri de Bourbon (1553-1610).

Dépêche diplomatique au sujet de la Saint-Barthélemy

Tandis que les massacres de protestants se poursuivaient encore, l'ambassadeur d'Espagne à Paris envoya le 24 août 1572 la lettre suivante à Philippe II :

« Au moment où j'écris ces lignes, ils les tuent tous, les dépouillent de leurs vêtements et les trainent dans les rues. Ils pillent les maisons et n'épargnent pas un seul enfant. Grâce soit rendue au Seigneur qui a ramené les princes français à Sa cause. Puisse-t-il les inciter à poursuivre ce qu'ils ont commencé. »

Philippe II répondit :

« Cela me procure une des plus grandes joies de ma vie. Dites à la reine la satisfaction que me cause une action aussi utile pour le christianisme. Cela servira la gloire du roi aux yeux de la postérité. »

Le chef des huguenots était alors Gaspard de Coligny (1517-72), après l'assassinat de Louis de Condé (1530-69) en 1569. De nombreux huguenots avaient assisté à ce mariage. Au moment où ils triomphaient, Coligny fut blessé dans un attentat. Les protestants crièrent à la vengeance. Peut-être effrayée par cette menace, Catherine de Médicis convainquit le roi qu'il fallait agir avant que les huguenots ne le fassent.

La nuit du 24 août, à la Saint-Barthélemy, les cloches des églises de Paris sonnèrent pour donner le signal de la chasse aux protestants. Une des premières victimes fut Coligny. Henri de Navarre, le jeune marié, sauva sa vie en se faisant catholique, une conversion toute provisoire. On compta à Paris des milliers de victimes, et sans doute autant dans les villes de provinces gagnées à leur tour par cette frénésie meurtrière.

La nuit de la Saint-Barthélemy ne constitua pas le seul cas de violence exercée contre des adversaires religieux ou politiques, mais ce fut le plus sanglant.

Hercule triomphant de l'hérésie. Cette médaille fut frappée pour glorifier la Saint-Barthélemy.

Henri IV et l'édit de Nantes

Le combat de Catherine de Médicis pour la monarchie fut vain du fait que ses fils ne purent remplir le premier devoir d'un souverain, à savoir assurer la succession au trône.

Les deux groupes principaux qui s'affrontaient, les Guise et les Bourbon, présentaient certains traits communs. Ils disposaient d'importants biens fonciers sur lesquels ils régnaient en maître, le catholicisme et le calvinisme servaient respectivement de lien idéologique à leurs partisans. Les Guise avaient cet avantage sur les Bourbon que le catholicisme était majoritaire en France, et que Paris en constituait un bastion. Et la capitale était le centre naturel du pays, même si la cour et l'administration menaient une existence ambulante.

Les Bourbon, quant à eux, pouvaient faire valoir qu'ils

Les horreurs de la nuit de la Saint-Barthélemy telles que les restitue François Dubois (1543-1614).

Cette procession de la Ligue catholique à Paris témoigne d'un militantisme farouche.

étaient de sang royal et possédaient donc des droits sur la couronne. Ce à quoi les Guise ne pouvaient prétendre.

Cette position avantageuse des Bourbon se trouva confirmée quand Henri III, dans les années 1580, reconnut comme successeur Henri de Navarre. Que l'on fasse partir le règne d'Henri IV du meurtre d'Henri III en 1589, ou de 1594 — date de sa deuxième conversion au catholicisme, de son entrée à Paris et de son couronnement — il est certain que dès 1589, le roi de Navarre était le seul héritier légitime du trône de France.

Henri IV (1589-1610), représenté à juste titre dans une pose guerrière par le peintre de cour Frans Pourbus le Jeune (1569-1622).

Les succès d'Henri IV (1589-1610) ne s'expliquent pas seulement par cette légitimité et par sa propre habileté politique.

Après de longues et cruelles guerres civiles, on souhaitait quelqu'un qui pourrait restaurer la loi et l'ordre. En outre, la dimension sociale des conflits apparaissait de plus en plus clairement. Dans plusieurs villes catholiques, les classes moyennes, soutenues par le prolétariat, prirent la direction des affaires. A Paris, entre 1589 et 1594, le « régime des seize », préfigurant la terreur du Comité de salut public sous la Révolution française, en offre l'exemple le plus célèbre, mais nullement le seul. Dans les campagnes, des révoltes paysannes éclatèrent, non directement liées à la religion mais dirigées contre les exigences fiscales et les maraudeurs de petite noblesse qui, sous couvert des guerres de religion, pillaient les populations.

En ville comme à la campagne, l'ordre établi fut donc contesté. Un nombre croissant de gens se rallia à l'opinion de ceux qui, dès le début de la guerre civile, s'étaient prononcés en faveur d'un compromis et avaient vu dans le roi un rempart contre les forces menaçant de ruiner la société.

En tant qu'ancien chef des huguenots, Henri IV ne pouvait être soupçonné de vouloir s'allier avec l'Espagne. Les catholiques dirigés par de Guise avaient cherché appui auprès de Philippe II, et on estimait à juste titre qu'ils avaient mis l'indépendance de la France en danger.

Les circonstances obligèrent donc la majorité des Français à soutenir Henri IV. La concorde retrouvée fut sanctionnée par l'édit de Nantes (1598), un compromis entre catholiques et huguenots qui accordait à ceux-ci la liberté religieuse dans certains territoires, avec pour garanties des villes fortifiées et des tribunaux spéciaux.

Que cet édit eût le caractère d'un compromis ressort du fait qu'il ne contenta pas grand monde. Les huguenots se virent privés de la possibilité de propager leur foi, et les catholiques durent accepter la présence d'hérétiques à l'intérieur des frontières du pays. Et à une époque où la religion était l'idéologie dominante, le gouvernement ne pouvait se réjouir que le pays comptât désormais deux religions mises sur un pied d'égalité.

Le roi et les privilèges

A l'aube du XVIIe siècle, le pouvoir royal avait retrouvé le prestige qu'il avait eu avant les guerres de religion. Cependant, le chemin menant à l'absolutisme de Louis XIV n'était pas encore tout tracé. Il y eut quelques obstacles dus à des régences, à la faiblesse de la royauté et à une révolte, la Fronde.

Dans une monarchie absolue, c'est le pouvoir royal qui rythmait la vie du pays. Depuis le Moyen Age, la monarchie reposait sur des contrats écrits ou tacites conclus avec des provinces, des villes, des groupes économiques, des institutions ecclésiastiques ou des fractions sociales. Chaque catégorie avait ses privilèges particuliers. Ainsi, le droit de la Bretagne à négocier certains impôts ainsi que d'avoir des états provinciaux et un parlement se fondait sur le contrat de mariage établi lorsque Anne, héritière de Bretagne, était devenue reine de France à la fin du XVe siècle.

Des groupes importants et puissants mettaient tout en œuvre pour sauvegarder leurs privilèges. L'Etat devait en tenir compte, ce qui explique le caractère souple de la plupart des réformes entreprises. Ainsi, quand de nouvelles institutions étaient introduites, on ne supprimait pas forcément les anciennes. Plutôt que de provoquer des troubles et donc compromettre les finances, on préférait renoncer à une homogénéité rationnelle.

Les dernières pages de l'Edit de Nantes (1598). Cet Edit créa une paix religieuse qui, à vrai dire, ne satisfaisait aucun des deux camps.

La puissance des grandes familles nobles, l'autonomie des provinces les plus prospères, l'entente entre hauts fonctionnaires — dont ceux qui siégeaient dans les parlements — se dressèrent comme autant d'obstacles importants à l'avènement de l'absolutisme, de même que les révoltes qui, pour des raisons diverses, éclatèrent entre 1620 et 1675.

Le parlement de Paris était la plus éminente de ces cours de justice qui défendirent âprement leur autonomie face au pouvoir central. Ici, le parlement est rassemblé à l'occasion d'une visite royale en 1723. Peinture de N. Lancret (1690-1743).

En fait, la personne du roi était le seul facteur d'unité dans une France divisée. Au début du XVIe siècle, des juristes de la Couronne avaient établi que le monarque disposait de quelque 200 droits. Environ cent ans plus tard, Charles Loyseau, un haut fonctionnaire, en restreignait le nombre mais nullement la portée ; le pouvoir royal demeurait le même en matière de législation, de justice, d'anoblissement, de nomination de fonctionnaires, de politique fiscale et monétaire, de relations étrangères.

Peu de domaines échappaient au pouvoir du roi. Toutefois, ce pouvoir était limité en pratique, sinon en théorie, par le jeu des privilèges et les risques de révolte.

Les résistances étaient de plusieurs sortes. Une loi royale valable pour tout le pays devait être enregistrée par

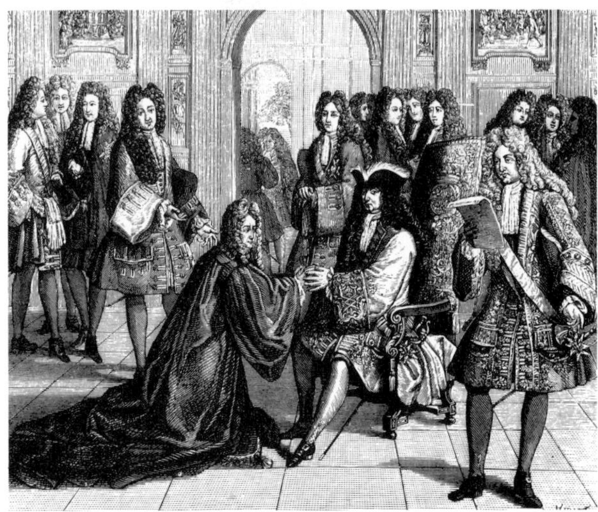

Nomination du chancelier du royaume en 1699. L'heureux élu s'appelle P. P. Pontchartrain, et le roi, bien entendu, Louis XIV. Cet événement fut commémoré par une gravure dans le Calendrier royal de 1700.

le parlement de Paris, proclamée par les parlements de province, diffusée par les prêtres et respectée par le peuple. Pierre Goubert a souligné l'importance de la désobéissance dans le fonctionnement du système. L'indocilité, les émeutes, la grève des paiements semblent à certaines périodes avoir été presque acceptées comme moyen de parvenir à des compromis fiscaux. Quant au parlement de Paris, il a souvent été en lutte avec le pouvoir royal en matière de législation.

La nomination de nouveaux nobles et de fonctionnaires importants était surveillée de près par ceux qui possédaient déjà des titres, et les provinces frontalières gardèrent leur droit de frapper des monnaies jusqu'en 1693. Du reste, l'Etat n'avait guère de contrôle sur la monnaie, même s'il en manipulait allègrement la teneur en métal précieux. L'échange international de marchandises des gros négociants était ici l'élément déterminant.

Les guerres incessantes jouèrent un rôle important dans la marche vers la centralisation. Elles obligèrent les dirigeants à augmenter la pression fiscale et firent simultanément qu'ils disposèrent de troupes de mercenaires propres à juguler l'opposition.

Le centre du pouvoir

Le poids des coutumes et des mentalités n'était pas le seul obstacle à la volonté royale. Il s'agissait aussi pour le souverain de gouverner effectivement, sans se laisser diriger par les conseillers dont il devait s'entourer pour prendre ses décisions et les faire exécuter. Certains appartenaient à des familles qui traditionnellement s'étaient mesurées avec les rois, et portaient des titres dont l'origine était très ancienne — connétable, amiral du royaume, chancelier. Le dernier connétable mourut en 1627. A peu près à la même époque, l'amiral du royaume céda la place à un secrétaire. Ce titre réapparut plus tard, mais sans autre contenu qu'honorifique ; il fut souvent attribué à des bâtards du roi.

Le poste de chancelier était important, et il subsista. Son titulaire, inamovible, avait pour mission de contrôler la justice. Cependant, le roi pouvait toujours confier cette tâche à quelqu'un d'autre, appelé alors garde des sceaux ; à défaut de pouvoir réel, le chancelier gardait du moins son titre prestigieux.

Les origines du Conseil du roi remontaient également au Moyen Age. A partir du XVIe siècle, il constituait une grande assemblée, trop grande aux yeux de certains. L'important ici, c'est que les rois essayèrent de remplacer la noblesse d'épée par la noblesse de robe au sein du Conseil. C'est à la deuxième catégorie qu'appartenaient 80% des membres actifs au milieu du XVIIe siècle. Cependant, au cours des périodes de régence, princes du sang et représentants des vieilles familles nobles revenaient en force dans les organes centraux du pouvoir.

Mais une fois majeur, le roi pouvait prendre les décisions essentielles en très petit comité, avec une poignée de fidèles choisis par lui-même. Cette fonction de conseiller donnait droit au titre de ministre et à une pension.

Le grand Conseil donna aussi naissance à des institutions spécialisées. Ainsi le parlement de Paris dont les origines remontent au XIVe siècle, ou encore la Cour des Aides, un tribunal fiscal. Dans l'administration centrale, les secrétaires d'Etat occupèrent une position importante, à la différence de leurs prédécesseurs, les secrétaires royaux, dont la charge n'avait d'autre objet que de conduire à l'anoblissement.

Les instruments du pouvoir

Les « maîtres des requêtes » constituaient le vivier de la haute administration. Au début, ces fonctionnaires reçevaient et traitaient les doléances et requêtes adressées au roi. Leurs fonctions se multiplièrent. Ils furent notamment chargés de préparer les dossiers pour le grand Conseil, ce qui leur donna une compétence accrue. On achetait de telles charges ou on en héritait, mais le roi avait la possibilité de ne promouvoir que les plus capables parmi les maîtres des requêtes aux postes d'ambassadeurs, de commissaires et d'intendants, les autres demeurant à l'échelon subalterne. Ils venaient de la vieille noblesse, tant d'épée que de robe. Par le jeu des mariages, ils formaient de véritables confédérations familiales dans la haute administration, et ils étaient généralement riches.

Il le fallait puisqu'une telle charge coûtait au XVIIe siècle entre 100 000 et 200 000 livres, mais une fois qu'on la possédait, on ne risquait pas de s'appauvrir. Pierre Séguier, originaire d'une famille de fonctionnaires parisiens et chancelier en 1635, avait commencé par rassembler des

Pierre Séguier, chancelier en 1635, demanda au peintre C. Le Brun de l'immortaliser avec toute la pompe requise.

fonds pour acheter une charge de maître des requêtes, puis au cours de sa carrière, avait acheté des maisons à Paris, des baronnies et des comtés en province. Il dota chacune de ses filles de quelque 500 000 livres et laissa à sa mort près de quatre millions et demi de livres.

Mais le pouvoir, le prestige et la fortune de ce groupe dépendaient en dernière instance de la faveur du roi, aussi était-il constitué de fidèles serviteurs du pouvoir central. C'était tout particulièrement le cas des commissaires et des intendants, issus du même groupe, qui étaient le fer de lance de la centralisation. A la différence des titulaires de charges achetées, ils étaient choisis à titre personnel et révocables. Leur mission consistait à défendre les intérêts de la Couronne dans les provinces en contrôlant activement l'administration locale.

Ils pouvaient se considérer comme les successeurs des « missi dominici » de Charlemagne, ou de ces commissaires directs du roi que mentionne un édit de 1497. Une organisation plus structurée fut mise en place par Richelieu dans les années 1620 avec les intendants de Justice, de Police et des Finances. Ce système trouva son accomplissement sous la monarchie absolue de Louis XIV.

La « voix du peuple »

Beaucoup d'institutions prétendaient exprimer l'opinion du peuple. Dans aucune d'entre elles, le peuple n'était représenté — mais, dans l'esprit du temps, elles affirmaient volontiers représenter l'« opinion des meilleurs ».

Les états généraux ont déjà été mentionnés. Quand, pour la dernière fois avant longtemps, ils se réunirent en 1614, il n'y avait dans l'ordre du clergé que cinq curés de paroisses. La noblesse avait presque exclusivement pour porte-parole des membres de la haute administration et des grandes familles. Le tiers-état, qui représentait tout le reste de la société, pouvait certes prétendre être la voix du peuple. Cependant, en 1614, cet état était formé pour les deux tiers de fonctionnaires royaux. Il ne comptait que six membres dont on peut dire à la rigueur qu'ils étaient d'origine populaire : trois « bourgeois », deux commerçants et un gros paysan.

Les états généraux n'eurent jamais une influence durable pour la simple raison qu'ils étaient rarement convoqués. Il en allait de même des assemblées de notables — autre type de représentation nationale — dont les membres, peu nombreux, étaient choisis par le roi. Ces assemblées n'étaient sans doute pas assez maniables pour le pouvoir central.

Les parlements avaient également la prétention de représenter le royaume face au roi. En vérité, ils constituaient des cours suprêmes. Mais le parlement de Paris invoquait son droit et son devoir ancestral de conseiller le roi et partant de faire des observations sur les lois avant enregistrement. Les parlements de province manifestaient la même ambition. En cas d'épreuve de force, ils pouvaient paralyser l'institution judiciaire en suspendant leurs activités. A quoi les rois pouvaient répliquer en mutant les magistrats des parlements.

Avec la vente des charges, le nombre de personnes liées par des intérêts communs augmenta. Ces fonctionnaires qui exerçaient leur autorité sur une fraction de la société pouvaient prétendre parler au nom des « meilleurs ». Ils avaient aussi des raisons d'être mécontents de la façon dont ils étaient traités. Une ordonnance de 1604 avait rendu les charges héréditaires, ce qui impliquait que leurs titulaires pouvaient les vendre. Ils payaient pour cela une redevance annuelle à l'Etat, la paulette. Une partie des revenus de ces charges consistait en gages, c'est-à-dire en intérêts annuels du capital investi.

Ce système donnait à l'Etat bien des moyens de pression. Il pouvait exiger des titulaires qu'ils investissent un capital supplémentaire dans leur charge sous prétexte que les gages seraient augmentés, le but réel étant de soutirer plus d'argent aux fonctionnaires. Tous les neuf ans, les conditions de la transmission par héritage étaient révisées, ce qui offrait au pouvoir central la possibilité d'augmenter la redevance annuelle.

L'Etat pouvait faire des économies en retenant les gages. Et les fonctionnaires, notamment subalternes, voyaient aussi comment la création de nouvelles charges équivalentes à la leur entraînait pour eux une baisse de prestige et de revenus. Par-dessus le marché, les hommes de confiance du roi — commissaires puis intendants implantés à demeure — étaient chargés de surveiller les procédures administratives et souvent de les diriger. Cette évolution malheureuse poussa les fonctionnaires à se serrer les coudes au sein d'organisations nationales qui s'opposèrent vigoureusement aux conséquences pratiques de l'absolutisme.

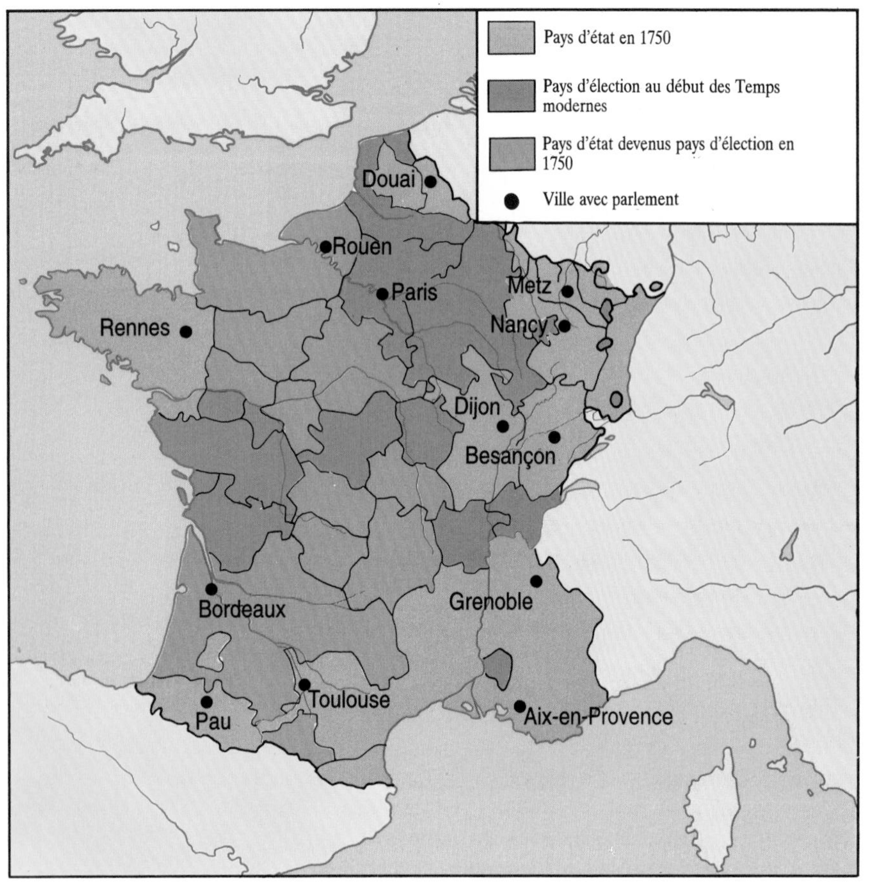

A mesure que le pouvoir central gagna du terrain, les pays d'état qui possédaient des assemblées représentatives furent remplacés par des pays d'élection dans lesquels le roi désignait les membres des assemblées.

L'Etat et le peuple

A la périphérie du royaume, certaines provinces jouissaient du privilège d'avoir leurs propres états pour négocier avec le pouvoir central et même gérer les affaires régionales. Les membres de ces états se recrutaient parmi les couches supérieures de la société. Au XVIe siècle, ces provinces étaient au nombre de seize. D'autres apparurent du fait que de nouveaux territoires furent annexés au royaume. Cependant, la tendance générale fut que le nombre de ces « pays d'état » diminua au profit des « pays d'élection », plus aisément maniables. Ce terme pourrait suggérer une procédure électorale, mais en fait, les assemblées représentatives furent remplacées par des fonctionnaires ayant acheté leur charge. Dans ce système, les villes avaient une place particulière. La plupart étaient exemptes de cet impôt permanent qu'était la taille, et la fiscalité à laquelle elles étaient soumises était relativement légère.

Protégées par leur murs et leur garde civile, les villes pouvaient dans une certaine mesure défendre leurs privilèges. Et leur droit de lever des impôts pour leurs propres besoins entrait en concurrence avec les exigences fiscales de l'Etat.

Le pouvoir central mena un combat opiniâtre pour miner la résistance des villes. Il essaya d'influencer les élections locales et de remplacer les élus par des fonctionnaires ayant acheté leur charge. Les fortifications des cités n'entrant pas directement dans le système de défense furent laissées à l'abandon. Les intendants et leurs hommes épluchèrent les comptes municipaux et veillèrent à ce qu'un partie non négligeable des impôts locaux alimente les caisses de l'Etat. Cette évolution connut son apogée sous le règne de Louis XIV.

Toutefois, la plupart des Français habitaient à la campagne. Aux yeux du pouvoir central, leur fonction principale était de payer les impôts répartis et collectés au niveau local. Dans un premier temps, les paysans résistèrent aux exigences de l'Etat en acquittant leur dû avec retard. Ils confiaient souvent la responsabilité de la collecte à des paroissiens peu fortunés. Poursuivre ceux-ci pour négligence n'était guère payant. Les intendants contrôlèrent de plus en plus l'administration locale dans les campagnes comme ils le faisaient déjà dans les villes.

Des émeutes susceptibles de tourner à la révolte marquèrent un pas supplémentaire dans la résistance. Ce fut souvent le cas entre 1620 et 1675. Certains y ont vu des manifestations spontanées du mécontentement populaire à l'égard des possédants, d'autres ont fait de ces derniers les véritables instigateurs de ces révoltes : la noblesse de province voyait ses revenus traditionnels menacés par les impôts de l'Etat, les hautes classes urbaines s'inquiétaient de l'augmentation des taxes sur la consommation et les fonctionnaires régionaux perdaient du terrain au profit des serviteurs du pouvoir central.

Tel que nous pouvons en juger aujourd'hui, les paysans français avaient de bonnes raisons d'être constamment au bord de la révolte, mais en général, les meneurs se recrutaient dans d'autres catégories sociales. Les revendications des uns et des autres ne coïncidaient que partiellement.

Progressivement, les révoltes devinrent de plus en plus vaines du fait que le pouvoir central disposait avec l'armée d'un moyen de répression efficace.

Dépenses et recettes

D'une certaine manière, la France absolutiste était unique. Aucun autre pays ne possédait de telles armées et ne se montrait d'humeur aussi belliqueuse, aucun autre roi ne possédait une cour aussi brillante ou ne faisait construire des palais aussi magnifiques. Ces tendances existaient ailleurs, mais pas au même degré.

La soumission des villes se trouve illustrée sur ce tableau d'Antoine Durant qui montre l'attitude humble des bourgeois de Toulouse lors de la visite de Louis XIV dans leur ville en 1659.

« Courageuse Jeunesse, qui brûlez du désir de servir votre Roi, accourez dans PENTHIEVRE... » Affiche du XVIIIe siècle destinée à recruter des soldats.

Même les ministres des Finances n'avaient qu'une idée approximative des charges de l'Etat, et, selon le mot de Colbert, les rois ne prenaient jamais en considération les recettes quand ils décidaient des dépenses.

Au début du XVIIe, celles-ci, selon certaines estimations, s'élevaient annuellement à un peu plus de 17 millions de livres ; cent ans plus tard, pendant la guerre de Succession d'Espagne, elles atteignaient 228 millions. Pour pouvoir comparer ces sommes, P. Goubert s'est fondé sur la teneur de la livre en argent. Il en a conclu que les dépenses de l'Etat, entre ces périodes, l'une pacifique, l'autre guerrière, avaient été multipliées par sept.

Jamais les coûts de la guerre et des préparatifs de guerre n'ont été inférieurs à un tiers du budget de l'Etat, et ils se sont parfois élevés jusqu'aux trois quarts. A quelques exceptions près, la dette publique augmenta continuellement au cours de cette période, si bien qu'à la fin, le cinquième du budget de l'Etat était affecté au remboursement des emprunts.

Les deux principales sources de recettes étaient les impôts et les prêts. La taille, le plus important des impôts directs, avait été introduite en 1439. Longtemps, elle constitua la principale ressource fiscale, mais elle fut dépassée vers 1700 par les impôts indirects. Parmi ceux-ci, le plus connu était la *gabelle* ou taxe sur le sel dont les origines remontaient au XIVe siècle. Impôts à la consommation, les *aides* étaient de même nature. En outre, il existait des douanes intérieures.

Du fait des privilèges, les impôts étaient très inégalement répartis entre les différentes régions et les divers groupes sociaux. La noblesse, le clergé, les fonctionnaires et les villes étaient les mieux lotis.

Pour faire rentrer l'argent dans les caisses de l'Etat, il existait un système extrêmement compliqué où divers acteurs — fonctionnaires, tribunaux, conseils — jouaient leur rôle. En chemin, une partie des recettes disparaissait, notamment sous forme de rétribution plus ou moins licite pour les fonctionnaires chargés du recouvrement et de la comptabilité. En affermant le droit de recouvrement pour certains impôts et dans certaines régions, le pouvoir central s'assurait une somme déterminée qui par surcroît était

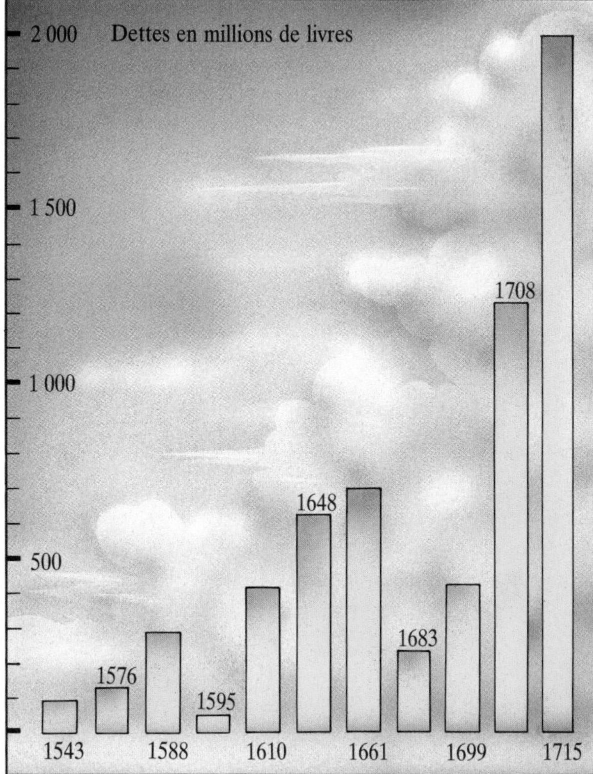

La dette de l'Etat français entre 1576 et 1715. Ce diagramme révèle les coûts de la guerre de Trente Ans, les économies de Colbert et la dispendieuse politique guerrière de Louis XIV. Source : R. Briggs, « Early Modern France 1560-1715 » (1977).

Henri IV fut assassiné en 1610 dans une rue encombrée.

tout au moins dans le cas de la première, par une augmentation très importante des impôts.

Henri IV et Sully

Le règne d'Henri IV fut marqué par un redressement puissant du pouvoir central. Le prestige personnel du roi y contribua, tout comme l'œuvre de son principal conseiller, le duc de Sully (1560-1641). Et la paix régna pour l'essentiel au cours de la première décennie du XVIIe siècle.

Sully était un huguenot, et un vieux compagnon d'armes du roi. Il devint membre du Conseil en 1594 et, à partir de 1600, il eut la haute main sur les finances, puis successivement sur les fortifications, l'artillerie, la marine, les constructions et les communications. Malgré le pouvoir dont Sully se trouvait ainsi investi, le roi semble toujours s'être réservé les décisions majeures.

Ils travaillèrent ensemble à limiter l'influence de la vieille aristocratie en l'excluant de l'administration centrale et en la contrôlant dans les provinces. La grande nouveauté en matière administrative fut la légalisation en 1604 du caractère héréditaire des charges achetées. Cette mesure fut source de revenus pour la Couronne, et elle priva les nobles d'une possibilité de constituer leur propre réseau de fonctionnaires placés sous leur coupe.

La réputation de Sully est liée avant tout au fait qu'il parvint à réduire la dette publique et même à faire quelques économies. Ce fut sans doute la paix qui assura le mieux le succès de cette politique financière. Pourtant, les idéaux du roi Henri IV n'étaient pas spécialement pacifiques, et peut-être aurait-il déclenché prématurément la guerre de Trente Ans s'il n'avait été assassiné par François Ravaillac, un catholique fanatique. L'événement se produisit alors que le carrosse royal avait été bloqué dans une rue étroite — Henri fut une des premières victimes des difficultés de circulation à Paris.

L'évolution après la mort d'Henri IV montre à quel point le pouvoir central était dépendant d'un roi fort. La reine dirigea la régence au nom de son fils mineur Louis XIII (1610-43). Sully fut congédié, princes du sang et aristocrates de tout poil exigèrent leur part de pouvoir. Les intrigues se multiplièrent à la cour, la reine et ses ministres essayèrent d'acheter leur liberté d'action en distribuant de coûteuses faveurs aux opposants, ce qui n'empêcha pas des révoltes de la part d'une haute noblesse toujours en mesure de rassembler des armées.

Cette situation fit obstacle à ce que la plupart des dirigeants estimaient être la priorité des priorités, à savoir une politique étrangère dynamique. La confusion augmenta quand la reine mère, catholique fervente, se rapprocha de l'Espagne qui était politiquement l'ennemie naturelle de la France. Cette attitude conduisit les huguenots au bord de la révolte.

payée d'avance. De puissants financiers fondèrent de grandes compagnies de fermiers généraux.

Les avances qu'ils versaient entraient pour une part dans la dette de l'Etat, mais beaucoup moins que les *rentes*, sortes d'obligations d'Etat assorties d'intérêts. On peut non sans quelque raison compter également les achats de charges parmi les emprunts d'Etat donnant droit à intérêts.

En 1522, François Ier emprunta la modeste somme de 2,4 millions de livres ; en 1715, la dette publique s'élevait à 2 milliards de livres — une augmentation colossale, même compte tenu de l'inflation. Au cours de deux périodes, la guerre de Trente Ans et la guerre de Succession d'Espagne, elle s'accrut particulièrement vite. Ces phases furent aussi marquées par la vente de nombreuses charges, et,

Louis XIII (1610-43) n'a pas acquis la même célébrité que son ministre Richelieu ni que son fils Louis XIV. Peinture de Philippe de Champaigne (1602-74).

Au temps de Richelieu

Les troubles intérieurs ne cessèrent pas quand Louis XIII atteignit sa majorité. Les intrigues de cour se poursuivirent et aboutirent parfois à des soulèvements d'aristocrates. Les huguenots exploitèrent cette anarchie pour consti-

Armand Jean du Plessis, cardinal et duc de Richelieu (1585-1642), le véritable maître de la France. Ce tableau est également dû à Philippe de Champaigne.

tuer plus que jamais un Etat dans l'Etat. Les efforts pour élargir le pouvoir central achoppèrent sur la résistance des fonctionnaires subalternes de province, soutenus et dirigés par les parlements. Les mesures prises pour augmenter les recettes semèrent l'inquiétude dans les villes et les régions où fonctionnaires ou propriétaires terriens nobles prirent la tête de l'opposition.

Apparemment, Louis XIII n'avait pas le talent de son père pour jouer les rassembleurs. Le véritable maître du royaume fut le cardinal Armand Jean du Plessis de Richelieu (1585-1642). Lors des états généraux de 1614, la reine mère avait remarqué qu'il soutenait la politique catholique pro-espagnole. Aussi avait-il été nommé aumonier de la cour auprès de l'épouse espagnole de Louis XIII. Le roi fut persuadé par sa mère que Richelieu avait l'envergure d'un ministre. Devenu membre du Conseil en 1624, il allait dominer la politique française jusqu'à sa mort (1642). Au cours de ces années-là, il fut l'objet d'au moins cinq attaques sérieuses contre sa position et même contre sa vie — 1626, 1630, 1632, 1641 et 1642. Il surmonta toutes ces épreuves et en sortit à chaque fois renforcé.

Dans le jeu politique, le principal talent de Richelieu consista peut-être à faire croire au roi, très soucieux de son prestige, que les décisions de son ministre étaient en fait les siennes propres. Cette souplesse se manifesta aussi dans une aptitude exceptionnelle au compromis. En 1629, lorsque les huguenots furent écrasés par nécessité politique, le cardinal leur laissa la liberté religieuse, se contentant de les priver de leurs places fortifiées qui avaient été des foyers de révoltes armées. Quand Richelieu mit en place dans l'appareil d'Etat un noyau de partisans totalement fidèles — « les créatures de Richelieu » — il ne faisait que reprendre les vieilles méthodes de l'aristocratie, mais bien plus vigoureusement. C'est dans ce milieu que se recrutaient les intendants — les contrôleurs des provinces — dont la position au sein de l'administration s'affirma nettement du temps de Richelieu.

Bref, le cardinal parachevait plus qu'il n'innovait. Il n'empêche qu'il dota l'Etat d'instruments aptes à assurer l'hégémonie de la France en Europe. Ce but n'aurait pu être atteint sans intervention dans la guerre de Trente Ans. Après avoir agi dans les coulisses, la France entra officiellement dans ce conflit en 1635.

Une telle politique étrangère exigeait une concentration des ressources. Divers moyens furent employés pour se procurer de l'argent : procès contre des financiers et des fermiers généraux pour leur confisquer leurs bénéfices, impôts nouveaux ou plus élevés, emprunts forcés, vente de charges et contrôle accru.

Rien de tout cela ne se fit sans résistances. Richelieu ne transforma ni l'aristocratie ni le peuple en instruments dociles de l'absolutisme, mais il manœuvra avec assez d'habileté pour promouvoir cette grande politique étrangère malgré les difficultés intérieures.

Les croquants des districts vinicoles

Parmi les nombreuses révoltes paysannes au temps de Richelieu, on peut choisir comme exemple celle des cro-

Exécution de Cinq-Mars et Thou, auteurs de l'ultime tentative pour renverser Richelieu en 1642.

Louis Le Nain (1593-1648) a souvent représenté des scènes de la vie du peuple. Ici, une famille paysanne.

quants, décrite par l'historien français Roland Mousnier, qui eut lieu en 1636 dans la Saintonge, l'Angoumois et le Poitou. Le territoire en question est un district vinicole situé près de la Charente, au nord des célèbres vignobles du Bordelais.

Dans la région de Bordeaux, les viticulteurs disposaient de plusieurs avantages sur leurs confrères charentais. Les redevances exigées pour le transport du vin sur la Garonne étaient très inférieures à celles exigées sur la Charente, et le bordeaux était commercialisé sans intermédiaires, alors que chez les croquants, le profit du vin allait à d'autres qu'aux exploitants.

La province de Bordeaux était exempte de la taille, mais plus au nord, celle-ci s'exerçait à taux plein. Du moins dans les campagnes, car les villes ne payaient pas la taille. Le poids de l'impôt reposait exclusivement sur les ruraux. Et les villes n'étaient pas seulement fiscalement privilégiées, elles abritaient aussi ceux qui administraient le recouvrement des impôts et prêtaient de l'argent aux gros paysans et à la noblesse de province. En outre, les fonctionnaires royaux en poste dans ces terres huguenottes étaient le plus souvent catholiques. Le moins qu'on puisse dire est que la situation était tendue.

En mars 1636 furent rendues publiques les exigences fiscales de l'année. La taille avait presque doublé pour couvrir des frais militaires. On apprit aussi que les redevances pour le transport fluvial seraient elles aussi augmentées, et qu'un impôt général sur la consommation serait réintroduit.

Ce fut le signal d'une révolte contre les Parisiens et les collecteurs d'impôts. En l'espace de quelques semaines, une armée de 7 000 à 8 000 soldats était rassemblée — selon certaines estimations. elle compta un maximum de 40 000 hommes. Les insurgés exigeaient un retour aux bonnes vieilles mœurs. Ils ne refusaient donc pas de faire leur devoir fiscal mais protestaient contre les impôts nouveaux et le comportement des fonctionnaires. Un certain nombre de percepteurs furent d'ailleurs lynchés. Hormis cela, il n'y eut jamais de grand règlement de compte sanglant. Le gouvernement eut la sagesse de recourir à deux moyens complémentaires : il rassembla des troupes mais fit aussi des concessions. Cela ramena un certain calme dans la région. En revanche, dans le Périgord, il se produisit en 1637 un affrontement qui coûta la vie à 1 000 rebelles et à 200 soldats de l'armée gouvernementale.

Le tout jeune Louis XIV (1643-1715) en compagnie de sa mère Anne d'Autriche. Portrait d'un artiste anonyme de l'école française du XVIIe siècle.

L'héritage de Richelieu

Quand Louis XIV (1643-1715) succéda à son père comme roi de France, huit ans le séparaient encore de sa majorité. Sa mère Anne d'Autriche obtint du parlement de Paris qu'il lui confiât la régence, contre les volontés de Louis XIII. Une fois encore, l'aristocratie redressait la tête. Les intrigues de cour et les rébellions des nobles furent à nouveau monnaie courante, comme souvent dans les périodes de régence.

Richelieu était mort un an avant le roi et il avait recommandé le cardinal italien Jules Mazarin (1602-61) comme successeur. Celui-ci s'était distingué en tant que diplomate mais n'était guère familiarisé avec les subtilités de la politique intérieure française. Sa principale mission fut de mener à bon terme la politique étrangère de son prédécesseur, ce qui, malgré tout, impliquait quelque autorité sur les affaires intérieures.

Mazarin bénéficia d'un certain nombre de conditions favorables. Il avait tellement su gagner la confiance de la reine mère que la rumeur faisait état d'un mariage secret. Les guerres victorieuses étaient sources de prestige pour le gouvernement et de revenus pour la noblesse. Les fonctionnaires, conscients de leur dépendence à l'égard du gouvernement, filaient doux. Mais des obstacles se dressèrent aussi sur la route de Mazarin. Il ne pouvait compter au même degré que son prédécesseur sur la loyauté des fonctionnaires de l'administration centrale. Les « créatures » de Richelieu n'étaient pas celles de Mazarin.

Le plus grave, c'était toutefois les dépenses de guerre qui faisaient peser des exigences de plus en plus grandes sur un gouvernement en perte de crédit. Les nouveaux impôts avaient tendance à demeurer impayés, et les prêts à court terme et à intérêts élevés, accordés avant tout par les fermiers généraux, apportaient un soulagement momentané mais ne faisaient qu'aggraver la situation à plus longue échéance. D'où la tentation d'augmenter la pression sur le groupe le plus souvent soumis au chantage, celui des fonctionnaires. Lorsque ceux-ci s'opposèrent aux mesures gouvernementales qui leur nuisaient — vente de nouvelles charges et détérioration de leur situation —, le pouvoir central répliqua en brandissant la menace de supprimer le caractère héréditaire des charges.

La période troublée qu'on appelle la Fronde (1648-53) revêtit d'abord l'aspect d'une révolte des fonctionnaires.

La Fronde

Lorsque le gouvernement décida de suspendre pendant une longue période le paiement des revenus afférents aux charges achetées, les fonctionnaires de province sortirent de leurs gonds. Le parlement de Paris dont les membres n'étaient pas touchés par cette mesure mais qui revendiquait toujours le droit de contrôler les décisions gouvernementales prit la tête de l'opposition. Il convoqua les trois autres cours souveraines de la capitale pour des négociations auxquelles des représentants de l'administration royale des impôts participèrent aussi.

En juin 1648, l'assemblée exigea que le gouvernement délivre les provinces de ses intendants, que le système d'affermage de la taille soit abrogé, que l'on cesse de créer de nouvelles charges et que les titulaires des anciennes recouvrent toutes leurs prérogatives.

Un tel programme aurait privé le gouvernement de sources de revenus et de moyens de contrôler l'administration. Mazarin ne proposa par moins au gouvernement de céder dans l'attente que l'armée, après sa campagne d'été, puisse écraser la résistance intérieure. L'évolution des événements déjoua toutefois ces plans. La révolte gagna les autres parlements et se répandit dans tout le pays. Le gouvernement dut prendre des mesures draconiennes sans avoir les moyens de les faire respecter par la force. Les meneurs du parlement de Paris furent arrêtés, et les magistrats exilés en province. Alors, la population de Paris se souleva pour soutenir les réformes et le parlement.

Une fois encore, le gouvernement dut faire des concessions, mais en juin 1649, les ministres et la cour quittèrent Paris pour se joindre à l'armée commandée par un prince du sang, Louis de Condé (1621-86), appelé le grand Condé. L'épreuve de force cessa quand une armée espagnole envahit la France. Une convention acceptant les conditions du parlement fut conclue en 1649. Ainsi se termina la phase parlementaire de la Fronde.

Le cardinal Mazarin (1602-61) ferme les portes de la guerre et ouvre celles de la paix. Cette glorification était destinée à contrebalancer l'impopularité du cardinal en France.

Mais cela ne signifiait pas la fin des troubles. La crise financière de l'Etat subsistait, et une série de mauvaises récoltes ne fit qu'aggraver la situation. Les soucis du gouvernement avec les finances et les fonctionnaires donnèrent à diverses coteries aristocratiques de riches occasions de pêcher en eau trouble. Pour survivre, il ne restait aux gouvernants que de dresser ces fractions les unes contre les autres. Dans ce parcours sinueux, Mazarin fit parfois des faux pas. Il dut s'exiler par périodes pour priver l'opposition de sa meilleure arme de propagande, la haine contre le favori et l'étranger. Ce qui sauva le gouvernement, c'est que l'opposition ne parvint pas à s'unir.

Comme au cours des guerres de Religion, les révoltes entraînèrent ici et là des débordements, et les pillages des armées contribuèrent à rendre souhaitable un retour à la stabilité et à l'ordre. La guerre civile se termina quand les troupes royales réussirent en 1653 à réprimer la révolte de Bordeaux.

La Fronde avait montré la faiblesse d'un gouvernement ne pouvant s'appuyer sur un roi fort, mais elle avait aussi montré que l'opposition, divisée, n'était pas en mesure de s'opposer efficacement à la centralisation.

Après la Fronde, la guerre contre l'Espagne dura encore six ans. Les exigences de la couronne entraînèrent de nouvelles révoltes. Quand la paix fut conclue en 1659, la victoire du pouvoir central sur les forces rebelles de la Fronde fut confirmée par l'entrée glorieuse du roi dans Marseille, révoltée mais vaincue, qui fut traitée comme une ville conquise. L'absolutisme triomphait quelque temps avant d'être officiellement proclamé.

Le champ d'honneur

Le 9 mars 1661 à l'aube, Louis XIV convoqua son Conseil pour l'informer que Mazarin était mort dans la nuit et que le royaume serait désormais dirigé par le roi lui-même, sans premier ministre. Ainsi était proclamé l'absolutisme dont le roi allait donner la formule en quatre termes : « ma dignité, mon honneur, ma grandeur, ma réputation ».

L'ambition royale ainsi exprimée se retrouve parmi les monarques du temps. Mais peu d'entre eux ont su donner un contenu réel à ces grands mots. L'absolutisme français porta la marque indélébile de la personnalité du roi, même si celui-ci n'en créa pas les conditions. Cette forme de gouvernement était préparée depuis au moins la fin du XVe siècle, et son instauration ne marqua aucune rupture violente dans l'évolution générale. La prise de pouvoir par le souverain fut favorisée par l'incapacité patente de l'opposition à proposer une alternative lors de la Fronde. Avec beaucoup de talent et d'énergie, Louis XIV exploita les possibilités qu'offrait la situation politique.

Les mousquetaires retournant à Versailles. Aussi bien leur mousquet que leur cape révèlent à quel régiment ils appartiennent. Peinture de A. F. van der Meulen datant de 1664.

Aux yeux du monarque, la conquête de la gloire dépendait avant tout de la politique internationale. Cela ressort déjà du choix de son conseiller le plus proche, Hugues de Lionne (1601-71), un diplomate habile et confirmé qui, au cours de la première décennie de l'absolutisme, remporta des succès sur la scène internationale. Michel Le Tellier (1603-85) se vit confier la tâche d'organiser une armée invincible. A partir de 1662, il s'assura la collaboration de son fils François de Louvois (1639-91). Celui-ci prit l'entière responsabilité de l'armée en 1677, date à laquelle son père fut nommé chancelier. Une armée bien organisée, composée d'un petit noyau de troupes royales et renforcée d'unités privées et de légionnaires, fut rapidement mise sur pied. Elle comptait 100 000 hommes en temps de paix mais pouvait dépasser les 300 000 en cas de conflit armé.

C'est encore un proche conseiller du roi, Jean-Baptiste Colbert (1619-83) — le plus connu de tous — qui eut pour mission de créer une flotte puissante.

Le pays était donc préparé quand éclatèrent trois guerres importantes qui furent la conséquence de la politique étrangère agressive de la France.

Le but de la première (1672-79) était d'annexer la Hollande, riche puissance commerciale. La deuxième (1689-98) fut provoquée par des revendications françaises sur des territoires allemands et la troisième (1701-14) eut pour enjeu l'accession d'un prince français au trône espagnol. Dans toutes ces guerres se dressèrent contre la France de puissantes alliances qui contrecarrèrent efficacement ses desseins. C'est moins en conquérant qu'en défenseur dans des situations désespérées que Louis XIV acquit la gloire militaire. L'immortalité lui vint non de coups d'éclat sur le champ d'honneur mais avant tout de ses succès diplomatiques — même s'il s'agissait de moyens plus que de fins aux yeux du souverain.

Un royaume — une volonté

En l'absence de premier ministre, le roi devint son propre Richelieu ou son propre Mazarin. C'est lui à présent qui recueillait toutes les informations nécessaires à l'exercice du pouvoir. Les conseillers demeurèrent des conseillers, ils furent experts dans leur secteur particulier mais ne contrôlèrent pas l'ensemble de l'administration — même si le domaine de compétence d'un Colbert était particulièrement étendu.

Le ministre des Finances Nicolas Fouquet (1615-89) qui rêvait d'être un nouveau Mazarin fut mis sans ménagements à l'écart dès 1661. Il fut accusé de manquements à ses fonctions, arrêté — par le capitaine de mousquetaires d'Artagnan — et condamné à l'emprisonnement à vie. Colbert, son rival et successeur, ne nourrissait pas de telles ambitions.

Libéré de la concurrence de hauts fonctionnaires trop encombrants, le roi se tourna contre ceux qui basaient leurs ambitions politiques sur la naissance et les titres. La mère et le frère du roi, les princes du sang et la haute noblesse en général furent évincés du grand Conseil. Plus question dorénavant de revendiquer sa place au Conseil du roi. Les ministres n'étaient plus nommés à vie. Ceux qui avaient siégé au grand Conseil avaient certes le droit de garder leur titre, mais ils ne conservaient leur fonction que dans la mesure où il plaisait au roi de les convoquer aux séances.

L'influence des aristocrates sur le pouvoir central avait largement été fonction de leur position dominante dans les provinces, notamment comme gouverneurs et partant comme responsables militaires. La nouvelle organisation de l'armée fit perdre de leur importance aux troupes des nobles, et les gouverneurs durent changer de province tous les trois ans, ce qui ne leur laissait pas le temps de mettre sur pied un réseau pour leur propre compte.

A défaut de véritable influence, les aristocrates se virent proposer des postes à la cour, honorifiques et rémunérateurs certes, mais sans contenu réel. Si la vie de cour était tout à fait ruineuse, elle s'avérait nécessaire pour faire carrière. D'où un besoin accru de gratifications et de pensions royales. Les descendants de familles nobles qui avaient défié la monarchie les armes à la main se disputaient maintenant l'honneur de tendre au roi sa chemise lors de la cérémonie du lever.

Au cours de la première phase de la Fronde, les fonctionnaires de province, dirigés par les parlements et autres « cours souveraines », avaient été à l'origine de la révolte. Sous Louis XIV, les associations nationales de fonctionnaires furent interdites et ceux-ci furent placés sous le contrôle sévère des intendants et commissaires, instruments de l'absolutisme royal. Il ne fut plus permis au Parlement de Paris de se déclarer souverain ni d'adresser des remontrances aux ordonnances royales avant enregistrement.

L'absolutisme se fit sentir partout. Là où ils existaient encore, les états provinciaux furent dépouillés de leurs pouvoirs et abandonnés au bon vouloir d'un roi maniant la carotte ou le bâton. Les libertés municipales furent réduites, et les villes durent rendre compte aux intendants de leurs recettes et dépenses annuelles, ce qui auparavant n'avait été exigé que des cités en cessation de paiement. Une bonne part d'arbitraire régnait en matière de privilèges municipaux. Poussé par ses besoins financiers, le roi abrogeait le droit à l'autonomie des villes pour pouvoir le revendre ensuite. Ainsi, de vieux privilèges devenaient marchandises commerciales, et les droits civiques affaire d'argent.

Les protestations furent impitoyablement châtiées. Pour prix du soulèvement de 1675, Bordeaux dut loger huit régiments et la ville perdit ses privilèges fiscaux qui valaient 500 000 livres par an.

Les percepteurs étaient protégés par des soldats, et, si les paysans malgré tout en venaient à se soulever comme par le passé, l'armée intervenait. A partir de 1675, les campagnes furent calmes et dociles, jusqu'à ce que les guerres du XVIIIe siècle rendent la situation intenable.

Une volonté — une foi

La doctrine de l'Eglise catholique constituait en France le fondement naturel de l'idéologie absolutiste. Mais la prétention formelle du pape à exercer une souveraineté absolue en matière de religion s'accordait mal avec les ambitions de Louis XIV. Le roi pouvait jouer sur deux partis au sein de l'Eglise : les ultramontains, qui affirmaient la souveraineté du souverain pontife, et les gallicans, défenseurs de l'indépendance de l'Eglise de France.

Bien entendu, la position gallicane convenait le mieux au monarque. Par le biais des nominations ecclésiastiques, et en adoptant une attitude ferme, il était à même de peser sur les décisions des synodes. Pourtant, il pouvait manifester des tendances ultramontaines quand la situation politique l'exigeait. Ce fut notamment le cas au début de son règne — avant qu'il ne manifeste d'autres convictions religieuses.

La querelle avec le pape se cristallisa autour de la question du droit du roi à nommer les évêques et à percevoir les revenus des diocèses qui n'étaient pas mentionnés dans le concordat de 1516. En 1682, le monarque obtint d'un synode un document qui limitait beaucoup l'influence de Rome dans les affaires ecclésiastiques françaises. En 1693, un compromis avantageux pour le roi fut conclu avec un

Portrait d'un grand commis

Pierre Goubert présente Colbert en ces termes : *« L'ascension de ce besogneux issu de la haute finance représente un étonnant complexe de travail — sans mesure —, d'intrigue obstinée, d'ambition effrénée, d'avidité rare, de malhonnêtetés à peine croyables, dont la plus achevée fut le procès Fouquet ; le tout, avec une pesante efficacité et un esprit de méthode assez souvent admirables, mais pas toujours. L'homme excella dans une immense remise en ordre, à la fois juridique, financière et économique... »*
Source : P. Goubert, « Les Français et l'Ancien Régime », I (1991).

Les huguenots, en butte à bien des entraves dans l'exercice de leur foi, célébraient leurs offices en plein air.

Madame de Maintenon, Françoise d'Aubigné (1635-1719), s'occupa d'abord de l'éducation des enfants de Louis XIV. Après la mort de la reine, elle devint l'épouse du souverain.

nouveau pape enclin aux négociations. La France était empêtrée dans des guerres, et il s'agissait de réduire le nombre des ennemis.

Les jansénistes et leur génial représentant Blaise Pascal ont été évoqués dans un précédent chapitre. A l'exception de la période 1668-79 où régna la « paix de l'Eglise », les jansénistes furent persécutés du début à la fin de l'absolutisme de Louis XIV. Ils s'écartaient de l'orthodoxie, ce qui éveillait déjà la méfiance du roi, mais en plus, ils se recrutaient essentiellement dans les rangs de ceux qui avaient soutenu la Fronde. Toutefois, la dernière phase de l'action de Louis XIV contre l'abbaye de Port-Royal — arrestations des nonnes, démolition des bâtiments et profanation du cimetière — porte plus la marque du fanatisme religieux que de la réflexion politique.

L'existence d'un million à un million et demi de huguenots s'accordait mal avec l'idée d'unité religieuse. Au début de son règne, Louis XIV pensait que cette unité se réaliserait sans recours à la violence. Et une cassette royale était spécialement destinée à récompenser les protestants qui se convertissaient. Simultanément, l'édit de Nantes de 1598 était interprété de telle sorte qu'il limitait et ne garantissait plus les droits des huguenots.

En 1685, l'édit de Fontainebleau, en interdisant purement et simplement l'exercice de la foi protestante, mit fin à cette politique patiente de persuasion et déclencha la persécution des huguenots : toutes leurs églises seraient rasées, leurs paroisses dissoutes, et leurs enfants devraient assister à la messe. Les récalcitrants subirent les dragonnades — on les obligea à loger des dragons, avec les effets économiques et morales dévastateurs que cela entraînait. Bravant l'interdiction, des centaines de milliers de huguenots quittèrent la France et formèrent des foyers d'opposants au régime dans les pays voisins.

On peut assigner plusieurs causes possibles à cette mesure draconienne de 1685. Louis XIV avait frisé l'excommunication dans son conflit avec le pape. En 1683, une armée chrétienne internationale avait battu les Turcs près de Vienne — sans participation française. Louis XIV se devait de prouver avec éclat qu'il était la plus catholique de toutes les majestés.

Jean Racine (1639-99), auteur de tragédies, admirable représentant du classicisme français.

Mais on a aussi interprété la révocation de l'édit de Nantes comme la résultante d'une conviction religieuse plus profonde, sous l'influence de Mme de Maintenon (1635-1719) qui ne fut peut-être pas la maîtresse du roi mais bien sa confidente et son épouse.

Une affaire sérieuse

Les lettres de la marquise de Sévigné (1626-96), publiées en 14 volumes, donnent une image pénétrante de l'époque. Une de ces lettres, consacrée à une fête champêtre organisée par le Grand Condé et honorée de la présence du roi, montre que de telles distractions pouvaient revêtir un aspect très sérieux :

« ... le soir, le souper, le jeu, tout alla à merveille. Le temps qu'il a fait aujourd'hui nous faisait espérer une suite digne d'un si agréable commencement. Mais voici ce que j'apprends en entrant ici, dont je ne puis me remettre, et qui fait que je ne sais plus ce que je vous mande : c'est qu'enfin Vatel, le grand Vatel, maître d'hôtel de M. Foucquet, qui l'était présentement de Monsieur le Prince, cet homme d'une capacité distinguée de toutes les autres, dont la bonne tête était capable de soutenir tout le soin d'un Etat ; cet homme donc (...), voyant à huit heures, ce matin, que la marée n'était point arrivée, n'a pu souffrir l'affront qu'il a vu qui l'allait accabler, et en un mot, il s'est poignardé. (...)
La marée cependant arrive de tous côtés... »

L'éclat du règne de Louis XIV

Comme tout pouvoir, celui de Louis XIV reposait en dernière instance sur la force. Mais comme la plupart des dirigeants, il souhaitait que celle-ci demeurât un ultime recours auquel il ne serait pas nécessaire de faire appel. Le respect que la personne du roi inspirait en tant que représentant et que symbole de la grandeur française offrait un moyen plus souple de persuasion. L'éclat qui entourait le roi n'avait pas pour seule fin de satisfaire la

Sur ce tableau de A. F. van der Meulen (1632-90), on aperçoit à l'arrière-plan Louis XIV arrivant sur le vaste et chaotique chantier de Versailles, tandis que son ministre Colbert examine les plans.

haute idée qu'il se faisait de lui-même, il obéissait aussi à une logique politique.

Cet éclat provenait pour une part d'une cour brillante mais aussi de toutes les forces créatrices qui pouvaient être rassemblées sous le patronage du roi. Au cours des dix premières années de l'absolutisme, un grand nombre d'académies — dévolues à la sculpture et à la peinture, à l'architecture et aux médailles, à la musique et aux sciences — furent instituées ou, si elles existaient déjà, placées sous l'égide du souverain. Il s'agissait d'améliorer la qualité, mais aussi de promouvoir l'unité de la vie artistique et intellectuelle.

Un certain nombre d'écrivains figuraient sur une liste spéciale de gratifications. On y relève des noms aujourd'hui inconnus, d'autres aussi qui sont immortels. Nicolas Boileau (1636-1711), poète et critique, est surtout connu en tant que codificateur des règles du classicisme français où l'idée d'unité revêt une importance centrale. Dans ses tragédies, Jean Racine (1639-99) porta à son accomplissement artistique extrême l'esthétique du temps fondée sur les trois unités de temps, de lieu et d'action. Jean-Baptiste Poquelin, plus connu sous le nom de Molière (1622-73), ne s'inscrit peut-être pas aussi bien dans le monde parfaitement réglé de l'absolutisme, mais il écrivit des comédies très appréciées du jeune Louis XIV. Celui-ci prit Molière sous sa protection et fut même le parrain d'un de ses enfants.

C'est cependant Versailles qui apparaît comme le témoignage suprême de la grandeur de Louis XIV. A partir d'un pavillon de chasse de Louis XIII, c'est une capitale qui surgit, groupée autour du monumental château. On ne lésina sur aucun moyen, et, quel que fût l'état des finances publiques, il y eut toujours de l'argent pour Versailles. Le roi et sa cour s'y installèrent en 1682, bien avant l'achèvement des travaux. En 1685, un observateur de l'époque évaluait à 36 000 le nombre des ouvriers et soldats occupés à la construction des bâtiments ainsi qu'à l'aménagement des parcs et des pièces d'eau.

La stricte étiquette ne pouvait empêcher que règne le chaos dans les couloirs surpeuplés où, crasse et magnificence confondues, ministres et dignitaires de cour côtoyaient aventuriers et prostituées.

Molière, Jean-Baptiste Poquelin (1622-73), dont les comédies sont universellement célèbres.

Quand Louis XIV emménagea à Versailles, l'éclat des premières décennies de l'absolutisme s'était terni. Versailles ne fut jamais le centre de la vie culturelle. Et il semble qu'on s'y soit ennuyé. L'existence à la cour était strictement réglée par l'étiquette, et les moments de prière allaient prendre une place de plus en plus importante.

Salon de la guerre à Versailles avec un bas relief d'Antoine Coysevox (1640-1720) représentant Louis XIV à cheval.

Les tentatives de Colbert

En 1661, les finances de l'Etat et l'économie du pays se ressentaient durement de plusieurs décennies de guerre et de troubles intérieurs. La dette publique et le déficit annuel du budget de l'Etat avaient doublé en vingt ans. Les exigences fiscales s'étaient accrues dans les mêmes proportions.

Jean-Baptiste Colbert fut chargé de mettre de l'ordre dans les finances. Il était l'un des rares conseillers roturiers de Louis XIV. Outre que ses ambitions n'empiétaient pas sur le domaine réservé du roi, son efficacité faisait de lui un parfait serviteur de la monarchie.

De bons vieux remèdes de cheval tels que procès contre des financiers, liquidation d'anciens emprunts remplacés par de nouveaux moins coûteux, permirent de réduire notablement les dépenses fixes de l'Etat : 14 millions de livres en 1671 contre 52 millions en 1661. Pour augmenter les recettes, le système fiscal fut rationalisé de telle sorte que les frais de recouvrement des impôts diminuèrent. L'argent afflua dans les caisses de l'Etat sans qu'augmente le fardeau des contribuables. Parmi d'autres mesures, on peut mentionner la chasse aux faux aristocrates grâce à laquelle l'Etat compta 40 000 nouveaux assujettis à l'impôt.

Mais la grande nouveauté introduite par Colbert dans les finances de l'Etat, ce fut la mise en ordre de la comptabilité. Les comptes furent soigneusement tenus, avec récapitulatif de l'année précédente et budget pour celle en cours. Colbert s'efforça de gérer les affaires de l'Etat comme celles d'une entreprise bien menée. Il put aussi rendre compte de bénéfices au cours de la période pacifique qui s'étendit jusqu'en 1672.

Colbert tenait beaucoup à la prospérité du pays, d'abord parce qu'elle assurait les recettes de l'Etat et augmentait le prestige de la France, ensuite par souci du bien du peuple. Il songeait à une répartition plus équitable des impôts en fonction des moyens de chacun, mais les groupes privilégiés soutenus par le roi ne l'entendaient pas de cette oreille.

En revanche, il eut toute liberté pour s'occuper des entreprises qui pouvaient rapporter de l'argent à la Couronne. Il suscita notamment des manufactures royales destinées à produire sous contrôle de l'Etat des produits de haute qualité, propres à s'imposer sur le marché international et donc à drainer de l'argent étranger.

Ces produits devaient être distribués dans le monde entier par des compagnies de commerce françaises. Colbert en institua plusieurs — pour les Indes occidentales, l'Europe du Nord, le Levant, les Indes orientales. Seule cette dernière compagnie, qui fonctionna jusqu'à la Révolution française, eut une longévité supérieure à vingt ans. La concurrence était trop forte, notamment de la part des Hollandais. A l'aide de barrières douanières élevées, on essaya d'évincer ces derniers du marché français, ce qui déclencha une guerre des douanes en 1667.

La guerre comme parade. Louis XIV et son épouse arrivent dans la ville d'Arras lors de la campagne de 1667. Par la suite, les guerres du Roi-Soleil perdirent ce caractère de parade militaire. Peinture de A. F. van der Meulen (1632-90).

Dans ce contexte, Colbert, par ailleurs pacifique, préconisa un conflit armé contre la Hollande qui éclata effectivement en 1672 : « Si le Roy assujettissait toutes les provinces-unies des Pays-Bas, leur commerce devenant celui des sujets de sa Majesté, il n'y aurait rien à désirer davantage... »

L'amour immodéré de la guerre

Pierre Goubert estime que l'attaque contre la Hollande en 1672 marqua le tournant du règne de Louis XIV. L'organisation économique et financière de Colbert s'écroula. Entre 1665 et 1673, les manufactures royales de tissus de Beauvais avaient reçu 175 000 livres de subvention, elles n'obtinrent rien entre 1674 et 1678. En 1679, Colbert demenda que 100 000 livres — 0,1% du budget — soient affectées au secteur économique — et il essuya un refus.

Ce qui est étonnant, ce n'est pas l'effet dévastateur des guerres sur l'économie et les finances mais bien la capacité de la France à assumer ces charges et à se refaire une santé. Quand la guerre de Hollande éclata, le pays était économiquement bien préparé. Certes, il fallut recourir aux moyens habituels tels que vente de charges, augmentation des impôts, emprunts, et la dette publique augmenta de nouveau. Mais quand Colbert mourut en 1683, elle n'était que le tiers de celle dont il avait hérité en 1661.

Fait grave pour l'économie mais non directement lié aux guerres, la rentabilité de l'agriculture baissa durant les dernières décennies du XVIIe siècle. Mais simultanément, la France apparaissait comme une puissance commerciale montante.

Le pays se montra moins bien préparé aux guerres de 1689-1697 qu'il ne l'avait été en 1672. Signe de la gravité de la situation, les privilèges fiscaux furent remis en cause, sauf ceux du clergé. Même les princes du sang durent payer un impôt réparti en fonction des ressources de chacun. Bien entendu, les privilégiés parvinrent à faire retomber cette charge sur ceux qui portaient déjà le plus lourd fardeau, mais l'idée même d'un tel impôt montre combien la conjoncture était catastrophique.

Une fois la paix signée en 1697, le pays se redressa à nouveau, mais le répit fut de trop courte durée : la guerre de Succession d'Espagne éclata dès 1701. Après plus d'un quart de siècle eurent à nouveau lieu des révoltes de paysans désespérés, ce qui témoigne de la dureté des temps. « J'ai trop aimé la guerre », aurait dit Louis XIV sur son lit de mort. L'état des finances publiques lorsqu'il rendit l'âme confirme ce diagnostic. Les revenus nets de l'Etat furent évalués à 74 millions de livres, et les dépenses à 119 millions. En ce qui concerne la dette publique, on a avancé le chiffre fantastique mais somme toute plausible de deux milliards de livres, et les revenus de l'Etat des trois années à venir avaient déjà été consommés.

Les décennies du redressement

A sa mort, Louis XIV laissa la couronne à son arrière-petit-fils Louis XV (1715-74), alors âgé de cinq ans. Le parlement de Paris modifia le testament du défunt qui donnait beaucoup de pouvoir à deux de ses bâtards. L'unique tuteur du roi fut le neveu de Louis XIV, Philippe d'Orléans (1674-1723) qui était devenu premier prince du sang et donc régent tout désigné à la suite d'une série de décès soudains. On savait qu'il était l'adversaire du système de gouvernement de Louis XIV, et il essaya effectivement de remplacer les secrétaires d'Etat par des représentants de la noblesse de robe en instituant des collèges. Cependant, dès 1718, il dut revenir à l'ordre ancien.

A la mort de Philippe (1723), le pouvoir revint à un autre prince du sang, Louis-Henri de Bourbon (1692-1740). Après trois ans, celui-ci fut toutefois remplacé comme premier ministre par le vieux précepteur du roi, le cardinal André Hercule de Fleury (1653-1745), qui accéda à ce poste à l'âge de soixante-treize ans et le garda jusqu'à sa mort.

Les événements survenus à la mort de Louis XIV avaient déjà montré que son règne n'avait pas radicalement transformé la France. L'action du Parlement contre le testament du monarque ne faisait que répéter ce qui s'était passé en 1610 et 1643. Cette institution était à nouveau prête à faire valoir ses droits, et ses membres, tout comme les jansénistes, causèrent du souci à Philippe d'Orléans et au cardinal de Fleury.

Au cours de cette période, la France connut une prospérité à laquelle on n'aurait seulement osé rêver à la fin de la guerre en 1714. Cela fut essentiellement dû à une longue période de paix qui permit au pays de panser ses plaies et de tirer profit d'une conjoncture économique favorable.

Lorsqu'on examine l'évolution de la France jusqu'en 1750, on est frappé par cette capacité constante à se redresser après les guerres et à engager la concurrence avec des puissances commerciales comme l'Angleterre et la Hollande. Cela révèle l'existence de très riches ressources que l'étendue et la population du pays, supérieures à celles de ses voisins, expliquent pour une part.

L'absolutisme et la révolution

Malgré ses ressources, la France de 1750 était économiquement moins développée que la Grande-Bretagne. On est tenté d'invoquer ici le fait que les richesses du pays furent utilisées pour la guerre et non pour le développement du commerce, mais cette explication est sans doute trop réductrice. Certes, les conflits vidèrent les caisses de l'Etat et appauvrirent les paysans, mais elles canalisèrent aussi les richesses du royaume qui se trouvèrent concentrées aux mains d'un petit groupe de financiers, de fermiers généraux et de fournisseurs de matériel de guerre. Ceux-ci prélevèrent leur part au passage, même si l'Etat veilla après chaque conflit à récupérer une partie des bénéfices à l'aide de procès et de manipulations des prêts. Les capitaux nécessaires aux investissements ne manquaient donc pas.

Aujourd'hui, on est plutôt enclin à penser que le passage au capitalisme est avant tout dû aux transformations de l'agriculture. En France, les méthodes d'exploitation n'évoluèrent guère au cours de toute notre période. Lorsque l'absolutisme dompta la turbulente aristocratie féodale, ce fut pour en faire une noblesse de cour, non une caste d'exploitants agricoles industrieux. Les hobereaux qui pouvaient être tentés d'introduire des méthodes plus rationnelles furent freinés du fait que l'Etat protégeait les paysans qui, dans l'Ancien Régime, constituaient la source essentielle des revenus fiscaux.

Ceux qui amassaient des fortunes réinvestissaient plus volontiers dans des charges et des prêts à l'Etat que dans des activités agricoles. S'ils acquéraient des terres, c'était moins par souci de développement économique que de prestige social.

Il faut toutefois se garder de faire de la Grande-Bretagne et de la France deux pôles opposés. Il s'agit plutôt d'une différence de degré, mais suffisamment sensible pour engendrer des disparités.

En réaction à la Fronde, l'absolutisme personnel de Louis XIV était destiné à empêcher le retour de troubles

du même ordre. Cependant, moins de cent ans après la mort de son créateur, une révolte encore plus importante, la Révolution française, mit fin à l'absolutisme.

Pierre Goubert a caractérisé l'absolutisme français comme un régime miné par ses problèmes d'argent. C'est d'ailleurs la crise financière qui obligea en 1789 le gouvernement à convoquer les états généraux après 175 ans. Cette mesure risquée aurait pu être évitée. Plusieurs des 19 ministres des Finances qui s'étaient succédé au cours des 35 dernières années de l'Ancien Régime avaient préconisé une solution déjà appliquée auparavant, mais pendant de brèves périodes seulement.

Cette solution consistait à faire reposer une partie de l'effort fiscal sur les privilégiés. La seule possibilité d'augmenter les recettes de l'Etat résidait en effet dans un élargissement de la base de l'imposition.

De telles propositions se heurtèrent à la résistance des privilégiés. Louis XIV avait concentré le pouvoir politique entre ses mains mais sans remettre fondamentalement en cause les privilèges sociaux. L'aristocratie était devenue noblesse de cour, et les parlements, fer de lance de la noblesse de robe, paraissaient réduits au silence. Mais après la mort du Roi Soleil, la noblesse de cour put à nouveau intriguer contre les ministres qui préconisaient une limitation des privilèges. Et les parlements reprirent rapidement leur rôle de défenseurs de la société inégalitaire.

Jean Nocret (1615-72) a représenté ici la famille royale sous un jour qui ne pouvait déplaire à Louis XIV. Le roi lui-même apparaît sous les traits d'Apollon, et les autres membres sous ceux de divinités idoines. Le tableau qui s'intitulait initialement « La famille divine » fut ensuite appelé, de manière moins dithyrambique, « Dix membres de la famille de Louis XIV ».

La Pologne - « paradis de la noblesse »

La Pologne qui, unie à la Lituanie, avait été depuis le Moyen Age un des pays les plus étendus d'Europe, ne figurait plus sur la carte en 1800. A la fin du XVIII*e siècle, ses trois puissants voisins — la Prusse, l'Autriche et la Russie — l'avaient effacée.*

Le dépecage de la Pologne se situe hors des limites chronologiques de ce volume, mais le processus qui y conduisit s'amorça au cours de la période traitée ici.

C'est pour une part l'histoire de la conquête d'une liberté religieuse et politique exceptionnelle par la noblesse terrienne, la szlachta. *Mais c'est aussi l'histoire d'un échec. Occupée à préserver et à augmenter cette liberté, la noblesse polonaise ne parvint pas à créer des institutions susceptibles de défendre le territoire national contre des voisins agressifs.*

En 1569, il fut confirmé que la Pologne-Lituanie serait un royaume électif. Face aux souverains, liés par leurs promesses électorales et nullement assurés de pouvoir transmettre la couronne à leurs fils, se dressaient les magnats, particulièrement puissants dans la partie orientale de l'union, qui possédaient des domaines grands

Sur Wavel, la colline du château à Cracovie, on trouve à côté de la forteresse la cathédrale qui abrite tant de souvenirs historiques qu'elle est devenue un symbole de l'identité nationale polonaise. Ici, un tableau d'autel en argent des années 1530.

comme des principautés. Ces potentats avaient leurs propres cours, leurs armées et leurs tribunaux. Ils exerçaient leur influence sur les aristocrates de moindre fortune et également sur les propriétaires terriens, moyens ou petits, qui partageaient leur conviction idéologique que la noblesse était de race supérieure. Avec des paysans de plus en plus asservis, une bourgeoisie affaiblie, un pouvoir politique entre les mains des nobles, le royaume de Pologne avait tout d'une république aristocratique.

La république aristocratique

De 1386 à 1572, la Pologne fut gouvernée par la dynastie des Jagellon. L'année 1386 marqua aussi l'union personnelle entre le royaume de Pologne et le grand duché de Lituanie dont Ladislas Jagellon était initialement le prince. Pour simplifier, on parlera de Pologne, non de Pologne-Lituanie, dans les pages qui suivent.

La partie polonaise appartenait à l'Europe centrale et entretenait des liens politiques et culturels à l'ouest, tandis que la partie lituanienne ressortissait à l'Europe de l'Est. Lorsqu'il fut avéré que la lignée masculine des Jagellon s'éteindrait avec Sigismond II (1548-72), l'Union fut renforcée par l'accord de Lublin (1569) qui stipula que les souverains seraient élus conjointement par les nobles de Pologne et de Lituanie.

L'aigle national polonais brodé sur un livre de prières royal datant de la fin du XVIe siècle.

Magnats de Pologne

Dans plusieurs ouvrages, l'historien anglais Perry Anderson a rassemblé des informations sur les grands propriétaires terriens polonais.

A la fin du XVe siècle, le chancelier Jean Zamoyski possédait 800 000 hectares de terres et exerçait sa juridiction sur environ 80 villes et 800 villages.

Au début du XVIIe siècle, quelque 230 000 personnes vivaient à demeure dans les domaines de la famille Wisnowiecki.

Au XVIIIe siècle, les familles Radziwill et Potocki possédaient respectivement quatre millions et un bon million d'hectares.

Ce dernier chiffre, notons-le à titre de comparaison, correspond à peu près à la superficie de la province suédoise de Scanie.

Ainsi furent jetées les bases constitutionnelles de la *rzeczpospolita*, un mot qu'on peut traduire par république. Le droit de la noblesse à élire les rois eut pour conséquence un manque de continuité dans l'action politique de la monarchie.

Deux dynasties régnèrent pendant des périodes relativement longues : d'une part la famille suédoise des Vasa (1587-1668) dont le premier représentant à accéder au trône de Pologne, Sigismond III (1587-1632), fut aussi roi de Suède pendant quelques années, d'autre part la famille saxonne des Wettin (1697-1763). La France et la Transylvanie fournirent aussi chacune un souverain à la Pologne.

Il y eut même deux Polonais qui furent élus roi. L'un d'eux, Jean Sobieski (1674-96), força le respect de toute l'Europe par ses actions d'éclat lors du siège de Vienne par les Turcs en 1683. Enfin, il arriva que le trône fût vacant.

De la grande puissance à l'impuissance

En tant que roi de Pologne et prince de Lituanie, Sigismond I (1506-48) était à la tête du plus vaste royaume d'Europe. Comme par ailleurs un représentant de la dynastie Jagellon occupait le trône de Bohême et de Hongrie, la sphère d'influence jagellonienne s'étendait d'ouest en est de la mer Adriatique à Moscou, capitale de la principauté moscovite, et, du nord au sud, de la Baltique à la mer Noire.

Les Jagellon perdirent toutefois la Bohême et la Hongrie lorsque les Turcs attaquèrent cette dernière et remportèrent la victoire de Mohacs en 1526.

La cavalerie noble demeura la force principale de la Pologne jusqu'à ce que l'évolution des techniques militaires la rende irrémédiablement caduque. A défaut de pouvoir défendre efficacement les frontières, la cavalerie polonaise se recycla dans le pillage et les règlements de comptes intérieurs.

Indubitablement, la Pologne avait grand besoin d'une armée efficace. Au nord, les ordres de chevalerie alle-

Sigismond Ier (1506-48), appelé l'Ancien, et son épouse la reine Bona. Peinture d'un artiste inconnu du XVIe siècle.

mands avaient dès le XIIIe siècle coupé le royaume de la mer. La menace que faisaient peser sur la Pologne et la Lituanie les ordres allemands et livoniens avait été une des raisons de l'union scellée en 1386. Ce regroupement des forces avait permis de vaincre au XVe siècle l'ordre Teutonique dont la partie occidentale avait été purement et simplement annexée à la Pologne, tandis que la partie orientale devenait un fief de la Couronne. Fief qui ne suscita toutefois qu'un intérêt modéré puisque la Pologne le céda par étapes au Brandebourg en échange d'avantages à court terme.

La classe polonaise dominante, la noblesse, voulait surtout conquérir et posséder des territoires dans les vastes plaines orientales qui se prêtaient à l'exploitation agricole à grande échelle. Cette ambition entraîna des conflits avec les principautés tatares, puis petit à petit avec l'Empire ottoman. Les guerres avec ces royaumes ne furent cependant ni très nombreuses ni très longues. L'adversaire principal demeurait la principauté moscovite, berceau de la Russie. Les affrontements eurent d'abord lieu dans les terres situées à l'embouchure du Dniepr, puis plus tard dans les pays baltes. A la fin du XVIe siècle, la Suède qui entendait contrôler la Livonie se dressa aussi contre la Pologne.

Jusqu'au début du XVIIe siècle, celle-ci fit plutôt bonne figure dans les guerres, mais à partir de 1650, elle se montra de plus en plus incapable de se défendre. Pendant plusieurs décennies, elle fut ravagée par des troupes suédoises et russes.

La grande Guerre Nordique (1700-21) entraîna de nouvelles catastrophes pour le pays. La Russie commença à jouer le rôle de garante de la constitution polonaise, ce qui entre autres effets contribua au maintien de la faiblesse militaire du pays.

Au cours de la guerre de Succession de Pologne (1733-35), qui fut l'affaire d'armées étrangères, les forces militaires polonaises intervinrent peu. Et lors des grands conflits européens qui suivirent (1742-48 et 1756-63), la Pologne demeura neutre, mais tant la Russie que la Prusse et l'Autriche s'en servirent pour baser des troupes.

Le partage de la Pologne qui allait s'accomplir ultérieurement était donc déjà largement amorcé. La question

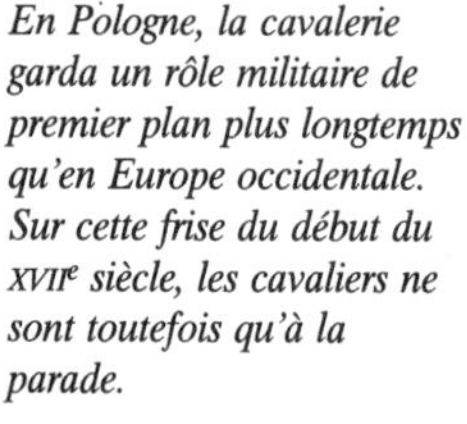

En Pologne, la cavalerie garda un rôle militaire de premier plan plus longtemps qu'en Europe occidentale. Sur cette frise du début du XVIIe siècle, les cavaliers ne sont toutefois qu'à la parade.

demeure toutefois de savoir pourquoi la Pologne, autrefois grande puissance, n'était plus qu'un simple pion dans un jeu politique sur lequel elle n'avait aucune prise.

L'anarchie, c'est l'ordre

L'anarchie politique dont on fait volontiers la caractéristique de la Pologne n'était pas due à une absence totale de règles dans la vie politique. Les ordonnances ne manquaient pas, mais la plupart d'entre elles visaient avant tout à entraver une évolution vers le centralisme.

Les réunions de nobles, qui s'étaient tenues depuis le Moyen Age pour discuter avant tout des questions militaires, furent l'embryon des assemblées provinciales aristocratiques du XVe siècle appelées *sejmik*. En 1454, une ordonnance interdit la mobilisation de troupes et la levée de nouveaux impôts sans consultation de la noblesse. La position de ces assemblées s'en trouva renforcée.

Parmi leurs nombreuses tâches, les *sejmik* devaient élire des délégués à l'une des chambres de l'assemblée nationale, le *sejm*, composé au début de 143 membres mais qui vint à en compter 236. L'autre chambre était le sénat, prolongement du conseil royal médiéval, qui comportait 140 prélats et hauts fonctionnaires nommés à vie.

Les rois de la république aristocratique

1573-1574	Henri de Valois (de France)
1576-1586	Etienne Batory (de Transylvanie)
1587-1632	Sigismond III Vasa (de Suède)
1632-1648	Ladislas IV Vasa
1648-1668	Jean Casimir Vasa
1669-1673	Michel Wisnowiecki (de Pologne)
1674-1696	Jean Sobieski (de Pologne)
1697-1733	Auguste II (de Saxe)
1734-1767	Auguste III

Sigismond III (1587-1632), fils de Johan III, fut également roi de Suède entre 1592 et 1599. Il mourut la même année que son cousin Gustave II Adolphe. Peinture d'environ 1610.

Bien entendu, ces dignitaires voulurent affirmer leur supériorité au sein du *sejm*, mais les députés élus parvinrent à faire admettre l'égalité des deux chambres au début du XVIe siècle. La chambre basse avait d'ailleurs une position forte du fait qu'elle représentait les provinces. Le *sejm* et les fonctionnaires étaient largement tributaires de la collaboration des *sejmik* puisque c'est au niveau régional que les décisions étaient appliquées, que les troupes étaient levées et les impôts collectés.

En outre, les *sejmik* de province jouissaient d'une large autonomie. La cause profonde en était l'exigence de liberté individuelle et d'indépendance qui était profondément ancrée dans la noblesse polonaise.

Cet ordre libéral et démocratique très poussé ne valait que pour l'aristocratie. Les villes avaient bien deux ou trois représentants au *sejm*, mais comme simples observateurs, sans droit de vote.

Le terme de république aristocratique convient donc bien à la Pologne. Chaque fois qu'un roi était élu, on veillait à limiter ses pouvoirs en invoquant d'anciennes garanties et en en créant de nouvelles. Les souverains n'étaient certes pas condamnés à l'impuissance, mais il leur fallait une forte personnalité pour pouvoir tirer leur épingle du jeu.

Le roi procédait à la nomination des hauts fonctionnaires et confirmait celles des dignitaires ecclésiastiques, mais

Le sarcophage d'Etienne Batory (1576-86) dans la cathédrale Wavel à Cracovie.

Cette gravure sur bois du XVI*e* *siècle représente le sénat, chambre haute du* sejm *— la diète polonaise. Le sénat était composé de hauts dignitaires civils et ecclésiastiques.*

il ne pouvait révoquer ni les uns ni les autres. Il disposait des domaines de la Couronne qui représentaient la sixième partie des terres cultivées, ce qui lui assurait des revenus et de l'influence.

Mais le *sejm* veilla à ne jamais lui accorder des crédits d'une importance telle qu'il aurait pu lever pour son propre compte une armée puissante. Traditionnellement, la machine militaire polonaise reposait sur la cavalerie noble, et l'on comprend aisément le désir des aristocrates de n'y rien changer. Dans ce domaine, les ressources des magnats étaient à elles seules aussi grandes que celles du roi.

Un couple d'aristocrates polonais. Image du milieu du XVII*e* *siècle.*

La diète polonaise

Le terme de « diète polonaise » évoque traditionnellement des délibérations particulièrement chaotiques. C'était particulièrement le cas lors des élections de souverains, sans qu'on pût toutefois incriminer la diète. Tous les nobles polonais avaient le droit d'élire leur souverain, et 10 000 à 15 000 d'entre eux avaient coutume de participer au scrutin. La décision devait être unanime, d'où toutes sortes de négociations, de pots-de-vin et d'affrontements violents.

L'élection de 1764, réputée assez calme pourtant, coûta la vie à 13 électeurs. Aux yeux d'un observateur inexpérimenté, le consensus final pouvait paraître aussi chaotique que les troubles qui avaient précédé, car l'élection était confirmée par le hurlement de dix mille gosiers qui saluaient ainsi dans l'enthousiasme l'accord conclu.

L'unanimité avait valeur d'idéal, pour ne pas dire de

loi. Aussi le *sejm* ne pouvait-il se contenter de décisions majoritaires. Cette exigence engendra des procédures politiques qui allaient contribuer au chaos, à savoir le « libre veto » (liberum veto) et la « confédération ».

Le libre veto impliquait que si une seule personne faisait obstacle à l'unanimité du *sejm*, les négociations ne pouvaient se poursuivre, et la proposition en cours de discussion était abandonnée. C'est ainsi qu'en 1580, toute levée d'impôts fut stoppée. Et en 1652, un tel veto allait avoir des conséquences imprévisibles.

Cette année-là, en fin de session, un délégué émit un veto qu'on prit à la légère. Rentrés chez eux, les délégués s'aperçurent, mais un peu tard, que ce veto avait réduit à néant, et de manière juridiquement inattaquable, toutes les décisions du *sejm*. Une seule personne avait donc la possibilité de gripper toute la machine, et cette unique voix pouvait représenter un groupe politique puissant. Ainsi en 1652, et ce n'était pas la dernière fois.

L'effet paralysant du veto se fit régulièrement sentir. En 1666, les travaux furent interrompus à la mi-session et, en 1668, le jour même de l'ouverture du *sejm*. Entre 1697 et 1733, 11 des 20 sessions n'allèrent pas à leur terme, et, entre 1733 et 1763, un seul *sejm* parvint à prendre des décisions. Cette paralysie renforça les assemblées provinciales et les confédérations.

En tant qu'arme politique, la confédération remontait à plus loin que le libre veto. Expression du droit du citoyen, autrement dit du noble, à la résistance, elle consistait en un groupe armé dont les membres avaient juré d'atteindre un but commun. Les décisions étaient prises à la majorité, contrairement à ce qui s'observait au *sejm*.

Des confédérations pouvaient se constituer dans les buts les plus divers. En 1560, l'armée en forma une pour obtenir le paiement des soldes, en 1573, le *sejm* se rallia à une autre destinée à défendre la liberté confessionnelle.

Au début du XVIIe siècle, on crut déceler chez Sigismond III Vasa des tendances à l'absolutisme. En 1605, un acte de confédération dirigé contre le roi réunit 50 400 signatures. Les confédérés ne furent pas moins vaincus sur le champ de bataille, mais ils échappèrent à toutes poursuites.

On a voulu y voir le début de l'anarchie politique : la confédération, c'était la révolte légalisée.

Les confédérations devinrent presque aussi fréquentes que les réunions du *sejm*, et elles permirent aux puissances étrangères de s'immiscer dans les affaires du pays. Les Suédois notamment exploitèrent cette possibilité en 1704, lors des guerres nordiques.

Sigismond III et l'assemblée du sejm. *Gravure sur cuivre de 1622.*

Egalité et fraternité

Si un groupe fut responsable de l'impuissance dans laquelle la Pologne sombra, c'est bien la classe dirigeante, la noblesse. L'aristocratie polonaise, unie par une communauté de valeurs et d'attitudes, présentait une facade homogène derrière laquelle se dissimulaient de grandes disparités. Cette caractéristique vaut aussi pour d'autres pays, mais elle prend un relief particulier en Pologne.

Le palais royal de Wilanow fut conçu comme château d'agrément pour Jean III Sobieski (1674-96). A. Locci en fut l'architecte.

L'égalité avait valeur de dogme. Par comparaison avec le reste de l'Europe, sans doute y avait-il en Pologne autant d'aristocrates désargentés que partout ailleurs, mais la puissance des grands propriétaires terriens était sans équivalent. A la fin du XVIe siècle, la noblesse possédait 60% des terres, mais inégalement réparties. Une propriété foncière d'importance moyenne comportait trois exploitations d'un total de 130 hectares, mais certains magnats disposaient de biens considérables, notamment en Lituanie. Aux exemples déjà donnés (voir encadré p. 215), ajoutons-en deux ayant trait à l'Eglise. L'évêque de Vilnius tirait ses revenus de 600 villages, tandis que son collègue polonais de Cracovie exerçait sa souveraineté sur 250 villages et 13 villes.

Les propriétés moyennes apparaissaient insignifiantes comparées à celles des magnats, mais la ligne de partage essentielle se situait ailleurs. Certains avaient si peu de terres qu'ils pouvaient les exploiter sans serfs, d'autres n'avaient pas de terres du tout. Et ce groupe était de loin le plus important. En outre, le nombre des aristocrates sans terres augmenta avec le temps, et ils durent assurer leur subsistance en se faisant soldats ou en se mettant au service de quelque magnat.

Goudron et baume

Les nobles polonais accordaient une grande importance à leur extraction, plus essentielle au maintien de l'aristocratie que les facteurs économiques et sociaux. Il ne fallait pas que du sang roturier se mêlât au sang noble. Dans les années 1620, l'écrivain Valerian Nekanda Trepka présenta ainsi cet impératif :

« Du baume mélangé à du goudron cesse d'être du baume et devient du goudron ; et le goudron, même si on l'épand dans le meilleur champ, ne devient pas du blé... De la même façon, si une femme noble épouse un paysan, elle donnera naissance à un enfant de basse extraction. Car aucune pureté ne saurait provenir d'une telle impureté, pas plus qu'une odeur nauséabonde ne peut se muer en suave parfum. Comme le dit un sage proverbe : jamais rossignol ne naîtra d'un œuf de hibou. »

Un noble polonais, Jan Krzysztof Tarnowski, dans toute sa magnificence. Œuvre d'un artiste inconnu du XVIe siècle.

Au XVIIIe siècle, cet appauvrissement avait atteint de telles proportions qu'il fallut interdire officiellement aux aristocrates de se vendre comme serfs. Quelle que fût sa déchéance économique et sociale, un noble restait un noble. Son pauvre logement était orné des armes de la famille et il avait le droit de participer à l'élection du roi. Les aristocrates pauvres portaient une épée en bois pour marquer leur rang.

Dans ce monde clos caractérisé par d'énormes disparités économiques et sociales, la fiction de l'égalité ne se maintenait pas moins. Certes, les hauts postes administratifs et pourtant la représentation au sénat étaient l'apanage des magnats, mais ceux-ci ne jouissaient pas de privilèges particuliers. Les autres nobles propriétaires terriens pouvaient grâce à leurs délégués à la chambre basse veiller au respect de l'égalité formelle. Il était interdit d'introduire de nouveaux titres nobiliaires qui auraient été signes d'inégalité. Les aristocrates s'appelaient « monsieur mon frère » dans la vie civile et « camarade » à l'armée.

Pour beaucoup de nobles, tout cela n'était qu'une facade dissimulant une réalité beaucoup plus crue. Mais il était important que les acteurs jouent le jeu et se persuadent de sa valeur intrinsèque. C'est ainsi que la noblesse, convaincue que les autres groupes sociaux n'existaient que pour la servir, se trouva soudée dans son combat contre la centralisation.

L'idéal de liberté que l'on cultivait dans ce milieu eut pour effet une tolérance religieuse exceptionnelle, et une attitude plus exceptionnelle encore à l'égard des dames nobles. Elle furent considérées comme juridiquement majeures et se virent reconnaître les mêmes droits à héritage que leurs frères.

Le modèle d'exploitation rurale

Avant que les rois ne perdent toute influence, les privilèges de la noblesse avaient souvent été renforcés lorsque le pouvoir central avait besoin d'argent ou de troupes. En 1374, les terres que les nobles géraient directement furent exemptées d'impôts. A plusieurs reprises au cours du XVe siècle, les droits juridiques de la noblesse furent garantis par des ordonnances interdisant tout emprisonnement arbitraire.

Cette évolution trouva son accomplissement au XVIe siècle. Toutes les hautes charges ecclésiastiques et civiles furent réservées à l'aristocratie. Les tribunaux ecclésiastiques perdirent leurs prérogatives judiciaires en même temps que les paysans n'eurent plus de droit de faire appel auprès d'une cour royale en cas de contestation des décisions rendues par les tribunaux des propriétaires terriens. Au cours de ce siècle, les aristocrates furent exemptés de droits de douane tant pour leurs exportations que pour les produits à usage personnel qu'ils importaient.

Les grandes et moyennes propriétés appartenaient pour l'essentiel à la noblesse. Pour les maîtres de ces domaines, il importait d'avoir des garanties légales quant à la disposition des terres et de la main-d'œuvre. Certes, un déterminisme économique implacable avait réduit les paysans au servage, et les propriétaires possédaient les moyens nécessaires pour exercer cette contrainte : la force se dissimule souvent sous la loi.

En 1496, il fut établi que seule la noblesse avait droit de propriété sur les terres. En pratique, une telle loi ne pouvait s'appliquer à cent pour cent, mais elle accordait à l'aristocratie une position juridiquement privilégiée.

La même année, il fut décidé qu'un paysan seulement par an et par village serait autorisé à quitter le domaine où il travaillait, ce qui diminua les possibilités des agriculteurs de trouver de nouvelles terres moins imposées. Ainsi s'amorçait la légalisation du servage qui allait s'opérer au XVIe siècle. Une loi fixa le nombre des journées de corvée, et sur le plan juridique, les paysans devinrent entièrement dépendants des propriétaires.

On reconnaît aisément dans l'organisation des grands domaines le modèle qui était en vigueur au Moyen Age en Europe occidentale : des champs d'un seul tenant étaient cultivés pour le compte d'un propriétaire par des paysans soumis à corvée. A l'entour, il y avait les fermes des serfs. Ceux-ci devaient payer la dîme à l'Eglise, une redevance en argent ou en nature au propriétaire et des impôts à l'Etat. Mais la fonction principale des paysans était de fournir leur force de travail pour l'exploitation des terres du maître.

Les domaines devaient autant que possible se suffire à eux-mêmes pour que soient réduits au maximum les achats de marchandises de première nécessité. Mais il fallait aussi produire au-delà des besoins pour dégager des excédents à vendre. Grâce à cet argent, la noblesse pouvait se procurer des produits de luxe. Les petites exploitations paysannes étaient censées joindre les deux bouts, tandis que les terres du maître devaient être sources de bénéfices commerciaux, telle était l'idée fondamentale.

Quantitativement, la production dépendait avant tout de l'étendue des champs cultivés et de l'importance de la main-d'œuvre. Aussi était-il tentant pour les propriétaires d'étendre leurs terres au détriment de celles des paysans et d'exiger de ceux-ci plus de journées de corvée. Ils firent l'un et l'autre. Au début du XVIe siècle, le nombre des journées de corvée par foyer paysan était de une ou deux par semaine ; au XVIIIe siècle, il était passé à six, sept, huit.

Les paysans furent réduits à une indigence telle qu'elle risquait de compromettre leur force de travail, voire de la réduire à néant.

Deux représentations datant du XVIe siècle de l'aigle national polonais.

A gauche : paysans polonais. Peinture de 1644.

Les juifs de Pologne

Les serfs — ainsi qu'un petit groupe de paysans libres et d'employés — formaient les trois quarts de la population polonaise. Au XVIe siècle, c'est la noblesse qui venait en second, et non la bourgeoisie comme c'était généralement le cas ailleurs. Le nombre limité des bourgeois était pour une part lié au fait que les juifs constituaient un état spécifique au sein de la société. Au XVIIIe siècle, ils avaient dépassé en nombre la noblesse, et, à un stade précoce, ils

Le château Ogrodzieniec, non loin de Cracovie, fut construit au XIVe siècle par la famille noble Sulimczyk. En 1810, il était encore partiellement habité.

« La prière des bergers », illustration d'un livre de prières des années 1520 destiné à la reine Bona. Celle-ci appartenait à la célèbre famille italienne des Sforza.

s'étaient livrés à des occupations habituellement dévolues aux classes moyennes et à la bourgeoisie.

Il y a tout lieu de considérer les juifs comme un état spécifique puisqu'ils obtinrent l'autonomie et des institutions propres au cours du XVIe siècle. Si les juifs jouissaient d'une situation favorable en Pologne, c'était en partie grâce à la tolérance religieuse qui à son tour était fonction des exigences aristocratiques de liberté. Le fait qu'il n'y eût aucune religion entièrement dominante, ni pendant la Réforme, ni pendant la Contre-Réforme, a certainement joué un rôle essentiel.

En 1772, 43% des Polonais étaient catholiques romains, et ceux qui pratiquaient le rite grec étaient sensiblement aussi nombreux. Les juifs représentaient 9% de la population, et les protestants 4%. Depuis le milieu du XVIe où il s'était répandu parmi les nobles, le protestantisme avait perdu du terrain.

La situation favorable des juifs polonais était également due au fait que les propriétaires terriens avaient intérêt à faire appel à eux. Ils étaient plus faciles à manier que les marchands, entrepreneurs et intendants appartenant à la classe moyenne polonaise. On les distinguait aisément du reste de la population, et, même dans un pays tolérant comme la Pologne, leur condition demeurait précaire pour des raisons religieuses. Il y avait peu de risques qu'un tel groupe se dressât contre la noblesse.

La bourgeoisie polonaise ne connut jamais un fort essor. Certes, de nombreuses villes furent créées aux XVIe et XVIIe siècles, mais souvent sur initiative noble, et dans le but d'éviter qu'une bourgeoisie privilégiée puisse s'immiscer dans le commerce des aristocrates.

A la fin du XVIe siècle, il fut interdit aux négociants polonais de commercer avec des pays étrangers. Ainsi, la

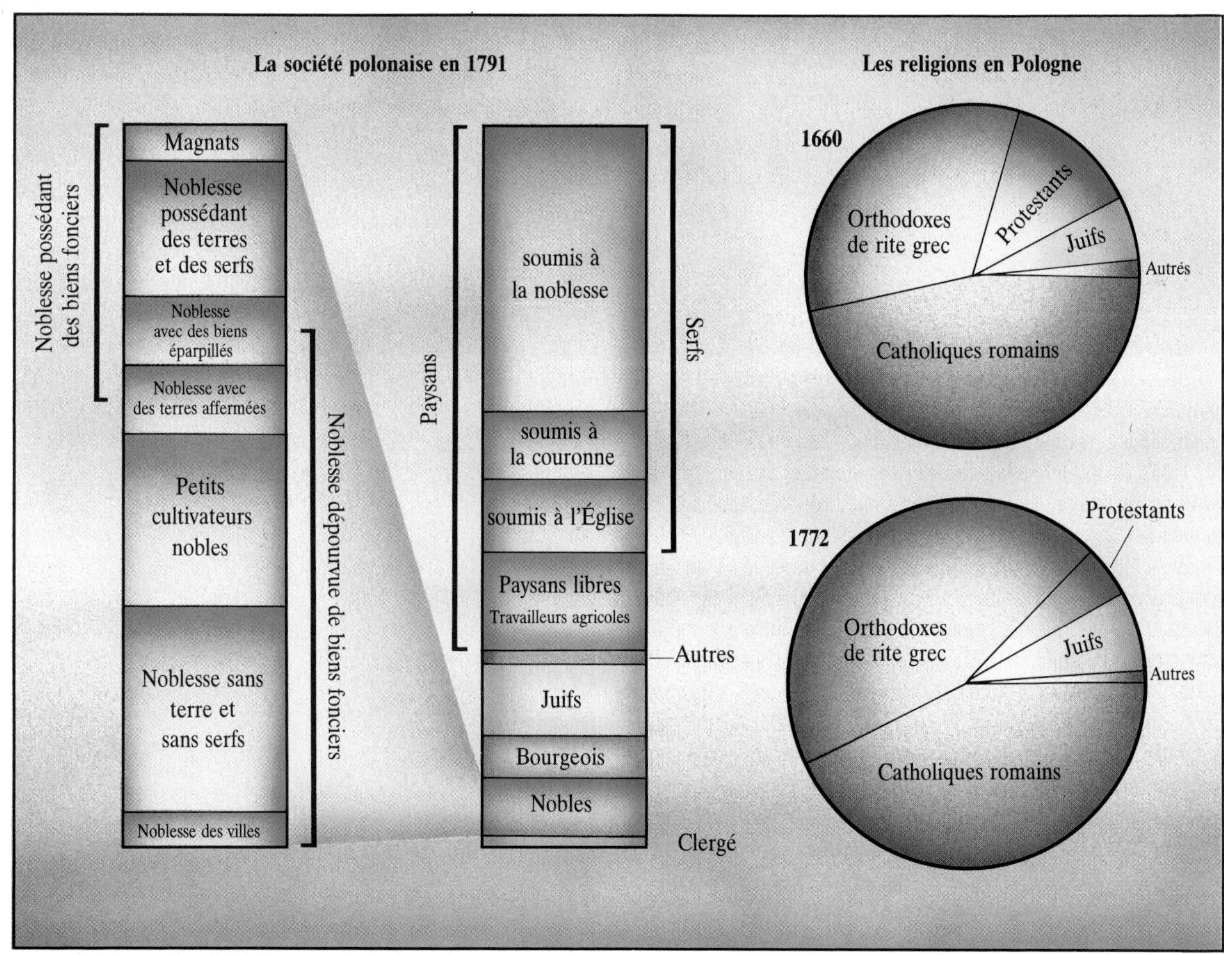

La structure sociale et religieuse de la société polonaise. Source : N. Davies, « God's Playground. A History of Poland », vol. I (1981).

noblesse eut les mains plus libres pour régler directement ses exportations et importations — exemptées de douane au demeurant. Les seules villes qui continuèrent à ressembler à celles d'Europe occidentale furent les ports d'exportation, Dantzig en tête, que dominaient des colonies de commerçants étrangers.

L'artisanat des villes fut freiné du fait que les propriétaires terriens faisaient fabriquer les articles indispensables dans leurs domaines et que les paysans étaient ou devinrent trop pauvres pour assurer une base suffisamment large à une production locale. Les artisans cherchaient à se placer dans les domaines qui leur offraient du travail. Les importations eurent également un effet inhibiteur sur la production de marchandises.

Vers 1700, les villes, livrées à la noblesse, ne pouvaient constituer un terrain favorable à l'apparition de nouvelles idées économiques et politiques. En 1750, la Pologne était plus campagnarde, ou si l'on veut plus médiévale, qu'en 1550.

Cette vue de la vielle ville révèle que Dantzig (Gdansk) faisait partie des opulentes cités hanséatiques.

L'artiste vénitien Bernardo Bellotto (1720-80) nous a légué de nombreuses illustrations de la Pologne d'antan. Ici, Varsovie qui a le charme paisible d'une petite ville.

La Vistule — une artère vitale

Le commerce des céréales avec la Hollande apporta le bien-être et la fortune aux propriétaires terriens nobles de Pologne comme aux commerçants hollandais. De par leur importance, ces échanges ont été l'objet d'une attention particulière, mais il ne faudrait pas croire que la vie économique polonaise se limitait à cela.

Le commerce polonais ne naquit pas brusquement à la faveur de ces liens avec la Hollande. Avant même d'être acheminées vers les ports de la Baltique, les céréales avaient joué leur rôle en Europe centrale, et, à un stade précoce, les tissus polonais avaient eu une importance qui ne se limitait pas au plan local. Il ne faut pas non plus s'exagérer la part des grains exportés dans la production totale — un dizième tout au plus.

Malgré tout, cette part réservée au marché étranger pouvait avoir de lourdes conséquences si ceux qui produisaient directement les céréales se trouvaient au bord de la famine. Et quand bien même l'exportation de grains n'aurait pas eu d'incidence sur la subsistance des populations, elle entraînait des conséquences politiques et sociales pour tout le pays en permettant à un petit nombre d'en tirer tout le bénéfice.

A la fin du XVe siècle, on expédiait depuis Dantzig plus de 5 000 balles de grains représentant chacune 30 hectolitres, soit plus de deux tonnes. Au milieu du XVIe siècle, ce chiffre avait doublé, et il atteignit 118 000 en 1618 — une année record. En un peu plus de cent ans, les exportations avaient été multipliées par vingt. Elles stagnèrent ensuite, puis connurent un déclin marquant qui dura au moins jusqu'en 1750. Le cœur du commerce des céréales était Dantzig, et l'artère vitale la Vistule.

Dans la ville commerçante libre de Dantzig, allemande en tout hormis sa position géographique, 50 firmes hollandaises étaient représentées en 1650 et les îles Britanniques avaient sur place 20 agents, des Ecossais pour la plupart. Les céréales étaient stockées dans de gigantesques entrepôts, et le commerce de la cité ne ressemblait en rien à celui des villes somnolentes du reste de la Pologne.

En 1641, les céréales représentaient 70% de la valeur des exportations de Dantzig, tandis que 60% des importations consistaient en produits manufacturés et denrées coloniales. On retrouve là le schéma du sous-développement : vente de matières premières, achat d'objets fabriqués et de marchandises de luxe.

Les céréales, si importantes pour le commerce de Dantzig, étaient acheminés sur la Vistule. Avec son

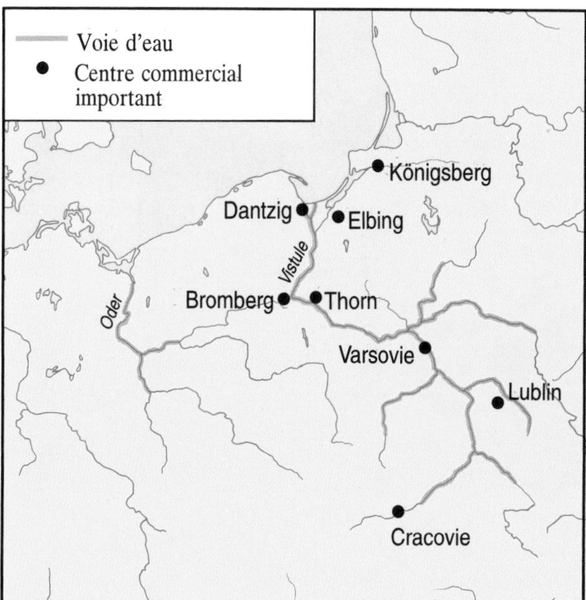

La Vistule et l'Oder furent d'importance capitale pour les exportations de céréales de la Pologne et du Brandebourg.

Le mariage du dieu de la mer, Neptune, avec Cérès, la déesse de la fertilité. Cette décoration du début du XVIIe siècle qui orne le plafond de l'hôtel de ville de Dantzig rappelle que la prospérité de la cité était dépendante de ces deux divinités.

système d'affluents richement ramifié, elle desservait de vastes territoires. Les innombrables trains de bois chargés de céréales qui dérivaient par flottaison vers Dantzig offraient certainement un spectacle pittoresque.

Les marchandises provenaient des grands et moyens domaines, et même, les bonnes années, des petites exploitations.

Les propriétaires qui ne disposaient que de terres relativement limitées et les surveillaient eux-mêmes tenaient particulièrement à s'occuper personnellement des livraisons. Cela leur permettait de gagner plus d'argent en évitant les intermédiaires.

Ceux qui s'en remettaient ainsi aux aléas du transport fluvial n'étaient pas uniquement mus par l'appât du gain. Cette expédition sur le fleuve offrait aussi à des propriétaires terriens isolés l'occasion de quitter leur campagne pour prendre le pouls de Dantzig, grande ville trépidante aux tentations multiples.

Le commerce des grains et les propriétaires terriens

Dans le domaine de la famille noble des Lubomirski, en Pologne méridionale, on a retrouvé toute une série de livres de comptes qui illustrent bien les problèmes liés à la culture des céréales. Ce vaste domaine englobait quelque 1 000 fermes paysannes. Les comptes révèlent à quel point les variations climatiques et les guerres pouvaient certaines années affecter les récoltes et donc les quantités exportables.

Au cours de la période 1663-1750, la pire année fut 1713 avec seulement 13 balles de céréales à l'exportation, et la meilleure 1729 avec plus de 500. Les livres de comptes reflètent aussi la tendance générale à la baisse au niveau national telle qu'elle ressort du volume des exportations de Dantzig. De 1614 à 1649, le domaine exporta en moyenne 533 balles par an ; de 1663 à 1750, 127.

Pour les producteurs, l'effet des mauvaises récoltes est en général compensé par l'augmentation des prix. On peut toutefois se demander si ce fut le cas pour les propriétaires terriens polonais. Les marchés sur lesquels ils écoulaient leurs marchandises étaient situés à grande distance, et les contrats d'achat étaient conclus bien avant qu'on pût

Suédois, Transylvaniens et Cosaques

Dans leur laconisme, ces notices insérées dans les livres de comptes d'un domaine seigneurial reflètent les réalités vécues au cours de trois périodes de guerre :

1654 : Logement de la cavalerie de la couronne et de régiments allemands ; pillage de la ville de Kanczuga et du village de Gać.
1655 : Logement de l'armée suédoise.
1656 : Réquisitions de la couronne, troupes de Suédois, de Transylvaniens et de Cosaques.
1657 : Réquisitions des Transylvaniens.
1708-1710 : Contributions militaires ; granges et dépôts brûlés ; la ville et les marchés paralysés.
1734-1735 : Mauvaises récoltes, déplacements de troupes, réquisitions.

La crise qui au XVIIe siècle frappa l'économie polonaise basée sur l'agriculture fut aggravée par une série d'invasions au milieu du siècle.

savoir ce qu'on récolterait en Pologne et quels seraient les cours en Europe occidentale.

Les changements de prix à long terme, en fonction de la demande à l'ouest, constituaient un facteur clé pour la rentabilité du commerce des céréales. Jusqu'au début du XVIIe siècle, cette demande ne cessa d'augmenter. Tous les propriétaires terriens et même les petits exploitants n'avaient aucun mal à écouler leurs produits.

Les problèmes surgirent ensuite quand la demande diminua du fait de la stagnation démographique et de la production croissante de céréales en Europe de l'Ouest. Les magnats, qui grâce à l'immensité de leurs domaines pouvaient garantir des livraisons sûres, furent les moins touchés. Et pour eux, manque à gagner ne signifiait pas nécessairement catastrophe économique. Les exploitations d'importance moyenne furent plus affectées par la crise, et leur part relative dans la répartition des terres diminua car beaucoup furent absorbées par des domaines plus grands.

Non seulement la demande baissa, mais un appauvrissement des terres put être constaté dans les régions centrales du pays vers 1600. Et deux grandes périodes de guerre au milieu du XVIIe siècle et au début du XVIIIe précipitèrent le déclin. Ces conflits n'eurent pas qu'un effet dévastateur sur le cheptel et les fruits de la terre, ils entraînèrent aussi une baisse marquante de population. Ce ne sont pas les terres qui manquaient après les guerres, mais des bras pour les cultiver. Rien n'avait été fait pour améliorer les méthodes agricoles, si bien que manque de main-d'œuvre était synonyme de ruine. Là encore, les propriétaires de domaines d'importance moyenne furent plus touchés que les magnats qui avaient un grand nombre de serfs à répartir entre leurs différentes exploitations.

La baisse de la demande de céréales, l'insuffisance de main-d'œuvre et l'appauvrissement des terres révélèrent combien il avait été imprudent, lors des bonnes années, de miser exclusivement sur l'exportation des grains. Et il n'était guère facile de changer ce modèle qui, pendant plus de cent ans, avait marqué de son empreinte l'organisation économique et sociale de la Pologne.

Les paysans, attachés à la glèbe, ne constituaient pas un réservoir de main-d'œuvre pour un artisanat rural de quelque importance. Par ailleurs, il n'y avait guère de classe moyenne où auraient pu se recruter des entrepreneurs dans un système de commandite. Et avec des paysans misérables et des propriétaires terriens visant à l'autarcie, il n'y avait pas de bases solides pour un marché.

Le commerce des grains et le servage

Le rôle dominant du commerce des céréales dans plusieurs régions vitales de la Pologne a-t-il contribué à l'instauration du servage, et dans quelle mesure ?

Au Moyen Age, les paysans d'Europe de l'Est, en tant que colons et pionniers, avaient souvent joui d'une liberté plus grande que celle de leurs homologues à l'ouest. Alors que leur statut juridique et leur liberté personnelle se confirmaient, les paysans polonais connurent une dépendance sans cesse accrue.

En Pologne, le problème résidait non dans le manque de surfaces cultivables mais dans la pénurie de main-d'œuvre. Les grandes plaines offraient apparemment un réservoir inépuisable de terres vierges sur lesquelles des paysans libres pouvaient fonder des communautés comme les sociétés de cosaques.

Lorsque les propriétaires terriens exigeaient des redevances trop élevées, les paysans étaient tentés de se réfugier sur ces terres qui n'étaient soumises à aucune autorité seigneuriale. Il n'existait donc aucun moyen de pression économique pour attacher les paysans à un domaine. Il restait aux propriétaires à utiliser la contrainte physique, et celle-ci fut légalisée. Tous les propriétaires, grands ou petits, approuvèrent cette législation, et ils disposaient au *sejm* et dans les assemblées provinciales de moyens politiques pour la rendre effective.

Le servage fut conditionné par la topographie du pays, son extension et sa population clairsemée. Le commerce des céréales ne fit que renforcer des tendances déjà existantes. Pour assurer leurs bénéfices à l'exportation, les propriétaires terriens accentuèrent la pression sur les paysans. Ils exigèrent plus de travail de leur part et empiétèrent même sur des terres jusqu'alors réservées à leur pro-

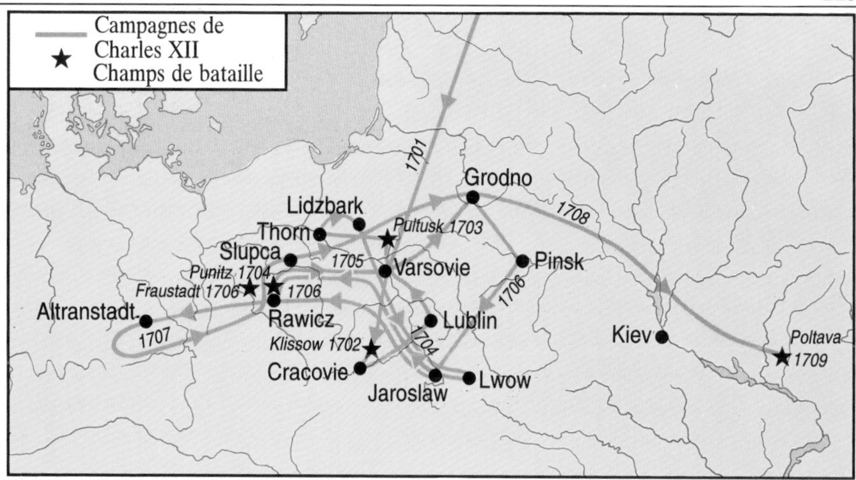

Au début du XVIIIe siècle, les campagnes dévastatrices de Charles XII dans toute la Pologne contribuèrent à miner les fondements de l'indépendance du pays.

Avec sa facade de 120 mètres de long, Sukiennice, la maison des marchands de vêtements à Cracovie, rappelle que l'économie polonaise n'avait pas toujours été étroitement dépendante des exportations de céréales vers l'Europe de l'Ouest.

La vieille ville royale de Cracovie au XVIIe siècle. On aperçoit le château et la cathédrale sur la colline de Wavel.

pre subsistance. Le désir de fuite augmenta, et partant le besoin de moyens de coercition. Ouverte ou larvée, toute résistance devait être combattue et écrasée. L'assujettissement des paysans aux propriétaires devint une fin en soi, même si un tel objectif ne pouvait être atteint en totalité.

Il semble que les petits propriétaires terriens aient contribué le plus activement à la détérioration de la condition paysanne. En règle générale, ils contrôlaient directement la gestion et l'économie de leurs domaines, ce qui les rendaient plus réceptifs aux menaces. Les bonnes années, ils tiraient plus de profits que les magnats à exploiter rationnellement leurs paysans, et les mauvaises, cela les aidait à éviter la ruine.

Le ver dans le fruit

Contrairement aux pays environnants, la Pologne ne procéda jamais à la centralisation qui lui aurait permis d'éviter l'anéantissement. Cet écart marquant par rapport à la norme européenne demeure difficile à expliquer, et à ce jour, les chercheurs ne sont pas parvenus à rassembler tous les morceaux de ce puzzle historique. Bien des zones d'ombre subsistent.

Les tendances centralisatrices qui existaient en Pologne étaient liées, comme partout ailleurs, à l'ambition politique des souverains. Et ceux-ci ne manquaient pas de ressources. Les terres de la Couronne, dans la mesure où elles n'avaient pas été données en fief, constituaient une source de revenus, et les souverains tiraient du prestige de leurs succès à la guerre. Mais une faiblesse rédhibitoire résidait sans nul doute dans le système électif.

Le *sejm* s'opposa à toute tentative de modification constitutionnelle qui aurait permis d'élire un nouveau roi du vivant de celui qui régnait. Ce manque de continuité dissuada les groupes sociaux politiquement mécontents de miser sur le pouvoir royal.

Et si l'on cherche quels étaient ces mécontents susceptibles de faire changer la politique, l'on s'aperçoit qu'ils n'existaient qu'au sein de l'aristocratie. La bourgeoisie était insignifiante, et, quand bien même les paysans auraient eu une influence politique, il n'était guère pensable qu'ils soient les alliés du monarque.

Il restait donc au roi à tâcher d'exploiter les dissensions parmi les nobles. Et il existait effectivement une polarisation entre les magnats et le reste de la noblesse. Cela ressort du combat pour l'égalité dont le *sejm* fut le théâtre, avec notamment l'interdiction d'introduire des titres nobiliaires marquant une différence — de type baron ou comte en Europe occidentale. Le succès de cette orientation égalitaire s'explique par le fait que les propriétaires d'exploitations moyennes pouvaient par leur nombre faire pièce à la puissance et à la richesse des magnats. Quand la conjoncture provoqua le déclin du commerce des céréales,

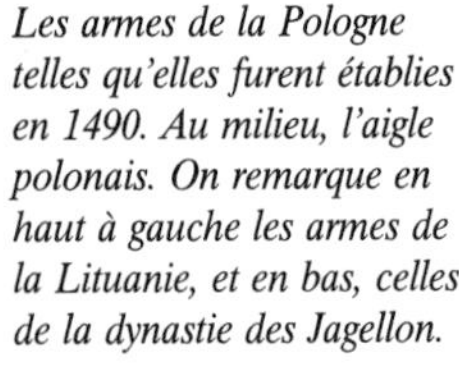

Les armes de la Pologne telles qu'elles furent établies en 1490. Au milieu, l'aigle polonais. On remarque en haut à gauche les armes de la Lituanie, et en bas, celles de la dynastie des Jagellon.

beaucoup de ceux qui avaient remporté ce succès politique tombèrent sous la coupe des magnats.

Mais, quels que fussent les conflits et les rapports de force au sein de la noblesse, celle-ci était cimentée par le refus de tout transfert de pouvoir à une administration centrale placée sous l'autorité du roi. L'idée que l'aristocrate était l'égal du roi était concrètement illustrée par le mode de vie des magnats avec leurs cours princières et leurs importantes suites. Mais au cours du XVIe siècle, elle se trouva aussi renforcée dans la noblesse moyenne du fait de son influence politique et de sa prospérité économique due au commerce des céréales. Les idéaux aristocratiques incluaient également la liberté en version spécifiquement polonaise, avec droit de veto et confédérations. Dans cet univers de pensée, il n'y avait pas place pour une autorité supérieure. Et au XVIe siècle, il existait un substrat matériel à ces idéaux, y compris pour la moyenne noblesse. Quand ce substrat s'effrita, les habitudes mentales étaient si ancrées qu'il n'était guère possible de changer de modèle. Les aristocrates en proie au marasme cherchèrent appui auprès des magnats, non auprès du roi. C'était une manière de sauver en apparence la liberté de la noblesse.

Apparence encore que le maintien de la cavalerie noble à une époque où la nécessité d'une armée moderne se faisait clairement sentir. Mais toute réforme en ce sens aurait démythifié la vieille représentation selon laquelle la noblesse était le seul ordre guerrier. Elle aurait aussi diminué l'importance politique des confédérations et donné au roi une possibilité d'affermir son pouvoir.

Aussi la Pologne se trouva-t-elle de plus en plus désarmée face à des voisins agressifs. On a caractérisé ce pays comme l'enfer des paysans, le purgatoire des bourgeois et le paradis des nobles. Mais dans le concert international, l'agneau et le loup ne pouvaient paisiblement cohabiter, et c'était là le point faible de ce paradis.

Disons en conclusion, hors de toute accusation anachronique de manque de patriotisme, que la noblesse polonaise se préoccupa plus de ses propres intérêts que de ceux du royaume.

Une caricature de l'époque sur le partage de la Pologne. Les personnages autour de la carte sont Catherine de Russie, Stanislas II de Pologne, Joseph II d'Autriche et Frédéric II de Prusse.

Saint Stanislas, évêque de Cracovie assassiné en 1079, est le saint patron de la Pologne. Ce reliquaire du XVIe siècle qui se trouve dans la cathédrale Wavel contient son bras.

La Prusse des Junkers

A propos de la Prusse du XVIIIe siècle, l'historien Hans Rosenberg a parlé d'« un royaume de troisième ordre doté d'une armée de premier ordre ». Les contemporains n'ont pas été plus tendres : « la Prusse n'est pas un royaume avec une armée mais une armée avec un royaume ». On a aussi évoqué une sablonnière d'Europe centrale, aussi inhospitalière pour les êtres humains que pour les plantes cultivées hormis la pomme de terre. Les connotations négatives que beaucoup associent aux mots Prusse et prussien sont souvent liées à la dynastie des Hohenzollern et aux hobereaux locaux, les junkers. La mauvaise réputation des Hohenzollern est largement le fruit de la propagande alliée au cours de la Première Guerre mondiale. Et l'image des junkers doit beaucoup aux libéraux allemands du XIXe siècle, leurs adversaires politiques.

Erich von Stroheim (1885-1957) était autrichien, mais pour le grand public, il apparut dans de nombreux films comme l'incarnation même du junker prussien.

Le noyau primitif du royaume de Prusse, qui ne reçut officiellement ce nom qu'à la fin du XVIIIe siècle, était l'électorat de Brandebourg, situé pour l'essentiel entre l'Elbe et la frontière occidentale de la Pologne. Au nord du Brandebourg, vers les côtes de la Baltique, s'étendait la Poméranie. La dynastie des Hohenzollern en hérita au XVIIe siècle, mais, du fait des circonstances internationales, elle ne put l'incorporer définitivement à ses territoires qu'en 1815. Duché depuis 1525, la Prusse orientale était séparée du Brandebourg par la Prusse occidentale polonaise. Le titre de duc appartenait à une branche des Hohenzollern qui était vassale du roi de Pologne. En 1618, ce titre échut à l'électeur de Brandebourg qui au milieu du siècle parvint à s'affranchir de la suzeraineté du souverain polonais. A partir de 1701, l'électeur brandebourgeois put se dire roi en Prusse, mais non roi de Prusse, ce qui eût été contraire aux convenances dans le royaume allemand.

Territoires principaux des Hohenzollern, le Brandebourg et la Prusse orientale connurent une évolution analogue dans les domaines économique, social et, dans une certaine mesure, politique. A l'ouest, vers le Rhin, les Hohenzollern disposaient de régions plus petites, acquises pour l'essentiel au XVIIe siècle, et qui, géographiquement, économiquement et socialement, appartenaient à l'Europe occidentale.

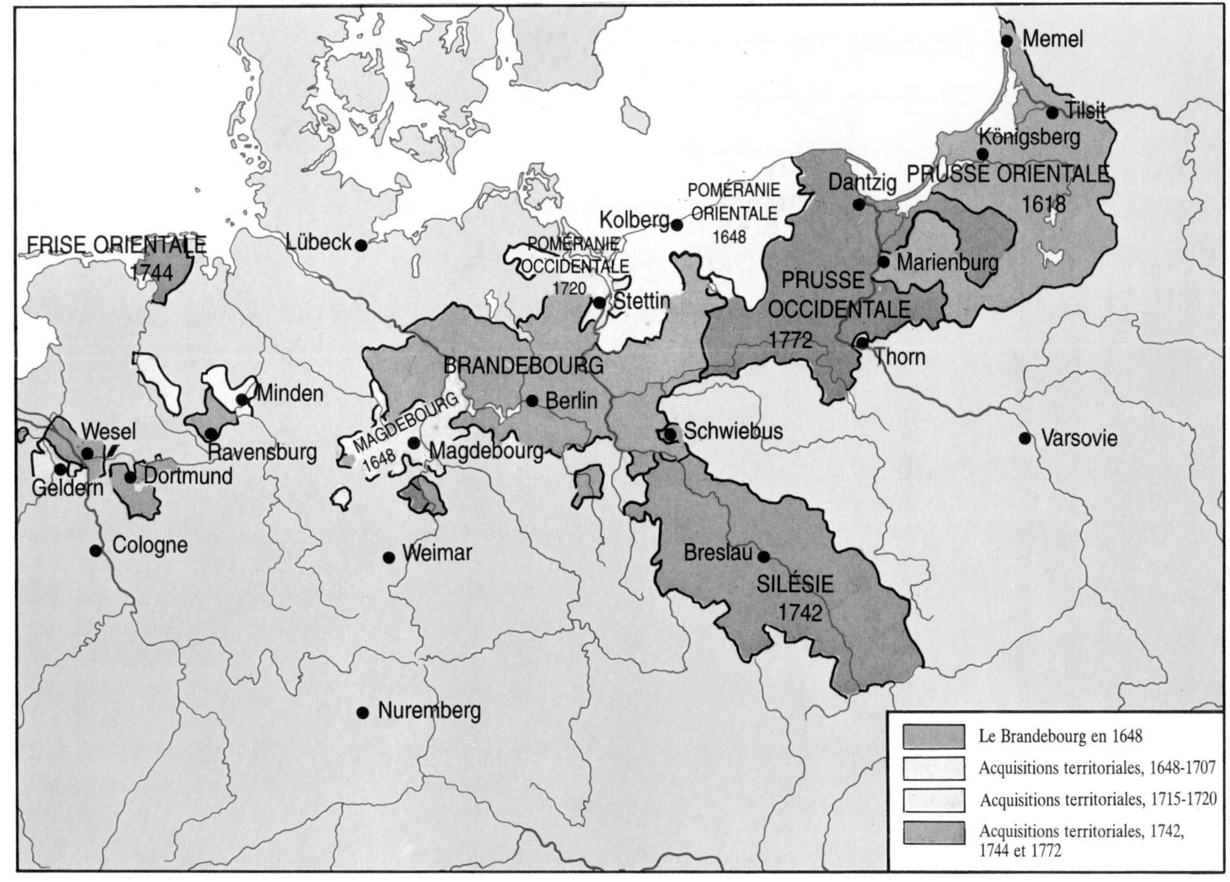

Comment l'Electorat de Brandebourg est devenu une grande puissance, la Prusse — 1648-1772.

Vers l'absolutisme

Au sein de l'empire allemand, médiéval à bien des égards, le fait qu'une famille princière fût le seul lien entre des territoires complètement distincts n'avait rien d'exceptionnel, et les aspirations dynastiques demeurèrent longtemps un puissant mobile politique, même dans des régions plus avancées que l'Europe centrale. C'est essentiellement dans les provinces de l'Est — le Brandebourg et la Prusse orientale — que se développa la variante prussienne de l'absolutisme dans la deuxième moitié du XVIIe siècle.

L'instauration de l'absolutisme fut un phénomène compliqué qu'on peut schématiquement ramener à trois phases. Au cours de la première, qui se situa pour l'essentiel au XVe siècle, les propriétaires terriens, les futurs junkers, conquérirent le droit de souveraineté sur leurs paysans. Au XVIe siècle, lors de la seconde phase, cette souverai-

C'est à Königsberg, ville de Prusse orientale située hors des limites de l'Empire allemand, que l'Electeur du Brandebourg devint en 1701 roi de Prusse. Pour commémorer la fête du couronnement, J. G. Wolfgang (1664-1744) a exécuté cette gravure sur cuivre.

Liste des souverains

1619-1640 Georges-Guillaume
1640-1688 Frédéric-Guillaume, le Grand Electeur
1688-1713 Frédéric I, roi de Prusse à partir de 1701
1713-1740 Frédéric-Guillaume I, le Roi soldat
1740-1786 Frédéric II, le Grand

S'il fallait sauver de l'oubli quelque caractéristique des Electeurs de la famille Hohenzollern avant 1600, ce pourrait être les prénoms de quelques-uns d'entre eux à partir de la fin du XVe siècle. Les Electeurs Albert, Jean ainsi que deux appelés Joachim avaient respectivement pour second prénom Achille, Cicéron, Nestor et Hector.

neté leur permit de fonder l'exploitation de leurs terres sur la corvée légale, et ils en vinrent à dominer économiquement toute la société. Quant à la troisième phase, elle fut marquée par une centralisation du pouvoir administratif et politique opérée par la dynastie régnante, en échange de quoi les junkers obtinrent la garantie d'être maîtres chez eux.

Le point de départ de cette évolution se situe au XIVe siècle. Les conditions initiales n'étaient guère favorables. Si la Prusse et la majeure partie du Brandebourg étaient sources de revenus pour les princes et l'aristocratie, c'était grâce à la colonisation paysanne. Afin d'exploiter les terres incultes, il avait fallu attirer les paysans avec des promesses de liberté et d'autonomie exceptionnellement étendues pour l'époque. Les droits accordés aux colonisateurs allemands valurent aussi dans une proportion non négligeable pour la population rurale autochtone.

Au milieu du XIVe siècle, les paysans étaient loin de crouler sous les redevances, et la corvée, dans la mesure où elle était exigée, se limitait à quelques jours par an.

Jusqu'à la Deuxième Guerre mondiale, le château de l'ordre des chevaliers se dressa à Königsberg comme le symbole de leur prétention à diriger la Prusse orientale.

Protégée par des associations de villes comme la Hanse, les cités avaient aussi acquis libertés et influence.

Vers 1350, les domaines agricoles exploités par la noblesse demeuraient de dimension modeste. La grandeur moyenne de ceux du Brandebourg variait entre trois et neuf *Hufen* — par « Hufe », on désignait la superficie permettant à une famille paysanne de vivre. A côté des terres seigneuriales, il y avait les fermes paysannes soumises à redevance au seigneur ou au prince.

L'anarchie de la crise agraire

En 1415, le Brandebourg échut en tant que fief aux Hohenzollern. Leurs prédécesseurs immédiats, les Wittelsbach et les Luxemburg, avaient été mêlés à la lutte pour le titre d'empereur d'Allemagne. A leurs yeux, le Brandebourg n'avait guère été qu'une source de financement pour leur politique. Les électeurs de la famille Hohenzollern qui ne nourrissaient pas d'ambitions politiques aussi larges manifestèrent peu d'intérêt pour le Brandebourg, ce qui ressort du fait qu'aucun d'entre eux ne s'y établit à demeure avant la fin du XVe siècle.

La situation initiale était différente en Prusse orientale. Elle constituait une partie de l'ordre Teutonique, et les chevaliers de l'ordre avaient la volonté et les moyens militaires d'imposer un gouvernement centralisé. Mais au XVe siècle, l'affaiblissement de l'ordre Teutonique harcelé par la Pologne-Lituanie entraîna des conséquences sur le plan intérieur. La position du pouvoir central par rapport à divers potentats locaux finit par se rapprocher de plus en plus du modèle brandebourgeois.

Au cours du XIVe siècle, les deux territoires furent frappés par la crise agraire qui sévissait dans toute l'Europe. Les nobles qui possédaient un château fort furent les mieux armés pour survivre. Depuis leur retraite, ils pouvaient lancer des expéditions de pillage ayant pour cibles paysans, villes, commerçants, nobles sans forteresse — voire leurs homologues. Même si beaucoup d'entre eux sombrèrent dans cette âpre lutte pour la vie, les châtelains conquirent une position dominante dans la société. Ils étaient aussi peu disposés à renoncer aux revenus de leur juridiction qu'au butin de leurs raids, et ils eurent tendance à empiéter tant sur la souveraineté du prince que sur les tribunaux populaires.

Du fait des ravages causés par le dépeuplement, les propriétaires terriens se trouvèrent à la tête de nombreuses terres en friche, improductives en temps de dépression, mais qui n'attendaient que d'être exploitées et mises en valeur, ce qui allait être le cas au XVIe siècle, économiquement favorable.

La crise ainsi que la concurrence des Hollandais et des Anglais frappèrent durement les villes hanséatiques des côtes de la Baltique, jadis si prospères. Ce déclin entraîna un affaiblissement du soutien aux associations de villes brandebourgeoises, plus modestes, qui étaient extrêmement dépendantes de cette aide.

Le prince s'employa le premier à mettre les villes au pas. Il disposait de l'appui des junkers, désireux d'acquérir les terres des cités et d'affaiblir un concurrent politique.

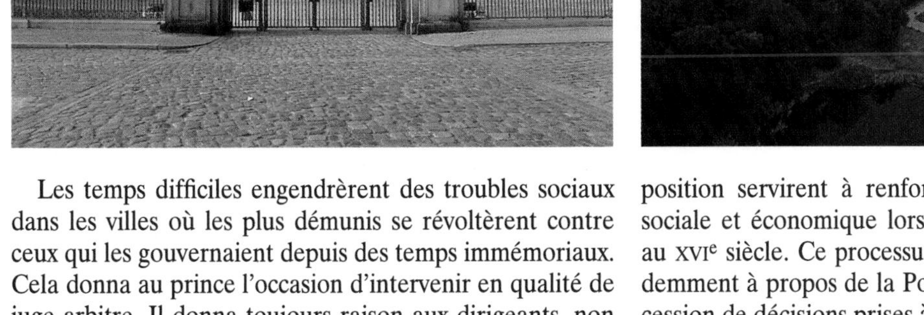

Deux vues du château de Charlottenburg à Berlin dont la partie centrale fut construite à la fin du XVIIe siècle et les ailes au XVIIIe.

Les temps difficiles engendrèrent des troubles sociaux dans les villes où les plus démunis se révoltèrent contre ceux qui les gouvernaient depuis des temps immémoriaux. Cela donna au prince l'occasion d'intervenir en qualité de juge arbitre. Il donna toujours raison aux dirigeants, non sans se faire rétribuer sous forme d'impôts ou d'influence accrue.

Il était également possible de s'en prendre plus directement aux privilèges des villes. En 1448, un différend entre la ville de Berlin et l'électeur fut tranché en faveur de celui-ci par une cour composée de trois prêtres, deux nobles et quatre bourgeois. Il en coûta à la ville son autonomie et ses privilèges de commerce, et aux riches bourgeois leur fortune. Berlin fut définitivement soumise quand elle quitta la Hanse en 1452. Les autres cités suivirent le même chemin, et, en 1525, aucune des villes du Brandebourg n'appartenait plus à la ligue.

Le déclin des villes eut des répercussions sur les assemblées des états avec lesquelles le prince, depuis le Moyen Age, devait négocier. La noblesse en vint à dominer complètement ces diètes. On le voit par exemple à une série de décisions instituant au profit du prince un impôt sur la fabrication de la bière. Cette mesure touchait les brasseries des villes, non les propriétaires terriens qui, eux, continuaient à brasser leur bière sans être soumis à impôt.

Cette domination de la noblesse à la diète priva les paysans du soutien qu'une bourgeoisie forte aurait pu leur apporter en défendant ses propres intérêts.

Les chevaliers pillards deviennent des agriculteurs modèles

L'anarchie du XVe siècle avait permis l'émergence d'une classe de junkers disposant de vastes terres. Politiquement dominants à la diète, ils étaient indépendants du prince et exerçaient un contrôle croissant sur les paysans de leur domaine en vertu de leurs prérogatives judiciaires.

A l'époque de la colonisation, les propriétaires terriens tiraient la majeure partie de leurs revenus des redevances sur les terres acquittées par les paysans, même si celles-ci n'étaient pas très importantes. Au siècle de la crise, ils durent diriger eux-mêmes l'exploitation agricole.

Les diverses dispositions qu'avaient dû prendre les propriétaires terriens pour maintenir tant bien que mal leur position servirent à renforcer leur puissance politique, sociale et économique lorsque la conjoncture s'améliora au XVIe siècle. Ce processus rappelle celui évoqué précédemment à propos de la Pologne du XVIe siècle. Une succession de décisions prises à la diète limitèrent les libertés des paysans, et ceux-ci sombrèrent de plus en plus dans le servage. Ils furent attachés à la glèbe, leur famille tout entière fut soumise à l'obligation de travailler, le nombre des journées de corvée augmenta considérablement ; les propriétaires obtinrent le droit d'expulser qui bon leur semblait et les paysans furent livrés à l'organisation judiciaire du domaine.

Ces transformations se heurtèrent à des résistances. La guerre allemande des paysans, en liaison avec la Réforme, eut aussi un enjeu social. Mais les révoltes n'entraînèrent pas d'amélioration de la condition paysanne. Lorsque les junkers du Brandebourg firent porter le fardeau des impôts aux habitants des villes, c'était moins pour protéger leurs paysans que par souci de les pressurer eux-mêmes au maximum.

Règlement de comptes avec des paysans révoltés au cours de la Guerre des paysans. Tract de l'époque.

En 1630, le débarquement de Gustave II Adolphe en terre allemande bouleversa la vie paisible des junkers. Ce tableau a été exécuté dans les années 1670 d'après une gravure sur cuivre.

Les propriétaires terriens ne prirent pas seulement possession du marché des matières premières, ils privèrent aussi, comme en Pologne, les commerçants autochtones de leur rôle d'intermédiaire. Dans le Brandebourg et la Prusse, ce processus semble s'être heurté à plus d'obstacles qu'en terre polonaise, mais le résultat fut le même. Les junkers prirent directement contact avec les commerçants étrangers et veillèrent aussi à ce que les paysans qui d'aventure disposaient d'un excédent ne puissent le vendre que par leur intermédiaire.

On relève cependant une différence entre les junkers et la noblesse polonaise. Celle-ci, formellement du moins, gardait son statut de caste guerrière. Au XVIe siècle, la noblesse prussienne et brandebourgeoise avait une allure plus pacifique. La bonne conjoncture économique et l'absence de conflits intérieurs ou extérieurs transformèrent les pillards d'antan en partisans de la loi et de l'ordre. Ils devinrent ainsi des exploitants agricoles organisés qui, grâce aux structures qu'ils avaient eux-mêmes mises en place au temps de la crise, furent en mesure de tirer le plus grand profit possible du commerce des céréales.

De paisibles voyageurs sont attaqués par des maraudeurs. Une des nombreuses plaies qui caractérisèrent l'époque de la guerre de Trente Ans. Peinture de Sébastien Vrancx (1573-1647).

Le recès de 1653

Dans ce paradis des hobereaux caractérisé par une économie prospère, des paysans soumis, des villes mises au pas et un prince qui n'était guère que le premier des junkers, la baisse de la demande au XVIIe siècle et la guerre de Trente Ans revêtirent des allures d'apocalypse.

Ces paisibles junkers qui selon Gustave II Adolphe ne demandaient qu'à boire tranquillement leur bière et leur électeur sans armée assistèrent impuissants à l'occupation du Brandebourg, tantôt par des troupes suédoises, tantôt par des forces impériales, pendant la majeure partie de la guerre. Les revenus fonciers baissèrent de manière catastrophique lorsqu'il fallut entretenir les troupes étrangères.

A l'issue du conflit, la Suède, en compensation de ses frais de guerre, obtint en 1648 la meilleure partie de l'héritage poméranien des Hohenzollern. Le Brandebourg dut se contenter jusqu'à nouvel ordre des plaines sablonneuses situées à l'est de l'Oder.

La période 1618-48 rappela cruellement aux junkers qu'ils n'étaient pas seuls au monde, et au prince qu'une forte armée était nécessaire. Les hobereaux, politiquement dominants dans les organes qui pouvaient décider du financement de forces militaires permanentes, furent confrontés à un dilemme. Ils ne souhaitaient évidemment pas que l'occupation se répète, mais ils estimaient à juste titre qu'un armée aux mains du prince constituerait une menace contre leur propre position. Sur le plan politique, ils avaient le droit de participer aux négociations fiscales, de nommer les collecteurs d'impôts et le personnel ecclésiastique, et ils étaient également associés aux décisions concernant les questions militaires et la politique étrangère.

Après la guerre de Trente Ans, les états et Frédéric-Guillaume (1640-88), dit le Grand Electeur, étaient largement d'accord sur la nécessité d'une armée, mais il restait à déterminer comment elle serait financée et contrôlée.

Auréolé de ses succès diplomatiques à la fin de la guerre et lors des négociations de paix, Frédéric-Guillaume affronta les états parlementaires du Brandebourg. Après plusieurs années de négociations, un accord, le recès de 1653, fut enfin scellé. La diète avait réussi à éviter un impôt permanent que l'électeur aurait pu percevoir sans nouvelle consultation des états, mais elle lui avait accordé une somme de 530 000 thalers qui serait payable en six ans. En échange, les états avaient reçu la promesse qu'ils conserveraient leur influence en matière de politique intérieure et étrangère — promesse qui allait se révéler bien fallacieuse.

Les junkers avaient-ils laché la proie pour l'ombre ? Ce recès avait pour eux le grand avantage de confirmer et d'élargir leur puissance locale et leur souveraineté sur les paysans avec droit de les juger, de les emprisonner, de les expulser et d'acheter leur terre, tandis qu'aucun roturier ne pouvait acquérir des terres seigneuriales. En outre, les aristocrates étaient exempts d'impôts pour leurs exportations comme pour leurs importations à usage personnel.

Le servage s'étendit à tous les paysans qui ne pouvaient prouver leur statut d'hommes libres. Ainsi s'accrut le nombre de ceux qui étaient attachés à la glèbe mais pouvaient être déplacés sur ordre du propriétaire terrien, celui-ci décidant de l'ampleur de la corvée en fonction de ses besoins. Bref, le pacte de 1653 apportait aussi son lot d'avantages aux junkers.

Le « Grand Electeur »

L'armée que Frédéric-Guillaume put mettre sur pied grâce aux subventions accordées répondait aux idéaux princiers du XVIIe siècle — susciter le respect à l'étranger, permettre l'absolutisme à l'intérieur.

Dès la guerre suédo-polonaise de 1655-60, les troupes brandebourgeoises reçurent le baptême du feu. Elles se

Avec le Grand Electeur Frédéric-Guillaume (1640-88), le Brandebourg et la Prusse amorcèrent leur marche vers la grande puissance. On le voit ici avec un élégant chapeau en compagnie de son épouse et de sa mère.

Frédéric-Guillaume à Stralsund en 1678. Trois ans auparavant, l'armée brandebourgeoises, à la surprise générale, avait remporté sur les Suédois la victoire de Fehrbellin.

battirent d'abord aux côtés des Suédois pour libérer la Prusse orientale de sa fâcheuse vassalité à l'égard de la Pologne. Puis elles se tournèrent contre leurs alliés pour accroître la partie poméranienne du Brandebourg aux dépens de la Suède. Le premier objectif fut atteint, non le second.

Au cours de la guerre franco-hollandaise de 1672 à 1679, Frédéric-Guillaume trouva le moyen de changer deux fois de camp. En distribuant cyniquement ses grâces, l'électeur pouvait obtenir des subsides de la plupart des belligérants et faire monter les enchères pour une participation brandebourgeoise sans exposer outre mesure la vie de ses hommes dans des engagements directs.

Certes, ceux-ci vainquirent les Suédois à Fehrbellin en 1675, mais ce fut plus une escarmouche qu'une véritable bataille, même si elle porta un dur coup à la réputation d'invincibilité des armées suédoises et augmenta le prestige — et la cote — des troupes de l'électeur.

Les forces militaires que Frédéric-Guillaume pouvait faire intervenir dans les conflits entre grandes puissances n'étaient pas considérables. En 1653, l'armée initiale se composait d'à peine 2 000 hommes, mais elle en comptait 22 000 dès 1656, puis 45 000 en période de guerre. En 1680, les effectifs s'élevaient à 30 000 soldats. Par rapport à la population des territoires des Hohenzollern — quelque 1 500 000 personnes — c'était une grande armée, et compte tenu des ressources économiques, carrément gigantesque.

Pour entretenir de telles troupes, il fallait se servir des lois et des droits existants sans la moindre faiblesse. D'ailleurs, il n'était pas nécessaire de s'embarrasser de scrupules puisque ces forces militaires constituaient un argument ultime contre l'opposition. L'insertion de la Prusse orientale dans l'appareil brandebourgeois montra à quel point l'armée était un instrument efficace. Jusqu'en 1660, la Prusse orientale avait pu jouer le roi de Pologne, son suzerain, contre le duc électeur, ce qui lui avait permis de conserver beaucoup de droits que le Brandebourg avait perdus.

Ainsi, la bourgeoisie de Königsberg, la seule ville

importante de la Prusse orientale, avait défendu avec succès ses vieux privilèges. En 1674, la ville fut conquise par les militaires, et les états de la province furent mis au pas. C'est dans les provinces les plus occidentales, Mark et Cleves, que la politique de Frédéric-Guillaume eut le moins de succès.

Arguant de la situation internationale, l'électeur négligea ses promesses de 1653 quant à l'influence politique des états. Les impôts furent fixés et collectés sans leur concours. Une bureaucratie centrale se développa pour administrer la fiscalité. Les propriétaires fonciers nobles virent leur influence sur le pouvoir central rétrécir comme une peau de chagrin.

Pourtant, la politique suivie n'était pas anti-aristocratique. Les junkers qui le voulaient pouvaient trouver place aussi bien dans l'armée que dans l'administration centrale. Et ils conservaient leur pouvoir sur les paysans et leur influence locale. Les campagnes étaient favorisées puisqu'elles payaient moins d'impôts que les villes. Aussi les junkers n'étaient-ils nullement démoralisés. Une éventuelle opposition à la centralisation ne pouvait se développer sur un front uni.

A sa mort survenue en 1688, Frédéric-Guillaume laissait une armée permanente, et il avait jeté les bases d'une bureaucratie centralisée. Lorsque dans les années 1670 le Commissariat général à la guerre, d'origine plus ancienne, devint le centre de l'administration, l'Etat bureaucratico-militaire des Hohenzollern prit sérieusement forme. Les recettes de la Couronne, qui avaient triplé sous le gouvernement de Frédéric-Guillaume, allèrent alimenter une caisse générale de la guerre.

Le roi soldat

Le travail d'organisation de Frédéric-Guillaume fut repris par son petit-fils et homonyme. Mais entre-temps, il y eut la parenthèse du gouvernement de Frédéric I (1688-1713). Celui-ci, bien pâle en comparaison de son prédécesseur et de son successeur, eut toutefois le mérite de conquérir le titre de roi. A l'approche de la guerre de Succession d'Espagne, l'empereur dut le lui accorder en 1700 pour s'assurer le soutien du Brandebourg.

Le « roi-soldat », Frédéric-Guillaume Ier (1713-40), serre la main d'Auguste de Saxe, roi de Pologne (1697-1733), qui est nettement plus grand que lui. Peinture de Louis de Silvestres (1675-1760).

Le premier roi de la dynastie des Hohenzollern, Frédéric Ier (1701-13), électeur depuis 1688. Portrait de F. W. Weidenmann.

Avec Louis XIV comme modèle, Frédéric Ier encouragea la culture, fit construire des châteaux et laissa aussi l'Etat endetté à sa mort. Son fils Frédéric-Guillaume Ier (1713-40) — le roi soldat ou roi sergent — fut d'une autre trempe. Quand il monta sur le trône, l'armée comptait 40 000 hommes ; à sa mort, elle avait doublé.

Un tel résultat supposait une gestion optimale des ressources. Un premier moyen consista à rogner les dépenses sur tout, sauf sur l'armée. Les émoluements de la cour passèrent de près de 160 000 thalers à deux ou trois mille seulement. La reine mère n'eut à son service qu'un valet et une femme de chambre, et les ministres qui avaient reçu des subventions pour un équipage de 30 chevaux durent se contenter de six. En outre, des emplois que le roi jugeait inutiles furent supprimés, et ceux qui subsistèrent furent moins bien rétribués. Mais le roi donna le bon exemple. Il fit vendre ou louer 17 des 22 châteaux de son père. Celui de Berlin s'avéra utile pour loger divers services administratifs.

Quand Frédéric-Guillaume Ier mourut en 1740, les revenus annuels de l'Etat, sept millions de thalers, avaient plus que doublé depuis 1688 — et pourtant, le Grand Electeur, de son temps, les avait fait tripler. Loin de laisser des dettes après lui, Frédéric-Guillaume, à la différence de la plupart des autres princes européens de l'époque, légua une coquette somme entreposée dans les caves du château de Berlin.

Les tableaux historiques d'Adolf von Menzel ont largement façonné notre image de la Prusse du XVIIIe siècle. Sur cette lithographie qui illustre une visite de Frédéric-Guillaume Ier dans une école rurale, le souverain apparaît comme le père de la patrie, sévère mais juste.

Ces excellents résultats ne dépendaient certes pas que des économies réalisées sur les salaires et le fourrage, pas plus que d'un essor économique qui se serait étendu à toute la société — la politique économique était trop étroitement réglée sur les besoins des finances de l'Etat, et le fardeau fiscal trop lourd. Il est vrai que l'Etat intervint aussi bien comme entrepreneur que comme acheteur de tissus et de produits métallurgiques pour les besoins de l'armée, mais la principale raison de la prospérité des finances de l'Etat est à chercher dans l'utilisation plus efficace des ressources existantes que permit la centralisation.

L'administration

Dans les années 1650, la personne de l'électeur, son conseil et son armée constituaient les trois institutions centrales de la Prusse et du Brandebourg. Les propriétaires terriens, qui jouaient un rôle dominant dans les vieilles assemblée provinciales, disposaient d'une large autonomie en matière d'administration régionale et locale.

Une grande partie des revenus de la Couronne provenait de ses propres domaines qui représentaient à peu près le tiers des terres cultivées. Ils étaient exploités soit par des personnes privées acquittant une redevance, soit par la Couronne elle-même.

Il était tentant pour un prince visant à l'absolutisme de court-circuiter les institutions dominées par les junkers en plaçant directement les terres de la Couronne sous une autorité centrale. Aussi un *Hofkammer* fut-il créé à Berlin, qui coordonnait les administrations des domaines de provinces, celles-ci contrôlant à leur tour la collecte des impôts au plan local.

En matière fiscale, un *Generalkriegskommissariat.* fut institué au sommet. Au niveau régional fonctionnaient les commissariats à la guerre qui avaient des représentants locaux dans les conseils des impôts et les conseils provinciaux. Les premiers étaient responsables de l'accise, la taxe sur le chiffre d'affaires imposée aux villes. Les seconds exerçaient leurs prérogatives en milieu rural et percevaient la contribution paysanne.

Dans les campagnes, les junkers gardèrent leur influence sur le fonctionnement du système fiscal. Certes, le pouvoir central devait approuver la nomination des membres des conseils provinciaux, mais ils étaient élus par les familles locales de propriétaires terriens et issus de leurs rangs.

Frédéric-Guillaume Ier disposa donc de deux administrations organisés verticalement, l'une pour les domaines et l'autre pour les impôts. Il y eut entre elles des luttes de prestige et des querelles de compétence, tout comme entre les conseils en place dans les régions. Pour y remédier, les deux collèges centraux furent réunis en un seul, présidé par le roi. Cette nouvelle instance reçut le nom pompeux de *General-Ober-Finanz-Kriegs-und-Domainen-Direktorium*.

A la fin du règne de Frédéric-Guillaume Ier, des tentatives furent faites pour réformer la justice, domaine dans lequel les junkers conservaient encore une partie de leurs anciennes prérogatives. Les efforts portèrent sur la mise en place d'une Cour suprême, l'uniformisation des procédures judiciaires — ce qui exigeait une formation juridi-

Le règlement

Le roi rédigea lui-même le règlement du *General-Ober-Finanz-Kriegs-und Domainen-Direktorium* appelé en abrégé *Generaldirektorium.*

« Article II.

§ 17. Les réunions du Directoire Général commencent à 7 heures du matin en été, à 8 heures en hiver.

§ 19. Si les ministres peuvent mener à bonne fin les affaires en une heure, ils ont le droit de suspendre la séance. Mais s'ils ne sont pas prêts, ils doivent se réunir sans interruption jusqu'à 6 heures du soir ou jusqu'à ce qu'ils en aient fini. S'ils se réunissent après 2 heures de l'après-midi, notre maître des cérémonies leur servira à manger et à boire de telle façon que la moitié d'entre eux puissent se restaurer tandis que l'autre moitié travaille.

§ 21. Si l'un des ministres ou des conseillers arrive une heure en retard sans autorisation écrite, cent ducats seront retenus sur son salaire. »

Comme un rappel à l'ordre permanent, un portrait du roi grandeur nature était accroché derrière son fauteuil vide de président.

que des personnes siégeant dans les tribunaux — et l'institution de lois communes pour toutes les parties du royaume. Les deux premiers objectifs furent atteints du temps du roi soldat, le troisième plus tard.

Les réformes administratives offraient un moyen d'insuffler l'esprit de l'absolutisme aux fonctionnaires. Quant à des mesures comme la scolarité obligatoire de 5 à 12 ans, imposée en 1717, ou le contrôle de l'Eglise dont on attendait qu'elle prêche l'obéissance, elles étaient plus destinées au peuple tout entier qu'aux seuls fonctionnaires. Mais l'enseignement universitaire était conçu pour former les serviteurs de l'Etat. Deux chaires dévolues au droit, à l'économie et à la gestion furent créées. Par ailleurs, l'enseignement fut marqué par le rigorisme piétiste du roi. Lorsque le professeur Christian Wolff fut soupçonné de s'être rallié aux idées des Lumières, on lui donna 48 heures pour quitter le pays.

Mais c'est surtout au sein de l'administration même, et sous la houlette du roi, que l'on s'ingénia à former de parfaits bureaucrates. Des règlements détaillés furent établis pour chaque fonction, tandis qu'un système d'espionnage et de délation permit d'exercer une surveillance à tous les niveaux. Les manquements au devoir furent brutalement châtiés. Un fonctionnaire de Königsberg coupable de malversations fut pendu sans merci, et son cadavre resta exposé plusieurs semaines à l'extérieur du bâtiment administratif. A défaut de rendre le travail agréable, de telles méthodes avaient un effet disciplinaire certain.

L'armée

Comme nous l'avons vu, il y avait de bonnes raisons politiques à concentrer toutes les ressources sur l'armée. Avec des possessions éparpillées, plates par surcroît et donc dépourvues d'obstacles naturels aux frontières, il fallait à la Prusse une puissante force militaire pour être autre chose qu'un simple pion sur l'échiquier international auquel elle ne pouvait se soustraire, ne serait-ce que par sa position géographique. Mais les exigences militaires de discipline, d'ordre et de sens du devoir étaient aussi en parfaite harmonie avec la personnalité du roi.

Alors qu'il n'était encore que prince héritier, il avait formé et entraîné un régiment d'élite qui allait servir de modèle pour l'armée prussienne. Il rédigea lui-même le règlement de l'infanterie.

Par ses fréquentations, par son habillement (une capote de soldat en toutes circonstances), par l'annuaire militaire qu'il fit établir au début de son règne, le roi marqua bien la place exceptionnelle réservée à l'armée. Le corps des officiers fut forgé à l'image de son commandant suprême grâce à une instruction uniforme dans les écoles de cadets. Signe de cette uniformité, aucune marque distinctive de grade n'existait entre cadets et colonel. Dans cette caste à part, les capacités et la vie privée des officiers étaient contrôlées par leurs supérieurs et faisaient l'objet de rapports annuels.

Le recrutement des troupes était confié à des colonels et capitaines qui recevaient une somme déterminée pour maintenir les effectifs et les équipements au niveau réglementaire. Ce recrutement se faisait même hors des limites de la Prusse. Les éléments étrangers dans l'armée purent atteindre les deux tiers.

Parmi ces militaires venus d'ailleurs, le taux de déser-

Hussards et cuirassiers dans l'armée du Roi soldat.

En matière de châtiment, la peine des baguettes, honorable, entraînait les mêmes blessures corporelles que celle, infamante, du fouet.

tion était énorme, ce qui posait un problème. Mais si trop de paysans prussiens étaient devenus soldats de métier, l'existence même de l'armée aurait été menacée puisque les ruraux auraient payé moins d'impôts et produit moins de vivres.

Ce dilemme fut résolu grâce au pragmatisme des responsables militaires. Pour économiser de l'argent et s'épargner de recruter à l'étranger, les officiers propriétaires terriens enrôlèrent leurs propres serfs comme soldats. Pendant la plus grande partie de l'année, ceux-ci pouvaient vaquer à leurs occupations agricoles, et ils recevaient une formation militaire le reste du temps. On se servait des soldats étrangers de manière analogue. Pendant de longs mois, ils assuraient de diverses manières leur subsistance dans les villes, ce qui permettaient aux chefs de régiments et de compagnies d'économiser de l'argent.

Cette activité privée se trouva nationalisée avec le « système des cantons » introduit en 1733. Le pays fut divisé en cantons qui devaient fournir chacun un régiment à l'armée. Des subdivisions furent créées pour les besoins des compagnies et des escadrons de cavalerie.

A l'âge de 10 ans, tous les fils de paysans étaient recensés par le capitaine de la circonscription qui les inspectait ensuite jusqu'au moment du recrutement. Après 30 mois de formation de base, ils redevenaient paysans, sauf lors des manœuvres d'été et des deux inspections annuelles.

Ce système conféra à la Prusse tout entière une allure fortement militaire. Un édit de 1714 précisait : « Les jeunes gens ont le devoir d'offrir leurs biens et leur vie, chacun selon son état naturel, et conformément à la volonté et aux commandements de Dieu ».

Les junkers et l'absolutisme

Quand l'armée créée et entraînée par Frédéric-Guillaume Ier entra enfin en guerre, les experts militaires furent surpris par son habileté de manœuvre et sa précision de tir.

Il est plus difficile de mesurer le retentissement de la discipline sur l'efficacité des fonctionnaires, mais il est certain que les princes jugèrent bon de former ceux-ci sur le modèle militaire. L'obéissance absolue et la soumission à l'égard des supérieurs constituaient des impératifs catégoriques. Le ton était brutal, les ordres retentissaient comme dans une cour de caserne, et les moindres activités étaient soumises à des règlements stricts.

Ornés de coiffures en forme de mitres d'évêque qui rehaussent encore leur prestance, les soldats de la garde sont passés en revue par le roi soldat, Frédéric-Guillaume Ier.

Tous ces traits qu'on allait qualifier de « prussiens » tranchaient vivement sur la tradition de liberté et d'autonomie qui avait été celle des junkers jusqu'au début du gouvernement du Grand Electeur. L'Etat devait pourtant collaborer avec eux, car l'élite de l'armée et de l'administration ne pouvait se recruter que dans leurs rangs.

Naturellement, les débuts de l'absolutisme suscitèrent plus de résistances que de zèle à collaborer. Les postes clés de l'administration furent dans une large mesure confiés à des personnes issues des classes moyennes. Et le

Candide à l'armée

Dans son roman « Candide » publié en 1759, Voltaire a fait la satire de l'entraînement militaire prussien. Le héros du livre, l'innocent Candide, se trouve recruté dans l'armée et il est conduit à son régiment.

« On le fait tourner à droite, à gauche, remettre la baguette, coucher en joue, tirer, doubler le pas, et on lui donne 30 coups de bâton ; le lendemain, il fait l'exercice un peu moins mal, et il ne reçoit que 20 coups ; le surlendemain, on ne lui en donne que 10, et il est regardé par ses camarades comme un prodige. »

Ce tableau d'Adolf von Menzel (1815-1905) évoque les intérêts culturels de Frédéric II (1740-86). Ici, le roi exécute un solo de flûte.

recrutement dans l'armée fut peut-être encore plus ouvert. Trois des généraux de l'électeur étaient fils de paysans, et, malgré leur origine plébéienne, on ne les jugeait pas indignes de dîner à la table du prince. Du reste, l'électeur n'avait-il pas qualifié les junkers de « gens méchants et rebelles ».

Le tournant s'opéra sous Frédéric-Guillaume Ier. En 1739, on ne comptait que cinq roturiers parmi les 555 officiers ayant au moins le grade de commandant, et les 20 ministres qui furent nommés entre 1740 et 1786 étaient tous d'extraction noble sauf un. Une collaboration entre l'absolutisme et les hobereaux s'était donc progressivement établie. Les junkers voyaient là la possibilité de faire nommer leurs plus jeunes fils à des charges bien rémunérées et d'éviter ainsi le morcellement de leur domaine par héritage. Et en un temps de mauvaise conjoncture agricole, ils pouvaient eux-mêmes être tentés par de nouvelles sources de revenus.

Circonstance probablement déterminante, le pouvoir central en lutte contre les intérêts locaux ne coupa jamais les ponts avec les junkers, et ceux-ci ne firent jamais pression au-delà des limites du tolérable. Ils étaient maîtres chez eux, avec tous pouvoirs sur leurs paysans, surtout quand il leur fut donné d'exercer un commandement militaire sur leurs gens.

Ce furent les paysans qui payèrent le prix de la collaboration entre le prince et les hobereaux, et pas seulement en argent. Certes, l'Etat et les propriétaires exigeaient chacun leurs redevances, mais ils dépouillèrent aussi de leurs droits ces ruraux, qu'ils fussent serfs ou soldats.

Cette collaboration put se développer dès lors que les junkers s'aperçurent que l'absolutisme garantissait le maintien de leur position dans la société. Quand l'armée et la bureaucratie fermèrent leurs portes aux roturiers, elles devinrent des foyers de morgue nobiliaire et d'arrogance.

Le temps des moissons

La société que les Hohenzollern avaient façonnée fut impitoyable pour les vaincus — paysans, citadins, junkers rebelles. Victime lui aussi, le fils et successeur du roi soldat, Frédéric II (1740-86), fut soumis à des méthodes éducatives dont l'inhumanité paraît aujourd'hui insensée. Une jeune bourgeoise de 16 ans à laquelle le prince héritier s'intéressait timidement fut fouettée publiquement sur ordre du roi, puis enfermée dans une maison de correction. Le meilleur ami du prince, las de ces horreurs, tenta de fuir. Le roi le fit exécuter en présence du jeune Frédéric à qui deux gardes tenaient la tête pour qu'il ne puisse rien perdre du spectacle.

En tant qu'éducateur brutal et grand organisateur, Frédéric-Guillaume II fut sans égal. En revanche, malgré son surnom de roi soldat, il se montra pacifique. Certes, dans la phase finale de la grande Guerre Nordique, il intervint au côté de la Russie contre la Suède, parvenant ainsi en 1720 à annexer à son territoire un morceau de la Poméranie. Mais la paix régna au cours des vingt années qui suivirent.

Moins d'un an après avoir succédé à son père le roi soldat, Frédéric II, un « philosophe sur le trône », entraîna l'armée prussienne vers ce qu'il appela lui-même « un rendez-vous avec la gloire ». La conjoncture politique, liée aux problèmes dynastiques autrichiens, paraissait favorable, et l'attaque qu'il porta en 1740 déclencha la guerre de Succession d'Autriche (1740-48). Son but était de conquérir la Silésie.

La Prusse fit la démonstration de la supériorité de ses armées et de l'habileté de ses diplomates. Ayant annexé la Silésie, elle put se retirer de la guerre en 1745. Sa population augmenta de 50%, et les fabriques textiles de sa nouvelle possession lui rapportèrent des revenus non négligeables.

Frédéric II remporta sans doute plus de succès comme roi guerrier que comme joueur de flûte. Cependant, l'armée prusienne essuya une terrible défaite en 1759 à la bataille de Kunersdorf, représentée ici par Hans von Marées (1837-87). Après ce désastre, le roi écrivit que son malheur était d'être encore en vie.

Jusqu'alors nation de deuxième ordre, la Prusse, à la faveur de cette guerre, faisait son entrée parmi les grandes puissances européennes.

Après quoi s'ensuivit une période où il lui fallut défendre cette position nouvellement acquise, ce qui mit à très rude épreuve sa diplomatie, son armée et son administration. Lors de la guerre de Sept Ans (1756-63), elle frôla plusieurs fois la catastrophe face à des armées ennemies beaucoup plus nombreuses.

Sans doute peut-on dire que la Prusse fut sauvée par une circonstance heureuse — un changement sur le trône de Russie qui fit de celle-ci son alliée. Mais jusqu'à ce tournant favorable, la Prusse, soumise à forte pression, eut la capacité de résister obstinément, ce qui était le fruit du travail à la fois brutal et patient accompli au cours des cent années précédentes. Ce travail se poursuivit sous Frédéric II, avec pour résultat concret que les recettes de la Couronne passèrent de 7 millions de thalers par an à 23, les réserves de 10 millions à 54, et l'armée de 80 000 hommes à 200 000.

Logique de guerre

Aussi bien la guerre de Succession d'Autriche que la guerre de Sept Ans débutèrent par des attaques prussiennes. A l'occasion du deuxième conflit, Frédéric II s'employa à justifier l'attitude de la Prusse.

« Il est vrai que nous avons déclenché les hostilités, mais comme ce terme est souvent confondu avec celui d'agression et que la cour de Vienne essaie toujours de déshonorer la Prusse, il faut expliquer la différence. Par agression, on entend toute action qui viole les termes d'un traité de paix : une alliance offensive, des préparatifs de guerre, des plans d'invasion du territoire d'un autre prince ; tout cela est agression. Celui qui agit pour prévenir de tels actes peut bien déclencher les hostilités, mais il ne peut être qualifié d'agressif pour autant. »

Ce jugement peut s'appliquer au rôle de la Prusse dans la guerre de Sept Ans, mais sûrement pas dans la guerre de Succession d'Autriche.

La Prusse au sein de l'Allemagne

La bureaucratie et l'armée jouèrent un rôle majeur dans la métamorphose du Brandebourg en une grande puissance, la Prusse. Mais on peut se demander pourquoi, parmi les nombreuses unités politiquement indépendantes que comptait l'Allemagne, ce fut précisément le Brandebourg qui connut cette évolution. L'historien anglais Perry Anderson, parmi d'autres, s'est penché sur ce problème.

Selon lui, la cause initiale est à chercher dans les attaques suédoises qui firent prendre conscience de la nécessité d'une armée. Pour en constituer une, il fallait un gouvernement centralisé et fort. L'absolutisme en Prusse reposa sur les propriétaires terriens nobles parmi lesquels il existait peu de disparités économiques. En outre, ces junkers, après avoir connu une période très difficile, avaient développé la pratique des affaires. Ils constituaient un groupe homogène et donc une base solide pour l'absolutisme.

Parmi les autres régions d'Allemagne, les territoires occidentaux n'avaient aucune chance d'être des concurrents. L'existence de villes bien développées et jouissant de vieux privilèges politiques faisait obstacle à une domination des propriétaires terriens comme en Europe de l'Est. Il y avait aussi beaucoup de biens ecclésiastiques et un grand nombre de chevaliers politiquement indépendants mais qui ne possédaient généralement que de très petits domaines. Bref, il n'existait pas de substrat pour l'absolutisme.

Dans l'Allemagne du XVIe siècle, seules la Bavière, la Saxe et l'Autriche possédaient les moyens de concurrencer le Brandebourg. A cette époque, la Bavière était trois fois plus grande que le Brandebourg. Le pouvoir princier s'y renforça, et le duc de Bavière devint le chef des catholiques allemands. Mais à l'inverse de ce qui s'observe en Prusse, il n'y eut jamais hégémonie des propriétaires terriens bavarois, sans doute du fait que les possibilités d'exporter des céréales étaient limitées. Les paysans étaient relativement libres et la noblesse ne fut jamais totalement exonérée d'impôts. Il manquait à l'absolutisme bavarois naissant une base sociale comparable à celle de la Prusse.

Les mines d'étain et d'argent, les fabriques textiles et le commerce de Leipzig faisaient de la Saxe un territoire économiquement plus développé que la Bavière et le Brandebourg, ce qui assura au prince des revenus importants, mais empêcha la noblesse d'écraser politiquement les villes et socialement les paysans.

Vers 1700, la Saxe, plus peuplée et plus prospère, demeurait supérieure à la Prusse. Mais en s'unissant à la Pologne dans le but d'augmenter ses possessions territoriales, elle se lança dans des guerres coûteuses. A l'instar de la Bavière, la Saxe sombra dans l'insignifiance au XVIIIe siècle. En comme la Bavière, quoique pour d'autres raisons, il lui manquait une base sociale adéquate pour promouvoir un absolutisme de type prussien.

Parmi les concurrents de la Prusse, il reste l'Autriche qui mérite un chapitre à part.

Hors de la Prusse et de l'Autriche, L'Allemagne consistait en un monde à demi irréel de petits Etats où les fantasmes trouvèrent un terrain propice, comme en témoigne le château de Neuschwanstein que le roi Louis II de Bavière fit édifier entre 1868 et 1886.

L'empire des Habsbourg

En 1804, deux ans avant que les bouleversements entraînés par les guerres napoléoniennes ne révèlent que le Saint Empire romain germanique n'était ni saint, ni romain, ni même un empire, François II — le dernier « empereur romain » — se fit proclamer empereur d'Autriche. Ce faisant, il permettait non seulement aux Habsbourg de conserver ce titre, mais encore il l'associait au territoire sur lequel cette dynastie avait exercé une souveraineté autre que de pure forme. Depuis la fin de la guerre de Trente Ans, le titre d'empereur n'était plus qu'une coquille vide. Certes, il avait été source de prestige pour celui qui le portait, mais les ambitions impériales avaient aussi fait obstacle à la constitution d'un pouvoir central dans les territoires disparates qui allaient former l'empire d'Autriche.

On n'avait pas su trouver de titre général pour celui qui régentait ces territoires, pas plus que ceux-ci n'étaient désignés par un terme unitaire. On parlait des terres des Habsbourg par référence à la dynastie qui y exerçait sa souveraineté.

A la suite de deux accords conclus en 1521 et 1522,

Le Belvédère fut construit à Vienne au début du XVIIIe siècle comme château de plaisance pour Eugène de Savoie (1663-1737), éminent chef d'armée et homme d'Etat. Il remporta de brillantes victoires contre les Turcs, et également contre les Français lors de la guerre de Succession d'Espagne.

la responsabilité de cet empire se trouva partagée entre Charles Quint, devenu héritier de Bourgogne et d'Espagne, et son frère cadet Ferdinand Ier (1521-64) à qui fut confiée l'administration des possessions traditionnelles de la dynastie.

Ferdinand régna sur divers territoires compris entre le Rhin et la frontière hongroise. A l'ouest, les terres rhénanes, peu étendues au demeurant, constituaient le berceau de cette dynastie qui avait révélé au XIIIe siècle ses ambitions impériales. Toutefois, c'est la partie orientale, en gros l'Autriche actuelle, qui était la plus importante. Là se situaient ce qu'on appelait les Etats héréditaires des Habsbourg.

Dès 1438, un Habsbourg fut élu empereur d'Allemagne. Cette tradition se maintint jusqu'en 1742, date à laquelle se posa un problème de succession en l'absence d'héritier mâle. Par le truchement de l'époux et des fils de Marie-Thérèse, la fille de l'empereur, la famille parvint à garder ce titre de 1745 à 1806, date de la dissolution de l'Empire germanique.

Les arrangements conclus entre Charles Quint et Ferdinand Ier dans les années 1520 furent confirmés lorsque le premier abdiqua en 1556. L'empire compta une branche autrichienne et une branche espagnole. Dans une Europe où les dynasties jouaient un si grand rôle, les deux maisons royales collaborèrent par la suite. Ce fut ainsi le cas lors de la guerre de Trente Ans. Quand la lignée espagnole s'éteignit, la branche autrichienne présenta un candidat au trône. Cette question allait être réglée à l'issue de la guerre de Succession d'Espagne (1701-14).

L'empire que Ferdinand laissa en 1564 était plus grand que celui qu'il avait reçu en 1521. En 1526, Louis II, roi de Bohême et de Hongrie, avait été tué dans son combat contre les Turcs à la bataille de Mohacs. Au nom de son épouse qui était la sœur du roi défunt, Ferdinand revendiqua les deux royaumes. La Bohême fut incorporée sans trop de problèmes aux territoires des Habsbourg. Mais en Hongrie, les Turcs, s'ils avaient en un sens préparé la voie aux prétentions de Ferdinand, constituaient aussi un obstacle majeur du fait de leur supériorité militaire. Les décennies qui suivirent la bataille de Mohacs furent confuses, mais quand la situation se clarifia, une majeure partie de la Hongrie était sous la domination des Turcs ou de leurs vassaux. Les Habsbourg durent se contenter d'un modeste territoire, la « Hongrie impériale » — pour lequel ils durent payer tribut au sultan turc.

Selon que l'Empire ottoman était faible ou fort, les Habsbourg étaient tour à tour tentés par des conquêtes ou contraints à la défensive. Il en résulta un état de guerre permanent, de manière ouverte ou larvée. Avec ses possessions rhénanes et sa position impériale en Allemagne, la dynastie était simultanément impliquée dans la politique occidentale. Cela lui valut au XVIIIe siècle des acquisitions territoriales dans les Pays-Bas et en Italie, mais entraîna aussi un risque permanent de devoir se battre sur deux fronts, à l'est et à l'ouest.

Forces de dispersion

Après la Première Guerre mondiale, l'Empire autrichien fut scindé en trois pays : l'Autriche, la Hongrie et la Tchécoslovaquie. Il contribua aussi à la formation de trois autres : la Pologne, la Roumanie et la Yougoslavie. Cela explique sans nul doute qu'on se soit vivement intéressé

Liste des souverains

Charles Quint	Empereur de 1519 à 1556
Ferdinand I	Règne dans les terres héréditaires à partir de 1521 Roi de Bohême et de Hongrie de 1526 à 1564 Empereur de 1556 à 1564
Maximilien II	Empereur de 1564 à 1576
Rudolf II	Roi de Hongrie de 1576 à 1608 Roi de Bohême de 1576 à 1611 Empereur de 1576 à 1612
Matthias I	Roi de Hongrie de 1608 à 1618 Roi de Bohême de 1611 à 1617 Empereur de 1612 à 1619
Ferdinand II	Roi de Hongrie de 1618 à 1637 Roi de Bohême de 1617 à 1637 Empereur de 1619 à 1637
Ferdinand III	Empereur de 1637 à 1657
Léopold I	Empereur de 1658 à 1705
Joseph I	Empereur de 1705 à 1711
Charles VI	Empereur de 1711 à 1740
Marie-Thérèse	1740-1780
François Etienne	Empereur de 1745 à 1765

Ferdinand Ier, le frère de Charles Quint, fut élu empereur après l'abdication de son aîné en 1556, et la division de l'empire des Habsbourg en une branche autrichienne et une branche espagnole se trouva confirmée. Gravure sur cuivre.

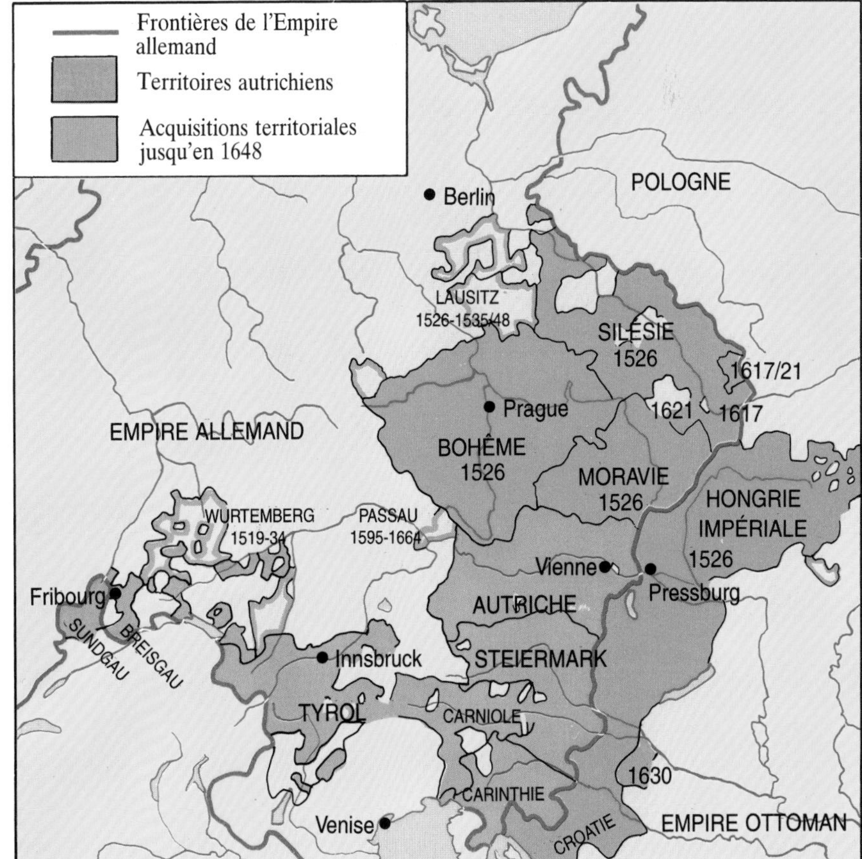

Les terres des Habsbourg de 1500 à 1648.

aux forces de dissolution en germe depuis longtemps au sein de cet empire.

Le trait le plus frappant est la diversité linguistique. Les trois composantes principales de l'empire des Habsbourg avaient chacune leur langue. Dans les Etats héréditaires, on parlait allemand. Deux langues slaves, le tchèque et le slovaque, étaient dominantes en Bohême, mais dès la fin du XVIe siècle, l'allemand y avait conquis une position forte. En Hongrie enfin, on s'exprimait dans un idiome finno-ougrien, le magyar ou hongrois. Mais il y avait aussi dans les villes hongroises de nombreux germanophones, tandis que les guerres continuelles contribuaient à décimer les populations rurales magyares. Elles furent repeuplées par des immigrants de langue slave, et les différences linguistiques prirent une coloration sociale.

A ce facteur de dispersion s'ajoutait une hétérogénéité politique que révèle l'absence d'une appellation générique pour le souverain régnant sur l'ensemble de ces territoires, alors que pour chacun d'entre eux les titres ne lui manquaient pas. Il était roi de Bohême, de Hongrie et de Croatie, grand-duc de haute et basse Autriche, duc de Steiermark, margrave de Lausitz, comte du Tyrol et seigneur de Fribourg — pour ne prendre que ces quelques exemples.

Cette multiplicité de titres recouvrait sans doute des divisions réelles et pas seulement formelles. Le testament de Ferdinand Ier le laisse à penser, puisque le souverain partagea l'empire entre ses trois fils. Il fallut attendre la fin du XVIIe siècle pour qu'on admette comme une évidence le fait que la multiplicité des composantes du royaume ne devait pas mettre en péril l'unité du pouvoir des Habsbourg.

Pour éviter cette dispersion et renforcer son pouvoir, il fallait que le prince redéfinisse son royaume en termes de droit privé, ce qui en soi ne posait guère de problèmes.

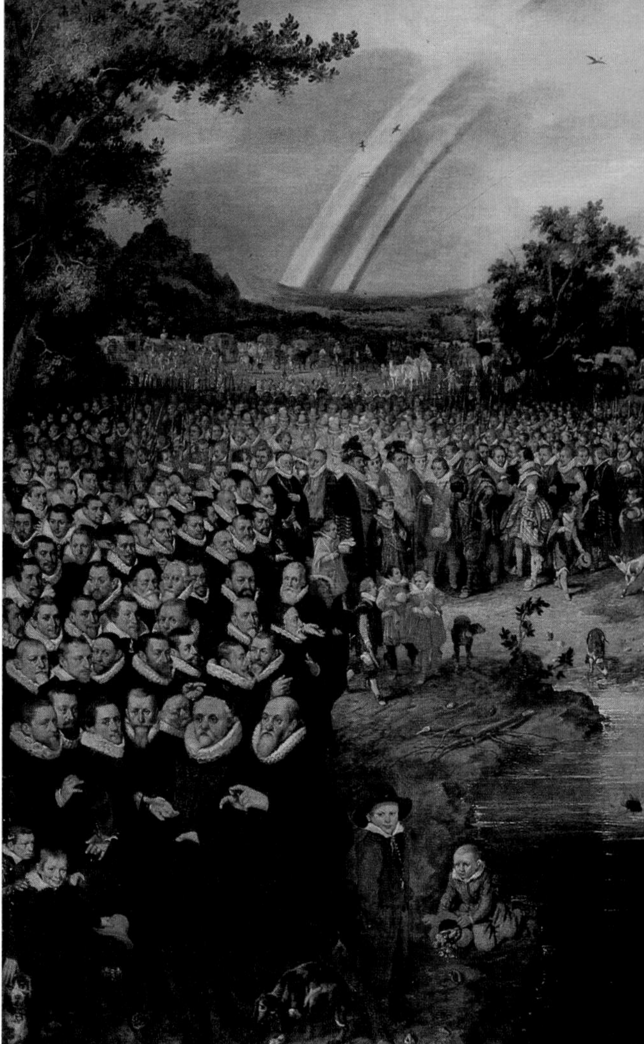

L'étendard de Charles Quint avec l'aigle double.

En revanche, la multiplicité des assemblées représentatives en place dans toutes les parties du royaume faisaient plus sérieusement obstacle à la centralisation. La tradition et l'évolution historique avaient contribué à forger des modèles différents ici et là. Mais toutes ces assemblées avaient en commun d'exercer un pouvoir sur la fiscalité et d'être dominées par la noblesse.

Bref, les facteurs de division apparaissaient nombreux et puissants, mais à y regarder de plus près, ils n'étaient peut-être ni si menaçants, ni si typiquement autrichiens. Les différences linguistiques ne devinrent sources de luttes politiques qu'au XIXe siècle, et, en tout état de cause, elles n'avaient pas empêché la constitution d'Etats fortement centralisés comme la Suède-Finlande. Pour évoquer à nouveau le droit privé, Gustave Vasa de Suède avait d'ailleurs attribué par testament des duchés à ses fils cadets.

L'abondance des titres dont étaient parés les Habsbourg avait un équivalent dans un pays comme la France, apparemment si homogène, où les différentes provinces étaient liées à la personne du roi par des contrats spéciaux et des privilèges.

Enfin, les partisans de la centralisation dans l'empire des Habsbourg n'ignoraient nullement que la France et la

Prusse s'étaient dotées de moyens pour vaincre la résistance des assemblées provinciales, et cet exemple pouvait servir.

Religion et politique

Dans les territoires des Habsbourg comme partout ailleurs, les villes et la noblesse s'opposèrent à la centralisation sans pour autant former un front uni. Les aristocrates voyaient dans les bourgeois des villes des concurrents économiques et politiques, et les intérêts des propriétaires terriens divergeaient selon qu'ils possédaient beaucoup ou peu de biens.

Ces territoires offrent un bon exemple de la manière dont le religieux et le politique se mêlèrent à l'ère de la Réforme et de la Contre-Réforme. Source de luttes politiques, la religion servit aussi de moyen dans ces combats.

Les rois se paraient volontiers de titres qui soulignaient leur allégeance à l'Eglise — « sa majesté catholique » en Espagne, « sa majesté très chrétienne » en France, « défenseur de la foi » en Angleterre. C'était évident dans le cas de l'empereur d'Allemagne du fait même qu'il régnait sur le Saint Empire romain germanique aux origines médiévales lointaines, et, sous la menace que fit peser la Réforme, il eut de bonnes raisons politiques pour maintenir cette tradition.

Dans les Etats héréditaires des Habsbourg, la Réforme pénétra via l'aristocratie, et, à partir du milieu du XVIe siècle, les campagnes étaient dans leur majorité protestantes. Dans les villes, les représentants impériaux parvinrent à atténuer les succès de la Réforme.

En Bohême, dès le XVe siècle, les hussites avaient pris le dessus sur l'Eglise catholique dont ils s'étaient appropriés une bonne partie des terres. Cependant, les rois avaient aussi fait attribuer une autre partie de ces biens à de gros propriétaires terriens catholiques. C'était en effet parmi les magnats qu'on pouvait trouver des partisans de l'Eglise catholique, de plus en plus désorganisée au XVIe siècle.

Au cours du Moyen Age tardif, l'Eglise hongroise avait pris un caractère profane, et les charges ecclésiastiques étaient aux mains des magnats. En 1526, la bataille de Mohacs eut également des effets dévastateurs. Sept des 16 évêques que comptait le pays périrent, et les musulmans étaient plus tolérants à l'égard du protestantisme que du catholicisme jugé iconolâtre. Les propriétaires voyaient dans le protestantisme une possibilité d'acquérir des terres ecclésiastiques. Dans la deuxième moitié du XVIe siè-

Cette peinture allégorique de A. P. van de Venne (1589-1662), « La pêche aux âmes », montre des prêtres de différentes confessions luttant pour gagner des adeptes. Bien qu'inspiré par la situation hollandaise, ce tableau illustre tout aussi bien les dissensions religieuses dans les terres des Habsbourg.

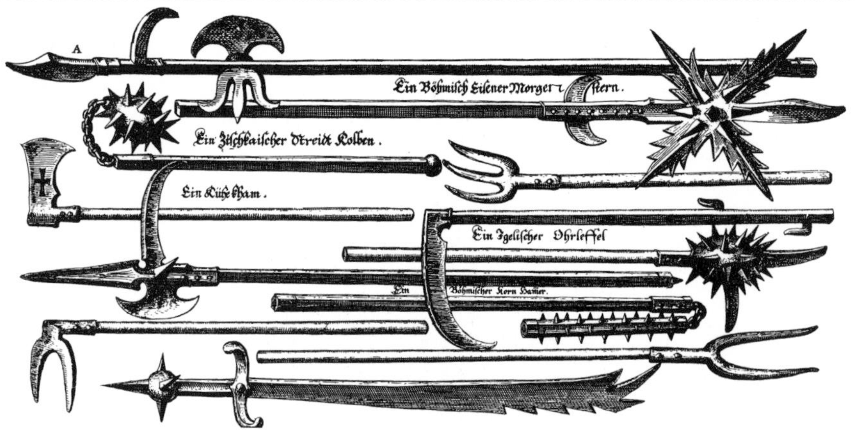

Armes employées par les paysans révoltés. Celle en haut servait à désarçonner les cavaliers. La suivante porte le nom poétique d'« étoile bohémienne du matin ». On remarque aussi des instruments agricoles ordinaires tels que pic, faux et fourche.

cle, l'Eglise luthérienne fut concurrencée par le calvinisme. Ce furent les couches sociales situées en dessous des magnats qui découvrirent à quel point l'organisation ecclésiastique presbytérienne était apte à renforcer l'autonomie locale.

Face à ces bouleversements, Ferdinand Ier pouvait encore espérer que les différends religieux s'aplaniraient en Europe et dans ses propres territoires. Son fils Maximilien II (1564-76) ne mena pas non plus une politique délibérément procatholique. En revanche, ses successeurs sur le trône allaient être des défenseurs convaincus de la religion apostolique romaine.

Ils purent ainsi concilier conviction religieuse et desseins politiques lorsque, avec l'aide de la Contre-Réforme, ils entreprirent de réformer l'Eglise, ce qui était nécessaire, mais aussi de combattre adversaires politiques et hérétiques — deux termes qui étaient souvent synonymes.

Les mousquetaires impériaux se préparent à tirer. Esquisse à l'huile trouvée sur la couverture d'un livre de comptes italien.

Les Etats héréditaires

Dans les Etats héréditaires, Ferdinand Ier se heurta d'emblée à la résistance des assemblées parlementaires, avant tout à Vienne. Dans son testament, Maximilien Ier avait ordonné par testament que l'administration des Etats héréditaires soit assurée par des fonctionnaires nommés par le pouvoir central dans l'attente du nouveau prince. Les États ainsi évincés virent leurs libertés menacées. Dans l'archiduché, l'opposition tourna à la révolution. Soutenue par la population viennoise, une commission parlementaire prit en charge la gestion des affaires, contraignant à la fuite les représentants du pouvoir central. Cette commission s'arrogea des droits qui étaient en fait ceux du prince : administration des domaines de la Couronne et des douanes, nomination des fonctionnaires et même frappe de la monnaie.

Cette tentative d'autonomie échoua cependant, d'une part car les autres Etats héréditaires ne se joignirent pas au mouvement, d'autre part du fait que Ferdinand Ier intervint, aidé de ses conseillers néerlandais et espagnols. En 1522 s'ouvrit un procès qui aboutit à bon nombre de condamnations à mort. Et la ville de Vienne perdit son autonomie de gestion, tandis que la noblesse gardait ses prérogatives.

Il ne semble pas que la religion ait joué un grand rôle dans ces événements. Il en alla autrement à la fin du XVIe siècle. La pression de la Contre-Réforme et les augmentations d'impôts pour financer les guerres contre les Turcs finirent par devenir insupportables pour les paysans. De 1594 à 1597, la révolte fit rage, surtout dans le grand-duché. Le message religieux de l'opposition reçut le soutien total de la noblesse protestante, mais les exigences sociales effrayèrent les propriétaires terriens, quelle que fût leur confession. Ce fut d'ailleurs un représentant des grands possédants protestants, le comte Gotthard von Stahremberg, qui prit la tête des troupes étrangères chargées d'écraser l'insurrection.

Ainsi, la Contre-Réforme put se répandre dans les campagnes. Dès le début du XVIIe siècle, la noblesse avait perdu sa base populaire protestante dans les Etats héréditaires, mais l'autorité centrale n'était pas assez puissante au XVIe siècle pour pouvoir directement attaquer le pouvoir politique de l'aristocratie.

La Hongrie

En ce qui concerne l'élection des rois, deux conceptions opposées s'affrontaient en Hongrie à l'aube des Temps modernes. Les magnats soutenaient les candidats dont les multiples engagements internationaux laissaient supposer qu'ils ne consacreraient que peu de temps aux affaires hongroises. Les prétendants de la maison Habsbourg répondaient à ce critère.

Quant à eux, les propriétaires terriens de moindre importance, les habitants des villes et les gros paysans s'étaient ralliés au XVe siècle à un roi comme Matthias Corvin (1458-90) qui menait une politique tournée aussi bien contre les magnats que contre les Habsbourg.

Après la bataille de Mohacs, le parti anti-Habsbourg avait réussi à faire couronner un noble hongrois, Jean Zapolya (1526-40). Ferdinand Ier parvint en 1527 à se faire élire roi par une autre assemblée contre la promesse de défendre les libertés de la noblesse hongroise.

Les relations avec les Turcs étaient d'une grande importance pour l'Autriche. Sur ce tableau, la flotte de l'ambassadeur impérial qui se rend en visite diplomatique dans l'Empire ottoman quitte le port (1628).

Après quelque temps, Ferdinand reconnut Jean Zapolya, exigeant en échange que celui-ci le désigne comme son successeur. A la mort du souverain, cet arrangement se révéla bien fragile puisque les Turcs prirent prétexte de ce décès pour placer la plus grande partie de la Hongrie sous leur coupe, et pour nommer Jean-Sigismond, le fils de Jean Zapolya, prince vassal de Transylvanie.

Dans l'espace limité qui constituait la Hongrie des Habsbourg, Ferdinand parvint à convaincre la noblesse de choisir son fils pour roi sans recourir à des élections. Apparemment futile compte tenu de la faible étendue du territoire, cette victoire ne fondait pas moins en droit les prétentions royales que les Habsbourg ne manqueraient pas de faire valoir au cas où toute la Hongrie leur reviendrait. Et à cette époque, les luttes incessantes permirent à la noblesse hongroise de garder son caractère de caste guerrière.

La Bohême

En matière de partage des compétences entre les institutions autonomes des territoires et le pouvoir central, le problème ne se posa sérieusement en Hongrie qu'après la paix de Karlowitz (1699), lorsque la majeure partie du pays échut aux Habsbourg. Dans le cas de la Bohême et des Etats héréditaires, la guerre de Trente Ans marqua une période décisive pour l'avènement de l'absolutisme. Mais même auparavant, Ferdinand Ier avait déployé son habileté politique face aux états de Bohême dont il avait dû garantir les libertés pour être élu roi. Mais lorsque des documents importants concernant l'Etat bohémien furent détruits dans un incendie, Ferdinand veilla lors de la reconstitution de ces actes à ce que certains soient exclus du lot.

En 1547, à la faveur des guerres de Religion en Allemagne, une occasion encore plus belle se présenta au prince. Ferdinand exigea de la Bohême qu'elle soutienne finan-

Matthias, empereur d'Allemagne de 1612 à 1619, fut le témoin passablement impuissant des événements qui conduisirent au déclenchement de la guerre de Trente Ans en 1618. Il est représenté ici en archiduc par Lucas van Valckenborch (1535-97).

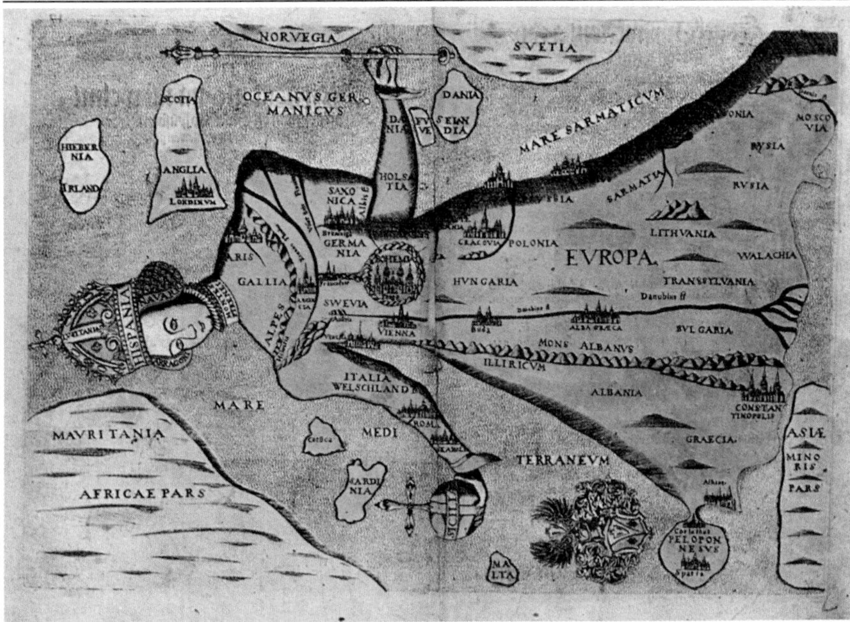

Sur cette carte d'origine bohémienne de la fin du XVIe siècle, l'Europe apparaît sous les traits d'une vierge dont le plus beau bijou n'est autre que la Bohême avec Prague qui occupe une position centrale.

cièrement et militairement la cause catholique et impériale. Or, les États de Bohême soutenaient les protestants. Lorsque ceux-ci perdirent la guerre, Ferdinand fut le maître du territoire.

Il prit le parti, politiquement habile, de faire porter la responsabilité de la rébellion à deux groupes, d'une part les frères bohèmes, une secte hussite radicale qui fut expulsée du pays, d'autre part les conseils municipaux. Les élus des villes furent remplacés par des fonctionnaires nommés par l'Etat, et les fauteurs furent condamnés à de lourdes amendes. En revanche, Ferdinand se déclara disposé à préserver les libertés de la noblesse. Il en fut récompensé lorsque l'assemblée des états accepta son fils comme prince héritier.

Le roi avait donc atteint deux objectifs politiques. L'opposition politique et religieuse était largement jugulée, et la noblesse avait contracté une dette à son égard.

Le roi et ses conseillers ne négligèrent pas d'exploiter la conjoncture politique pour élargir l'absolutisme. Dans le même but furent créées des institutions qui, centralisées à Vienne, étaient destinées à administrer l'ensemble des terres des Habsbourg.

Ferdinand Ier s'y était déjà employé, mais jusqu'au déclenchement de la guerre de Trente Ans, les différentes assemblées parlementaires — c'est-à-dire les nobles — demeuraient largement autonomes. Il y avait à cela deux raisons politiques évidentes.

En premier lieu, les institutions centrales avaient vocation à administrer l'empire tout entier et pas seulement

Rudolf II (1576-1612), un rêveur et mystique sur le trône, eut une âme sœur en la personne de Giuseppe Arcimboldo (1533-93), artiste qui composa des portraits symboliques à l'aide de divers fruits. On en voit ici un exemple.

l'Autriche. Politiquement et géographiquement, ç'en était trop pour une administration qui à vouloir tout embrasser risquait de se retrouver impuissante.

En second lieu, les Habsbourg d'Autriche avaient l'habitude de distribuer à leurs héritiers des terres qui devenaient biens privés. Si le chef de la dynastie était régulièrement élu empereur d'Allemagne, il lui fallut tout aussi régulièrement, jusqu'à la fin du XVIIe siècle, renoncer à la souveraineté directe sur différentes parties de l'empire. Il devint ainsi dépendant de la loyauté des autres membres de la maison Habsbourg, ce qui, conjointement avec l'influence que gardaient les assemblées parlementaires, fut un facteur d'instabilité.

Le destin de Rudolf II, empereur de 1576 à 1612, permet d'en mesurer les conséquences. Il dut renoncer à la couronne de Hongrie en 1608 et à celle de Bohême en 1611 au profit de son jeune frère Matthias qui allait lui succéder comme empereur (1612-19).

L'univers de Rudolf II

Rudolf II (1576-1612) est sans nul doute un cas pour la psychiatrie. Les contemporains parlèrent de sa mélancolie — ce qui signifiait maladie mentale. A la fin de sa vie, il demeura inaccessible dans son château de Prague et vit des pans entiers de son royaume lui échapper.

Il présenta bien des traits bizarres. Après avoir laissé traîner les pourparlers pour son mariage pendant plus de vingt ans, il se mit en fureur quand sa promise se maria finalement avec un autre. Il s'entoura d'alchimistes et autres adeptes des sciences occultes.

Cela ne l'empêchait pas d'être un homme très instruit qui rassembla autour de lui artistes et savants (Tycho Brahe, Kepler, Bruno).

Le milieu dans lequel il vécut ne pouvait qu'aggraver ses dispositions pathologiques. Il fut témoin de l'affrontement entre le protestantisme le plus intransigeant et la Contre-Réforme, et il put aussi voir les protestants se déchirer entre eux.

Où était la vérité dans toutes ces querelles religieuses ? Et la science moderne, si elle apportait des réponses, ne demeurait-elle pas en deçà des grandes interrogations fondamentales ? Aussi était-il tentant de se tourner vers l'occultisme. Mais comment s'étonner qu'une telle quête ait conduit le souverain à la mélancolie.

En tant que roi de Bohême, Ferdinand II (1619-37), peint par Justus Sustermans en 1623/24, prit des mesures qui contribuèrent au déclenchement de la guerre de Trente Ans.

La Bohême mise au pas

En 1617, les états de Bohême acceptèrent comme héritier du trône Ferdinand, cousin de l'empereur Matthias qui était sans postérité. Après le couronnement, une commission fut désignée pour représenter le pouvoir central en Bohême. Parmi ses dix membres, sept étaient catholiques. Cela raviva les craintes pour l'avenir de la Bohême protestante que la dure politique procatholique de Ferdinand avait déjà suscitées auparavant. Deux des membres de cette commission, Vilhelm Slavata et Jaroslav Martinic, furent défenestrés en mai 1618, et cette révolte bohémienne allait marquer le déclenchement de la guerre de Trente Ans.

Pour les paysans, la révolte initiale n'avait pas qu'un contenu religieux, elle revêtait aussi un aspect social, ce qui explique que la noblesse et les villes ne l'aient soutenue qu'à contre-cœur. Malgré cela, l'Etat habsbourgeois eut bien du mal à réprimer les forces rebelles. Il fallut attendre l'internationalisation du conflit, et l'entrée en lice de la Bavière et de l'Espagne, pour que la révolte soit écrasée. La bataille de la Montagne Blanche (1620) scella le destin des insurgés.

Un édit de 1627 transforma totalement la situation religieuse et politique de la Bohême. Le catholicisme devint la seule religion autorisée, et des organes mis en place par le pouvoir central réduisirent considérablement l'influence des villes et de la noblesse. La Bohême fut l'un des grands perdants de la guerre de Trente Ans.

Les bouleversements économiques et sociaux furent plus importants que l'édit lui-même. Les protestants condamnés se virent confisquer leurs biens, et il s'ensuivit une restructuration de la propriété. L'historien tchèque J.V. Polisensky a calculé que dans les années 1622-23, qui marquèrent le point culminant de ces confiscations, 680 maisons nobles en Bohême et 250 en Moravie furent privées de tout moyen de subsistance, ainsi que des familles bourgeoises plus nombreuses encore. Entre 1621 et 1635, plus de la moitié des terres seigneuriales fut confisquée.

Dans un premier temps, ces terres furent attribuées à ceux qui avaient été fidèles au régime lors de l'insurrection, à savoir les grands propriétaires terriens catholiques. Ensuite, elles furent également données ou vendues à des entrepreneurs de guerre au service de l'empereur. Certaines échurent aussi à des aventuriers étrangers, surtout après l'assassinat et la dispersion des biens, sur l'ordre de l'empereur, du plus grand des entrepreneurs de guerre, Wallenstein.

La guerre éprouva durement la Bohême, et elle entraîna une baisse importante de population. Pour relancer l'agriculture, il fallait des capitaux. Les petits propriétaires en étaient dépourvus, ce qui permit aux magnats d'agrandir leurs domaines en rachetant des terres à bas prix. A la fin du XVIIe siècle, l'Eglise et les magnats possédaient les trois quarts des terres de Bohême ; quant au reste de la noblesse, sa part avait chuté du tiers au dizième. Le manque de main-d'œuvre accéléra la mise en place du servage. Le modèle classique de l'Europe centrale s'étendit aux paysans bohémiens.

La grande puissance

Dans plusieurs territoires, la dynastie autrichienne des Habsbourg essuya des revers pendant la guerre de Trente Ans. Le catholicisme n'était pas parvenu à remporter les succès que la phase initiale de la guerre avait laissé espérer. L'indépendance des princes allemands à l'égard de l'empereur demeurait. Mais Ferdinand III (1637-57) pouvait se targuer d'un succès incontestable : le pouvoir central avait consolidé sa position dans les Etats héréditaires et en Bohême.

Ce renforcement apparut comme une victoire pour le catholicisme, y compris dans les Etats héréditaires où l'exemple de la Bohême paralysa l'opposition des protestants nobles. Après avoir écrasé ce foyer d'opposition religieuse, le pouvoir central n'aurait su accepter que les assemblées parlementaires gardent leur influence dans les autres territoires.

Les Habsbourg et les chefs de guerre

Parmi les 32 entrepreneurs de guerre à la tête de plus d'un régiment qui étaient au service des Habsbourg pendant la guerre de Trente Ans, quatre seulement venaient des terres héréditaires. La plupart des autres parlaient certes allemand, mais il y eut aussi des Italiens, des Français, des Tchèques, des Anglais et des Hollandais. Peu d'entre eux étaient parvenus à s'élever socialement à l'occasion de la guerre. L'entrepreneur typique était un aristocrate disposant d'une fortune coquette mais non considérable, acquise par héritage ou par alliance.

Sept de ces entrepreneurs moururent sans enfants, et onze retournèrent dans leur pays natal, dont quatre dans des principautés allemandes. Parmi les quatorze restant, tous sauf un firent souche en Autriche où leurs familles allaient appartenir à l'élite sociale et politique.

La dernière attaque suédoise contre Prague en octobre 1648.

Plusieurs circonstances contribuèrent à renforcer la centralisation dont la guerre avait créé les bases. A l'issue de celle-ci, l'Etat disposait d'une armée permanente. Les nobles étaient relativement libres de traiter leurs paysans comme ils l'entendaient, ce qui leur permit notamment, en faisant peser les charges sur eux, de préserver leur exemption fiscale. De grands propriétaires terriens qui auraient pu prendre la tête de l'opposition furent attirés par Vienne et les hautes charges de l'administration centrale.

Tout bien pesé, l'unité était assez grande pour justifier dorénavant l'appellation d'empire autrichien au lieu de celle plus diffuse de terres des Habsbourg, même s'il subsistait nombre de royaumes, de duchés, de comtés, etc. au sein de cet ensemble.

Un demi-siècle après la paix de Westphalie, l'Autriche était une grande puissance. En 1683, le siège de Vienne par les Turcs avait pu d'abord faire redouter une catastrophe, mais une riposte victorieuse avait conduit à la conquête de la Hongrie, accomplie en 1699 et parachevée par une nouvelle guerre (1716-18). A l'ouest également, l'Autriche affirma sa position de grande puissance en participant aux coalitions contre la France. Ses prestations militaires ne correspondirent pas entièrement à ce qu'on pouvait attendre d'un des pays les plus peuplés d'Europe, mais elle ne réalisa pas moins des conquêtes territoriales. On a pu dire que cet engagement à l'ouest détourna les dirigeants autrichiens de leur tâche la plus urgente, à savoir consolider à l'est la position de grande puissance du pays.

Cette consolidation incluait l'intégration au royaume de la Hongrie conquise militairement. L'obstacle majeur résidait dans la noblesse hongroise, aguerrie par des conflits séculaires et attachée à ses privilèges ancestraux. Après la conquête, le gouvernement autrichien, sous le règne de Léopold Ier (1658-1705), employa des méthodes brutales pour briser toute résistance : persécutions religieuses, confiscation de biens, administration militaire dans les régions frontalières.

Le noyau dur de l'opposition était la petite noblesse qui contrôlait toujours les affaires locales. Révoltes ouvertes, risques de révolte et engagements sur d'autres fronts contraignirent le gouvernement central à des compromis. Lors de la guerre de Succession d'Espagne, un soulèvement qui éclata en 1703 donna à la Hongrie un héros national, François Rakoczi (1676-1735). Cette insurrection se prolongea jusqu'en 1711. A cette date, les grandes puissances qui se disputaient l'héritage espagnol étaient épuisées, si bien que les rebelles n'avaient plus rien à attendre des ennemis de l'Autriche. Et celle-ci était prête à négocier. Il en résulta un compromis : la noblesse accepta que la Hongrie soit un royaume héréditaire et elle

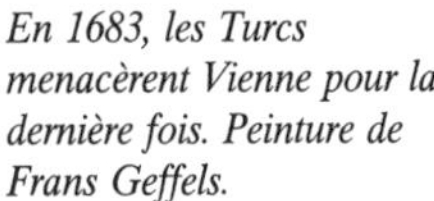

En 1683, les Turcs menacèrent Vienne pour la dernière fois. Peinture de Frans Geffels.

Idylle bourgeoise en milieu impérial. Marie-Thérèse (1740-80) prend le thé avec son époux François Etienne alors que les enfants ont reçu leurs cadeaux de Noël. La fillette à la poupée est Marie-Antoinette qui va connaître un destin si tragique comme reine de France.

renonça à son vieux droit médiéval de résistance contre le prince, en échange de quoi le pouvoir central la confirma dans ses anciens privilèges.

La grande puissance à l'épreuve

La politique sous le règne de Charles VI (1711-40) fut largement conditionnée par le fait que celui-ci n'avait pas d'héritier mâle. Le droit héréditaire à tous les titres qui permettaient de régner dans les terres des Habsbourg ne s'étendait pas aux femmes. Il fallait donc d'abord faire reconnaître par les différentes composantes de l'empire Marie-Thérèse, la fille du souverain, comme héritière du trône. Ensuite, il restait à faire approuver par la communauté internationale cet arrangement qu'on a appelé la Pragmatique Sanction.

L'approbation des différents territoires posa le moins de problèmes. Une velléité d'opposition de la part des états du Tyrol fut sèchement rembarrée. Pour obtenir cette approbation, il convenait cependant de ne pas s'ingérer trop ouvertement dans ce qui restait des privilèges des états, notamment en Hongrie.

Les négociations avec les puissances étrangères obligèrent en revanche à bien des concessions. En 1731, Charles VI gagna la cause des puissances maritimes occidentales en dissolvant la Compagnie d'Ostende qui leur faisait concurrence sur le marché international.

Pour obtenir l'accord de la Russie et de la Saxe, l'Autriche dut soutenir le candidat saxon — qui était aussi celui des Russes — au trône de Pologne. Cela entraîna le pays dans la guerre de Succession polonaise (1733-35) où les revers autrichiens révélèrent les carences militaires de l'empire. Celles-ci apparurent à nouveau dans une guerre contre la Turquie (1737-39). Cette faiblesse militaire avérée fit de l'Autriche une proie tentante pour les autres puissances européennes, ce qui déclencha la guerre de Succession autrichienne (1740-48). Elle y perdit la Silésie au profit de la Prusse, mais il n'y eut pas de dépeçage de l'empire.

Le pouvoir central ne pouvait considérer comme définitive la perte de la Silésie, d'autant que c'eût été reconnaître que la Prusse, une parvenue, était à présent la puissance dominante en Europe centrale. On s'employa à prouver qu'il n'en était rien, et ce jeu diplomatique eut pour conséquence le renversement des alliances (voir p. 26). Cependant, la nouvelle coalition à laquelle l'Autriche participa ne parvint pas à écraser la Prusse lors de la guerre de Sept Ans (1756-63).

Mais les dirigeants ne pouvaient seulement s'en remettre à des alliances. Pour renforcer le potentiel militaire de l'Autriche, des réformes importantes pour l'avenir furent entreprises. La guerre de Succession avait révélé la nécessité d'une armée plus puissante et organisée au niveau central. Cet argument permit d'obtenir des états parlementaires d'une part qu'ils votent des crédits militaires pour 10 ans, et non comme auparavant pour un an à la fois, d'autre part qu'ils admettent que la noblesse et le clergé devraient payer des impôts. Les responsabilités fiscales et militaires passèrent des assemblées parlementaires à des fonctionnaires désignés par le gouvernement. Ces réformes ne s'appliquèrent pas à la Hongrie.

Malgré de gros efforts, notamment dans l'administration centrale, l'Autriche ne parvint jamais à une unité comparable à celle qui avait fait de la Prusse une grande puissance. Mais le travail de réformes entrepris sous Marie-Thérèse (1740-80) jeta les bases sur lesquelles l'ancien régime allait reposer jusqu'en 1918.

La sainte Russie

En 1648, le philosophe René Descartes estimait que la moindre parcelle d'une principauté allemande avait plus de valeur que tout l'empire des Tatars et des Moscovites. Ce jugement témoigne d'un manque d'information sur la Russie qui était monnaie courante en Europe occidentale. En 1657, Louis XIV écrivit une lettre au tsar Michel Ier sans s'aviser que celui-ci était mort et enterré depuis douze ans. Un siècle plus tard, lors de la guerre de Sept Ans, l'Europe prit conscience, si elle ne l'avait fait avant, qu'il fallait compter avec la puissance russe et qu'il valait mieux se tenir informé. Frédéric II, dont la capitale Berlin avait été occupée par des troupes russes, écrivit : « Tous les princes de Prusse devront cultiver l'amitié de ces barbares. »

Ce tsar Michel dont le décès avait échappé à Louis XIV régnait sur un royaume incomparablement plus grand que la France. Dès le début du XVIe siècle, la Russie occupait plus du quart de la superficie de l'Europe comprise entre l'Atlantique et l'Oural.

Ce siècle fut aussi marqué par la conquête de la Sibérie. Les premiers Russes atteignirent la mer Noire en 1639. En 1700, la Russie comportait 15 millions de kilomètres carrés d'un seul tenant, une superficie bien supérieure à celle de l'Europe tout entière.

A l'origine de ce puissant royaume, il y eut la principauté de Moscou, un des nombreux petits Etats qui apparurent au XIIe siècle lors de la dissolution du royaume de Kiev. Moscou devint une sorte de grand vassal de la Horde d'Or, un royaume mongol. Il lui incombait de collecter auprès des autres principautés russes le tribut dû aux Mongols, également appelés Tatars. Cette éminente

Petit lexique

Boyard (origine discutée) = aristocrate russe.

Douma (conseil) = l'assemblée des boyards.

Mestnichestvo (préséance) = ordre hiérarchique entre familles et personnes réglant jusqu'en 1682 l'accès aux emplois publics.

Opritchnina (domaine réservé) = terres entièrement gérées par l'administration du tsar entre 1565 et 1572.

Opritchnik = membre de la garde et police politique du tsar Ivan VI, tirant sa subsistance du domaine réservé (opritchnina).

Pomestie = propriété concédée en échange de services

Streltsy (tireur) = soldat d'infanterie — créée au XVIe siècle, cette infanterie, embryon d'armée régulière, fut dissoute en 1698.

Tsar (du latin Caesar : empereur) = titre employé pour la première fois par Ivan III. Ivan IV se fit couronner tsar en 1547. Malgré l'abolition de ce titre par Pierre le Grand en 1728, il resta en vigueur.

Votchina = bien foncier héréditaire.

Zemski sobor = assemblée parlementaire qui fut convoquée entre 1549 et 1653.

dignité valut à l'autocrate moscovite le titre de grand-prince au début du XIVe siècle .

Moscou devint aussi le centre de l'Eglise russe. C'est là que le métropolite, qui n'avait d'autre supérieur que le patriarche de Constantinople, exerçait ses fonctions. Au prestige que conférait la présence du grand-prince et de ce dignitaire ecclésiastique s'ajoutaient les ressources que procuraient le commerce, une agriculture relativement avancée et la gestion du tribut aux Tatars.

Autant de conditions qui permirent de s'affranchir d'un royaume mongol affaibli. Réellement accomplie à la fin du XIVe siècle, cette libération n'allait être officiellement sanctionnée que cent ans plus tard.

En même temps qu'il rompait ses liens de vassalité, le royaume moscovite s'agrandit à la suite d'achats, d'héritages ou de conquêtes au détriment des principautés voisines. Lorsque Ivan III (1462-1505) monta sur le trône, la Moscovie était dix fois plus grande que cent cinquante ans auparavant. Sous son règne et celui de Vassili III (1505-33), de nouvelles terres furent encore annexées. L'opération la plus imposante fut la conquête de Novgorod en 1478. Les frontières quelque peu imprécises de ce royaume se situaient à l'ouest dans le golfe de Finlande, au nord sur les rives de l'océan Glacial arctique, et à l'est vers l'Oural.

En 1472, Ivan III épousa une princesse byzantine et incorpora aux armes de la Moscovie le double aigle byzantin. Il révélait ainsi sa grande ambition politique, faire de la Russie le successeur de Rome. Lorsqu'en 1493 il se fit proclamer maître de toutes les Russies, il songeait au royaume de Kiev et défiait la Lituanie qui exerçait sa domination sur l'Ukraine.

Au début du XVIe siècle, il y eut encore quelques conquêtes à l'ouest, mais l'expansion occidentale allait cesser pendant cent cinquante ans. Au début du XVIIe siècle, la principauté dut même faire diverses concessions territoriales à la Pologne et à la Suède. Vers la mer Noire et la Caspienne, l'arrêt de l'expansion fut plus brève, et à

Au cours des années 1557-72, le commerçant anglais Jenkinson effectua quatre voyages en Russie. A l'occasion de l'un deux, il dressa cette carte pour montrer la route qu'il avait suivie de Moscou à la Perse en passant par Astrakhan. Les descriptions — en français — insérées dans les cadres ne témoignent pas d'une connaissance très approfondie des contrées traversées.

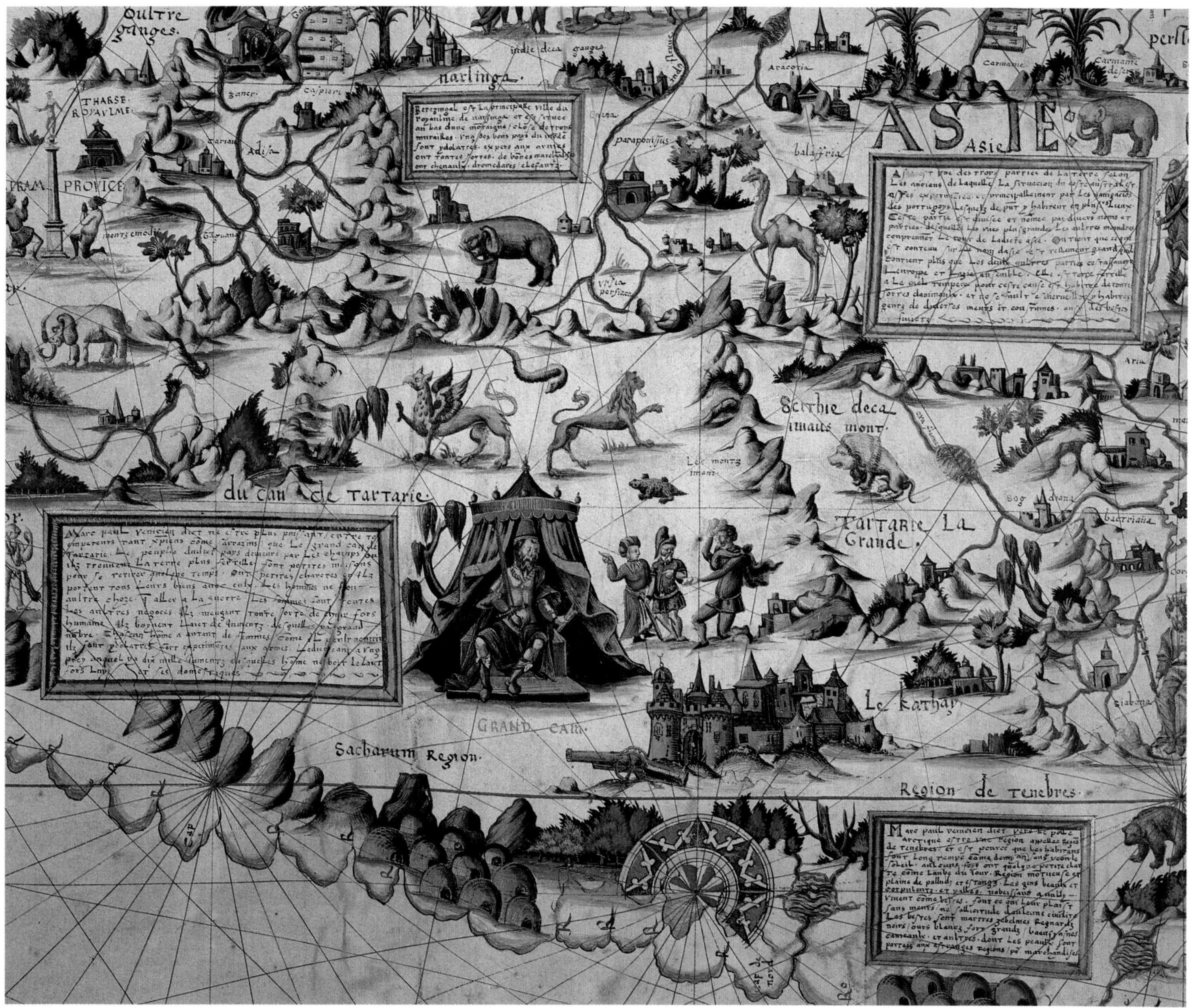

Les troupes de la Horde d'Or attaquent Moscou. Illustration tirée d'une chronique.

partir de Pierre le Grand (1682-1725), la Russie retrouva toute sa puissance conquérante.

Un immense pays désert

En corrélation avec l'expansion géographique se développèrent l'absolutisme, une nouvelle noblesse de service et le servage des paysans. La variante russe de l'Ancien Régime se révéla plus stable que dans le reste de l'Europe. Ce système ne s'écroula qu'avec la révolution de 1917, et encore en resta-t-il bien des traces dans le système soviétique.

Nulle part en Europe, l'expansion ne peut s'expliquer par la pression démographique au cours de la période 1500-1750. Ceci est particulièrement vrai de la principauté de Moscou. Certes, les données chiffrées la concernant sont aussi peu fiables que possible, mais il est clair que les territoires russes étaient parmi les moins peuplés d'Europe. Malgré leur formidable étendue, ils ne comptaient pas plus d'habitants que la France au milieu du XVIIIe siècle.

Mais il y avait bien sûr de grandes différences régionales. Les provinces centrales autour de Moscou et dans une certaine mesure celles de l'ouest étaient relativement peuplées au XVIIe siècle. Dans le reste du royaume, la densité ne dépassait pas quelques habitants au kilomètre carré.

Cela favorisait les grands déplacements de populations, comme le révèle le dépeuplement de certaines régions qui prenait parfois des proportions ahurissantes. Selon les registres du district de Novgorod, il n'y avait en 1581-82 que 183 fermes exploitées, alors qu'à peine cent ans auparavant elles étaient presque 8 000. A la même époque, de 75% à 95 % des fermes paysannes de la province de Moscou étaient inoccupées. On trouve des chiffres analogues pour les années 1610. Ces données trahissent sans nul doute des circonstances exceptionnelles, mais même en temps normal, un mouvement d'exode s'opérait des parties centrales vers les régions périphériques presque désertes.

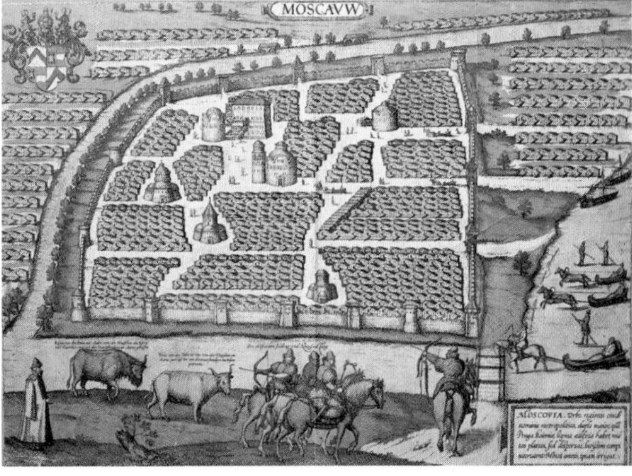

Moscou au début du XVIe siècle, carte établie par un diplomate autrichien.

Souvent, le dépeuplement est le signe d'une crise agricole. Mais l'appauvrissement des terres et les détériorations climatiques ne peuvent avoir eu ici les mêmes effets qu'ailleurs. En Russie, l'abondance des terres était à même de compenser la faiblesse des rendements.

A la différence de la Pologne par exemple, la Russie n'était pas non plus spécialement dépendante de la conjoncture en Europe de l'Ouest car elle se situait en dehors du système économique occidental. Le territoire russe formait un système à lui tout seul, soumis lui aussi à des fluctuations économiques, mais où les phases de dépression étaient moins durement ressenties car, même si l'agriculture était dépendante du marché, l'essentiel de ce qu'elle produisait était destiné à la consommation des paysans et des propriétaires terriens eux-mêmes.

Ce furent en fait les guerres qui provoquèrent le dépeuplement des régions centrales, et ce de deux manières. D'abord, les paysans russes avaient dû au cours des siècles se tenir constamment prêts à fuir lors des guerres entre

Encore une reconstitution (voir illustration p. 36) de Moscou au XVIIe siècle. Œuvre d'Apollinarie Vasnetsov (1856-1933).

Liste des souverains

Ivan III	1462-1505
Vassili III	1505-1533
Ivan IV	1533-1584
Fédor I	1584-1598
Boris Godounov	1598-1605
Fédor II	1605
Dimitri I	1605
Vassili Chouiski	1606-1610
Michel I	1613-1645
Alexis	1645-1676
Fédor III	1676-1682
Pierre I	1682-1725
Catherine I	1725-1727
Pierre II	1727-1730
Anna	1730-1740
Elisabeth	1741-1762
Pierre III	1762
Catherine II	1762-1796

principautés ou des raids de pillage des Tatars. En 1571 encore, des Tatars de Crimée attaquèrent Moscou, incendièrent plusieurs quartiers, dévastèrent les environs et capturèrent 100 000 personnes destinées à l'esclavage.

En second lieu, il va sans dire que la formidable expansion d'un pays aussi peu peuplé reposait sur l'exploitation brutale des ressources existantes. Il était naturel que les paysans de plus en plus pressurés cherchent refuge dans des régions peu peuplées et difficiles d'accès.

La nouvelle cavalerie

La conquête de Novgorod en 1478 marqua une étape importante dans la constitution de la grande puissance moscovite. Elle permit aussi un renouvellement de l'organisation militaire.

Jusqu'alors, les suites des princes qui pouvaient atteindre chacune une centaine d'hommes avaient constitué l'armée russe. Les princes et leurs collaborateurs les plus proches étaient attirés par Moscou où ils formaient la classe supérieure, les boyards. Les principales charges militaires et administratives leur étaient réservées. La majeure partie de leurs suites restait dans les provinces pour y administrer les domaines patrimoniaux.

En cas de guerre, les princes faisaient venir leurs suites qui formaient l'essentiel de l'armée. Les hommes qui les composaient pouvaient quitter leur service quand ils le voulaient, et les boyards n'étaient pas non plus formellement liés au grand-prince de Moscou. Pour essayer de s'attacher les boyards, celui-ci leur attribuait des biens fonciers qu'ils incorporaient à leurs domaines patrimoniaux, en faisant ainsi des *votchina*. Cependant, aucune contrepartie définie n'était exigée des boyards, et ceux-ci n'avaient pas à rendre les biens ainsi acquis lorsqu'ils quittaient le service du grand-prince.

Grâce à la conquête de Novgorod, le grand-prince s'assura la possession de vastes propriétés foncières qui lui permirent d'instaurer une nouvelle organisation militaire. En effet, ces terres servirent à entretenir une noblesse de service ayant pour devoir de former cette cavalerie qui allait constituer la colonne vertébrale de l'armée pendant deux siècles. Par la suite, d'autres terres que celles de Novgorod furent pareillement attribuées sous forme de fief ou *pomestie*.

Ces fiefs étaient petits, non héréditaires — car entièrement liés aux services effectués — et ils ne donnaient à leurs possesseurs aucun contrôle sur les paysans.

Le recrutement de ces *pomietchik* s'effectuait dans les classes sociales les plus diverses — même des esclaves furent enrôlés. Cela laisse à penser que leur statut social n'était guère élevé, mais ils formaient un groupe important dans ce royaume en expansion. Si le grand-prince avait d'excellentes raisons de les protéger, il n'en avait aucune de leur donner la moindre influence dans les affaires de l'Etat.

Au cours du XVIe siècle, un contrôle accru s'exerça sur leurs obligations de service en même temps qu'ils se virent reconnaître des droits plus étendus, notamment sur le domaine qui leur avait été concédé. L'administration locale, jadis pourvoyeuse de sinécures pour les boyards de Moscou, fut transférée à des organes régionaux dominés par les *pomietchik*. Dès lors, rien ne s'opposait plus à un contrôle accru des paysans qui impliquait notamment le droit de leur imposer des devoirs déterminés.

Avec le temps, la différence entre *pomestie* et *votchina* ne cessa de se réduire. Au XVIe siècle, les propriétaires de *votchina* se virent eux aussi imposer le devoir de servir, et au XVIIe, les *pomietchik* dont les charges devinrent héréditaires finirent par former une caste fermée — le recrutement extérieur étant en principe interdit. A la fin du XVIIe siècle, cette évolution trouva son accomplissement. Au regard de la loi, les concepts de *pomestie* et de *votchina* devinrent équivalents. Les deux types de biens étaient

Cavalier russe à la fin du XVIe siècle. L'armement apparaît primitif par rapport à celui qui se développait alors en Europe occidentale.

Le pouvoir du propriétaire terrien sur ses serfs se traduisait plus d'une fois par des châtiments à caractère sadique. Ces dessins sont dus à un voyageur étranger qui parcourut la Russie au XVIII*e.*

héréditaires, et il fallait servir l'Etat pour avoir le droit de les posséder.

Mais à la fin du XVIIe siècle, la cavalerie des *pomietchik* était devenue archaïque. Equipée comme celle des Tatars — le sabre constituant l'arme principale —, elle ignorait les techniques militaires modernes et la discipline. C'est d'ailleurs contre les Tatars, au sud et au sud-est, que la cavalerie russe avait remporté ses plus grands succès, tandis qu'elle avait essuyé des revers à l'ouest lors des guerres du XVIe siècle. Une réforme militaire s'imposait, et elle fut réalisée au XVIIe siècle. A la fin du XVIe siècle, cette cavalerie formait le quart des forces militaires. En 1681, elle représentait à peine 5% d'une armée dont les effectifs, il est vrai, avaient doublé.

Avant de perdre leur rôle militaire, les *pomietchik* avaient eu cependant le temps de grandement contribuer à l'asservissement des paysans russes.

Un paysan et sa femme. Porcelaine du XVIII*e siècle.*

Les années d'interdiction

C'est le grand-prince, plus tard appelé tsar, qui possédait le plus de *votchina*, mais l'Eglise avec ses couvents était le plus grand propriétaire terrien. Les familles princières qui s'étaient établies à Moscou et avaient gardé leurs domaines patrimoniaux disposaient aussi de beaucoup de biens. En principe, le grand-prince était maître de toutes les terres, mais il ne pouvait disposer d'une *votchina* que si son propriétaire en avait été dépossédé, par exemple pour haute trahison.

Le pouvoir central avait un droit d'usage plus étendu sur les *pomestie*, plus encore sur les domaines patrimoniaux du grand-prince lui-même et sur ce qu'on appelait la terre noire — celle que des exploitants tenaient directement du grand-prince. Ces agriculteurs pouvaient se retrouver possédants à la faveur d'une donation princière.

Le problème résidait non dans le manque de terre mais dans le manque de main-d'œuvre. Les exigences accrues des propriétaires et de l'Etat à l'égard des paysans ne constituaient pas un phénomène spécifiquement russe. En revanche, les possibilités de se réfugier dans des régions désertes étaient plus grandes en Russie qu'en Europe occidentale. Les possédants et les pouvoirs publics avaient donc de bonnes raisons de vouloir entraver la mobilité des paysans. C'était particulièrement le cas des *pomietchik* qui possédaient les plus petits domaines et devaient donc exploiter leurs paysans au maximum. En outre, ceux-ci risquaient de passer au service de propriétaires plus puissants qui offraient de meilleurs conditions.

Il ne s'agissait donc pas seulement et pas essentiellement d'exode vers des contrées lointaines, mais bel et bien de migrations entre les domaines d'une même région.

Longtemps avant que des lois privent les paysans de leur liberté de mouvement, ceux-ci avaient été liés à leurs maîtres par des dettes. Là encore, les grands propriétaires avaient un avantage certain. Ils pouvaient accorder des crédits plus importants, donc plus contraignants, et leurs agents battaient la campagne avec des bourses bien remplies pour rembourser les dettes des paysans à leur patron du moment, ce qui permettait de les débaucher. Aussi n'est-il nullement certain que les grands propriétaires aient été particulièrement intéressés par une législation interdisant la liberté de circulation paysanne.

Cette législation qui conduisit par étapes les paysans russes au servage s'amorça vers 1500 et fut parachevée cent cinquante ans plus tard. Deux moyens furent employés : on rendit plus difficile l'exode légal et on renforça le contrôle sur les migrations illégales.

Au début du XVIe siècle, la période pendant laquelle le paysan avait le droit de partir fut réduite à quelques jours pendant l'automne. Ces mesures se radicalisèrent. Tous les moyens furent bons pour empêcher les paysans de faire usage de leur droit, le plus efficace étant assurément de les maintenir enfermés pendant ces quelques jours.

Un nouveau pas fut franchi avec l'instauration des « années d'interdiction » au cours desquelles ce droit de départ fut entièrement suspendu. La première se situa en 1581, et, à partir de 1603, cette interdiction devint permanente. En revanche, le propriétaire terrien se vit reconnaître le droit de déplacer ses gens entre ses différentes exploitations. Progressivement, on en vint ainsi à considérer que les paysans étaient liés non à la terre mais à leur maître.

Un paysan ayant réussi à s'enfuir échappait à la juridiction de son maître après cinq ans. Au XVIe siècle, ce délai de prescription fut porté à 15 ans — avant de disparaître complètement. Ce durcissement eut pour corollaire que la recherche des paysans en fuite, jusqu'alors l'affaire du maître, devint celle de la police.

A la différence des esclaves qui existaient encore en Russie, les serfs avaient dans une certaine mesure le droit de se porter en justice, et le devoir de payer des impôts. Cependant, en pratique, ils étaient privés de recours légaux. Si un maître condamné au fouet envoyait un de ses serfs subir ce châtiment à sa place, celui-ci ne pouvait s'y opposer.

La concurrence pour se procurer de la main-d'œuvre aurait pu entraîner une amélioration de la condition paysanne. Au lieu de cela, elle conduisit au servage par le biais d'une législation destinée à protéger les petits propriétaires terriens.

Cet imposant boyard est Piotr Ivanovitch Potemkin, ambassadeur de Russie en Espagne à la fin du XVIIe siècle

Saints et boyards

L'emprise des Tatars sur la Russie puis les luttes pour s'en libérer marquèrent profondément la société russe, et plus encore le pouvoir central symbolisé par le prince. Les observateurs étrangers de la fin du XVIe siècle insistaient volontiers sur le côté despote oriental du souverain, et ils le comparaient au sultan ottoman.

Peut-être étaient-ils plus sensibles aux formes extérieures qu'aux réalités politiques. Toutefois, plusieurs siècles de domination mongole avaient nécessairement influencé les rapports entre le souverain et ses sujets. Il y avait d'ailleurs des familles tatares dans la classe des boyards moscovites.

De plus, le vieil isolement par rapport à l'Europe de l'Ouest subsistait du fait que les territoires russes étaient économiquement peu dépendants du monde extérieur, et qu'il existait peu de canaux par lesquels une influence intellectuelle et culturelle occidentale aurait pu s'exercer.

Les succès militaires renforcèrent le pouvoir absolu du prince, et plus encore la collaboration des souverains avec l'Eglise russe orthodoxe. L'expansion dans les anciens territoires tatars revêtait l'aspect d'une croisade contre les infidèles, et ce militantisme religieux liait étroitement le prince et l'Eglise — en Russie comme en Espagne. On a dit que les autocrates passaient en moyenne cinq heures par jour à l'église. Sans nul doute, ce tribut à la piété était politiquement payant.

Dès le XIVe siècle, Moscou était devenu le centre religieux de la Russie, et la ville fut dotée d'un patriarche en 1589, ce qui en faisait l'égale de Constantinople. Trente-neuf Russes furent canonisés en deux ans au cours de la décennie 1540-50, ce qui montre bien la position de l'Eglise russe orthodoxe. Cet intense esprit religieux donna à la « sainte Russie » une identité, mais renforça aussi son isolement.

Partout en Europe, des princes soucieux d'augmenter leur pouvoir luttaient contre des structures économiques et sociales figées qui faisaient directement obstacle à la

Croix en or et en argent du XVIIe siècle. Sur celle du haut, le Christ en relief est en or. L'envers de celle du bas présente des décorations gravées.

Un parement d'autel du début du XVIIe siècle.

mise en place d'un appareil d'Etat efficace. En Russie comme ailleurs, il y avait au moins deux obstacles évidents mais nullement irrémédiables : l'existence d'une élite aristocratique exigeant sa part d'influence politique, et l'absence d'une administration centrale organisée.

Les plus hautes charges étaient réservées à un groupe qui comptait 2.000 personnes dans la première moitié du XVIIe siècle et presque 7 000 vers 1700. A l'échelon inférieur, on trouvait une classe formée pour l'essentiel par les 25 000 *pomietchik*. Les *streltsy* qui servaient dans l'infanterie mise sur pied au XVIe siècle constituaient une catégorie subalterne de serviteurs de l'Etat.

En généralisant quelque peu, on peut dire que ces différentes classes, de la plus basse à la plus haute, étaient respectivement rémunérées par des salaires, par l'octroi de fiefs ou par l'attribution de biens héréditaires. Au milieu du XVIIe siècle, il n'y eut plus de recrutement extérieur pour les deux classes inférieures.

Un pays faiblement peuplé

D'après des informations datant de 1678, on peut évaluer la densité de population dans un certain nombre de provinces représentant différentes parties de l'empire russe.

Partie du royaume	Province	Densité par km²
Centre	Moscou	38,7
Sud-Ouest	Kiev	10,7
Ouest	Smolensk	9,0
Sud	Azov	4,2
Sud-Est	Kazan	2,1
Est	Sibérie	1,7
Nord	Arkangelsk	1,0

Quant à la couche supérieure, celle des boyards, elle était extrêmement mince. On l'évaluait à 62 familles en 1668. Leurs domaines ne semblent pas avoir été de la même ampleur que ceux de leurs homologues polonais. Rares étaient ceux qui possédaient plus de 1 000 paysans — au milieu du XVIIe siècle, la moyenne se situait autour de 500.

S'il y avait des parvenus parmi les boyards, la plupart étaient issus de familles princières, et ils entendaient être tenus pour les pairs du grand-prince.

Sur le plan politique, les boyards formaient la *douma*, le conseil du grand-prince, et ils estimaient naturellement que les hautes charges de l'Etat leur étaient dues.

L'élargissement de cette classe dirigeante est révélatrice de l'expansion de l'administration centrale. Mais expansion ne signifie pas nécessairement efficacité accrue. Certes, de nouveaux départements administratifs furent institués, mais de manière si chaotique qu'ils ne firent qu'embrouiller les choses avant les réformes de Pierre le Grand.

Ivan IV, « le Terrible » (1533-84). Portrait de 1572.

Ivan le Terrible

La terreur que fit régner Ivan IV à la fin du XVIe siècle et le « temps des Troubles » au début du XVIIe siècle marquent deux étapes particulièrement dramatiques dans la marche vers l'absolutisme en version russe.

Ivan IV (1533-84) n'avait que trois ans quand le trône lui échut. La période de régence fut marquée par les intrigues de cour et les manœuvres des aristocrates pour promouvoir leurs intérêts — comme pendant la minorité de Louis XIV cent ans plus tard.

Il fut déclaré majeur en 1547. Pendant les quinze ans qui suivirent, les décisions importantes furent prises par quelques proches du roi, non par la *douma* — selon un schéma classique à l'époque.

Les aristocrates de la *douma* perdirent également de leur influence avec la mise en place à partir de 1549 du *zemski sobor* — l'équivalent des parlements ou états généraux d'Europe occidentale. Une série de mesures plus ou moins dirigées contre les boyards furent adoptées : sou-

Boyards russes et marchands à la cour d'Autriche en 1576. Gravure sur bois de l'époque.

tien aux *pomietchik*, autonomie locale de gestion, abolition partielle du *mestnichestvo* — l'ordre des préséances réglant l'accès aux charges (voir encadré ci-contre) — et obligation de lever des troupes, y compris dans les domaines patrimoniaux.

Ces mesures furent impopulaires dans certains milieux. Cependant, pas plus que la dégradation de la condition paysanne et l'augmentation de la fiscalité, elles ne sauraient justifier le surnom de « terrible » accolé au nom d'Ivan — *grozny* en russe, qui d'ailleurs signifie plutôt « redoutable »

A cette période « normale » succédèrent deux décennies de terreur. Cette dégradation s'explique largement par la personnalité même du tsar. Sa méfiance congénitale prit des proportions pathologiques qui le rendirent imprévisible, brutal et sadique.

La méfiance d'Ivan n'était pas totalement dénuée de fondement. Sa politique intérieure dirigée contre les boyards suscita des résistances, mais aussi sa politique étrangère. Si les campagnes à l'est s'inscrivaient dans le modèle traditionnel des affrontements avec l'ennemi héréditaire, les guerres à l'ouest apparaissaient moins motivées.

L'ambition naissante de doter le royaume de ports dans la Baltique n'était nullement un but politique accepté par tous, d'autant que les efforts en ce sens n'avaient guère été concluants. Les boyards s'y montrèrent hostiles, et certains passèrent à l'ennemi. Et ces conflits au plus haut niveau avaient lieu au sein d'une société dont les ressources n'étaient pas à la hauteur des objectifs.

Après avoir menacé d'abdiquer en 1564, Ivan IV obtint le soutien du peuple pour instaurer un régime despotique ayant pour instrument les *opritchnik* qui furent bientôt au nombre de 6 000.

Ce corps servit de garde prétorienne, de police politique, et il fut même doté de tâches administratives.

Comme des cavaliers de l'apocalypse, les *opritchnik*, vêtus de noir et chevauchant des montures noires, semèrent la mort et la désolation dans tout le pays. Les suspects n'étaient pas les seuls à perdre la vie, les gens de leur entourage — parents, amis, serviteurs et paysans — étaient également assassinés ou exécutés.

Sur la base d'un simple soupçon de trahison, 60 000 personnes auraient été tuées à Novgorod. Sans avoir commis le moindre délit, 12 000 propriétaires terriens furent contraints de quitter leur domaine pour faire place aux *opritchnik*. Cette machine infernale finit par devenir autodestructrice quand des exécutions eurent lieu dans les rangs des *opritchnik*. Et dans un accès de fureur, le tsar tua son propre fils — celui qui aurait dû lui succéder. Ivan le Terrible mourut en 1584.

Le *mestnichestvo* en pratique

« Le prince D. M. Pozjarski avait un emploi inférieur à celui du prince B. Saltikov. Cela n'était pas déshonorant, puisque Pozjarski était apparenté au prince Romodanovski et de dignité égale à celui-ci au sein de la famille. Romodanovski avait été au service du prince M. Saltikov, lequel avait au sein de sa famille un rang inférieur à celui de B. Saltikov précédemment nommé. »

Cet exemple, tiré du livre de Jerome Blum, « Lord and Peasant in Russia », montre l'extraordinaire complication du système des préséances qui déterminait les priorités d'accès aux grands emplois. Les possibilités de carrière dépendaient d'une part du rang qu'on occupait dans sa propre famille, d'autre part de la position de celle-ci par rapport aux autres. Quiconque acceptait un emploi sous les ordres d'une personne occupant un rang inférieur dans la *mestnichestvo* se déshonorait, et il déshonorait toute sa famille.

Ce système donna naissance à d'innombrables contestations et empêcha la nomination aux grands emplois des personnes les mieux qualifiées. Il fut aboli en 1682 lorsqu'on brûla solennellement les listes de préséances.

Le « temps des Troubles »

Ces troubles commencèrent en 1598 quand Fédor Ier (1584-98), fils d'Ivan IV, mourut sans postérité. Une vieille dynastie s'éteignait.

Lors de son règne, le chaos intégral avait été évité grâce au fait que les boyards n'avaient pas eu le temps de s'organiser après les persécutions d'Ivan IV, et que même un prince faible comme Fédor était l'objet d'une adoration quasi religieuse en tant qu'héritier du trône de Riourik, le fondateur de l'Etat russe. En outre, le véritable maître du pays, Boris Godounov, beau-frère du tsar, gouvernait le royaume avec fermeté.

Celui-ci se fit lui-même proclamer tsar (1598-1605) par un *zemski sobor*. Ce boyard qui appartenait à une famille mongole était membre de plusieurs partis aristocratiques. L'opposition politique joua sur la méfiance populaire à l'égar d'un tsar qui avait obtenu son titre par élection et non par héritage.

Selon la propagande politique hostile à Boris Godounov, un parvenu devenu tsar (1598-1605), celui-ci aurait fait assassiner Dimitri, le fils d'Ivan IV. Sur cette icône, on voit les meurtriers fuir le lieu du crime. Dimitri est déjà paré d'une auréole — un honneur que, selon beaucoup, il n'aurait nullement mérité.

Les Romanov allaient occuper le trône de Russie pendant plus de trois siècles. Ici, de gauche à droite, les trois premiers souverains de la dynastie, Michel I (1613-45), Alexis (1645-76) et Fédor III (1676-82).

En 1591, la mort de Dimitri, fils d'Ivan IV, avait suscité des rumeurs selon lesquelles il aurait été assassiné à l'instigation de Boris. Simultanément, mauvaises récoltes et disettes entraînaient une agitation sociale croissante.

En 1605, une petite armée venue de Pologne envahit la Russie. A sa tête se trouvait un homme qui affirmait être le prince Dimitri, miraculeusement réchappé de la tentative d'assassinat dirigée contre lui. Ce premier faux Dimitri — il y en aura deux autres — fut reconnu authentique par la mère du défunt. Il devint tsar en 1605, après la mort de Boris Godounov et l'assassinat de l'épouse et du fils de celui-ci.

Dès lors, Dimitri avait rempli la fonction que les boyards attendaient de lui, et ils se débarrassèrent très vite de lui pour mettre un des leurs sur le trône, Vassili Chouiski (1606-10).

Les changements fréquents de souverains affaiblirent encore plus le contrôle du pouvoir central sur la population. Aux luttes entre boyards s'ajoutèrent émeutes et révoltes locales.

Un ancien esclave, Ivan Bolotnikov, recruta dans les classes populaires une armée qui assiégea Moscou en 1606 pour réclamer un nouvel ordre social. Bien entendu, cette exigence effaroucha d'autres groupes de mécontents, et cette première révolte prolétarienne russe échoua.

Effrayés par ces forces explosives, des groupes de boyards commencèrent à chercher appui à l'étranger. Les Polonais et les Suédois se montrèrent les premiers intéressés. Lorsque Vassili fut chassé en 1610, le trône fut proposé d'une part à Charles-Philippe, le frère cadet de Gustave II Adolphe, d'autre part à Ladislas, fils du roi de Pologne.

L'ingérence de ces troupes étrangères qui en outre dévastaient et pillaient le pays renforça la xénophobie des populations et entraîna la recrudescence de l'agitation sociale. Signe d'échec de la politique traditionnelle des boyards, un *zemski sobor* fut convoqué en 1613 pour élire un tsar, et même des paysans y siégèrent. La fraction au pouvoir ne pouvait plus s'offrir le luxe d'être divisée. Le choix se porte sur Michel Romanov, âgé de 16 ans — le premier d'une longue lignée qui allait occuper le trône de Russie jusqu'en 1917.

Un voyage d'étude

Le mois d'août 1697 fut tumultueux dans la ville hollandaise de Zandam. Un Russe, Pierre Ivanovitch, y avait débarqué le dimanche 19, et, dès le lundi matin, il avait acheté des outils et s'était installé au chantier naval pour y travailler comme charpentier. Tant de curieux s'étaient assemblés pour regarder l'étranger que l'ordre public en fut troublé. Celui qui suscitait cet intérêt y fut aussi pour quelque chose, qui fit le coup de poing pour se dégager des pires importuns.

Cet homme n'était autre que le tsar Pierre Ier dont le pseudonyme transparent n'avait pu préserver l'incognito. Ce séjour s'inscrivait dans un voyage d'étude d'un an et demi en Europe. Il avait déjà espionné les fortifications suédoises à Riga et s'était initié en Prusse à l'art de l'artillerie auprès d'un expert. Il allait ensuite se rendre à Vienne et à Dresde. Mais le grand moment de ce voyage fut la visite des deux puissances maritimes, la Hollande et l'Angleterre, où il séjourna longuement pour s'initier à la théorie et à la pratique de la construction navale.

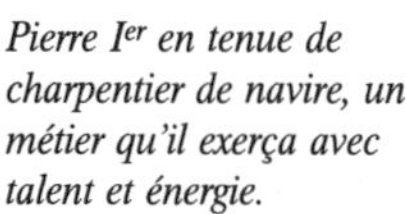

Pierre Ier en tenue de charpentier de navire, un métier qu'il exerça avec talent et énergie.

C'est dans cette maison que Pierre Ier essaya vainement de dissimuler son identité lors de sa visite en Hollande.

Trois tsars

Les trois premiers Romanov qui se succédèrent de 1613 à 1682 — Michel, Alexis et Fédor III — ne semblent pas avoir été des souverains particulièrement énergiques.

Si Michel avait été choisi, c'est qu'il était apparenté à l'ancienne dynastie princière et qu'il était trop jeune pour être politiquement compromis. Le véritable maître du royaume fut son père, le patriarche Philarète, ce qui renforça la collaboration entre l'Etat et l'Eglise.

La médiocrité des tsars, largement attestée, n'empêcha pas l'évolution vers un puissant appareil d'Etat quand le « temps des Troubles » prit fin. L'abrogation du vieux système de nomination aux charges officielles et les lois officialisant le servage ont déjà été mentionnées. Ajoutons que le *zemski sobor* ne fut plus convoqué après 1653, et que l'administration locale fut à nouveau placée sous le contrôle tatillon du pouvoir central.

En Russie comme en Occident, l'absolutisme se heurta à des problèmes ecclésiastiques. Ceux-ci commencèrent au milieu du XVIIe siècle lorsqu'un mouvement réformiste voulut moderniser l'Eglise russe, notamment en corrigeant les écritures saintes qui avaient été altérées par des copistes ignorants. Bien que ce mouvement ne s'attaquât pas aux dogmes, il suscita une violente résistance, et les « vieux croyants » rompirent avec la communauté. Ils furent persécutés par l'Etat qui ne pouvait tolérer les scissions idéologiques, mais cela n'empêcha pas cette secte de subsister jusqu'à nos jours.

En Russie aussi, la centralisation avait pour but la constitution d'une importante force militaire. Les guerres à l'ouest sous Ivan IV et ses successeurs avaient montré qu'il fallait moderniser l'armée en matière d'organisation, d'équipement et de tactique. Il en coûta autant en Russie qu'ailleurs, et il fallait faire vite pour ne pas se trouver dépassé.

Les paysans eurent à porter le plus lourd fardeau, et les réactions ne manquèrent pas. Une révolte dirigée par le cosaque Stenka Razin éclata en 1670. Par son ampleur, elle rappelait la grande insurrection qui s'était déclenché lors du « temps des Troubles », mais elle fut réprimée.

Cette modernisation commença à porter ses fruits dans les guerres contre la Pologne. Quelque cinquante ans plus tard, la Russie recouvra des territoires qu'elle avait perdus au début du XVIIe siècle. Et lorsque les cosaques d'Ukraine renoncèrent à la semi-liberté que leur accordait la Pologne pour se placer sous la protection du tsar, ce fut un grand succès.

Pierre Ier, le révolutionnaire

Pierre Ier (1682-1725) n'avait que 10 ans quand il devint tsar. Au début, les intrigues des boyards se donnèrent libre cours, et le pays fut alternativement dirigé par deux femmes, Nathalie et Sophie, respectivement mère et demi-sœur du souverain. Pierre ne commença vraiment à régner que quand sa mère mourut en 1694.

S'il n'était pas le seul à estimer que la Russie devait s'adapter au modèle occidental, cette opinion demeurait cependant très minoritaire. Certes, les bases existaient, beaucoup de réformes étaient en germe, mais elles furent alors mises en chantier de manière conséquente, pour ne pas dire brutale. Il fallait un autocrate, et un autocrate sachant où il allait, pour imposer cette rupture avec les traditions de la sainte Russie.

Lorsque le tsar parcourut l'Europe en 1696-97, ce fut un événement inouï, et la majorité conservatrice s'alarma fort des desseins du souverain — étudier l'Europe occidentale moderne et se procurer des experts. Ce voyage fut l'une des raisons subsidiaires de la révolte des *streltsy*, rapidement et brutalement écrasée, en 1697.

Bien entendu, les réformes visaient avant tout à accroître le potentiel militaire. La nouvelle armée eut pour modèle trois régiments d'élite que Pierre avait commencé à recruter et à exercer dès son plus jeune âge.

Le règne personnel de Pierre Ier ne connut que 13 mois d'affilée sans guerres. Il est certain que celles-ci hâtèrent la modernisation de l'armée, notamment après les premiers revers essuyés contre la Suède. Soldats et marins furent levés au sein des masses paysannes, mais il fallut initialement recruter des officiers étrangers, notamment

Les Russes remportent sur les Suédois la victoire de Poltava le 27 juin 1709. Ici, le régiment de la garde se rue à l'assaut.

Médaille de bronze commémorant l'écrasement des troupes de Charles XII à Poltava en 1709.

En tant que tsar fraîchement émoulu, Pierre put à l'âge de 11 ans jouer à la guerre avec de vrais soldats. Les tirs n'étaient pas simulés, et il y eut de nombreux morts.

Sur cette gravure sur bois de l'époque, le tsar Pierre coupe la barbe d'un boyard — geste symbolique traduisant le désir d'introduire en Russie des manières occidentales.

allemands, en attendant de pouvoir les remplacer par des autochtones.

Les nobles russes appelés à remplir cette fonction devaient commencer leur instruction comme simples soldats dans les gardes royales. Le tsar donna lui-même le bon exemple en pratiquant les différentes armes à partir des grades les plus bas. Il ne se décerna le titre de général qu'après avoir réussi son coup de maître — la victoire de Poltava en 1709.

La marine, son véritable enfant chéri, lui permit de réaliser un de ses rêves d'enfant. A son accession au trône, il n'existait qu'un navire de guerre ; à sa mort, la Russie en comptait 48 de grande taille, et 780 moins imposants. Ensuite, le niveau déclina rapidement.

Les besoins de la défense eurent aussi un retentissement sur le développement des manufactures. La moitié des entreprises d'Etat — plus de deux cents — étaient directement orientées vers la production de matériel de guerre. La main-d'œuvre était constituée de paysans attachés aux terres de la Couronne. La Russie put produire elle-même toutes les armes à feu dont elle avait besoin, et elle allait bientôt pouvoir exporter du fer.

En 1702-03, la machine de guerre absorba les trois quarts des revenus de l'Etat, et en 1705 presque tout. Simultanément, les recettes de l'Etat doublèrent entre 1680 et 1701, et triplèrent ensuite jusqu'à l'année 1724.

Gardien de cochons et procureur général

Un historien russe du XIXe a donné quelques exemples significatifs de la manière non conventionnelle dont Pierre Ier choisissait ses collaborateurs.

1. De Vière, chef de la police à Saint-Pétersbourg, était arrivé en Russie comme mousse sur un navire portugais.
2. Selon des rumeurs persistantes, le procureur général du sénat, Jagouzinski, aurait gardé des cochons en Lituanie.
3. Le vice-chancelier Shafirov avait commencé comme commis de magasin.
4. Le vice-gouverneur d'Arkangelsk, Kourbatov, avait été esclave domestique.
5. Osterman, qui allait devenir ministre des Affaires étrangères, était le fils d'un pasteur allemand.
6. Prince, général en chef, et, après la mort du tsar, maître véritable de la Russie, Menchikov avait commencé sa carrière, disait-on, comme marchand de pâté russe dans les rues de Moscou.

On peut aussi mentionner Catherine, d'extraction modeste, qui devint l'épouse de Pierre Ier puis régna elle-même comme tsarine (1725-27).

En procédant à de telles nominations, Pierre Ier manifestait son souci d'efficacité et son dédain d'autocrate pour les traditions aristocratiques.

Une principauté qui devint un empire. L'expansion géographique de la Russie entre 1462 et 1750.

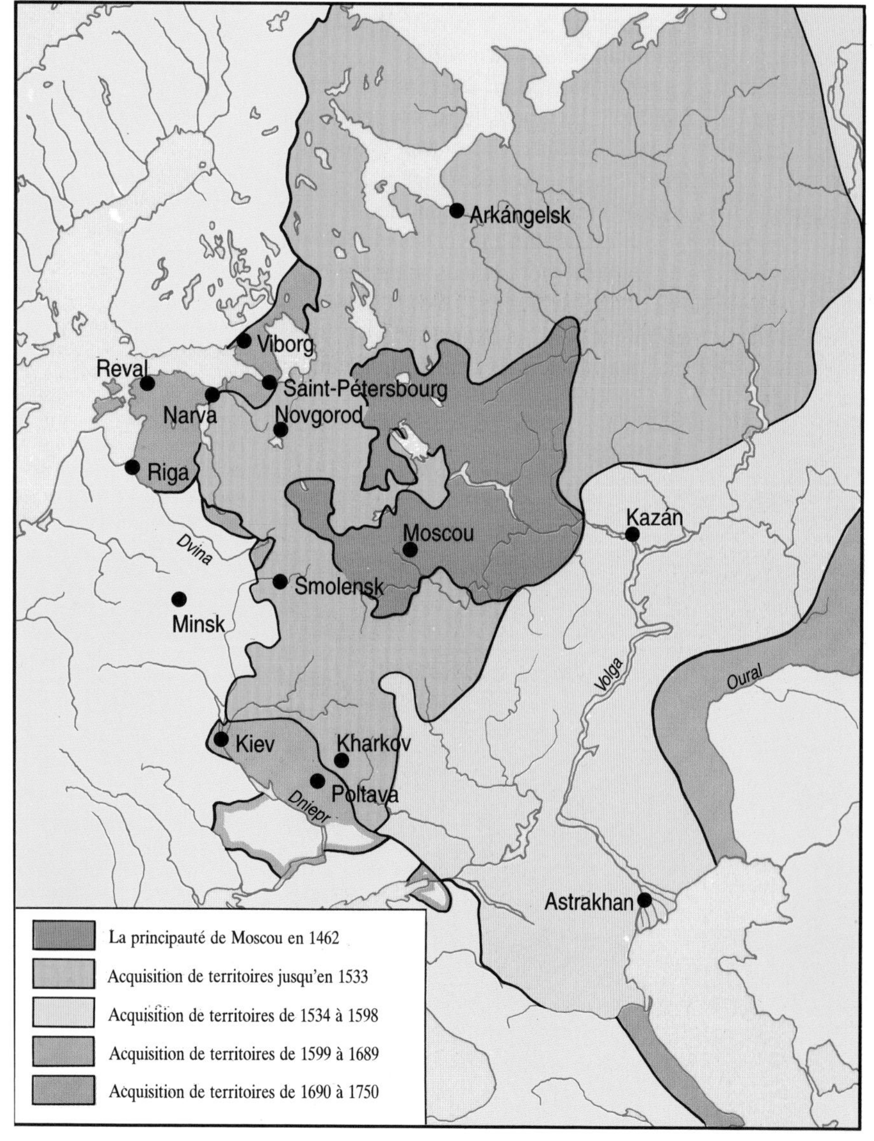

Pierre Ier et la société

Pour mener à bien ces réformes coûteuses, il fallait que les dirigeants aient solidement en main la société tout entière. Il n'y avait pas de résistance permanente à attendre des paysans qui formaient la masse du peuple. A la merci des propriétaires terriens, ils ne réagissaient que sporadiquement sous forme de révoltes vouées à l'échec. Et l'assemblée parlementaire, le *zemski sobor*, s'était éteinte un demi-siècle auparavant.

Telles étaient les bases d'un absolutisme qui voulait donner à la société et à l'Etat un cachet occidental mais qui demeurait fondamentalement une autocratie russe.

La *douma* des boyards fut refoulée en 1711 par un Sénat de 9 ou 10 membres nommés par le tsar et dont les décisions n'étaient valables qu'après la signature du roi.

L'Eglise, foyer de résistance aux réformes, fut placée en 1721 sous l'autorité d'un collège — depuis 1700, la charge de patriarche était vacante. L'Etat voulait incorporer l'Eglise à son système bureaucratique, comme dans les pays luthériens.

L'administration centrale fut rationalisée. Les 50 vieux départements administratifs furent remplacés en 1717 par neuf collèges aux attributions précises, sur le modèle suédois. On tâcha d'étendre ces mesures à l'administration des provinces, ce qui eut pour effet durable un contrôle accru des régions périphériques du royaume.

Outre le soutien aux manufactures privées et la création de manufactures d'Etat, les mesures destinées à assurer une gigantesque base de recrutement pour les emplois publics marquèrent cette volonté de restructurer la société.

A l'âge de 16 ans, tous les jeunes gens nobles étaient appelés. Répartis entre les administrations civile et militaire, ils y étaient liés à vie et devaient conquérir leurs grades. Pour éviter toute dérobade, le morcellement des terres par héritage fut interdit, les fils cadets n'ayant dès lors d'autre issue que de servir l'Etat.

Autre exemple de ce désir d'élargissement, on donna en 1722 la possibilité à des roturiers doués d'être anoblis en fonction de leurs états de service dans la fonction publique.

D'autres réformes comme l'introduction du calendrier occidental ou la taxe imposée aux porteurs de barbe peuvent paraître futiles, mais on y perçoit une volonté de changer les vieilles habitudes et de rendre la société plus réceptive aux idées venues de l'Ouest.

Le régime politique russe — une autocratie représentant une variante de l'absolutisme — donnait au tsar des droits illimités sur la vie et les biens de ses sujets.

En Russie, même des aristocrates pouvaient être condamnés au fouet, une sanction jugée partout ailleurs si humiliante qu'elle était réservée aux basses classes. D'ailleurs, les théoriciens politiques de l'Europe d'alors estimaient que la Russie était un régime non pas monarchique mais despotique. Son fondement était la terreur, à l'inverse de la monarchie qui reposait sur l'honneur — autrement dit la reconnaissance de l'aristocratie et de ses libertés.

Le pouvoir illimité du tsar était une chose, l'efficacité de l'appareil d'Etat une autre. Avant Pierre Ier, celui-ci fonctionnait tant bien que mal pour assurer les ressources nécessaires à l'armée. Les réformes de Pierre Ier visèrent à en augmenter l'efficacité sur le modèle occidental sans toucher aux principes sur lesquels reposait le pouvoir du tsar.

Les héritiers de Pierre Ier

Pour maintenir ces réformes dans une société récalcitrante, il aurait fallu disposer des mêmes pouvoirs que Pierre Ier. Ce ne fut pas le cas de ses successeurs immédiats, à cause notamment d'obscurs problèmes d'héritage. En ce qui concerne la direction des affaires de l'Etat, la période qui s'écoule entre la mort de Pierre le Grand et l'accession au trône de Catherine II (1763) ressemble à une parenthèse.

Dans ces circonstances, la noblesse put faire table rase des réformes de Pierre Ier qui la concernaient directement. Des terres furent à nouveau attribuées sans qu'y fût liée l'obligation de servir. En 1731, les nobles obtinrent le droit de commencer leur carrière à un rang plus élevé que les roturiers. Peu avant 1760, ces derniers se virent privés de toute possibilité d'anoblissement en fonction de leurs états de service.

Simultanément, tous les roturiers qui possédaient des serfs reçurent ordre de les vendre, puisque la possession de terres était un privilège nobiliaire. La loi interdisant le morcellement par héritage ne fut jamais réellement appliquée.

L'augmentation des droits de la noblesse entraîna corrélativement la diminution de ceux des serfs. Dans le code pénal de 1754, ceux-ci n'apparaissaient plus que sous la rubrique « Propriété nobiliaire ».

La réaction pouvait sembler avoir tué les réformes, mais en même temps, les idées occidentales dont Pierre Ier avait été le parrain se répandirent de plus en plus. Et les succès sur la scène internationale qui avaient forcé le respect de Frédéric II reposaient sur les réformes militaires accomplies du temps de Pierre le Grand.

Cette gravure sur bois, « Les rats enterrent le chat », évoque les conditions chaotiques qui, après la mort de Pierre Ier, permirent aux adversaires des réformes du tsar d'avoir les mains libres.

La couronne de Pierre Ier est ornée d'un grand nombre de diamants grossièrement taillés. Sous la croix, un rubis non taillé. Peut-être peut-on y voir un symbole de la personnalité du tsar.

Conclusion

L'évolution de l'agriculture, du commerce et des manufactures qui jusqu'à 1750 s'était accomplie sous l'impulsion de la Hollande et de l'Angleterre s'avéra riche de conséquences pour le monde entier, et d'abord pour le reste de l'Europe.

De vieux centres économiques florissants avaient périclité au profit des deux grandes puissances maritimes, et l'Atlantique avait supplanté la Méditerranée comme voie royale du commerce international. En outre, la sphère économique de l'Europe du Nord-Ouest englobait désormais de nouveaux territoires à l'est.

En Europe occidentale, ces transformations avaient accéléré la libération des paysans, leur affranchissement juridique à l'égard des propriétaires terriens. Ce processus impliquait aussi la disparition entre maîtres et paysans des anciennes relations personnelles, celles-ci étant remplacées par des liens économiques qui s'avérèrent particulièrement funestes pour les plus pauvres des ruraux.

En Pologne et en Prusse, les mêmes lois économiques avaient entraîné des conséquences inverses. Les paysans, libres du temps de la colonisation, avaient été progressivement asservis par des propriétaires terriens à la recherche de bénéfices à l'exportation. Il en alla de même en Russie, mais hors de toute influence directe de l'économie occidentale.

En 1750, le capitalisme en tant que système économique demeurait encore dans les limbes, y compris en Grande-Bretagne. Mais si l'on entend par capitalisme une conception nouvelle de la finalité des activités humaines, il est certain que l'Europe de l'Ouest avait à cette date fait un grand pas dans cette direction. Nombre d'institutions et d'idées traditionnelles étaient en train de s'effondrer.

La Réforme et la Contre-Réforme y avaient contribué, bien que l'une et l'autre se soient figées en dogmatisme. La révolution scientifique avait également produit un choc qui préparait les esprits à une nouvelle conception du monde. Dans aucun de ces domaines, l'Angleterre et la Hollande ne jouèrent un rôle aussi prépondérant qu'en matière économique, et surtout qu'en matière politique. Aussi bien la république hollandaise que le parlementarisme britannique s'écartaient du modèle alors dominant en Europe, l'absolutisme.

Quels que fussent leur rayonnement et leur pouvoir, le Roi Soleil à Versailles et autres têtes couronnées moins brillantes sont surtout intéressants comme symboles d'un certain type d'administration chargée de collecter de plus en plus d'argent pour les guerres tout en modifiant le moins possible l'ordre social. Sans cesse en quête de moyens financiers, les gouvernements voyaient d'un bon œil les activités des négociants et des entrepreneurs qui étaient sources de ressources fiscales.

Mais l'absolutisme ne donna pas d'influence politique à ces groupes dynamiques. Ils allaient devoir conquérir eux-mêmes l'appareil d'Etat pour le mettre ensuite au service de l'économie de marché.

Postface

par le professeur Emmanuel Le Roy Ladurie

Qu'était donc, selon la perspective de l'œuvre qu'on va lire, le *Discours sur l'histoire universelle*, paru en 1681, voici trois gros siècles, au gré d'un auteur catholique certes doué, comme fut Bossuet ? Qu'était cette *Histoire* (sainte) dès lors qu'on la confronte avec les vues qu'entretient une équipe essentiellement « protestante », du moins au sens culturel de cet adjectif ; cette équipe qui nous vient maintenant des pays scandinaves, et dont on apercevra les trouvailles et la pensée parmi les quelques volumes ci-après. De l'avis de « l'aigle de Meaux », tout commençait, la chose va de soi, par *Adam* (et Eve) ; et sur ce point il y aurait accord, sans aucun doute, accord à tout le moins symbolique, entre nos protestants natifs du grand Nord de la fin du XXe siècle et les papistes du grand Sud gallican et latin... du XVIIe siècle. Le couple des parents adamites, et plus encore sa progéniture Caïn, le meurtrier criminel, incarnaient au moment de la pichenette initiale les problèmes de la culpabilité de base et l'illustre théorie du péché originel. Théorie si sotte ? Il demeure évident (et l'on s'en rendra compte en lisant le présent ouvrage) que l'être humain se comporte maintes fois comme une « sale bête » envers ses semblables. L'homme a inventé ou pour le moins il a développé la violence intraspécifique, autrement dit l'agression d'une personne humaine contre un être de même espèce. Les animaux, en revanche, se satisfont généralement de violences interspécifiques : les loups mangent les moutons, ils ne se mangent pas entre eux.

Notons en italique les étapes essentielles du *Discours* de 1681, marquées par quelques noms propres : Abel dûment assassiné, Bossuet, sans désemparer, n'a plus qu'à enfiler la suite des temps : il évoque d'abord le *Déluge* ; il s'agit, nous le savons maintenant, d'un vieux mythe babylonien, greffé sur les traditions hébraïques ; attestant ainsi le rôle essentiel, à tous points de vue, du Moyen-Orient « profond » dans l'élaboration des cultures judéo-chrétiennes, tant religieuses que littéraires. Et puis surgit, sous la plume « bossuétienne », *Abraham*. Autrement dit, dans la foulée, la double naissance des fils de ce prophète : celle des Juifs, une fois de plus ; et celle des Arabes. Abraham incarnant aussi une transition culturelle de haut niveau : elle implique l'abandon des sacrifices humains, à commencer par celui d'Isaac ; heureusement remplacés par les holocaustes d'animaux (1), et cela en attendant l'hostie chrétienne, simple morceau de pain, comme équivalent symbolique de l'être sacrifié ; le tout atténuant ou supprimant l'horreur sanguinaire du sacrifice humain ou animal de type archaïque. D'Abraham, l'évêque briard s'envole jusqu'à *Moïse*, législateur-fondateur, prototype de quelques personnalités législatrices de calibre homologue, sinon équivalent, depuis Solon et Lycurgue jusqu'à de Gaulle, en passant par George Washington. La prise de *Troie* chronologiquement succède à Moïse dans les longues séries du *Discours* ; elle représente, au long terme, une victoire de l'hellénisme pur et dur, matriciel d'un libre avenir, à l'encontre d'une Anatolie volontiers tyrannique. La fondation de *Rome* prélude ensuite à la notion fondamentale « d'imperium », qui se tiendra au cœur de nos conceptions des souverainetés de l'Etat moderne. L'empereur-roi *Cyrus*, pour sa part, ouvre son peuple à la tolérante acceptation du judaïsme, au sein de civilisations orientales qui lui étaient, préalablement, extérieures, hétérogènes. Tolérante acceptation qui deviendra synthèse unificatrice à l'époque plus tardive de saint Paul, métisseur des cultures antiques et judaïques. Cyrus se situe aussi, dans la longue durée, en pleine période « axiale », au milieu du dernier millénaire avant Jésus-Christ, époque féconde en idéologies universalistes. Il suffit de songer, en l'occurrence, à Socrate, Bouddha, Confucius et Lao-Tseu, typiques en effet, comme Cyrus, de cette phase axiale et médiane lors de l'ultime millier d'années préchristiques. Enfin la naissance de *Jésus*, située tautologiquement au début de notre ère, est bien l'annonce des temps nouveaux, pour tous les hommes si l'on en croit Bossuet ; à coup sûr pour une portion très nombreuse du genre humain.

Nos auteurs scandinaves ne prétendent point atteindre à la perfection stylistique de l'œuvre du prélat louis-quatorzien ; mais leur démarche, au dernier quart du XXe siècle, est forcément plus ample que la sienne. Bossuet négligeait l'histoire de la Chine parce que, disait-il honnêtement, « elle n'est pas encore assez éclaircie ». Mais pour nos historiens de Suède, du Danemark et de Norvège, les Asiatiques, bien sûr, mais aussi les Mayas, les Aztèques, les Africains sont dorénavant sans mystère.

Le gros ouvrage que nous introduisons ici-même, plus nuancé en cela que le *Discours* de 1681, part de l'émergence de *l'homo sapiens*, pour aboutir à marches forcées dans l'une des premières étapes, au néolithique, à l'invention de l'agriculture, à l'âge des métaux. Autant dire qu'émergent le moment venu, sur cette base, les empires ainsi que les réflexions et interventions *ad hoc* relatives à l'organisme social ; autant dire qu'on est d'entrée de jeu affronté à la mise en place des trois fonctions humaines, séparées et fondamentales ; fonctions afférentes à ceux qui cultivent la terre, à ceux qui font la guerre, à ceux enfin qui savent et qui prient ; *laboratores, bellatores, oratores*. Georges Dumézil, apôtre de la mythologie comparée et de la haute érudition indo-européenne a noirci des milliers de pages passionnantes sur ce point. Mon maître Fernand Braudel, en ce qui les concernait, affirmait volontiers : « Dumézil n'a jamais eu que trois idées dans sa vie : la première fonction, la deuxième fonction, la troisième fonction. » Peut-être bien ! Mais que celui qui a eu dans sa vie plus de quatre idées importantes et qui a su les développer avec l'étourdissante verve dumézilienne jette la première pierre à l'illustre mythologue eurasiatique. En tout état de cause, les ethnologues, à l'instar d'Ernst Gellner, préfèrent de nos jours aller au-delà de l'indo-européisme strict cher à Dumézil ; ils présentent volontiers le trifonctionnalisme des *aratores, bellatores, oratores* comme l'apanage *universel* des grandes civilisations nées dans l'Ancien comme dans le Nouveau Monde, à partir du développement de base des structures agraires. Sur ces fondements, ruraux et pourtant culturels, on a vu croître et embellir un peu partout les constructions hiérarchiques, poussant jusqu'aux démesures les stratifications horizontales et verticales, celles des classes, des groupes humains, des sous-groupes, voire des castes ; les unes et les autres découlant d'une vision sacralisée du social, à base religieuse ; excluant aussi hors d'elles-mêmes, à titre collectif ou individuel, un certain nombre de personnes ou de collectivités plus ou moins maudites, considérées comme impures ; invitant avec fermeté ceux qui n'apprécient point de tels usages à trouver refuge dans la paix du renoncement, de l'ascétisme, du retrait monacal fort loin de ce monde d'ici-bas. Quant aux développements très ultérieurs de l'humanité globale, postérieurs selon le cas aux années 900, 1500 ou 1900 de notre ère, et qui tiennent à l'occidentalisation finale du monde, à commencer par celle de l'Occident lui-même, faut-il attribuer de tels avatars « progressistes », dans l'étude toujours difficile des causes, aux libertés incontestables qu'octroie le féodalisme, tant européen que japonais ? Ou à l'auto-limitation des pouvoirs qu'entraîne, dans le monde chrétien, la barrière qui s'instaure d'ancienneté entre l'État et les Églises *(Rendez à César ce qui est à César et à Dieu ce qui est à Dieu)* ; ou bien doit-on invoquer, à ce propos, les vertus roboratives et procapitalistes du calvinisme, exaltées par les idéologues protestants, qu'ils soient allemands (Max Weber) ou anglo-saxons, au point qu'on finit par oublier que Calvin est d'origine française ; ou bien faut-il mettre en cause le fécond pluralisme concurrentiel entre les États européens ; ou l'émergence, dangereuse et pourtant positive, de la nation moderne ? Ou encore, *last but not least*, le développement de la science... Un peu de tout cela sans doute, conclut avec une douceur œcuménique Ernst Gellner. L'occidentalisation du monde, d'une façon générale, n'est ou ne fut qu'une nouvelle préface aux fantastiques essors actuels de l'humanité, se dirigeant invinciblement vers les dix milliards d'âmes pour les premiers siècles du troisième millénaire ; une humanité qui a perdu quelques-unes de ses marques, déboussolée du concept de progrès ; assurée pourtant d'une chose : à savoir qu'elle avance, vers un Futur que domineront ou se disputeront les vieux dieux du fanatisme cultuel, les divinités de la Guerre toujours présentes, et les Déesses-mères d'une technologie d'avant-garde, tantôt oppressive, tantôt libératrice, le tout sur un fond de triomphe assez général de la Science, de l'égalitarisme et de la démocratie, celle-ci éventuellement corrompue.

L'optimisme scientiste quelque peu naïf de Jules Verne et de Victor Hugo a certainement vécu. Mais il n'y a point de raison fondamentale pour se lamenter en chœur sur les lendemains qui déchantent. Le pire, à commencer par la guerre nucléaire, n'est pas toujours sûr. Et la disparition récente des totalitarismes de l'Est, même « déroulée » dans de mauvaises circonstances, a prouvé ce qu'on avait fini par oublier : les régimes oppressifs n'ont qu'un temps ; il leur arrive un jour ou l'autre de céder la scène à des systèmes parfois inefficaces, mais certainement plus ouverts que n'étaient leurs prédécesseurs.

Emmanuel LE ROY LADURIE

(1) Nous prenons ce mot holocauste, dans son sens sacrificiel et biblique traditionnel, sens antérieur aux significations beaucoup plus tragiques qu'a pris ce mot plus récemment, en liaison avec la « Shoah ».

Index
des noms de lieux et de personnes

Un index complet figure dans le volume XVI.
La lettre B après un numéro de page renvoie à la légende d'une illustration, la lettre R à un encadré. Les mentions f et ff indiquent qu'il faut également consulter la ou les pages suivantes.

A

B

C

D

E

F

G

H

I

J

K

L

M

N

O

P

Liste des illustrations